TEN OOSTEN VAN DE ZON

Julia Gregson

Ten oosten van de zon

VAN HOLKEMA & WARENDORF
Unieboek BV, Houten/Antwerpen

Oorspronkelijke titel: *East of the Sun*
Vertaling: Erica Feberwee
Omslagontwerp: Wil Immink
Omslagfoto Landschap: Travelstock 44/LOOK-foto
Omslagfoto handen: Kharidehal Abhirama Ashwin/Shutterstock
Opmaak: ZetSpiegel, Best

Tweede druk, 2009

www.unieboek.nl

ISBN 978 90 475 0805 2 / NUR 302

© Julia Gregson, 2008
© Nederlandstalige uitgave: Uitgeverij Unieboek bv, Houten, 2009
Oorspronkelijke uitgave: Orion Books, an imprint of The Orion Publishing
Group Ltd.

Voor Richard, met liefde

1

Londen, september 1928

Jonge vrouw, achtentwintig, betrouwbaar, dol op kinderen, bekend met India, zoekt werk als chaperonne van Tilbury naar Bombay, in ruil voor de helft van de reiskosten.

Het leek Viva Holloway bijna een vorm van magie toen ze, vijf dagen na het betalen van drie shilling en sixpence voor een advertentie in het septembernummer van *The Lady*, de tearoom van het Londense warenhuis Derry & Toms betrad, waar ze had afgesproken met haar eerste potentiële opdrachtgever, een zekere mevrouw Jonti Sowerby uit Middle Wallop, Hampshire.

Ter ere van die afspraak had Viva haar gebruikelijke uitmonstering van een geleende zijden bloes of japon, gecombineerd met vondsten van de rommelmarkt, afgezworen en zich gehuld in het door haar verafschuwde mantelpak van grijze tweed dat dateerde uit haar – kortstondige – carrière als typiste. Haar dikke, donkere haar – met een sterke neiging tot rebelsheid – had ze nat gemaakt en strak naar achteren getrokken in een kleine knot.

Toen ze de tearoom betrad, waar beschaafd en op gedempte toon werd geconverseerd en waar een pianist zacht improviseerde achter een vleugel, stond aan een van de tafeltjes een kleine, broodmagere vrouw op om haar te begroeten. Ze droeg een uitzonderlijke, blauwe hoed – een soort gekooide vogel met een blauwe staartveer. Naast haar zat een mollig meisje dat geen woord zei en dat door mevrouw Sowerby tot Viva's niet geringe verbazing werd voorgesteld als haar dochter Victoria.

Beide vrouwen waren omringd door een zee van pakjes. Mevrouw Sowerby stelde voor een kop koffie te drinken. Helaas zonder iets erbij, dacht Viva. Ze had sinds het ontbijt niets meer gegeten, en onder de glazen stolp op de toonbank prijkten scones en een walnotentaart die haar het water in de mond deden lopen.

'Ze ziet er wel erg jong uit,' klaagde mevrouw Sowerby ·tegen haar dochter, alsof Viva er niet bij was.

'Mammie,' protesteerde het meisje op gedempte toon, toen keerde ze zich naar Viva. Ze had prachtige ogen, was het eerste wat Viva opviel: reusachtig en opvallend donkerblauw, bijna de kleur van korenbloemen. Het spijt me, ik kan er niets aan doen, zeiden die ogen.

'Het spijt me, liever, maar het ís zo.' Onder haar verbijsterende hoed had mevrouw Sowerby haar lippen getuit. 'Ach kindje, wat een onmogelijke situatie.'

Daarop richtte ze zich op afgemeten toon tot Viva. Victoria vertrok op korte termijn naar India, vertelde ze, om bruidsmeisje te zijn bij het huwelijk van haar beste vriendin Rose, die – op dit punt kreeg haar stem een onmiskenbaar opschepperige klank – 'gaat trouwen met kapitein Jack Chandler van de Third Cavalry. Het huwelijk wordt gesloten in St.-Thomas's Cathedral in Bombay.'

De chaperonne die ze in dienst hadden genomen, een zekere mevrouw Moylett, had het op het laatste moment laten afweten – het scheen dat ze zich volkomen onverwacht had verloofd met een veel oudere man.

Viva zette haar kopje neer en trok haar – naar ze hoopte – meest verantwoordelijke gezicht. Ze las een zekere wanhoop in de ogen van mevrouw Sowerby, een dringende behoefte om de zaak zo snel mogelijk in kannen en kruiken te hebben.

'Ik ken Bombay heel goed,' zei ze, niet geheel naar waarheid. Als kind van achttien maanden was ze op doorreis door de stad gekomen, in de armen van haar moeder; op haar vijfde had ze er op het strand een ijsje gegeten, en ten slotte had ze de stad op haar tiende nogmaals en tevens voor het laatst bezocht. 'Dus Victoria is bij mij in goede handen.'

Het meisje keek Viva hoopvol aan. 'Zegt u maar Tor. Dat doen mijn vriendinnen ook.'

Toen de ober weer aan hun tafeltje verscheen, bestelde mevrouw Sowerby met veel drukte en omhaal een 'tisane' in plaats van 'Engelse thee'.

'Ik ben half Frans, ziet u,' legde ze Viva enigszins verongelijkt uit, alsof dat een excuus was voor alles.

Terwijl ze in haar kleine tas van krokodillenleer rommelde, keerde de zwijgzame dochter zich naar Viva en sloeg haar ogen ten hemel. 'Sorry,' zei ze geluidloos. Ze kruiste glimlachend haar vingers.

'Weet u iets van hutkoffers?' Mevrouw Sowerby hield een kleine poederdoos voor haar gezicht en ontblootte haar tanden. 'Dat was ook iets waarmee mevrouw Moylett ons had zullen helpen.'

En als door een wonder wist Viva inderdaad iets van hutkoffers: toen ze de week tevoren *The Pioneer* had doorgekeken, op zoek naar werk, was ze gestuit op een reusachtige advertentie waarin hutkoffers werden aangeprezen.

Dus ze keek mevrouw Sowerby met vaste blik aan. 'Ik kan u de Viceroy aanbevelen,' zei ze. 'Met een stalen fundering onder de canvas laden. Verkrijgbaar bij de Army and Navy Store. De exacte prijs kan ik me niet herinneren, maar ik dacht dat die rond de vijfentwintig shilling lag.'

Er ontstond lichte commotie in de tearoom, het gerinkel van kopjes en bestek zweeg abrupt toen er een aantrekkelijke, al wat oudere dame binnenkwam, in een mantelpak van verbleekt tweed en met een voorname, zij het weinig modieuze hoed. Glimlachend liep ze op hun tafeltje af.

'Ach, daar is mevrouw Wetherby.' Tor stond met een stralend gezicht op en omhelsde de oudere dame.

'Ga zitten.' Ze klopte op de stoel naast haar. 'Mammie en ik hebben het over rijbroeken en tropenhelmen. Erg opwindend allemaal.'

'Victoria,' zei mevrouw Sowerby misprijzend. 'Niet iedereen hoeft te weten waar wij het over hebben.' Ze keerde zich naar Viva. 'Mevrouw Wetherby is de moeder van Rose. En Rose is degene die gaat trouwen. In India. Met kapitein Chandler. Een beeldschoon meisje, echt uitzonderlijk mooi.'

'Ik verheug me er nu al op u aan haar voor te stellen!' Tor straalde plotseling. 'Ze is zo leuk, echt geweldig. Iedereen is op slag verliefd op haar. We kennen elkaar al vanaf onze geboorte. We hebben samen op school gezeten, en pony gereden...'

Viva voelde een maar al te vertrouwde steek van pijn – wat moest het heerlijk zijn om een vriendin te hebben die je al zo lang kende.

'Victoria,' zei haar moeder opnieuw afkeurend. Dankzij de rechtopstaande blauwe veer zag ze eruit als een nijdige vogel. 'Ik weet niet of we dat nu al allemaal aan juffrouw Holloway moeten vertellen. Tenslotte hebben we nog niets besloten. Trouwens, waar is onze lieve Rose?'

'Bij de dokter.' Mevrouw Wetherby keek gegeneerd. 'Je weet wel...' Ze nipte van haar koffie en schonk mevrouw Sowerby een veelbetekenende blik. 'Maar voordat ik haar daar heb afgezet, hadden we echt een buitengewoon opwindende ochtend,' vervolgde ze soepeltjes. 'We hebben jurken en tennisrackets aangeschaft, en over een uur hebben we afgesproken op Beauchamp Place – ze moet de maat laten nemen voor haar uitzet. De arme schat zal vanavond wel doodop zijn. Ik geloof niet dat ik ooit op één dag zoveel kleren heb gekocht. En wie is deze charmante jongedame?'

Viva werd aan mevrouw Wetherby voorgesteld als 'professionele chaperonne'. Mevrouw Wetherby, die een lieve glimlach had, legde haar hand in die van Viva en verklaarde dat ze het enig vond haar te ontmoeten.

'We hebben ons gesprek al gevoerd,' zei mevrouw Sowerby tegen mevrouw Wetherby. 'Ze kent India als haar broekzak en ze heeft het probleem van de hutkoffer opgelost. De Viceroy, die moeten we hebben.'

'De meisjes zijn erg verstandig,' zei mevrouw Wetherby zorgelijk. 'Maar het is een hele rust om te weten dat er iemand is die een oogje in het zeil houdt.'

'Ik ben alleen bang dat we u niet meer kunnen bieden dan vijftig pond, voor beide meisjes samen,' zei mevrouw Sowerby. 'En geen penny meer.'

Viva hoorde dat Tor letterlijk haar adem inhield. Ze zag een trek van kinderlijke angst om haar mond, terwijl het meisje haar afwachtend en met grote ogen aankeek.

In gedachten maakte ze een haastige rekensom. De enkele reis van Londen naar Bombay kostte rond de tachtig pond. Ze had honderdtwintig pond gespaard, en bij aankomst zou ze wat geld moeten hebben om de eerste tijd door te komen.

'Dat klinkt heel redelijk,' zei ze vlot, alsof ze dit soort onderhandelingen dagelijks voerde.

Tor slaakte een hoorbare zucht. 'Goddank!' zei ze. 'Gelukkig!'

Viva schudde het gezelschap de hand en verliet de tearoom met nieuwe veerkracht in haar tred. Wat een heerlijk baantje! Dat zou haar weinig hoofdbrekens bezorgen. De onhandige met de blauwe ogen en de rare moeder popelde van verlangen om te vertrekken, en haar vriendin, Rose, stond op het punt te gaan trouwen en had dus geen keus.

Haar volgende afspraak was in het Army and Navy Hotel, met een zekere mevrouw Bannister, over nóg een potentiële beschermeling: een kostschooljongen wiens ouders in Assam woonden. Ze viste het papiertje uit haar tas. De jongen heette Guy Clover.

Even later zat ze om de tafel met mevrouw Bannister, een tamelijk licht-geraakte, nerveuze vrouw met konijnentanden. Viva schatte haar rond de veertig, ook al vond ze het bij zulke oude mensen altijd moeilijk hun leeftijd te raden. Mevrouw Bannister bestelde voor hen allebei een kop thee, die lauwwarm op tafel kwam, zonder taart. Zonder zelfs maar een koekje.

Ze wilde snel terzake komen, zei ze, want ze moest de trein van halfvier halen, terug naar Shrewsbury. Haar broer, theeplanter in Assam, en zijn vrouw, Heather, verkeerden 'enigszins in een dilemma'. Guy, hun zoon en enig kind, was nogal plotseling van school gestuurd. Hij was zestien.

'Het is een erg moeilijke jongen, maar met een goed hart, heb ik me laten vertellen,' aldus zijn tante. 'Hij heeft tien jaar op St.-Christopher's gezeten en is al die tijd niet terug geweest naar India. Om diverse rede-nen – het ontbreekt me aan de tijd om dat allemaal uit te leggen – heb-ben we hem niet zo vaak kunnen bezoeken als we wel hadden gewild. Hoe dan ook, zijn ouders hebben het gevoel dat hij in India uiteindelijk toch beter op zijn plaats zal zijn. Als u wilt optreden als chaperonne, zijn ze bereid uw reiskosten volledig te vergoeden.'

Viva voelde dat ze bloosde van blijdschap. Met een volledige vergoe-ding van haar reiskosten en de vijftig pond van mevrouw Sowerby zou ze het na aankomst in India rustig aan kunnen doen. Wat zou dat heer-lijk zijn! Het kwam niet eens bij haar op te vragen waarom een jongen van zestien niet alleen kon reizen. Of waarom zijn ouders, de Glovers, hem niet zelf kwamen halen.

'Is er verder nog iets wat u van me wilt weten? Hebt u behoefte aan referenties?' vroeg ze in plaats daarvan.

'Nee,' zei mevrouw Bannister. 'Hoewel, misschien kan een referentie geen kwaad. Kunt u namen noemen, hier in Londen?'

'Mijn huidige werkgever, mevrouw Driver, is schrijfster.' Viva krabbel-de haastig het adres op een papiertje. Mevrouw Bannister had duidelijk grote haast. Ze rommelde in haar tas en probeerde ondertussen de aan-dacht van de serveerster te trekken. 'Ze woont tegenover het Natural History Museum,' vertelde Viva.

'Ik stuur u per post uw eerste betaling en de routebeschrijving naar de school van Guy,' zei mevrouw Bannister. 'Ik ben u buitengewoon dank-baar dat u de opdracht aanneemt.' Ze lachte haar nogal overweldigende tanden bloot.

Maar wat de diepste indruk op Viva had gemaakt, besefte ze toen ze mevrouw Bannister gehaast en met wapperende regenjas in een taxi zag stappen, dat was hoe schokkend gemakkelijk het bleek te zijn om anderen iets op de mouw te spelden – vooral wanneer de leugens die je vertelde, precies datgene waren wat anderen wilden horen. Want ze was geen achtentwintig, maar pas vijfentwintig, en wat haar kennis van India betrof, ze was destijds, voordat het noodlot toesloeg, nog maar een kind geweest. Ze kende het land nauwelijks. Het was haar bijna net zo vreemd als de achterkant van de maan.

2

'Ze lijkt me wel geschikt, wat vind jij?' vroeg mevrouw Sowerby na Viva's vertrek aan mevrouw Wetherby. 'En ze ziet er goed uit,' voegde ze eraan toe, alsof de zaak daarmee was beslist. 'Los van dat afschuwelijke mantelpak. Ik kan er maar niet aan wennen! Engelse vrouwen en hun manier van kleden!' Bij het woord 'kleden' stak ze haar bovenlip op een vreemde manier naar voren, maar bij wijze van uitzondering kon Tor zich er niet druk over maken.

Wat dolletjes – ze hadden een chaperonne. Fase twee van het plan was ten uitvoer gebracht. Het toneelstukje van haar moeder, alsof ze zorgvuldig nadacht, had anderen misschien zand in de ogen gestrooid, maar haar niet. Ze hadden die zomer de vreselijkste ruzies gehad. Zelfs een aap zou in de ogen van haar moeder nog een perfecte kandidaat zijn geweest. Zo graag zag ze haar dochter vertrekken.

Inmiddels was de opwinding bijna ondraaglijk. De kaartjes waren die ochtend gekomen. Over twee weken was het zover. Al over twee weken! De rest van de dag in Londen zouden ze besteden aan het kopen van kleding en andere noodzakelijkheden van de opwindende lijst die hun gastvrouw in Bombay had gestuurd.

Haar moeder, die normaliter overal regels voor had – op dinsdag alleen maar water met citroen, op woensdag geen taart, 'bing' zeggen voordat je ergens naar binnen ging omdat je mond zich daardoor in een aantrekkelijke glimlach plooide – had eindelijk kunnen ontspannen en haar zelfs toestemming gegeven voor een punt walnotentaart bij Derry & Toms. En nu ze zeker wist dat ze zou gaan, leek alles waarmee haar moeder haar normaliter bijna tot waanzin dreef – haar Franse maniertjes compleet met pruilmondje zodra ze in de stad was, haar gênante hoeden, haar overweldigende geur (Shalimar van Guerlain), om nog maar te zwijgen van alle regeltjes als het ging om mannen en de kunst van het converseren – ineens bijna draaglijk. Want het zou niet lang meer duren of ze was weg, weg, weg – hopelijk voorgoed – en het ergste jaar van haar leven lag achter haar.

Na de koffie haastte mevrouw Wetherby zich weg om Rose te gaan halen bij de dokter.

Tors moeder nipte van haar kopje heet water met citroen – een tisane was niet voorhanden gebleken – en haalde een zilveren potlood tevoorschijn en het notitieboekje waarin ze de lijst met kleren had genoteerd.

'Zo, en dan nu rijbroeken. Jodhpurs.' Ze sprak het Indiase woord uit met een zwaar Frans accent. 'Want je gaat in India natuurlijk jagen.'

Tor had de indruk dat haar moeder harder praatte dan gebruikelijk, alsof ze hoopte dat de mensen aan het tafeltje naast hen in de gaten hadden dat zij nu eens de spraakmakende partij waren.

'Volgens CiCi zouden we niet wijs zijn om ze in Londen te kopen. Ze heeft een mannetje in Bombay. Die maakt ze voor een schijntje.'

CiCi Mallinson was een verre nicht van Tors moeder en zou in Bombay haar gastvrouw zijn. Bovendien had ze heldhaftig aangeboden de bruiloft van Rose te organiseren, ook al had ze haar nooit ontmoet. In haar brieven – in een zwierig handschrift op exotisch, bros schrijfpapier – sprak ze over een onafgebroken reeks feestjes, sportevenementen, uitjes naar de renbaan, en af en toe een bal in het paleis van de gouverneur.

'Een geweldig idee!' had ze in haar laatste brief geschreven over een bal dat recent was gehouden in de Bombay Yacht Club. 'Alle nette Engelse jongemannen worden uitgenodigd, en de meisjes krijgen tien minuten de tijd voor een gesprekje, dan gaan ze door naar de volgende. Het is geweldig leuk en meestal lang genoeg om te weten of je het met elkaar kunt vinden.' Ze had haar brief besloten met een verzoek. 'We doen hier ons best om bij te blijven, dus vergeet niet om de meisjes een paar nummers van *Vogue* mee te geven, en als het niet te veel moeite is, zo'n verrukkelijke, zijdezachte theeroos. Ik had ze in de tuin, maar ze zijn opgegeten door een horde hongerige veenmieren!'

'Kinine.' Haar moeder vinkte driftig met haar potlood de lijst af. 'Gezichtscrème, lieverd, vergeet dat alsjeblieft niet. Ik weet dat ik zeur en dat je het niet belangrijk vindt, maar er is werkelijk niéts zo slecht voor de huid als de zon, en je bent al zo bruin.' Dat was ze inderdaad. Tor had de gladde, olijfbruine huid van haar voorouders. 'O, en een pincet voor je wenkbrauwen, lieverd. Trouwens, dat struikgewas zal ik nog eens goed onder handen nemen voor je vertrek.' Wenkbrauwen waren een obsessie van haar moeder. 'Avondjurken, een kampeerkruk – o, hemel! Dat klinkt me toch echt te veel naar dr. Livingstone. Dus die schrap ik. En...' Ze dempte haar stem. 'Ze zegt dat je stapels en nog eens stapels... nou ja, je weet wel... Die moet je echt meenemen, want ze zijn daar waanzinnig duur, en ik...'

'Mammie!' Tor fronste haar wenkbrauwen en schoof een eindje bij haar moeder vandaan, in de verwachting dat die haar heerlijke ochtend ging bederven door te beginnen over 'Dolly's hangmatten', haar moeders code voor maandverband. 'Mammie...' Tor boog zich over de tafel heen. 'Streep die kampeerkruk alsjeblieft niet door. Die klinkt nou juist zo opwindend.'

'Ach, wat ben je toch knap als je lacht.' Plotseling viel het zorgvuldig gecultiveerde masker. 'Lachte je maar wat vaker.'

In de stilte die volgde, was Tor zich bewust van een reeks gecompliceerde, pijnlijke gedachten die onder de hoed van haar moeder door haar hoofd gingen. Sommige waren haar maar al te vertrouwd. Bijvoorbeeld: als Tor meer had geglimlacht, of meer op Rose had geleken, zou haar moeder zich de kosten van een reis naar India misschien hebben kunnen besparen; of als ze minder taart had gegeten, of als ze op dinsdag vaker water met citroen had gedronken, of als ze zich meer als een Française had gedragen. Het leek wel alsof haar moeder voortdurend de balans opmaakte en telkens weer moest constateren dat haar dochter een enorme teleurstelling voor haar betekende.

Maar op dit moment zag Tor tot haar verbazing dat er een traan over het gezicht van haar moeder biggelde. Hij trok een spoor door de laag poeder en belandde uiteindelijk in haar moeders lippenstift.

'Geef me je hand, lieverd,' zei ze met een diepe zucht en gebarsten stem. Tor schoof haar stoel een eindje weg. Ze kon er niets aan doen. Als ze zo was, leek haar moeder zo afschuwelijk weerloos, zo menselijk. En daar kon Tor niet mee uit de voeten. Daarvoor was het te laat. Het kwaad was al geschied.

Een taxi bleek die dag niet te krijgen, en ook al maakten ze normaliter nooit gebruik van de bus, ruim een uur later zat Tor op de bovenverdieping van een autobus en keek ze neer op de regendruppels die verdampten op de stoffige kruinen van de bomen in St.-James's Park. De bus bracht hen via Piccadilly naar Swan & Edgar. De geur van het sterke parfum van haar moeder drong in haar neus, en Tor besefte hoe dicht haar moeder naast haar zat. Opnieuw en tot haar eigen verrassing voelde ze een steek van pijn.

Voor een buitenstaander zagen ze eruit als een moeder en een dochter die samen gezellig een dagje uit waren; en dat had ook zo kunnen zijn, als zij niet zo moeilijk was. Vader thuis met een bord sandwiches, de 'meisjes' een dagje de stad in.

Vanaf haar hoge zitplaats keek ze uit over de reusachtige stad die zich uitstrekte naar de horizon: schitterende winkels met fraai aangeklede poppen in de etalages, boeiende mensen en een wereld die al zoveel groter was dan haar wereldje thuis.

Stralen zonlicht vielen over haar moeders gezicht terwijl ze zich opzijboog om uit het raampje te kijken. De blauwe veer op haar hoed wiebelde alsof hij een eigen leven leidde.

'Lieverd, kijk toch!' zei haar moeder. 'Daar heb je het Ritz. O, wat heb ik Londen gemist!' fluisterde ze. En tijdens de hele rit over Piccadilly wees ze haar dochter op wat ze 'leuke restauraties' noemde – wanneer mammie opgewonden raakte, liet haar Engels haar in de steek – waar pappie en zij hadden gegeten toen ze nog geld hadden, voordat Tor was geboren: Capriatis, In and Out – 'abominabele chef-kok' – Café Royal.

Tor hoorde achter hen een stel winkelmeisjes gesmoord giechelen en haar moeder napraten. 'Abominale chef-kok.'

Maar het deerde haar niet. Over twee weken ging ze naar India. *When you're smiling, When you're smiling, The whole world smiles with you.*

'Lieverd.' Haar moeder kneep in haar arm. 'Niet neuriën in publiek. Dat is zo verschrikkelijk ordinair.'

Ze waren op de afdeling rijkleding van Swan & Edgar. Haar moeder, die er prat op ging de belangrijkste winkelbedienden te kennen, vroeg naar een zekere madame Duval, een weduwe die in financieel zwaar weer was terechtgekomen, vertelde ze aan Tor, en die ze nog kende van vroeger.

'We zijn op zoek naar een goede rijbroek voor de zomer,' had ze nadrukkelijk en volstrekt overbodig gezegd tegen de portier op de begane grond. 'Zodat de kleermakers in Bombay hem kunnen namaken.'

Eenmaal boven sloeg Tor in gedachten haar ogen ten hemel terwijl madame Duval de spelden uit haar mond haalde en mevrouw Sowerby complimenteerde met haar nog altijd slanke en meisjesachtige figuur. Ze zag dat haar moeder kuiltjes in haar wangen kreeg, terwijl ze haar beroemde adagium weer eens ten beste gaf van citroenschap en kleine porties. Tor had dit hongerdieet ook moeten volgen, het hele uitgaansseizoen lang, want haar moeder had alleen maar jurken voor haar willen kopen die een maat te klein waren, om haar op die manier te dwingen slank te worden. Soms dacht ze dat haar moeder eropuit was haar zo dramatisch te doen afvallen dat ze simpelweg ophield te bestaan. Hun hevigste ruzie – er waren bijna klappen gevallen – had zich voorgedaan toen haar moeder haar na het zoveelste rampzalige feestje waarbij niemand Tor ten dans had gevraagd, in het tuinhuisje had aangetroffen, uitgehongerd, met een half witbrood met jam.

Dat was de avond waarop haar moeder, die gemeen kon zijn in verschillende talen, haar had laten kennismaken met het Duitse woord *Kummerspeck*, het soort vet dat mensen kweekten wanneer ze zich uit onvrede volpropten. 'Het betekent letterlijk verdrietig vet,' had haar moeder gezegd. 'En dat is precies wat jij nu aan het kweken bent.'

'Hier heb ik een maat groter.' De opgewekte madame Duval keerde terug met een rijbroek met wapperende pijpen. 'Misschien past deze. Staan er soms sportevenementen op het programma deze zomer?'

'Nee.' Zoals gebruikelijk antwoordde Tors moeder in haar plaats. 'Ze gaat naar India. Hè, Victoria?'

'Ja.' Over hun hoofden heen staarde Tor naar haar spiegelbeeld. Ik ben reusachtig, dacht ze. En vet.

'Ach, India! Wat heerlijk!' Madame Duval keek Tors moeder stralend aan. 'Wat een avontuur. Kindje, wat ben jij een geluksvogel!'

Tors moeder had besloten gezellig te zijn. 'Ja, het is *très amusant*,' zei ze. 'Ze noemen de meisjes die erheen gaan de Vissersclub. Omdat daar zoveel knappe jongemannen zijn.'

'De Vissersvlóót,' verbeterde Tor haar moeder.

Die negeerde haar. 'En de meisjes die er niet in slagen een man te vinden...' Haar moeder keek Tor ondeugend en een beetje uitdagend aan. 'Daarvan zeggen ze dat ze "leeg terugkomen".'

'Ach, dat klinkt niet erg aardig,' zei madame Duval. 'Maar dat zal Victoria niet overkomen,' voegde ze er weinig overtuigend aan toe.

'Hm.' Tors moeder trok vluchtig een pruilmondje, zoals altijd wanneer ze in de spiegel keek, en zette haar hoed recht. 'Laten we het hopen.'

Ik haat je, moeder. Het was gruwelijk, maar even stelde Tor zich voor dat ze haar moeder prikte met een speld, zo hard dat die het uitgilde. Ik vind je vreselijk, dacht ze. En ik kom nooit meer terug.

3

Er was nog een laatste kwestie die Viva moest afhandelen. Bij de gedachte eraan werd ze bijna licht in haar hoofd van spanning en nervositeit. Het ging om een afspraak met William, haar voogd en de executeur-testamentair van haar ouders, om zeven uur 's avonds in de Oxford and Cambridge University Club aan Pall Mall.

Het was William, die – onbedoeld, door het doorsturen van een brief – twee maanden eerder de keten van gebeurtenissen in werking had gezet die had geleid tot haar vertrek naar India. In de brief, geschreven op goedkoop papier, in een beverig handschrift, werd gesproken over een kist met eigendommen van haar ouders. De schrijfster van de brief, een zekere mevrouw Mabel Waghorn uit Simla, vertelde dat de kist, met daarin kleren en persoonlijke bezittingen, in een schuur bij haar huis stond opgeslagen. De regenval was dat jaar extreem geweest, dus ze was bang dat de kist uit elkaar zou vallen wanneer hij daar nog veel langer bleef staan. Na de begrafenis van Viva's ouders waren de sleutels gedeponeerd bij een zekere meneer William Philpott, werkzaam in de Inner Temple Inn in Londen. Als ze nog niet in haar bezit waren, kon ze de sleutels bij hem afhalen.

William had een eigen brief toegevoegd. De aanblik van dat zorgvuldige, krampachtige handschrift had Viva een steek van pijn bezorgd.

'Vergeef me als ik wreed ben in mijn eerlijkheid,' schreef hij. 'Maar ik denk niet dat je actie hoeft te ondernemen. Ik zou de oude dame wat geld sturen en zorgen dat de kist wordt opgeruimd. Mocht je ze toch willen, ik heb de sleutels.'

Hoewel alles in haar zich ertegen verzette dat toe te geven, was ze er aanvankelijk van overtuigd geweest dat hij gelijk had. Door terug te keren naar India zou ze als het ware een bom op het hart van haar bestaan gooien.

En wat zou ze daar vinden? Een kinderdroom als uit een avonturenroman van Robert Stevenson, over begraven schatten? Een glorieuze hereniging met haar verloren familie?

Nee, dat was belachelijk. Er kon alleen maar verdriet uit voortkomen. Wanneer ze erover nadacht, zag ze het in gedachten letterlijk als een stap terug, de duisternis in.

Want na een halfjaar in Londen en twee treurige baantjes als typiste – het eerste voor een dronken parlementslid, het tweede voor een firma die ijzeren sloten maakte – had ze nu werk dat ze heerlijk vond, als assistente van Nancy Driver, een excentrieke schrijfster die in een indrukwekkend tempo suikerzoete romans produceerde en niet zuinig was met goede raad. Haar nieuwe baan leverde dertig shilling per week op, waardoor ze de YWCA de rug had kunnen toekeren en een zitslaapkamer had kunnen huren in Earl's Court. Maar het fijnste van alles was dat ze zelf ook was gaan schrijven, en dat ze voor het eerst zo'n gevoel van bevrijding, van plezier ervoer dat het bijna bedwelmend was, als een roes. Eindelijk had ze haar bestemming gevonden – of misschien was het andersom. Eindelijk wist ze wat ze met haar leven wilde.

Ze zag ertegen op om William weer te zien – hun relatie was zo vertroebeld geraakt, zo gecompliceerd. Ze schreef hem een brief met het verzoek of hij de sleutels op de post kon doen, maar dat weigerde hij.

Haar leven was rijk aan nieuwe en verrukkelijke kansen en mogelijkheden, dus waarom had het vooruitzicht om de spullen van haar ouders terug te zien dan toch dat gretige verlangen in haar gewekt om weer op reis te gaan?

Er waren momenten, afhankelijk van haar stemming, waarop ze zich haar familie nauwelijks meer voor de geest kon halen. De tijd had die kwellende, hartverscheurende herinneringen doen vervagen. De tijd, maar ook de betrekkelijke anonimiteit van het leven op kostschool en later in Londen, waar ze aanvankelijk niemand had gekend. Sterker nog, naast de voor de hand liggende attracties, het theater, de kunstgaleries, de wandelingen langs de rivier waar ze altijd erg gelukkig van werd, was juist het feit dat haar zelden iets persoonlijks werd gevraagd, een van de dingen die ze het fijnst vond. Er waren maar twee mensen die haar persoonlijke vragen hadden gesteld: degene die haar had ingeschreven bij de YWCA en die een vraagteken had gezet in het vakje waar naar 'Verblijfplaats familie' werd gevraagd, en Fran, de vriendelijke, mollige typiste die in de slaapzaal het bed naast het hare had. In beide gevallen had ze gezegd dat haar ouders jaren eerder in India waren omgekomen bij een auto-ongeluk; die verklaring voor het verlies van haar ouders leek altijd zoveel gemakkelijker dan de werkelijkheid. Over Josie sprak ze niet eens. 'Je hoeft niets te zeggen' was een les die ze door schade en schande van William had geleerd.

Hij stond al voor de Oxford and Cambridge Club met zijn indrukwekkende Grieks-Romeinse gevel op haar te wachten toen ze rond kwart over zeven haastig de treden beklom. Zoals gebruikelijk had hij zijn achtergrond zorgvuldig gekozen – deze keer had hij zich geposteerd tussen de indrukwekkende Korinthische zuilen, zijn dunne haar werd beschenen door de gouden gloed die vanuit de weelderig ingerichte vertrekken achter hem naar buiten viel.

Hij was een veeleisende, kritische man, en dat sprak ook uit zijn kleding. Het streepjespak dat hij droeg, had ze voor het laatst over de stoel in zijn appartement in Westminster zien hangen. Ze herinnerde zich hoe hij zijn sokophouders zorgvuldig op zijn onderbroek, zijn gesteven boord en zijn zijden das had gelegd.

'Je ziet er goed uit, Viva.' Hij had een scherpe, enigszins blaffende stem, waarmee hij als advocaat in de Inner Temple diepe indruk maakte. 'Mijn complimenten.'

'Dank je wel.' Ze had zich vast voorgenomen kalm te blijven en zich voor de gelegenheid met zorg gekleed, in een koraalrode jurk – een afdankertje van juffrouw Driver – van soepele zijde, teer als vloeipapier. De schroeiplekken op het bovenlijfje – de reden waarom juffrouw Driver de jurk had weggedaan – gingen schuil onder een paarse roos.

Bovendien was ze vroeg opgestaan om haar haren te wassen onder de koude kraan – de geiser haperde weer eens. Het had een eeuwigheid geduurd, en een shilling aan munten gekost, om het haar droog te krijgen. Vervolgens had ze de glanzende, weelderige bos getemd door hem naar achteren te kammen en bij elkaar te binden met een fluwelen strik.

'Ik heb een tafeltje gereserveerd.' Hij loodste haar naar de eetzaal, waar een geur hing van gebraden vlees.

'Dat had je niet hoeven doen.' Ze deed een stap bij hem vandaan. 'Je kunt me gewoon de sleutels geven, dan ga ik weer.'

'Dat had gekund.'

Een ober ging hen voor naar een tafeltje voor twee in de hoek van de indrukwekkende eetzaal. Aan de muur erboven hingen in een rechte lijn portretten van academici die zich op een bijzondere wijze verdienstelijk hadden gemaakt voor de wetenschap. Ze keken ernstig op haar neer, alsof ook zij zich een mening vormden over haar plannen.

Het was duidelijk dat William het gesprek had voorbereid. Tegen een zilveren pepermolen stond een dikke envelop – met daarin de sleutels, veronderstelde ze.

Hij schikte zijn in krijtstreep gehulde knieën zorgvuldig onder de tafel, schonk haar een minzame glimlach en zei dat hij de vrijheid had genomen een fles Château Smith Haut-Lafite te bestellen van een goed jaar, een wijn waarop hij bijzonder dol was, zoals hij haar vertelde op de gekunstelde, zelfingenomen toon die haar inmiddels met afschuw vervulde.

De ober nam hun bestelling op: aardappelsoep met ham en daarna lamskoteletten voor hem, en voor haar gegrilde tong, het simpelste, snelste gerecht op de kaart. Het vervulde haar met gêne dat ze ondanks de situatie wel degelijk trek had.

Ze keek naar hem. Onberispelijk gekleed en met zijn enigszins ongeduldige, gebiedende uitstraling was hij nog altijd een dominante aanwezigheid. Knap op een enigszins bloedeloze manier – ook al had zijn huid als gevolg van een ernstige aanval van malaria tijdens zijn rondreis door India permanent een wasachtige, gele kleur.

Ze debiteerden stijfjes wat vrijblijvendheden, toen liet William zijn blik door de zaal gaan.

'Weet je zeker dat je ze echt wilt?' vroeg hij op gedempte toon, terwijl zijn vingers zich om de envelop sloten.

'Ja,' zei ze. 'Bedankt dat je ze hebt meegenomen.' Ze had van tevoren al besloten niet eens te proberen hem uit te leggen waarom ze het wilde.

Hij wachtte op nadere toelichting en trommelde met zijn gemanicuurde nagels op het tafelkleed. Wat waren de halvemaantjes prachtig schoon, de nagelriemen keurig verzorgd. Ze herinnerde zich hoe hij ze in de badkamer met een borsteltje had geschrobd.

'Dus je gaat terug?'

'Ja.'

'Alleen?'

'Alleen.' Ze beet op de binnenkant van haar lip.

Hij blies fluitend zijn adem uit. 'Mag ik je eraan herinneren dat je geen geld hebt? Of in elk geval erg weinig geld?'

Ze dwong zichzelf te zwijgen. *Je hoeft niets te zeggen.*

Hij kneep in zijn broodje, zodat de kruimels zich over het bordje verspreidden. Ondertussen keek hij haar aan met een kille uitdrukking in zijn grijze ogen – ogen waarin ze ooit een warme glans had gezien. De ober verscheen met de aardappelsoep.

'Tja, voorzover mijn mening er nog iets toe doet...' Hij nam zorgvuldig een hap. 'Ik vind het volstrekt onverstandig. En onverantwoordelijk.'

'Is de soep naar wens, meneer?' De ober kwam met een opgewekt gezicht weer naast hun tafeltje staan. 'Misschien nog wat boter voor mevrouw?'

Ze wuifde hem weg.

'Blijf zitten,' zei William ijzig toen ze haar stoel naar achteren schoof. Hij wachtte tot de ober buiten gehoorsafstand was.

'Luister eens, Viva. Wat er tussen ons ook is gebeurd – of niet gebeurd – ik voel me nog altijd verantwoordelijk voor je. En dat betekent dat ik je niet zomaar kan laten gaan, zonder een nadere toelichting.'

Ze keek hem recht in zijn ogen. 'Hoezo, is het je niet duidelijk wat er tussen ons is gebeurd?'

'Jawel.' Voor het eerst keek hij haar recht aan. 'Maar je hebt in India niets te zoeken. En ik maak me zorgen. Ik ben bang dat je erdoor van streek zult raken.'

Ze schonk hem een licht spottende blik. 'Daar is het nu een beetje te laat voor, William. Denk je ook niet?'

Ooit had ze bijna dierlijk naar hem gesmacht. Ze had rondgehangen in de buurt van zijn appartement, in de hoop een glimp van hem op te vangen. En ze had geleerd geluidloos te huilen onder haar kussen wanneer het licht uit was.

'Viva, ik...'

'William, doe me een plezier.'

Toen ze de envelop pakte, vielen er wat korreltjes roest door de kieren. Ze lieten een bruin spoor achter bij de pepermolen. Hij keek met gefronste wenkbrauwen toe terwijl ze de sleutels in haar tas stopte.

'Mijn besluit staat vast,' zei ze. 'Dat is een van de voordelen als je wees bent. Je kunt precies doen en laten wat je wilt.'

'Hoe denk je jezelf in leven te houden?'

'Er hebben zich al twee mensen bereid verklaard mijn overtocht te betalen. Ik maak de reis als chaperonne. En eenmaal in India heb ik wat adressen waar ik terecht kan.'

'Chaperonne! Heb je enig idee hoezeer het je ontbreekt aan verant-woordelijkheidsbesef?'

'En ik word schrijfster.'

'Hoe weet je dat nou?' Er verschenen vurige, rode vlekken op zijn wangen. Hij kon het simpelweg niet verdragen wanneer de controle hem werd ontnomen, besefte ze. Hij gaf de voorkeur aan het uit het nest gevallen jonge vogeltje.

'Ik heb al een begin gemaakt.' Ze weigerde hem te vertellen hoe dood-eng ze het vond.

Hij schudde zijn hoofd en legde vluchtig zijn vingers op zijn ogen, alsof hij op die manier haar domheden kon buitensluiten.

'Weet je trouwens dat er een scheurtje in je jurk zit?' vroeg hij toen. 'Aan de achterkant. Trouwens, die kleur staat je goed, maar in India zou ik hem niet dragen. Daar houden ze er niet van als vrouwen zich zo opzichtig kleden.'

Ze ging er niet op in. Ze had gezegd wat ze wilde zeggen, en met de sleutels in haar tas voelde ze zich plotseling machtig, vervuld van nieuwe energie. En ze had ook ineens razende honger.

Ze hief haar glas Château Smith Haut-Lafite.

'Wens me maar geluk, William. Ik heb vandaag geboekt op De Kaiser. Over twee weken vertrek ik.'

4

Middle Wallop, Hampshire, oktober 1928

De avond voor haar vertrek zag Rose Wetherby er ineens zo tegen op dat ze serieus overwoog om het bijltje erbij neer te gooien. 'Laten we de hele boel maar afblazen,' zou ze tegen haar ouders willen zeggen. 'Ik wil hier helemaal niet weg.' Maar daarvoor was het te laat.

Mevrouw Pludd, die als kok al bij het gezin in dienst was gekomen toen Rose vier was, had haar lievelingskostje gemaakt: filosoof, en kruisbessenvla voor toe. Zodra het eten op tafel kwam, wenste Rose dat ze om iets anders had gevraagd. Want het eten uit haar kindertijd maakte haar wanhoop alleen maar groter, maakte dat ze zich nog vuriger zou willen vastklampen aan alles wat vertrouwd was, terwijl ze allemaal reuze hun best deden om de schijn op te houden dat er niets aan de hand was. Haar vader, nog bleker dan anders, vertelde een grap die hij blijkbaar voor de gelegenheid had bewaard. Het was een verschrikkelijke grap, over een man die oprecht dacht dat koekoeken in klokken woonden. Toen Rose en haar moeder te vroeg lachten, keek hij haar zo ongelukkig aan dat de filosoof als een steen in haar maag lag en het haar de grootste moeite kostte niet in snikken uit te barsten.

O, pappie, ik zal je zo missen. Jack zal nooit je plaats kunnen innemen. Ze was verrast door de heftigheid van haar emoties.

Na het eten ging ze de tuin in. De tuinman had bladeren verbrand. De laatste rookslierten van het vuur dreven weg, verdwenen boven de hoogste takken van de ceder. Het was een koude, maar volmaakte dag geweest, met een lucht zo helder als gepoetst glas en met vroeg in de ochtend rijp op de bomen. De tuin was beroofd van zijn zomerse tooi, maar met de kale staken van de zomerrozen tussen de wingerd en de wilde rozen die nog fris en stralend bloeiden, zag hij er mooier uit dan ooit.

Ze liep langs de boomgaard waar haar gestorven pony's, Smiler en Bertie, rustten onder een appelboom en waar ze samen met Tor, gehuld in plechtige gewaden en met een kaars in de hand, alle konijnen en honden had begraven. Haar voetstappen pletten het grove gras terwijl ze via de boomgaard doorstak naar de stallen.

Morgen ging ze weg, en in het wegstervende daglicht voelde wat haar altijd zo vanzelfsprekend had geleken, bijna ondraaglijk pijnlijk en kostbaar: het geknars van het grind, de geur van het vuur die opsteeg naar de steeds donker wordende hemel, het geruisloos kabbelende stroompje dat verdween onder de oprijlaan.

Ze keek achterom naar het huis en dacht aan alles wat ze daar had beleefd: het gelach en de ruzies, de waarschuwing 'Bedtijd, lieverds', het welkome geluid van de gong voor het avondeten, wanneer Tor en zij en haar grote broer Simon, die ze had aanbeden, in de tuin een hut bouwden, of bezig waren met een partij cricket, of deden alsof ze Duitsers waren, of zeerovertje speelden in het beekje. Haar grote broer Simon, die zijn tanden ontblootte en dreigde iedereen die hem te na kwam, aan zijn zwaard te rijgen.

Haar pony, Copper, had zijn hoofd naar buiten gestoken. Ze gaf hem, zoals elke avond, zijn appel voor het slapen gaan. Na een vluchtige blik om zich heen ging ze de stal binnen en sloeg ze huilend haar armen om de hals van het dier. Ze had zich haar leven lang nog niet zo ongelukkig gevoeld, uitgerekend op een moment dat ze werd geacht te stralen.

Terwijl haar tranen in zijn manen drupten, duwde Copper liefkozend zijn neus tegen haar aan. Ze zou hem nooit meer zien, wist ze. Net zomin als de honden, Rollo en Mops, die ook al een dagje ouder werden. En misschien zou ze zelfs haar ouders nooit meer zien. Na de slopende longontsteking waaraan haar vader de vorige winter had geleden, tobde hij met een haperende motor, zoals hij dat zelf noemde. Een ernstig hartprobleem, in de woorden van de dokter. Hij was nooit meer helemaal de oude geworden. Ze spraken over haar huwelijk alsof het vanzelf sprak dat hij erbij zou zijn, maar ze wisten allebei dat de kans groot was dat hij verstek zou moeten laten gaan.

Ze dacht aan haar broer, aan de pijnlijke herinneringen die de avond zou brengen. Lieve Simon, haar lange, slungelachtige, blonde broer, amper volwassen, had de goedheid en de hoffelijkheid van hun vader geërfd, maar ook diens hardere kanten. Hij was gesneuveld in Frankrijk, in de laatste maand van de oorlog. Tien dagen voordat hij eenentwintig zou zijn geworden. Haar ouders praatten er zelden over, maar op de achtergrond was het verdriet altijd aanwezig, als een ijsberg onder de zonnige oppervlakte.

Inmiddels zat ze in de schuur, boven op een stapel stoelen, omringd door kisten met appels – haar moeders wintervoorraad die ze keurig in vloeipapier had gerold – en een verzameling stoffige rieten stoelen, croquethamers en oude cricketbats. Aan de andere kant van het grasveld zag ze dat het licht aanging in de studeerkamer van haar vader. Op het gazon tekende zich het vierkant van het raam af. Ze stelde zich voor hoe hij daar zat, gebogen over zijn boeken, met in zijn ogen de wanhopig kalme blik die hij zich aanmat wanneer hij zijn best deed niet te denken aan dingen die hem van streek maakten, de as van zijn pijp aftikkend in de koperen asbak die hij in Egypte had gekocht, of zijn grammofoon opdraaiend om te luisteren naar zijn geliefde Mozart. Haar vader was de constante in haar leven, haar magnetische Noorden. Maar alles was bezig te verschuiven. Ze wenste dat ze rookte, net als Tor. Die zei dat het echt hielp wanneer je uit je doen was.

Ze bleef een tijdje zitten en deed wanhopig haar best weer kalm te worden. Soldatendochters huilen niet.

Toen ze uiteindelijk de achtertrap op liep naar haar kamer, klonk vanuit de ouderslaapkamer de stem van haar moeder. 'Is alles goed met je, lieverd?'

'Ja, mammie. Alles is prima. Ik kom zo welterusten zeggen.'

In haar kamer waren al haar nieuwe kleren uitgehangen, als geesten die wachtten tot haar nieuwe leven begon. Ze hadden zo'n heerlijke dag gehad in Londen, met Tor en Jonti, Tors moeder. En ze hadden zulke mooie dingen gekocht – een soepel vallende jurk met roze theerozen bij Harrods en roze suède schoenen; een tennisjurkje dat haar moeder met gefronste wenkbrauwen had bekeken, maar dat er schattig uitzag met satijnen linten en een plooitje aan de achterkant.

Daarna had haar moeder haar meegenomen naar een beeldig, uiterst vrouwelijk zaakje aan Beauchamp Place, aanbevolen door Tors moeder, een en al linten, kandelaars en perzikkleurige lampen die een buitengewoon flatteus licht verspreidden. Daar hadden ze haar uitzet gekocht: dertien katoenen lange onderbroeken, een korset dat aan de achterkant werd ingeregen, nansoek onderbroekjes, twee zijden petticoats en ten slotte een lang negligé van perzikkleurige zijde, afgebiesd met kant, waarin ze zichzelf amper herkende en eruitzag als een betoverend mooie vreemde. Nadat madame haar de maat had genomen en haar had gecomplimenteerd met haar 'perfecte verhoudingen', had Rose zichzelf bekeken in de spiegel.

Ze had het gevoel alsof haar schouders, haar middel en zelfs haar kleine, ronde tepels schandalig vrijmoedig tentoon werden gesteld. De volgende keer dat ze het nachthemd zou dragen, lag ze bij Jack Chandler in bed. Achter zich in de spiegel verscheen plotseling het gezicht van haar moeder, die blijkbaar hetzelfde dacht. Rose vertrok vluchtig haar gezicht en sloot haar ogen. Het was allemaal zo nieuw, voor hen allebei.

Misschien had ze op dat moment moeten vragen naar wat er gebeurde in de slaapkamer, maar verlegen als ze was had ze het niet gedurfd. De enige voorbereiding in dat opzicht was haar bezoek geweest aan dokter Llewellyn, een bezoek dat een vurige blos op haar gezicht had gebracht. Dokter Llewellyn was een oude huisvriend die regelmatig met haar vader ging jagen. Hij had zijn praktijk aan Hartley Street. Met een vuurrood gezicht en angstvallig haar blik ontwijkend had hij haar vanbinnen op buitengewoon pijnlijke manier betast en haar vervolgens een kleine spons gegeven. Die moest ze gebruiken wanneer ze niet langer maagd was, had hij gezegd. 'Je brengt hem als volgt in.' De broek van zijn tweed kostuum spande zich toen hij zich door zijn knieën liet zakken en de spons tussen zijn benen hield. Bij de spons hoorde een klein stoffen zakje, waarin ze hem – gewassen en gepoederd – moest opbergen wanneer ze hem niet gebruikte.

Ze zou haar moeder dolgraag om uitleg willen vragen over de angstaanjagende gebeurtenis waarvoor de spons uit zijn zakje zou komen, maar die was zelf vuurrood van gêne geworden toen ze haar achterliet bij de ingang van de dokterspraktijk en had niets gezegd. Rose zou het aan Tor willen vragen. Sterker nog, dat had ze gedaan, toen ze op een avond grapjes hadden gemaakt over jongens en hoe je ze moest zoenen. Maar Tor had ergerlijk vaag gereageerd, zoals ze dat deed wanneer het ging om iets waar ze niets van wist.

Nu stond haar enorme hutkoffer, een nieuwe Viceroy, in de hoek van de kamer. Eerder die dag had ze hem zelf al voor een deel ingepakt – zware spullen op de bodem, kleren zorgvuldig in vloeipapier gewikkeld. Ze probeerde zich aan te wennen verstandig te zijn en vrouwelijk, net als mammie. Gewapend met de stapel vrouwenbladen, waarvan ze onafscheidelijk was sinds ze die van mevrouw Sowerby had gekregen, stapte ze in bed. Mammie, die alleen een abonnement had op *Horse and Hound* en *Blackwood's Magazine*, vond dat soort bladen een gruwelijke vorm van geldverspilling, maar Rose had ontdekt dat ze haar enige informatiebron waren als het om 'het' ging.

'Lieve Mary,' schreef een meisje. 'Ik ga binnenkort trouwen en ik heb mijn moeder gevraagd me voor te lichten over het huwelijk. Maar ze zegt dat ik ziekelijk ben, dat het schandalig is om ernaar te vragen, en dat ik er vanzelf wel achterkom.' De brief was ondertekend met 'Benieuwde Betty'.

Mary had teruggeschreven: 'Stuur me een gefrankeerde envelop met je adres, dan vertel ik je alles wat je moet weten.'

Rose had diverse malen overwogen ook aan Mary te schrijven en een envelop bij te sluiten met voldoende postzegels om het antwoord naar Bombay te laten sturen. Maar de gedachte dat CiCi Mallinson, of CiCi's man Godfrey, de brief per abuis zou openmaken, was zo vernederend dat ze ervan af had gezien. Bovendien hoopte ze onderweg iets wijzer te worden. Niet in praktische zin natuurlijk, maar het kon niet anders of er waren een heleboel oudere mensen aan boord, en er werden vast en zeker heel veel feestjes georganiseerd.

Ze verdiepte zich in een artikel waarin stond dat mannen dol waren op vrouwen die zich omringden met een waas van geheimzinnigheid. 'Je moet ze een beetje laten raden,' aldus de schrijfster van het artikel. 'Bovendien vindt hij je veel aantrekkelijker als je hem niet al je angsten en verwachtingen toevertrouwt, maar hem vraagt over zichzélf te vertellen.'

Rose had Jack leren kennen op de eenentwintigste verjaardag van haar vriendin Flavia, in de Savile Club in Londen. Hij was meegevraagd als reserve, omdat er te weinig mannen waren, had hij haar verteld. Ze had hem zoveel rijper en zoveel meer ervaren gevonden dan de andere jongemannen op het feestje, die op haar een nogal onvolwassen, onnozele indruk hadden gemaakt. Bovendien was hij erg knap om te zien, met zijn blonde haar en zijn schitterende, rijzige gestalte. Hij kon alleen volstrekt niet dansen, en aanvankelijk hadden ze zich allebei wanhopig slecht op hun gemak gevoeld en niet geweten wat ze moesten zeggen terwijl ze over de vloer hopsten op de muziek van de New Orleans Rhythm Kings.

Uiteindelijk had hij haar gevraagd mee naar beneden te gaan, zodat ze rustig konden praten en niet hoefden te schreeuwen, en eenmaal daar had ze hem gevraagd naar zijn leven in India. Aanvankelijk was ze eerder onder de indruk geweest dan verblind. In haar ogen was hij al een volwassen man, en hij had al zoveel gedaan: gejaagd op wilde zwijnen en tijgers, en hij had geholpen de mensen in India van alles te leren. Hij deed er erg bescheiden over en zei dat hij simpelweg zijn bijdrage leverde, maar ze kon uit zijn verhalen opmaken dat hij erg dapper was.

En nu wilde ze zo graag van hem houden, op de manier zoals *Woman's World* dat bepleitte: 'Geen saaie verhouding waarin jullie het samen gewoon goed kunnen vinden', maar 'Probeer hem te intrigeren en het gevoel van mysterie levend te houden'. Tot dusverre was dat laatste gemakkelijk geweest. Vier weken na die eerste ontmoeting had hij haar ten huwelijk gevraagd, en een week later was hij teruggegaan naar India. Het moment van de waarheid kwam pas daar, wanneer ze eenmaal alleen waren en op elkaar aangewezen. Dan zou ze zich moeten bewijzen.

Er werd zacht op de deur geklopt: haar vader. Ze hoopte dat hij niet zou zien dat ze rode ogen had van haar huilbui in het tuinhuis. Langzaam liet hij zijn blik door de kamer gaan, over de ingepakte hutkoffer, de roze jurk, de foto van Jack op haar nachtkastje.

'Denk je dat je het gaat redden, Roosje m'n Roosje?'

'Ja, pappie. Het komt allemaal best goed.'

Hij ging bij haar op bed zitten. Het kon niet anders of bij haar hartstochtelijke 'Ja' dacht hij aan het aanstaande huwelijk. 'Reken maar dat ik ga proberen erbij te zijn. Ik ben gewoon jaloers op hem, Roosje.'

'Dat moet je niet zeggen, pappie!'

'Toch is het zo.' Hij plukte met zijn vingers aan het sprei. Ze leken broos en oud in het lamplicht. 'Mijn lieve, kleine meisje.'

Toen hij zich omdraaide, hoorde ze tot haar schrik dat hij slikte, gevolgd door een gesmoord kuchen. Het was voor het eerst dat ze hem zag huilen. Buiten haar raam zwiepten de donkere takken van de ceder in de wind. Haar kinderwagen had in de schaduw van die boom gestaan, later had ze er een hut in gebouwd, en nog weer later had ze samen met Tor een huisje gemaakt rond de stam.

'En wie mag deze gedrochtelijk gefriseerde modepop wel zijn?' Hij pakte de *Vogue* en keek woedend naar de mannequin op de voorkant. Dit was het spelletje dat ze hadden gespeeld toen Rose klein was: hij als de vurige kolonel Bluff die tegen haar tekeerging zoals hij dat in het echt nooit zou doen. 'Wat een gruwelijke uitdossing! Wat een verspilling van degelijke, Britse ponden!'

Ze sloeg haar armen om hem heen, begroef haar gezicht in zijn zachte, fluwelen vest. Wat was hij mager geworden! Ze ademde zijn geur in – pijp, zeep, honden – en borg die diep weg in haar herinnering.

'Welterusten, pappie. Slaap lekker.'

Slaap zacht, slaap zacht, de engeltjes houden getrouw de wacht.

'Welterusten, lief, klein meisje van me.' Onder haar hand voelde ze hoe hij huiverend ademhaalde.

'Wil je alsjeblieft het licht uitdoen?'

'Natuurlijk.' Het werd donker in de kamer, de deur viel in het slot. En ze wist, net als hij: dit was hun laatste nacht onder hetzelfde dak.

5

De Kaiser–i–Hind zou de volgende dag uitvaren. Over een oprijlaan omzoomd door druipende rododendrons reed de taxi met Viva erin naar St.-Christopher's in Colerne, een dorpje in de buurt van Bath.

Het regende onafgebroken, al sinds ze die ochtend wakker was geworden. Vanuit haar souterrain aan Nevern Square had ze naar de gebruikelijke processie van bemodderde enkels, galoches en knoopschoenen gekeken over het met plassen bezaaide trottoir, terwijl de inwoners van Londen naar hun werk gingen. Toen ze eenmaal in de trein zat, was de mist zo dicht geworden dat het voelde alsof ze door een tunnel reden, bekleed met grijs bont.

Water spatte op uit de plassen terwijl de taxi een groot, somber ogend Victoriaans landhuis naderde. Rechts van de weg zag Viva een groep jongens, die als kleine, grijze schimmen langs een weiland renden, gadegeslagen door koeien die tot over hun hoeven wegzakten in de modder.

Een dienstmeisje bracht haar naar een ontvangstruimte voor bezoekers. Het was koud in het spaarzaam gemeubileerde vertrek. Aan weerskanten van het bescheiden vuur in de haard stonden twee houten stoelen met rechte ruggen.

'Ik kom voor Guy Glover,' zei ze tegen het dienstmeisje. 'Ik begeleid hem naar India, als zijn chaperonne.'

'Meneer Glover is in de salon,' zei het dienstmeisje. 'Maar meneer Partington, zijn mentor, wil u eerst even spreken.'

Meneer Partington, een uitgeput ogende man met nicotinevlekken in zijn witte baard, kwam met zachte tred de kamer binnen. Hij zag er oud uit voor een leraar, vond ze. 'Juffrouw Viva Holloway, als ik het wel heb?' Hij gaf haar een slappe hand. 'Kijk eens aan, op naar India dan maar.' Hij wreef wat krijt van zijn broek en schraapte zijn keel.

'Inderdaad,' zei ze. 'Morgenochtend vertrekt de boot. Uit Tilbury. We gaan er vanavond al heen.'

Ze zweeg, in afwachting van de gebruikelijke opmerkingen die leraren maakten wanneer een van hun pupillen vertrok. Dingen als 'een beste kerel' en 'we zullen hem missen', maar er kwam niets.

'Kent u Guy?' vroeg meneer Partington na een ongemakkelijke stilte. 'Ik bedoel, bent u een vriendin van de familie?'

'Nee, zijn ouders hebben contact met me gezocht door middel van een advertentie in *The Lady*.'

'Merkwaardig,' zei hij zacht.

'Wat bedoelt u?'

'Merkwaardig hoe sommige mensen bepaalde dingen aanpakken.' Hij hoestte alsof hij een kikker in zijn keel had. 'Hrggghh! Dus u... u kent hem helemaal niet?'

'Nee.'

Hij nam haar peinzend op, drukte zijn lippen op elkaar en tikte met zijn pen op het bureau dat in het midden van het vertrek stond. In de gang klonk het gepiep van schoenzolen, boven hen speelde iemand – weinig verdienstelijk – piano.

'Ik heb iets voor u. Iets wat u mee moet nemen.' Meneer Parrington haalde een brief onder het vloeiblad vandaan en schoof die over het bureau naar haar toe. 'Blijkbaar...' Hij hoestte weer. 'Blijkbaar heeft niemand het u verteld.'

Hun blikken kruisten elkaar.

'Wat zouden ze me verteld moeten hebben?'

'Guy is van school gestuurd. Bij twee van de jongens op zijn slaapzaal werd geld vermist en een andere jongen was een reisklokje kwijtgeraakt. Hij heeft meteen bekend. Het was niet veel geld, en er zijn verzachtende omstandigheden.' Meneer Partington hoestte opnieuw, en toen hij zijn zakdoek tevoorschijn haalde om zijn neus te snuiten, viel er een waterval van elastiekjes op de grond. 'Zijn ouders houden hem financieel erg kort. Het was zelfs zo erg dat hij het vorige trimester geld van ons heeft moeten lenen. Hoe dan ook, een en ander heeft geleid tot problemen met de rest van onze leerlingen.' Meneer Partington knipperde met zijn bleke ogen. 'Een begrijpelijk gebrek aan vertrouwen. Dat hebben we een paar maanden geleden al aan zijn ouders geschreven, maar we kregen vorige week pas antwoord. Met de mededeling dat u hem zou komen halen.'

Partington haalde nog een brief onder het vloeiblad vandaan. 'Zou u dit ook aan de ouders willen geven? Guys rapport en de resultaten van zijn laatste testamens. Rampzalig, vrees ik. Ongetwijfeld een enorme teleurstelling voor de ouders. En verschrikkelijk zonde.' Weer een hoestbui. 'Met wat goede wil en een beetje geluk had hij die tentamens makkelijk kunnen halen. Afhankelijk van zijn stemming, natuurlijk.'

'Zijn stemming?' Viva stopte de brieven in haar tas en probeerde kalmer te klinken dan ze zich voelde.

'Hij is geestelijk niet sterk, en dan druk ik me nog voorzichtig uit. Maar zijn ouders hebben me verzekerd dat u erg veel ervaring hebt en dat u de verantwoordelijkheid aankunt. En ik...' Hij wilde nog iets zeggen, maar op dat moment ging er een bel, en op de gang klonk het geluid van rennende voeten. Boven hen zweeg de piano. Viva hoorde een piepend geluid toen het deksel werd gesloten.

Het dienstmeisje verscheen in de deuropening. 'Meneer Parrington, meneer Bell wil u spreken in het lab. Ik denk dat u zijn klas moet overnemen. Meneer Bell is vergeten u te zeggen dat hij naar de tandarts moet.'

'O hemel.' Partington slaakte een zucht.

'Afijn, ik zal u niet langer ophouden.' Hij drukte Viva de hand. 'Guy zit in de kamer hiertegenover op u te wachten. Dus wanneer u zover bent, kunt u hem meenemen. We hebben al afscheid genomen.' Hij wees naar de deur aan de andere kant van de gang en wendde zich af. Het was duidelijk dat hij haast had om weg te komen.

In de ontvangstruimte aan de overkant van de gang was het al net zo kil. Op een glimmend gewreven dressoir prijkte een groene vaas met pauwenveren. Bij Viva's binnenkomst stond er een lange jongen op met een ernstig, bleek gezicht. Hij droeg een lange, zwarte jas. Tussen de eerste baardharen op zijn kin waren duidelijk puistjes te zien.

'Dag, ik ben Viva Holloway. En jij bent Guy? Guy Glover?' vroeg ze.

'Dat klopt.'

'Kijk eens aan. Leuk je te ontmoeten.' Toen ze haar hand uitstak, schudde hij die met duidelijke tegenzin.

'Het genoegen is geheel wederzijds. Althans, daar ga ik maar van uit.'

Toen hij eindelijk glimlachte, registreerde ze dat hij net zulke konijnentanden had als zijn tante. En dat hij haar niet recht aankeek. Ze betrapte zich erop dat ze nu al een hekel aan hem begon te krijgen, maar besefte tegelijkertijd hoe oneerlijk dat was. Als iémand zou moeten begrijpen hoe ongemakkelijk je je kon voelen wanneer je door een totale vreemde van school werd gehaald, was zij het.

'Zullen we je spullen dan maar gaan halen?' vroeg ze. 'De taxi staat te wachten. We gaan vanhier rechtstreeks naar Tilbury.'

'Wie betaalt dat?' vroeg hij scherp.

'Wat?'

'De taxi, natuurlijk. Ik heb geen geld.'

'Je tante,' zei ze, vastbesloten zich niet te storen aan zijn toon. Ze waren vijf pond aan reiskostenvergoeding overeengekomen.

Terwijl ze achter zijn lange, dunne benen aan de trap op liep, probeerde ze het gevoel van paniek te verdringen dat bezit van haar had genomen tijdens het gesprek met meneer Partington. Haar hutkoffer was gepakt, alles voor de reis was geregeld, dus ze kon het zich niet veroorloven te zwaar aan zijn wangedrag te tillen. Trouwens, redeneerde ze in een poging de zaak te bagatelliseren, alle kinderen stalen wel eens wat. Zelf had ze met vriendinnen wel eens een snoepje gepikt, of zoiets onschuldigs als een potlood, in het snoepwinkeltje vlak bij school. Ze hadden het gedaan om te laten zien dat ze het durfden. Het hoorde bijna bij het volwassen worden.

'Hoe lang heb je hier gezeten?' Ze hadden de eerste overloop bereikt.

'Tien jaar.'

'Allemachtig, dat is lang, zeg.'

'Hm.'

'Wat moet het dan vreemd zijn om weg te gaan.'

'Niet echt.' Zijn stem verried geen enkele emotie. Ze kreeg het gevoel dat ze beter geen vragen meer kon stellen. Hij mocht dan een onverschillige indruk maken, diep vanbinnen was hij misschien van streek – sterker nog, voelde hij zich vernederd – door de schaduw die er over zijn vertrek lag.

Aan de onderkant van de deur boven aan de trap was een brede strook vilt bevestigd tegen de tocht. Toen hij de deur met zijn voet had opengeduwd, zag ze een rij witte bedden – tien, meende ze te zien – met een groene sprei keurig opgevouwen op het voeteneinde. Aan het eind van het vertrek was een groot raam met daarachter een hemel die op het punt leek nog meer regen te laten vallen op de toch al doorweekte velden.

Hij ging haar voor naar een bed halverwege de slaapzaal. Er stonden twee koffers naast.

'Mijn hutkoffer is al vooruitgestuurd,' zei hij.

Ze was getroffen door de stilte en de kou in de slaapzaal, en opgelucht toen ze zag dat er een briefje op zijn kussen was geprikt met daarop in een slordig jongenshandschrift zijn naam. Ze veronderstelde dat het van een medeleerling was die hem gedag wilde zeggen. Hij verscheurde het briefje echter zonder het te lezen en gooide de snippers in een prullenmand onder het bed.

'Zo,' zei hij toen. 'Ik ben klaar om te gaan.'

Het briefje had een blos op zijn spierwitte wangen getoverd. In zijn jongenshals stak zijn adamsappel nadrukkelijk naar voren. Ze deed alsof ze het niet zag. Hij is erger van streek dan ik dacht, zei ze tegen zichzelf, en ze herinnerde zich haar eigen tweeslachtige gevoelens ten aanzien van de ijskoude kloosterkostschool in Noord Wales, die ze had gehaat, maar waar ze zich tegelijkertijd veilig had gevoeld.

'Zal ik deze in je koffer doen?' Ze hield een scheerriem en een smoezelig hemd omhoog dat ze onder zijn bed had gevonden. Het hemd was dun gesleten en had gele zweetplekken onder de oksels.

'Nee, die laat ik hier.'

'Zoals je wilt.' Ze probeerde opgewekt te klinken. 'Zullen we dan maar? Ik heb al met meneer Partington gesproken.'

'Ja.' Als een groot, verwonderd dier liep hij om zijn bed heen, en hij liet voor het laatst zijn blik door de slaapzaal gaan.

'Wil je deze nog meenemen?' Ze pakte een lijstje op dat met de fotokant naar beneden op het tafeltje met zijn waskom lag.

Toen ze het omdraaide zag ze een foto van een lange man met vierkante schouders. Hij was gekleed in kaki en keek slecht op zijn gemak in de lens van de fotograaf. Op de achtergrond strekte zich een eindeloos landschap van gebleekte zandduinen uit.

'Dat is mijn vader.' Hij deed zijn koffer open en drukte de foto boven op een stapel rommelig opgevouwen kleren.

'Ben je niet bang dat het glas breekt?' Ze besefte dat ze nu al klonk als een ergerlijke volwassene.

'Dat risico neem ik.' Hij klapte het deksel dicht.

Zij droeg een van de koffers naar beneden, hij nam de andere. Samen liepen ze de glimmend gewreven gang door, en pas toen ze al in de taxi zaten, besefte ze dat er niemand – geen van de jongens, niemand van het personeel en van de leerkrachten – naar de deur was gekomen om afscheid van hem te nemen.

Toen de taxi door het ijzeren hek aan het eind van de oprijlaan reed, draaide hij zich om en wierp een laatste blik op de school. 'Stelletje ellendelingen,' fluisterde hij, en met een stralende, onoprechte glimlach voegde hij eraan toe: 'Neemt u me niet kwalijk. Zei u iets?'

Als ze verstandig was, vroeg ze de taxichauffeur rechtsomkeert te maken en hem terug te brengen, dacht ze. Het spijt me vreselijk, maar ik geloof niet dat dit een goed idee is, zou ze zeggen. Maar dat betekende geen geld, en niet naar India. Dus ze verdrong haar gevoelens en zei tegen de chauffeur hen naar het station in Bath te brengen.

6

De haven van Tilbury, 17 oktober 1928

Tegen de tijd dat Tor en Rose arriveerden, heerste er op De Kaiser-i-Hind de bedrijvigheid van een bijenkorf.

Laskaren met rode tulbands liepen af en aan met bagage; kratten fruit en kisten met etenswaren werden de loopplank op gesjouwd; klokken luidden, en op de kade speelde een fanfare van afgezwaaide militairen met overgave 'Will Ye No' Come Back Again'. Tor straalde, en ze moest zich beheersen om niet al te openlijk naar alle mannen te staren die aan boord gingen: gebruinde kerels in marine-uniformen, oude kolonels dik ingepakt tegen de kou, bleke intellectuelen, jonge burgerambtenaren en een hemels ogende man in een schitterende kasjmier jas die eruitzag alsof hij van half-Indiase afkomst was. Hij draaide zich om en schonk haar – ze wist het zeker! – een veelbetekenende blik.

O, de opwinding was bijna ondraaglijk!

Bij een van de loopplanken stonden de ouders van Rose op gedempte toon te praten met juffrouw Viva Holloway, die zich bij hen had gevoegd met haar andere pupil, een grote, bleke jongen in een lange donkere jas. Tor zag dat hij naar haar moeder keek, die luidruchtig en druk gebarend het woord voerde over passagiersbewijzen en hutkoffers. Maar vandaag kon ze zich er niet druk over maken.

Het grootste deel van de ochtend besteedden ze aan het verkennen van het schip, dat verbazingwekkend ruim en luxueus was. 'Het lijkt wel een eersteklas hotel,' zei haar moeder telkens weer. 'Het doet me sterk denken aan *Le Meurice*.' De glimmende houten vloeren roken naar boenwas. De rooksalons waren ingericht met diepe, gemakkelijke fauteuils, de eetzaal was verfraaid met weelderige wandschilderingen, op de vloeren lagen Perzische tapijten, overal stonden verse bloemen, en toen ze een kijkje namen in de zaal waar het diner zou worden geserveerd, werden daar al de voorbereidingen getroffen voor een buffet, met reusachtige kalkoenen en hammen en een kar met toetjes, zwaarbeladen met zacht

38

lillende blanc-mangers en neiges au crème, vruchtensalades en – Tors lievelingsdessert – citroenschuimtaart.

Haar moeder hield van bewondering haar adem in, en bedierf het vervolgens door nadrukkelijk te fluisteren: 'Nou, ik weet wel iemand die hier in haar element zal zijn,' gevolgd door: 'Lieverd, probeer alsjeblieft het niet te overdrijven. Er is géén geld meer voor nieuwe japonnen.'

Bij wijze van uitzondering nam Tors zwijgzame vader het voor haar op. 'Laat dat kind toch met rust, Jonti,' zei hij, met een dikke keel van emotie. 'Je moet haar vandaag niet zo op haar huid zitten.'

Toen er een luide bel ging, werd de bedrijvigheid aan boord nog koortsachtiger. Boven hun hoofd klonk het geluid van rennende voeten, er werden commando's geschreeuwd, de muziek op de kade zwol aan tot een snikkend crescendo, en haar ouders werden van boord gestuurd.

Het laatste beeld van haar moeder was dat van een kleine, vastberaden vrouw op de kade, met een verdwaalde, kleurige serpentine in haar bontkraag. Ze stond een eindje bij haar vader vandaan. Toen Tor naar beneden keek, kruisten hun blikken elkaar. Prompt stak haar moeder haar borst vooruit en schonk haar een veelbetekenende blik. Haar lippen vormden een woord: Houding. Tor ging rechtop staan, als een afgerichte zeehond, dacht ze bitter. Tot het laatste moment.

Toen speelde de band een bezield vaarwel, er ging een huivering door het schip, alsof er een reusachtig hart begon te kloppen, en ze waren los. Terwijl andere passagiers huilden en wuifden en ingespannen naar hun familie tuurden tot hun dierbaren niet meer dan stipjes op de kade waren, vloog Tors hart in extase de hemel tegemoet. Ze was vrij!

Een uur later stonden Rose en Tor op het A-dek, waar ze zich stijf aan elkaar vastklampten en de stormachtige wind trotseerden. De zeemeeuwen die hen vanuit de haven van Tilbury waren gevolgd, keerden een voor een terug naar de kust.

Toen de nieuwe jas van Rose plotseling opbolde tot boven haar hoofd, begonnen ze allebei te lachen, maar het klonk wat al te uitbundig.

'Is alles goed met je?' vroeg Tor. Rose zag eruit alsof ze had gehuild.

'Ja, ik voel me prima. Ik vind het zo opwindend. Echt waar! Maar ik denk dat ik maar eens naar de hut ga om mijn koffer uit te pakken. Wat doe jij?'

'Ik kom ook zo,' zei Tor. 'Eerst ga ik mijn korset overboord gooien.'

Rose nam haar onderzoekend op en deed haar best om te lachen. 'Je moeder vermoordt je.'

'Die kan niet zwemmen.' Tor sperde haar ogen zo ver mogelijk open. 'Jammer, hè?'

Het korset. Haar moeder was ermee boven gekomen toen Tor bezig was met pakken en had het als een rimpelige, roze baby op het bed gelegd.

'Ik heb het voor je meegebracht uit Parijs,' zei ze fluisterend. 'Als verrassing. Daarmee krijg je een wespentaille. *Comme ça.*' Met een dwaze, samenzweerderige glimlach vormde ze met haar handen een kleine cirkel. 'Zonder korset hangt je perzikkleurige crêpe de Chine als een hobbezak om je lijf. En ik waarschuw je, CiCi Mallinson is erg, erg chic.' Het was bepaald niet voor het eerst dat ze over hun gastvrouw in Bombay begon, door Tor in gedachten al 'de draak' gedoopt.

Ondanks al haar goede bedoelingen om vóór haar vertrek geen ruzie meer te maken, had Tor met stemverheffing gereageerd. 'Mammie, er is níémand die zoiets nog draagt!' Wat natuurlijk niet waar was. En ze had er onlogisch aan toegevoegd: 'Bovendien, als mijn hersens smelten in die hitte, lukt het me nooit dat aan te trekken.'

Even dacht Tor dat ze een klap in haar gezicht zou krijgen, want haar moeder had al eerder bewezen dat haar handen loszaten. Maar er gebeurde niets. 'O, *pouf!*' was alles wat ze zei, en ze maakte een afwerend gebaar, alsof ze een ergerlijke vlieg wegjoeg. Tor las een blik van pure minachting in haar ogen, wat in zekere zin nog erger was dan boosheid. Dan ben je maar dik en lelijk, zei die blik. Ik geef het op.

'Lieverd.' Rose verscheen wat bleekjes weer aan dek. 'Het is erg onnozel van me, maar ik kan juffrouw Holloway niet vinden. En onze hut ook niet. Ze lijken allemaal op elkaar.'

Hoe ze ook haar best deed opgewekt te kijken en haar stem vast te doen klinken, het was maar al te duidelijk dat de arme Rose danig van streek was. Op school was zij altijd de kalmste en de meest praktische van hen beiden geweest, degene die Tors potloden bij elkaar raapte en haar huiswerk wist te vinden als Tor had vergeten waar ze het had gestopt. Nu was het Tor die Rose bij de hand hield terwijl ze zich slingerend een weg zochten over het dek, allebei een beetje misselijk. Het was alsof de wind hen in de richting van de trap zoog. Op dat moment kregen ze de vreemde jongen in de gaten die met juffrouw Holloway was meegekomen. Hij zat alleen in een dekstoel naar de zee te staren en bewoog ritmisch zijn voet, alsof hij naar muziek luisterde.

'O, dag,' zei Rose. 'We zijn op zoek naar juffrouw Holloway. Weet jij soms waar ze is?'

'Nee, geen flauw idee.' Hij wendde zich af en tuurde opnieuw ingespannen naar de zee.

'Gossie, wat onbeleefd!' zei Rose. Ze daalden de trap af, op weg naar het kantoor van de purser. 'Ik hoop dat hij bij het eten niet elke keer bij ons aan tafel zit.'

'Dat zal niet gebeuren,' zei Tor ferm. 'Want dat wil ik niet. Dus ik ga het er met juffrouw Holloway over hebben. Ik verzin wel iets.'

Aan de voet van de trap deelde een kolonel met een rood hoofd commando's uit aan een kleine Laskaar die worstelde met de hutkoffer van de kolonel. 'Linkerhand naar beneden! Hou vast! Heel goed! Zo mag ik het zien!' Een chique dame inspecteerde haar lippenstift in de spiegel en zei tegen een kleine jongen: 'Ja, we hebben een ruwe zee, maar er is niets wat ik daartegen kan doen.'

Ze zouden allemaal even tijd nodig hebben om hun draai te vinden.

'Ik ben bang dat we erg dom zijn geweest, want we zijn onze sleutels kwijt,' zei Rose tegen de purser, die onmiddellijk onder de indruk was van haar charmes. Dat effect had Rose op mannen. Door haar dauwfrisse zachtheid, haar aarzelende, vertrouwelijke manier van doen smolten ze meteen. Zijn dienst zat erop, zei de purser, maar hij zou hen wel even naar hun hut brengen. Dus hij loodste hen langs de bar, waar de band 'Ain't she Sweet' speelde, en langs de eetzaal, waar obers in sneeuwwitte uniformen druk bezig waren de tafels te dekken.

'Is dit uw eerste reis naar het oosten?' vroeg hij aan Tor. Zijn stem klonk onpersoonlijk.

'Ja, mijn vriendin gaat trouwen. En ik ben bruidsmeisje.'

'Dat klinkt erg leuk,' zei hij. 'Gaat u naar Bombay of Delhi?'

'Naar Bombay.' Ze had het gevoel alsof ze in het leven van iemand anders was gestapt.

Ze daalden een met tapijt beklede trap af en kwamen in een smalle gang waar het vaag naar diesel rook.

'Alstublieft, dames. Hier is uw hut: B34. Uw chaperonne heeft B36. En meneer Glover heeft de hut naast u, B35. Goede reis.'

Eenmaal alleen gingen Rose en Tor grijnzend tegenover elkaar op hun bed zitten. Ze waren amper op weg, maar er heerste nu al totale chaos in de kleine ruimte. Bij hun eerdere bezoek aan de hut hadden ze stapels kleren op de grond laten liggen, omdat ze veel te opgewonden waren geweest om fatsoenlijk hun koffers uit te pakken. Nu namen ze uitvoerig de tijd om de twee identieke koperen bedden te inspecteren, de weelderig ogende dekens, voorzien van een monogram, en de piepkleine ladekast. Rose hing haar trouwjurk, die er in zijn klerenzak uitzag als een zwaaiend lijk, aan de buitenkant van de kast. 'Ik geef hem aan de purser,' stelde ze Tor gerust. 'Hier neemt hij veel te veel ruimte in.'

Uitgeput door alle ervaringen en door de emoties van het vertrek gingen ze even liggen en deden ze er het zwijgen toe. Tor had het bed naast de patrijspoort gekozen, waardoor ze de deinende golven kon zien. Rose wilde liever dichter bij de badkamer slapen, zei ze.

Ze lagen alweer te kletsen toen er op de deur werd geklopt en hun piepkleine steward binnenkwam ('Echt létterlijk niet groter dan een aap,' schreef Rose later in een brief naar huis. 'In een prachtig blauw-wit uniform.') De kleine steward schonk hun een stralende glimlach. 'Ik ben Suday Ram. Dames willen baad?'

'Wat zeg je?' vroeg Rose beleefd. 'Ik heb je niet goed verstaan.'

Tor vermeed het haar vriendin aan te kijken, uit angst dat ze dan de slappe lach kregen.

'Dames willen bááд?' herhaalde hij wat nadrukkelliiker.

Hij ging hen voor naar de piepkleine badkamer, voorzien van weelderige, witte handdoeken en nieuwe stukken zeep. Daar liet hij hun zien hoe de kranen werkten, waar roestbruin zeewater uit kwam, en – erg gênant – hoe ze de wc moesten doortrekken. Zodra hij weg was, barstten ze in lachen uit. 'Dames willen baad?' Ze bleven het herhalen tot ze hun Indiase accent hadden geperfectioneerd. Tor was blij dat ze Rose weer zag lachen. Want ze kon zien dat haar vriendin weer had gehuild, ook al zou die dat nooit toegeven.

'Rose,' zei ze met haar Indiase accent. 'Ga naar baadkamer, vrijf je buik en doe een vens. Ik heb groot verrassing.'

Toen ze de grendel voor de deur hoorde schuiven, haalde Tor haar kostbaarste bezit uit haar hutkoffer en hield het even eerbiedig in haar armen. De aanblik van de roodleren kist, met het hondje Nipper en een hoorn op het deksel, deed haar nog altijd huiveren van geluk.

'Nog niet!' Ze haalde de zijden kousen uit de hoorn, die ze erin had gestopt om te voorkomen dat hij indeukte. 'Ogen dicht! Stijf dicht!' Uit een vakje in de zijden voering haalde ze een blikje met daarin de naald, op een kussentje van watten. Enkele ogenblikken later schalde, knarsend en piepend, 'Shoo Fox' van J.B. White door de hut.

'O, Tor!' Rose kwam de badkamer uit en begon op kousenvoeten de charleston te dansen. 'Wat ben ik toch blij dat je er bent! Echt, ik ben zo blij dat we samen zijn!'

Ze dansten door de hut en lieten zich ten slotte op een van de bedden vallen.

'Hè, wat een gedoe!' mopperde Rose toen haar trouwjurk in een lawine van zijde op de grond belandde. 'Hij moet hier echt weg.'

'Ach, dat komt wel.' Tor schonk hun een glaasje crème de menthe in, en ze leunden samen achterover, met hun ogen dicht, zich bewust van het deinen van het schip dat hen naar hun bestemming bracht.

Toen las Tor de brief van de kapitein voor die bij aankomst op hun bed had gelegen.

'We zijn uitgenodigd voor een cocktailparty. Vanavond. In de Taj Room. De reis gaat twee weken duren. We leggen aan in Marseilles, Malta, Port Said en Bombay. In de Persian Room wordt elke avond gedanst op de klanken van de Savoy Havana Band.

Het plebs uit de tweede klas hoeft het niet in zijn hoofd te halen zich in de eerste klas te vertonen,' vervolgde Tor. 'Verder worden er thema-feestjes gegeven met een kledingcode, we kunnen ringwerpen aan dek, er zijn bridgeavonden, en in Port Said geeft luitenant-kolonel Gorman in de Simla Bar een lezing over slangenbeten en de gevolgen van een zonnesteek. De voorgeschreven kleding is smoking voor de heren, en de dames worden in het lang verwacht. Elke avond. O! En er staat elke avond ontucht en overspel op het programma.'

'O, Tor, hou op!' Rose nipte van haar glas. 'Wat is dat?' vroeg ze toen. Uit de richting van de patrijspoort klonk een enorm gekraak, gevolgd door het dreunen van een motor en het geluid van rennende voeten.

'Dat is de wind, schat.' Tor keek naar de patrijspoort, naar de grijze golven die over elkaar tuimelden. 'Die volgt ons tot in de peilloze diepten.'

'Voor mij geen druppel crème de menthe meer,' zei Rose, die een beetje groen begon te zien.

'Voor mij wel,' zei Tor. 'Anders ben ik bang dat de opwinding me te veel wordt.'

7

Golf van Biskaje

De zee: langgerekte, glinsterende troggen afgebiesd met romig schuim als fijn kantwerk; stukgevallen ijsjes, misbaar, levenskracht, geweld van golven. Reptielachtig gesis terwijl het schip door het water glijdt. Bij Tilbury de kleur van aardappelschillen, hier diep, intens groen.

GEEN CLICHÉS schreef Viva Holloway met hoofdletters in haar nieuwe, in leer gebonden dagboek. ZORG DAT JE FATSOENLIJK WERK AFLEVERT.

Deze gewoonte, om bazige briefjes te schrijven aan zichzelf, stak vaak de kop op in tijden van hoogspanning. Als kind, en later op de klooster-kostschool in Wales, had ze zich voorgesteld dat die briefjes haar werden gedicteerd door haar vader, Alexander Holloway, spoorwegingenieur met als laatste standplaats Simla, die vanuit de hemel op haar neerkeek en haar vorderingen volgde. Eenmaal in Londen, waar ze zich op haar achttiende vestigde, bleef deze wijzende vinger ook aanwezig, vol advies hoe ze zich staande moest zien te houden in de grote, boze stad, waar ze niemand kende en waar ze op de rand van het bestaansminimum leefde. De vinger was er altijd, klaar om haar te corrigeren wanneer ze aarzelde, of toegaf aan gevoelens van spijt of zelfmedelijden, of neigde tot buitensporigheid.

Ze sloeg de bladzijde om.

'DINGEN DIE IK MOET DOEN IN INDIA,' schreef ze.
1. ELKE DAG TEN MINSTE ANDERHALF UUR SCHRIJVEN.
2. ONMIDDELLIJK WERK ZOEKEN, MAAR NIET ALS GEZELSCHAPSDAME OF KINDERMEISJE.
3. EEN BRIEF SCHRIJVEN AAN MABEL WAGHORN OVER HET OPHALEN VAN DE HUTKOFFER.

Je mag pas naar Simla als je genoeg geld hebt verdiend. EN NIET EERDER! schreef ze gebiedend in de kantlijn.

Geld was iets waarover ze zich voortdurend zorgen maakte. Guy Glovers tante had beloofd haar, vóór vertrek van het schip, een postwissel van honderdzestig pond te sturen. Maar wat er ook kwam, geen postwissel, dus ze had de overtocht en hun treinkaartjes moeten betalen van haar slinkende spaargeld.

Op het laatste moment had haar voormalige werkgeefster, Nancy Driver, bij wijze van afscheidscadeau tien guinea in het leren dagboek gestopt. De moeder van Rose had haar vijfentwintig pond gegeven, net als de moeder van Tor, maar om zichzelf in leven te houden zou ze moeten zorgen dat ze geld verdiende met het schrijven van artikelen.

Met een diepe zucht sloeg ze de bladzijde om. Ze zat in de verste hoek van de schrijfkamer, waar een handjevol andere passagiers bij het licht van schemerlampjes braaf zat te pennen aan bureaus die op discrete afstand stonden van het hare. Vanwaar ze zat, kon ze grijze golven en grijze luchten zien, en een horizon die op en neer bewoog als een toneeldecor. Ze waren in de Golf van Biskaje, en de steward die haar hierheen had geloodst, had opgewekt voorspeld dat de golven nog wel hoger zouden worden naarmate de ochtend vorderde. Een voorspelling die ze vastbesloten was te negeren.

'DE VISSERSVLOOT' door Viva Holloway, schreef ze in kloeke letters boven aan de bladzijde; ze versierde de beide V's met een fantasierijke krul en stak de bovenkant van haar pen in haar mond.

Grofweg gezien zijn er aan boord van De Kaiser-i-Hind drie soorten vrouwen, begon ze.

Ze keek uit het raam, naar de golven, zich afvragend of ze het artikel per post zou versturen, of per telegram, wat schokkend duur was. De bestemming was een sjofele zitslaapkamer in Bloomsbury waar het hoofdkwartier was gevestigd van *The Voice*, een feministisch tijdschrift, opgezet door Violet en Fiona Thyme, twee zusters en suffragettes, met wie mevrouw Driver haar in contact had gebracht.

Als het verhaal hun beviel, zouden de gezusters haar tien pond per duizend woorden betalen, hadden ze toegezegd. 'We zijn niet geïnteresseerd in de jacht op olifanten en kruidige, exotische geuren, kindje,' had Viola gezegd, die kleine sigaartjes rookte en ooit een cel had gedeeld met Emily Pankhurst. 'Graaf dieper en laat zien wat er werkelijk speelt onder al die vrouwen die naar India gaan. En wat ze denken te doen wanneer de hele boel daar instort.'

Om te beginnen zijn er de memsahibs – *de vrouwen van de meester, in het Hindi* – *die allemaal eersteklas reizen.* (*Controleren of er een tweede klas is,* schreef ze in de kantlijn, want ze had nog nauwelijks tijd gehad om op verkenning uit te gaan.)

Ik heb hen gezien in de fraaie eetzaal. Hun pluimage is heel gevarieerd – sommigen geven de voorkeur aan de wat boersere veren van de graaf-schappen: grijsbruine tweeds, zijden jurken in diverse tinten aardappel-bruin, degelijke schoenen en dikke kousen. Anderen zijn gekleed alsof India hun hart al heeft gebroken.

Weer anderen zien er uiterst elegant uit. Misschien omdat ze weten dat er na aankomst weinig anders te beleven valt dan de club, de tennisbaan of de jacht, waar telkens weer hetzelfde beperkte gezelschap elkaar met argusogen bekijkt, vastberaden om bij te blijven als het gaat om de laatste mode.

Vervolgens zijn er de schichtig nerveuze jonge meisjes die collectief en liefdeloos worden aanduid als de Vissersvloot. Ze gaan naar India op zoek naar een man, en dat doen ze – hun haak voorzien van aas – al sinds de negentiende eeuw.

(*Sinds wanneer precies? Je moet met ze praten*, krabbelde ze in de kantlijn.)

De meesten vertrekken na afloop van het Londense uitgaansseizoen, waar ze zijn gestruikeld over de eerste hindernis op de met zoveel verwachtingen omgeven huwelijksmarkt. Met voor iedere vrouw drie mannen uit het juis-te milieu, is India hun laatste kans om een echtgenoot te vinden.

Viva legde haar pen neer en dacht aan Rose, die geurde naar Devonshire Violets, en die – Tor had gelijk – werkelijk betoverend was. Ze leek de belichaming van een speciaal Brits soort onschuld: met een prachtige huid, charmant verlegen, onzeker als het om mannen ging.

Op hun eerste avond aan boord was ze naar de hut van de meisjes ge-gaan om te zien of alles in orde was. De deur zat niet op slot, en toen ze haar hoofd om de hoek stak, zag ze dat Rose heel zacht, met haar hoofd in het kussen, lag te huilen. Ze was onmiddellijk opgesprongen en had iets over haar broer gemompeld, of misschien was het haar vader – die arme man die zo duidelijk kapot was geweest van haar vertrek – , en ze had zich verontschuldigd voor het feit dat ze zo'n huilebalk was. Voor het eerst had Viva iets gevoeld waarvan ze veronderstelde dat het moederlijke bezorgdheid was. Het liefst had ze een arm om het meisje heen geslagen, maar ze had tegelijkertijd beseft dat ze hen allebei daarmee in verlegenheid zou brengen.

Ze is doodsbang, had ze gedacht. En geef haar eens ongelijk!

Voor sommigen kan de uitkomst van de reis een nachtmerrie blijken te zijn. Het was op schepen zoals De Kaiser-i-Hind dat degenen die bij Cawnpore aan stukken werden gehakt, naar India kwamen. Anderen zullen ontdekken hoe het is om, door de hitte tot wanhoop gedreven, naar de dood te verlangen. Of er wordt op hen geschoten, of hun kinderen sterven aan een tropische ziekte, of ze raken hun kinderen al snel kwijt omdat ze aan de andere kant van de wereld naar school moeten.

Opnieuw legde Viva haar pen neer. Dit zou het aangewezen moment zijn om te vertellen over de dood van haar eigen vader. Of misschien ook niet. Ervaring had haar geleerd dat ze beter kon zwijgen als ze zich de betraande, meelevende blikken van haar medemensen wilde besparen; hun gêne, de lange verhalen van anderen die iemand hadden verloren in het buitenland, of – en dat was het ergste – de pogingen om een verheffende moraal uit het gebeuren te destilleren, zodat het allemaal niet voor niets was geweest. Bovendien kwam het verhaal van het auto-ongeluk inmiddels zo gemakkelijk over haar lippen, dat het bijna voelde alsof het echt was gebeurd.

En ten slotte zijn er de vrouwen zoals ik: alleenstaande vrouwen zonder sahib en zonder het verlangen naar een man; vrouwen die van India houden en die graag willen werken. Er wordt nooit echt over ons geschreven – over de gouvernantes, de leraressen, de chaperonnes – maar we hebben wel een degelijk een verhaal te vertellen.

Is dat zo? Willen ze echt állemaal graag werken? krabbelde ze als notitie voor zichzelf. Nou, voorlopig zou ze het ermee moeten doen. Ze zou verdergaan met een beschrijving van hun pluimage, die in haar geval erg ongebruikelijk was. De wollen tweeds had ze teruggegeven aan mevrouw Driver, en die ochtend had ze zich weer in haar eigen kleren gehuld: een vuurrode, zijden jurk, een donker ballettruitje dat nog dateerde uit haar schooltijd, en een exotisch ogende, zilveren ketting die ze van haar moeder had geërfd.

Plotseling vulde haar mond zich met speeksel, en ze legde haar pen neer toen de vloer omhoogkwam, tegelijk met haar maag. Ze keek om zich heen in het deinende vertrek, naar de lampen en de groen leren bureaus – sinds wanneer rook leer zo misselijkmakend? – om te zien hoe de andere passagiers eraantoe waren. De wanden kraakten toen ze opstond. De vlammen sloegen haar uit van gêne. Amper zesendertig uur buitengaats, en ze was zeeziek!

'Neemt u me niet kwalijk, *madam.*' Er verscheen een ober met een grijs-met-roze doos en een glas water.

O nee! Was het haar zo duidelijk aan te zien? Ze ging weer zitten, sloot haar ogen en probeerde het terugtrekken en aanzwellen van de golven niet te voelen. Diep ademhalen! Diep ademhalen! Ze deed haar best de geluiden buiten te sluiten: het zwakke gerinkel van glazen, het onnozele gelach van mensen die ruw weer grappig vonden, de vraag van de vrouw in het zitje naast het hare, die 'wat eiersandwiches en een potje earl grey' bestelde. Eiersandwiches. Bleegghhh. Weerzinwekkend.

'Juffie.' De ober ging bij de deur staan. Hij glimlachte vriendelijk naar haar terwijl ze naar buiten strompelde, het oorverdovende gebulder van de golven tegemoet.

'Bedankt. Ik red me wel. Dank u.'

Ze legde haar voorhoofd op de reling en bleef zo staan tot ze zich iets beter voelde. De laatste zin die ze had willen opschrijven, zweefde spottend door haar hoofd, de woorden dansten stuk voor stuk hun eigen dans. 'Ik ben niet geboren voor het huwelijk. Ik ben geboren met een knapzak op mijn rug.'

De steward bracht haar een dekstoel en een plaid. Toen ze ging zitten, dacht ze vluchtig aan Ottaline Renouf, een van haar heldinnen, die de halve wereld had rond gereisd in de meest excentrieke vaartuigen – Deense vissersschepen, bananenboten, treilers, Turkse kaïks – en geen moment zeeziek was geweest. Hoe moest het verder als bleek dat ze de reis niet aankon? Wat zou er dan gebeuren?

Tegen de tijd dat ze opstond, was de hemel boven de nog altijd hoog oprijzende golven een tapijt van doffe tinten grijs, geel en blauw. De avond viel, de lichten brandden. Vanbinnen hoorde ze gelach en de zwakke arpeggio's van aanzwellende en weer zachter wordende pianomuziek. Wat klonk het allemaal iel en mechanisch vergeleken met het dierlijke gebrul van de golven.

Toen ze weer opkeek, ontdekte ze Guy Glover in een dekstoel achter een glazen scherm dat hem beschermde tegen de ergste wind. Hij zat in zijn zwarte overjas een sigaret te roken. Toen hij zag dat ze naar hem keek, hield hij haar blik vast en bracht de sigaret naar zijn mond. Probeer het me maar eens te verbieden, leken zijn ogen te zeggen. Hij inhaleerde diep. Bij het uitblazen tuitte hij zijn lippen als een vis, terwijl de wind de rookkringen wegblies. Ten slotte vertrapte hij de sigaret met zijn hak en kwam hij naar haar toe slenteren. In zijn veel te grote jas zag hij er meelijwekkend uit. Het was maar al te duidelijk dat hij erg zijn best deed om te lijken op... Ja, op wie eigenlijk? Rudolf Valentino misschien, in *The Sheik*? Compleet met cape en een dolk in zijn laars. Maar het kon ook zijn dat hij de rol speelde van de bon-vivant die op zijn eerste avond op zee probeerde te besluiten welke maagd hij mee naar bed zou lokken.

Hij is nog maar een kind, probeerde ze zichzelf gerust te stellen, want zijn aanblik maakte haar nerveus. Een dwaas, verlegen kind. Niets om bang voor te zijn.

Zijn achtergrond was vergelijkbaar met de hare, en ze had een theorie over hem ontwikkeld: zoals veel jongens uit zijn milieu was hij te jong uit het nest gegooid. Alleen, zonder ouders, en in zijn geval ook zonder broers en zusjes met wie hij zijn krachten kon meten, voelde hij zich voortdurend in de verdediging gedrongen, slecht op zijn gemak, onzeker of hij wel welkom was. Onder die bestudeerde onverschilligheid, die kilte, ging een jongen schuil die snakte naar liefde, maar die boos was omdat hij daarom moest vragen. Dat wist ze bijna zeker. En ook al lukte het haar niet hem aardig te vinden, ze zou op z'n minst moeten proberen hem te begrijpen.

'Er zijn mensen aan boord van wie mijn ouders graag willen dat ik een beetje met ze optrek.' Hij schreeuwde om het lawaai van de golven te overstemmen. 'De Ramsbottoms uit Lucknow. Ze hebben ons morgenavond uitgenodigd voor een drankje in de muziekkamer. Ik zou het leuk vinden als u ook kwam.'

Kijk eens aan, hij had uit zichzelf iets tegen haar gezegd!

'Natuurlijk kom ik ook,' zei ze. 'Misschien kunnen jij en ik eerst samen dineren met de meisjes, bij de eerste ronde. Dan kunnen we elkaar een beetje leren kennen.'

Terwijl ze het zei, vroeg ze zich – niet voor het eerst – af of ze de meisjes had moeten waarschuwen om hun hut op slot te doen, voor het geval dat Guy nog altijd last had van lange vingers.

Hij keek haar geschrokken aan. 'Liever niet. Ik eet niet graag met andere mensen.'

'Waarom niet?'

Hij mompelde iets wat verloren ging in het lawaai van de golven.

'Ik kan je niet verstaan,' schreeuwde ze.

'Mijn ouders zeiden dat we alleen zouden eten,' schreeuwde hij zo hartstochtelijk dat ze een stap naar achteren deed.

'Zullen we het daar later over hebben?' Ze was te misselijk om nu met hem in debat te gaan. En helemaal om aan eten te denken. Bovendien verwachtte ze niet dat de meisjes het erg zouden vinden.

'Prima.' Hij schonk haar zijn wezenloze, beledigende glimlach en riep iets over zijn schouder dat werd meegevoerd door de wind. Ze zou nog heel wat met hem te stellen krijgen, dacht ze met sombere stelligheid.

Na dit gesprek ging Viva naar beneden, naar de hut die ze deelde met een zekere juffrouw Snow, een schichtige schooljuffrouw die uitsluitend fluisterend sprak, en die terugging om les te geven aan een school in de buurt van Cochin. Ze hadden deze regeling afgesproken om geld uit te sparen, maar tot op dat moment hadden ze amper een woord met elkaar gewisseld.

Juffrouw Snow lag te slapen onder een berg dekens. Naast haar bed stond een groene emmer. Viva ging ook liggen, met een vochtige lap op haar voorhoofd, en dacht aan Guy. Alle aardige dingen die ze eerder over hem had gedacht, verdwenen als sneeuw voor de zon. Het angstaanjagende was dat Guy aan boord van het schip onder haar verantwoordelijkheid viel. Dat was haar straf voor de leugens die ze had gedebiteerd.

Ongerustheid nam bezit van haar. Waarom had ze zich dit allemaal op de hals gehaald, uitgerekend op een moment dat ze eindelijk een soort onafhankelijkheid had bereikt?

Het kon niet alleen om die ellendige hutkoffer gaan – juffrouw Waghorn was volkomen eerlijk geweest en had geschreven dat ze zich weinig illusies maakte over de inhoud. En toch was zij, Viva, om welke reden dan ook bereid geweest haar hele bestaan op het spel te zetten. Waarom? Wat bezielde haar?

Ze dacht bijna verlangend terug aan haar souterrain aan Nevern Square, geen plek om stralend gelukkig te zijn met die ene gaspit en dat smalle bed, maar het was wel haar thuis geweest.

Haar badkamer, die ze had gedeeld met een al wat oudere bibliothecaresse en een vrouw die ongewoon veel herenbezoek ontving, bevond zich achter een gordijn in de gang. De binnenkant van het groene bad was ruw, de badkamer vochtig, het hing er vol met natte kousen en er lagen glibberige stukjes zeep. Wanneer je een lucifer bij de ingewanden van de roestige, groene Winterbourne-boiler hield, ontstond er een soort verzengend hete vulkaanuitbarsting die drie minuten duurde. Daarna was het water weer steenkoud.

In de winter ging ze met een stel truien over haar hemd aan naar bed; sinds haar terugkeer uit India leek het wel alsof haar bloed dunner was. Elke morgen was ze de deur uit gegaan naar een van een reeks tijdelijke baantjes, in dezelfde mistige duisternis als waarin ze 's avonds weer thuiskwam.

Iemand die ouder was, zou het misschien een geestdodend bestaan hebben gevonden, maar voor haar – jong en vastberaden om alle tragedies in haar leven achter zich te laten – was haar onafhankelijkheid als een verdovend middel. Geen slaapzalen meer met medeleerlingen, geen logeerkamers meer waar haar familie van alles opzij moesten zetten om ruimte voor haar te maken. Deze kamer was van haar. In kinderlijke opwinding schilderde ze de muren zachtroze – indachtig de stoffige rozetinten van Rajasthan – maar het resultaat zag eruit alsof ze de muren had bewerkt met zinkzalf.

Op het hobbelige eenpersoonsbed naast de afgeschermde haard had ze haar enige echte erfstuk gelegd: een prachtige patchwork quilt, gemaakt van saristoffen in stralende kleuren – heldere tinten groen en geel, roze en blauw, met een geborduurde rand van vissen en vogels. De quilt had op het bed van haar ouders gelegen in Simla, en in hun andere huizen in Nepal en Pakistan, en in de woonboot in Srinagar. Verder bezat ze een koperen lamp, wat keukenspullen verstopt onder het bed (GEEN GEBRUIK VAN KEUKEN, stond er op het bordje in de gang), dozen en nog eens dozen vol boeken en schrijfpapier en een schrijfmachine, merk Remington, die ze op een verhuiskist had gezet. Het werk als secretaresse was slechts een middel om haar doel te bereiken. Want haar grootste wens was schrijfster worden. Elke avond wanneer ze thuiskwam van haar werk, trok ze warme kleren aan, stak ze een van de drie Abdullah-sigaretten op die ze zichzelf dagelijks toestond, streelde haar kleine Ganesh van groen glas – de Indiase god van onder andere de schrijvers – en ging aan het werk.

Bij het getik van haar schrijfmachine, en af en toe een explosie van de Winterbourne en het laatste doortrekken van de wc, was ze gelukkig. Tegen middernacht kleedde ze zich gapend en verstijfd uit om naar bed te gaan, en zodra haar hoofd het kussen raakte, viel ze uitgeput in slaap.

En toen werd haar droom werkelijkheid, want ze kwam, via het bureau waarvoor ze tijdelijk typewerk verrichtte, bij mevrouw Nancy Driver terecht, een buitengewoon productieve schrijfster van romantische boeken, waarvan er twee in India speelden, waar haar inmiddels overleden echtgenoot als majoor bij de cavalerie had gediend. Mevrouw Driver, die het grootste deel van de dag driftig typend, in een kameelharen kamerjas, achter de schrijfmachine doorbracht, mocht dan met haar kortgeknipte, jongensachtige haren en haar felle manier van praten aanvankelijk een onwaarschijnlijke weldoenster hebben geleken, ze was wel degelijk een weldoenster gebleken.

Viva en zij hadden al snel een vaste routine ontwikkeld. Om halftwaalf, wanneer ze had gebaad en ontbeten, besteedde mevrouw Driver ongeveer een uur aan het driftig maken van aantekeningen, terwijl Viva zich in al haar onervarenheid ontfermde over de correspondentie van haar werkgeefster. Na de lunch, wanneer mevrouw Driver genoot van een laatste glas sherry en een sigaartje, tikte Viva het werk van die ochtend uit. Daar waar mevrouw Driver een rood kruis in de kantlijn had gezet, mocht Viva 'de verliefde stukjes' invullen. Want ze was er, geheel ten onrechte, van overtuigd dat een knappe jonge vrouw als Viva de ene opwindende romance na de andere beleefde.

Mevrouw Driver was geabonneerd op het tijdschrift *Criterion*, en zij was het die Viva liet kennismaken met de poëzie van T.S. Eliot. 'Moet je nou eens luisteren! Echt, dit moet je horen!' Dan nam ze een dramatische houding aan, met het sigaartje nog smeulend tussen haar vingers, haar ogen gesloten, en ze begon te declameren:

April is de grimmigste maand, hij wekt
Seringen uit het dode land, vermengt
Herinnering en verlangen, port
Lome wortels op met lenteregen

53

Het was in het appartement van mevrouw Driver, al typend en proeflezend en koffiedrinkend, dat Viva geleidelijk aan begon te beseffen dat haar schrijverschap nog maar in de kinderschoenen stond. Daarvóór had ze hartstochtelijk haar verhalen geschreven en ze na het zetten van de laatste punt vol verwachting de deur uitgestuurd. Nu zag ze de worsteling om 'de juiste invalshoek' te vinden, ze zag hoeveel aandacht haar werkgeefster besteedde aan de kleinste en de merkwaardigste dingen, hoe ze aantekeningen maakte in haar vele notitieboekjes; hoe ze haar teksten hardop voorlas wanneer ze vast kwam te zitten, hoe ze het geschrevene soms maanden in een la liet liggen om te rijpen.

'Er is geen magisch recept,' zei ze tegen Viva. 'Iedereen kookt op zijn eigen manier.'

Toen Viva op een ochtend aan een glas sherry bevend onthulde dat ze ervan droomde verhalen te schrijven, had mevrouw Driver sympathiek maar praktisch gereageerd. Als Viva het serieus meende en als ze op korte termijn geld moest verdienen – ze was ongewoon openhartig geweest over haar moeizame financiële situatie – zou ze moeten proberen haar teksten te verkopen aan damesbladen zoals *Woman's Realm* en *The Lady*, die regelmatig mierzoete, romantische verhalen publiceerden.

'Het is verschrikkelijke pulp,' had mevrouw Driver haar gewaarschuwd. 'En uiteindelijk moet je natuurlijk vanuit jezelf gaan schrijven, maar het is een begin. En daardoor krijg je vertrouwen in jezelf.'

Ze had Viva laten zien hoe ze meedogenloos moest schrappen in haar korte verhalen. ('Aanscherpen, luchtiger, bondiger,' had ze overal in de kantlijn geschreven) en in de laatste zes maanden voor haar vertrek had Viva dertien verhalen geschreven waarin een gevarieerde reeks helden met gebeeldhouwde kaken zich vergreep aan vrouwen van het type blond, hulpeloos en onnozel. Ze had tien afwijzingen gekregen, maar drie van haar verhalen waren gepubliceerd.

En o, de onuitsprekelijke euforie van dat moment, toen ze hoorde dat haar eerste verhaal was geaccepteerd! Ze had de brief gevonden toen ze op een regenachtige novemberavond thuiskwam van haar werk, en ze had moederziel alleen en in het pikkedonker rondjes gerend over Nevern Square. Ze was er zo zeker van geweest – achterafgezien natuurlijk belachelijk – dat dit het keerpunt was, dat ze voortaan van haar pen zou kunnen leven. Geen saaie banen, geen slaapzalen en logeerkamers meer.

Ze was jong, ze was gezond, ze kon zich net de drie guinea per week ver-oorloven voor haar souterrain, en joepie, ze werd schrijfster!

Dus waarom had ze, toen alles eindelijk de goede kant uit leek te gaan, besloten het helemaal anders te doen? Ongetwijfeld niet omdat een oude vrouw haar zomaar, vanuit het niets, had geschreven dat er bij haar in de schuur nog een koffer stond met spullen van haar ouders. Of gebruikte ze dat misschien als een excuus om terug te gaan naar India? Het was bizar na alles wat haar was overkomen, maar ze miste het land nog steeds. Het gemis bezorgde haar een soort permanente pijn, alsof ze was beroofd van een vitaal orgaan.

Juffrouw Snow sliep nog steeds. Ze produceerde een pruttelend gesnurk en af en toe kreunde ze, alsof ook zij worstelde met haar demonen. Toen Viva plotseling rechtop ging zitten, viel haar schrijfmachine met veel lawaai op de grond, gevolgd door een stapel papier.

Terwijl ze knielde om alles op te rapen, zag Viva het marineblauwe water dat kronkelend als een slang langs de patrijspoort raasde. Ze liep naar de wastafel en spetterde water in haar gezicht. Nog anderhalf uur voor de vroege ronde van het diner. Vóór die tijd wilde ze een eerste op-zet op papier hebben van haar artikel. Ze dacht nog altijd na over de titel. 'De Vissersvloot' of anders 'De prijs van een echtgenoot in India'. Er zou een dag komen waarop zelfs de herinnering eraan haar wangen zou doen gloeien van schaamte.

8

Poona

'Meester,' klonk de zachte stem van Jack Chandlers bediende aan de andere kant van de badkamerdeur. 'U moet wakker worden. Het is tijd. *Jaldi!*'

'Ik ben al wakker, Dinesh,' riep Jack Chandler terug. 'Ik lig te denken.'

Hij lag al bijna een uur in bad. Inmiddels was het donker geworden. De nieuwe elektrische verlichting brandde vaker niet dan wel. Met gesloten ogen dacht hij na over het huwelijk, over de vraag waarom mannen logen, over Sunita, van wie hij spoedig afscheid zou moeten nemen.

Normaliter was dit voor hem het heerlijkste moment van de dag, wanneer hij zijn kleren uitdeed die bevredigend naar paardenzweet roken, en zich met een whisky, precies zo gemixt als hij het lekker vond, de luxe gunde om in het water te drijven, bijna als een onbezield zeeschepsel, voordat Dinesh hem kleedde en hij naar de club ging. Maar vanavond was hij één brok zenuwen. Die middag had hij een bezoek gebracht aan de stoffige kerk op de legerplaats om de gang van zijn zaken bij zijn huwelijk te bespreken met de predikant, een al wat oudere, weinig inspirerende man, net zo stoffig als zijn kerk. Over vier weken was het zover, dus hij had de benodigde informatie op een stukje papier geschreven – juffrouw Rose Wetherby, ongehuwd, woonachtig in Park House, Middle Wallop, Hampshire – maar de dominee had hem verzekerd dat een kerkelijke huwelijksaankondiging in India niet vereist was. Zonder dat met zoveel woorden te zeggen, had hij laten doorschemeren dat veel huwelijken nogal overhaast werden gesloten. Dit gesprek had Jack nog meer uit zijn doen gebracht, terwijl hij over het algemeen kalm en nuchter was, een man die helder en logisch over de dingen nadacht.

'Tijd besteed aan verkenning, is zelden verspild,' was een van de regels die hem als leidraad dienden. Een sergeant-majoor had die woorden ooit gebulderd tegen de groep slungelachtige rekruten op Sandhurst, in de angstaanjagende eerste week van hun introductieperiode. Sindsdien hadden die woorden Jack meer dan eens het leven gered. Het was te laat om zich dat nu nog af te vragen, maar waarom had hij zijn eigen motto roekeloos in de wind geslagen? Waarom had hij zich, impulsief en zonder nadenken gestort op de taak een vrouw te vinden?

Eerder die avond had hij een poging gedaan haar te schrijven. Hij had de brief naar Port Said willen sturen, waar haar schip volgens zijn berekening over twaalf dagen zou binnenlopen.

'Mijn liefste Rose. Ik ben vandaag naar de kerk geweest waar we gaan trouwen, en...' Hij had de brief verfrommeld, geërgerd door de banaliteit van zijn formulering en door het feit dat hij niet de juiste woorden kon vinden op een moment waarop hij zou moeten overlopen van alles wat hij haar wilde vertellen.

Maar alles wat hij haar schreef, kwam hem hoe langer hoe gekunstelder voor en deed hem denken aan een volwassen en inhoudsvollere versie van de brieven die hij op kostschool op zondagochtend had moeten schrijven. De opwinding van hun eerdere brieven was verdwenen. Wat bleef was een weinig bezielde uitwisseling van plannen, doorspekt met lieve woordjes – 'mijn kleine verloofde, mijn lieve aanstaande vrouw' – die hem geforceerd voorkwamen. Sterker nog, volstrekt onwennig.

Hij zou de moeder van Rose ook moeten schrijven. Ze hadden elkaar twee keer ontmoet, de eerste keer op een feestje met Pasen, bij haar thuis, waar een stuk of tien, twaalf familieleden hem heimelijk hadden gekeurd en gefeliciteerd met zijn plotselinge verloving, en een hoop onzin hadden gedebiteerd over India. Mevrouw Wetherby had hem diverse brieven gestuurd, vol met verbijsterende raadgevingen over het huwelijk. In haar laatste brief had ze geschreven dat de vader van Rose na het vertrek van De Kaiser een ernstige aanval van bronchitis had gekregen. 'Maar dat kunnen we waarschijnlijk beter voor ons houden. Rose hangt erg aan haar vader, en ze heeft op dit moment al zoveel op haar bordje.' Om de een of andere reden had die formulering hem gestoord en hem het gevoel gegeven dat hij een onplezierige groente was die Rose tegen heug en meug naar binnen moest werken. Trouwens, hoe hadden die twee verstandige, liefhebbende ouders ooit toestemming kunnen geven voor het huwelijk van hun dochter met een man die ze amper kenden? Soms had hij bijna de neiging hun de schuld van alles te geven.

Hij stond op in het bad: een lange man met een fijngetekend, gevoelig gezicht, alerte ogen, sterke, licht hellende schouders en de lange gespierde benen van een ruiter. Op zijn achtentwintigste zag hij er aanzienlijk beter uit dan toen hij zes jaar eerder naar India was gekomen. Destijds was hij een lange slungel geweest, met een jaar Sandhurst achter de rug. Broodmager, ondanks de zware training, de veldexercities, het vele rijden, de zogenaamde woestijnexpedities met tweeëndertig pond op de rug, stuk voor stuk bedoeld om jonge mannen hard te maken.

'Alstublieft, *sir*.' Dinesh stond glimlachend bij de deur, met een handdoek in zijn hand. Hij was drie jaar eerder als vluchteling naar Poona gekomen, toen zijn boerderij in Bengalen was getroffen door een overstroming. Jack had hem toevallig ontmoet in het huis van een vriend in Delhi, en net als iedereen was hij onder de indruk geweest van Dinesh' stralende glimlach. In de ogen van Dinesh betekende de baan bij Jack de eerste keer dat hij geluk had gehad, in een leven vol tragedies. Het was voor hem een teken dat zijn karma, zijn rad van fortuin, eindelijk een wending ten goede had genomen.

Dinesh en Jack vormden een hecht team. Het feit dat Jack diende bij een Indiaas en niet bij een Brits cavalerieregiment en dat hij bijna vloeiend Hindi sprak – na lang zwoegen, want hij had niet bepaald een talenknobbel – vervulde Dinesh met trots. Zoals veel goede bedienden keek hij neer op anderen die in dienst waren van sahibs bij Britse regimenten met wie ze Engels moesten praten. Ze hadden samen zoveel meegemaakt, ervaringen die tot de mooiste momenten van hun leven behoorden – de parades, de rijschool in Secunderabad, de jaarlijkse kampen in de bergen waar Dinesh, net zo opgewonden over het avontuur als Jack, voor hem had gekookt op een van de tientallen vuurtjes die oplaaiden zodra de avond was gevallen. Hij had zijn meester gediend met een eerbied en een passie die Jack zowel nederig stemden als hem zorgen baarden, want het rad draaide weer. Al Jacks bedienden – Dinesh, zijn veger, zijn kok, zijn dienstmeisjes – waren zich scherp bewust van hun positie in het huishouden. Ze beloerden elkaar met argusogen, alert op de kleinste verandering in de pikorde. De komst van Rose zou voor opschudding zorgen, dat leed geen enkele twijfel, en Jack had nog niet de woorden kunnen vinden om haar dat duidelijk te maken.

Hij liep zijn slaapkamer in. In het sobere vertrek draaide een stokoude ventilator aan het lage plafond boven het eenpersoonsbed, dat schuilging onder een klamboe. Op de grond lag een biezen mat, aan de kale muren hing slechts een verbleekt landschap van het Lake District, een erfenis van de vorige huurder. Hij had zes weken eerder bij de distributieafdeling van het regiment om een tweepersoonsbed gevraagd. Maar dat soort dingen ging hier erg langzaam. Hij zou nog eens aan de bel moeten trekken.

Op de bamboestoel in de hoek van de kamer had Dinesh een linnen broek en een wit overhemd klaargelegd, keurig geperst en gestreken. Tegen de muur – Dinesh was er uren mee bezig geweest toen ze in het huis waren getrokken – had hij een rode lap gedrapeerd, als een soort verticaal altaar, en daartegen had hij fluiten en sporen, en Jacks Sam Browne-riem compleet met zwaard gehangen.

Naast het bed had de bediende een zilveren schaal met antimaagzuurtabletten neergezet, voor het geval Jack daar behoefte aan had na een zware avond in de mess, en om de foto van Rose had hij een ketting van goudsbloemen gedrapeerd, alsof ze een godin was. Jack was erdoor geroerd. Ik ga proberen haar aardig te vinden, leek Dinesh daarmee te willen zeggen.

De bediende kwam naar voren uit de schaduwen die werden veroorzaakt door het licht van de stormlantaarn. Hij begon Jack zorgvuldig droog te wrijven met de handdoek, hielp hem toen met het aantrekken van zijn onderbroek en hield ten slotte de band van zijn broek open zodat Jack er been voor been in kon stappen.

Ooit had Jack het afschuwelijk gevonden om te worden aangekleed. De eerste keer had hij Dinesh beledigd door hem nerveus lachend de kleren uit handen te grissen. Hij vond het gênant, vernederend, het deed hem denken aan twee volwassen mannen die een pop aankleedden. Tegenwoordig vond hij het wel prettig. Tegenover zichzelf verklaarde hij dat met het feit dat hij een veel beter begrip had gekregen van wat elke taak in het huishouden betekende voor de verschillende bedienden. Maar als hij eerlijk was, moest hij bekennen dat hij zich dankzij de zorgzame hulp van Dinesh minder eenzaam voelde. Bovendien vertelde zijn instinct hem dat er spoedig een eind zou komen aan die liefdevolle verzorging.

Alles was bezig te veranderen, en iedereen wist het. Er werd niet veel over gesproken, maar het besef was er altijd, als het geritsel van muizen onder de houten vloer. In de kamers boven hielden de sahibs nog altijd hun feestjes, hun bridgeavonden, hun eindeloze cocktailparty's; beneden in het souterrain verbrandden de bedienden het meubilair.

Arun, een Indiër uit de hoogste kaste met wie hij polo speelde, was recent teruggekeerd van een jaar rechtenstudie aan Cambridge University. 'En weet je wat ik het heerlijkste vond van Trinity?' had hij Jack plagend gevraagd met het lome, lijzige accent van de Home Counties. 'Dat iemand van jouw soort mijn schoenen poetste en bij mijn deur zette.'

Amper een week eerder was Jack op straat bespuwd toen hij in tenniskleding van de club op weg was naar huis. Hij was verbijsterd blijven staan, met andermans speeksel op zijn schouder, niet wetend of hij de spuger moest negeren of met hem op de vuist moest gaan.

Het diner gebruikte hij alleen, in de eetkamer, een onopvallend vertrek met een allegaartje van stoelen en een lamp die ergerlijke petroleumwalmen verspreidde. Die zou nu ook moeten worden gerepareerd.

Dinesh serveerde hem een simpele *kedgeree*. Normaliter was dat een van zijn lievelingskostjes, maar vanavond schoof hij het eten heen en weer over zijn bord, te nerveus om ervan te genieten.

Terwijl hij zijn bierglas leegdronk, bedacht hij hoe tegenstrijdig een mens kon denken. Zes maanden eerder, toen hij Rose voor het eerst had ontmoet, was hij zich bewust geweest van een zekere leegte in zijn bestaan, dat hem toch in veel opzichten erg dierbaar was; van een verlangen naar iemand met wie hij het over iets anders kon hebben dan politiek, of polo, het vaste menu in de officiersmess en de club. Maar inmiddels vertelde een boosaardig stemmetje in zijn hoofd hem fluisterend over de zegeningen van het leven als vrijgezel: nooit tekst en uitleg hoeven geven wanneer je thuiskwam van de club, desnoods tot middernacht werken als de situatie hectisch was, zoals bij de recente Awalirellen in Punjab. De gedachte dat zijn kolonel, die er fel op tegen was dat zijn mannen jong trouwden, hem zou kunnen uitsluiten van actieve dienst was onverdraaglijk.

Toen zette hij die gedachten abrupt van zich af, hij sloeg zijn handen voor zijn gezicht en slaakte een huiverende zucht. Waarom was hij niet gewoon eerlijk, in elk geval tegenover zichzelf? Het was Sunita die zijn gedachten beheerste. Sunita, lieve Sunita, die niets wist van de naderende veranderingen en die ook niets had gedaan waaraan ze die veranderingen had verdiend.

'Meester, de *tonga* komt over tien miuten. Wilt u pudding? Er is ook kwark, en gelatinepudding.'

'Nee, Dinesh, dank je. De kedgeree was heerlijk.' Dinesh nam zijn bord weg. 'Ik had alleen niet zoveel trek.'

Jack liep naar buiten om een sigaret te roken op de veranda. Het was een warme, vochtige avond, ongewoon heet voor deze tijd van het jaar – de glazen thermometer aan de balustrade gaf zesentwintig graden aan.

De hor viel dicht met zijn gebruikelijke gepiep, de oude halfwilde hond die zonder succes bij de keukendeur had rondgehangen in de hoop iets te eten te krijgen, sloop weg, de paarsblauwe schaduwen in. Op het pad van aangestampte aarde hoorde hij gelach, en het geluid van een trommeltje waarop werd geslagen.

Kon ze de problemen aan? Zou de hond met zijn stuitende, kale staart haar angst aanjagen? Zou zij de cocktailparty waar hij van zijn kolonel de vorige avond naartoe had gemoeten, net zo saai hebben gevonden als hij? Door dit soort vragen begon hij de moed te verliezen. Want ze deden hem beseffen hoe weinig hij van haar wist.

'De tonga is er, meester.'

Bij de keukendeur wachtte het wagentje met een mager, oud paard ervoor. Gespannen zat hij even later in het krakende inwendige van het karretje. Hij voelde zich een misdadiger en vroeg zich af waarom bij het simpele vooruitzicht van zijn huwelijk, bepaalde aspecten van zijn leven – Sunita, zijn rekeningen in de bar, de hulp van Dinesh, zelfs zijn gewoonte om uren in bad te liggen als hij een probleem had waar hij over moest nadenken – hem ineens voorkwamen als geheimen waarover hij zich schuldig zou moeten voelen.

Sunita woonde in het oude gedeelte van de stad – twintig minuten van zijn huis, in een andere wereld. Eigenlijk was de afstand te verwaarlozen. Veel mannen hielden hun vrouwen aan na hun trouwen, maar dat wilde hij niet. Zijn vader – hard, afstandelijk, een echte kerel – had bij het Eighth Cavalry Regiment gediend en was jarenlang zijn held geweest – verkenner, avonturier, cricketspeler op een vrij hoog niveau. Hij had heel wat serieuze gevechtssituaties meegemaakt, zoals hij niet naliet te vertellen, in zijn geval voornamelijk in Mesopotamië. Maar hij was ook een rokkenjager geweest, en de pijn die door zijn leugens was veroorzaakt, was als een langzaam gif het leven van alle gezinsleden binnengedrongen.

'Alle mannen liegen,' had Jacks moeder ooit tegen hem en zijn drie zusters gezegd. 'Daar kunnen ze niets aan doen.'

Nog geen drie jaar eerder, tijdens een afschuwelijk verlof in Oxford was de sfeer in het ouderlijk huis zo ondraaglijk geweest dat zijn vader niet met het gezin, maar in de studeerkamer had gegeten. Het hondenhok was gepaster geweest!

Drie dagen voor Kerstmis had zijn moeder – met een rood hoofd en een verwilderde blik na te veel gin – uitgelegd wat er aan de hand was. Het bleek dat zijn vader een nieuwe maîtresse had, een jong meisje dat hij in een appartement in Oxford had geïnstalleerd. Een meisje dat bovendien hoogzwanger van hem was.

'Weet je,' had zijn moeder gezegd, haar gezicht verwrongen van woede. 'Ik heb mannen nooit begrepen, en ze ook nooit echt gemogen. Nu ik ze eenmaal begrijp haat ik ze.'

Jack was vervuld geweest van afschuw, de pijn in haar gezicht had hem afgestoten. Hij had zijn hoofd gebogen en zich schuldig gevoeld, alsof híj al dat verschrikkelijks op zijn geweten had. Dat wilde hij Rose niet aandoen. In ouderwetse bewoordingen, die hem op een merkwaardige manier aanspraken, had hij trouw gezworen. Hij wist dat hij de wilde kant van zijn vader had geërfd: hij hield van schieten, van te hard rijden, van dronken worden in de mess, van vrijen, maar hij ging er prat op dat hij consequenter was dan zijn vader. Als hij ging trouwen, dan moest die wildheid aan banden worden gelegd. Hij was vast van plan Rose gelukkig te maken, haar vertrouwen te verdienen en waard te blijven.

Er was al zoveel in zijn leven dat hij inmiddels door haar ogen zag. Zou ze net als hij van India gaan houden? Hij had zijn best gedaan eerlijk te zijn over de moordende hitte in de zomer, over de armoede onder de bevolking, over het voortdurende verhuizen, over het harde leven als vrouw van een militair.

Maar tegelijkertijd had hij ernaar gehunkerd haar het hof te maken, zoals een man dat doet die tot over zijn oren verliefd is, maar die beseft dat zijn verlof over drie weken voorbij is. Dus er was een zeker koppig pragmatisme in zijn waarschuwingen geslopen.

Hij had haar voor het eerst ontmoet op een debutantenfeestje in Londen, waarvoor hij door een vriend van zijn moeder was uitgenodigd als reserveman. 'Voor de versiering,' had zijn moeder het tot zijn grote ergernis genoemd. Hij was alleen naar Park Lane gelopen, nerveuzer en slechter op zijn gemak dan hij wilde toegeven. Het Londen dat hij destijds, in de grimmige, wanhopige nadagen van de oorlog had bezocht, had bezaaid gelegen met kransen, overal hadden begrafenisstoeten gereden, de parken waren verwaarloosd geweest. Er was niemand die zich erom bekommerde. In dit nieuwe Londen zoefden over Park Lane glimmende, kleine auto's af en aan, tot schrik van de paarden. De meisjes droegen hun haar in afschuwelijk moderne kapsels en bliezen rook in je gezicht.

Deels om hem de spanningen thuis te besparen, had zijn moeder ervoor gezorgd dat al haar vriendinnen hem op hun feestjes uitnodigden, maar die feestjes hadden hem in verwarring gebracht. Op een ervan had hij in een logeerkamer een stel aangetroffen dat openlijk de liefde bedreef op een berg jassen. Hij was achteruit gedeinsd, vuurrood van schaamte. Het liefst had hij hen allebei ervan langs willen geven, omdat ze zichzelf op zo'n walgelijke manier te kijk zetten. Op een ander feestje had hij, verbijsterd door de aanblik van een opgewonden groepje dat aan een bergje wit poeder snoof, voor grote hilariteit gezorgd door te vragen wat ze deden. 'Dat is stout zout, domkop,' had hij te horen gekregen. 'Ze noemen het ook wel cocaïne.'

Nee, dan Rose. Die was anders. Hij had haar voor het eerst gezien in de Savile Club, waar hij in smoking onder een plafond beschilderd met mollige cherubijnen had gestaan. Ze had hem aandoenlijk onbeholpen geleken in een avondjurk die te ouwelijk voor haar was, en te groot. Maar ze was onmiskenbaar een schoonheid met haar zijdezachte blonde haren en haar lieve glimlach. De band begon een foxtrot te spelen en ze had hem met licht opgetrokken wenkbrauwen glimlachend aangekeken.

'Wil je met me dansen?' had hij gevraagd, en ze had toegestaan dat hij zijn arm om haar middel legde. Gedurende enkele hopeloze minuten, waarin hij herhaalde malen op haar tenen had getrapt, hadden ze luid schreeuwend geprobeerd een gesprek te voeren.

'Ben je met een chaperonne?' vroeg hij na een aantal dansen.

'Ja,' antwoordde ze met haar verrukkelijke glimlach. 'Maar die zit helaas beneden te bridgen.'

'Heb je de schilderijen gezien in de bibliotheek?' vroeg hij. 'Er hangt een verzameling schitterende portretten.'

Het was wel een erg doorzichtige toenaderingspoging, maar ze antwoordde lief en ernstig: 'Nee, die ken ik niet. Maar ik wil ze graag zien.'

En daar, in de gedempt verlichte bibliotheek, onder een schilderij van een man die probeerde een stel paarden te temmen met het schuim op de lippen en een verwilderde blik in hun ogen, had hij haar simpelweg in zijn armen genomen en haar zachte lippen gekust. Aanvankelijk verstijfde ze van verlegenheid en verzette ze zich, maar ten slotte gaf ze zich over.

'Hm.' Ze ging nadenkend met haar tong langs haar lippen, als een kind dat nagenoot van een snoepje. 'Ik geloof niet dat ik ooit eerder heb gezoend. Tenminste, niet zo.'

En op dat moment, met dat goddelijk slanke, frisse, jonge schepseltje in zijn armen dat rook naar Devonshire Violets, dezelfde geur die zijn moeder gebruikte, dacht hij aan Sunita, zijn maîtresse, en hoe diep hij bij haar in de schuld stond. Want ze had hem alles geleerd. Na drie eenzame jaren als vrijgezel in de *mofussil*, had hij haar besprongen als een bronstige stier, maar zij had hem gebaad en geolied en hem gezegd het wat rustiger aan te doen. Ze had hem ook geplaagd, ze hadden samen gelachen, en ze had hem laten zien dat de liefde niet altijd de totale overgave hoefde te zijn, maar ook verfijnd kon worden bedreven. Hij was een man geweest die op een blokfluit een symfonie had willen spelen; zij had hem het hele orkest gegeven.

Ze hadden haar straat bereikt: een rij haveloze huizen met smeedijzeren balkons die betere tijden hadden gekend. Op de hoek stond het vaste groepje mannen met riksja's te roddelen, in afwachting van een ritje. Zoals gebruikelijk wanneer ze hem verwachtte, had Sunita een brandende kaars bij de deur gezet. In de kamer had ze een kast met een glazen deurtje, waarin trots alle cadeautjes ten toon waren gesteld die hij haar had gegeven – een zilveren doosje van een antiekmarkt in Londen, een fles parfum, een sjaal. Maar vanavond had hij een cheque in zijn zak. Die zou hij haar geven wanneer hij had gezegd wat hij te zeggen had. Een donatie die hij zich amper kon veroorloven, voor haar toekomst. Moedeloosheid overviel hem toen hij de treden op liep. Misschien zou ze zich voor het eerst van haar leven behandeld voelen als een prostituee. Hij voelde zich een bruut. Maar hij had geen keus. Want Jack Chandler stond op het punt om te gaan trouwen.

9

Gibraltar

Mr. en Mrs. Percival Wetherby
Park House
Nr. Middle Wallop
Hampshire

21 oktober 1928

Lieve pappie en mammie,

Over een uur komen we aan in Gibraltar, dus ik zal proberen deze brief daar te posten.

Ik heb op bed liggen lezen – Tor slaapt nog – in mijn boek met Spaanse zinnetjes. Onder andere dit: Gracias a la vida que me ha dado tanto. *(Dank aan het leven dat me zoveel heeft gegeven.) Is dat niet prachtig? Het deed me denken aan al het prachtigs dat jullie me hebben gegeven. Niet alleen het feit dat ik in Park House mocht opgroeien, maar ook de pony's, de honden, de kampeerreisjes, en niet te vergeten julliezelf en de heerlijke tijden die we samen hebben beleefd.*

Ik hoop dat jullie niet al te verdrietig zijn omdat jullie Roosje het huis uit is. Wees maar niet ongerust. Ik verheug me enorm op alles wat voor me ligt, en Tor en ik hebben het heerlijk samen.

Er zijn zoveel aardige mensen in de eersteklas. O, en jullie hoeven je geen zorgen te maken omdat juffrouw Holloway nog zo jong is. Ze is erg aardig, ze houdt keurig een oogje in het zeil en ze kent India op haar duimpje want ze is er opgegroeid. Bovendien worden we erg verwend door onze hutsteward, Suday. Ik weet niet waarom mensen zo negatief praten over inlanders. Ik heb niets tegen ze. Suday is allerliefst.

Er staat elke avond een feestje of andersoortig vermaak op het programma, en het heeft ons geen enkele moeite gekost om aansluiting te vinden. Een van onze nieuwe beste vrienden is Nigel. Hij werkt voor de civiele dienst en wordt ergens in het westen van India gestationeerd. Nigel is vrij rustig, maar erg slim, en hij heeft een geweldig gevoel voor humor. Anders dan de meeste passagiers vindt hij het verschrikkelijk om terug te gaan, want hij heeft er al vier jaar India op zitten in een erg afgelegen gebied, en hij had liever in Engeland willen blijven. Vorig jaar, vertelde hij, kwam er een inlander bij hem met het oor van zijn vrouw, in een stuk krant gewikkeld. Hij had het haar in een vlaag van jaloezie afgesneden, maar inmiddels had hij haar vergeven, dus of Nigel een manier kon bedenken om het oor er weer aan te zetten! De andere mannen aan boord zijn theeplanters, legerofficieren enzovoort. Er zijn ook veel kinderen met hun ayahs.

Verder hebben we kennisgemaakt met Jane Burrell (een beetje een paard en nogal luidruchtig) en haar drie vriendinnen. Frank, de assistent-scheepsarts, is erg aardig. Hij werkt om zijn overtocht te kunnen betalen en hoopt in India onderzoek te doen naar de een of andere malariasoort. Ik kan me niet meer herinneren welke, maar ik had er nog nooit van gehoord. Hij houdt ook een oogje in het zeil en zit vol gruwelijke verhalen over zelfmoorden op zee en operaties bij windkracht negen. Hij is ontzettend grappig en erg knap. Volgens mij is Tor stiekem verliefd op hem!

Later.
Sorry, ik had de brief niet op tijd af! Nu doe ik hem in Malta op de post.

We zijn in Gibraltar met ons achten aan wal gegaan, dus er waren een heleboel mensen om een oogje op ons te houden. Frank (de dokter) wist een respectabel restaurant dat uitkeek op de haven, met zaagsel op de vloer en een dikke señorita die op sandalen rondwaggelde.

We hebben geluncht met vis, die de vissers diezelfde ochtend hadden gevangen. Daarna zette de señorita drie puddingen op tafel, en die waren wel zo verrukkelijk dat ik dacht dat ik droomde. (Als ik niet oppas, waggel ik straks als bruid door het gangpad. Eten is een obsessie aan boord. Er staan elke avond ongeveer vijftig gerechten op het menu.) Frank vertelde het hilarische verhaal over een meisje van de Vissersvloot dat aan boord zo dik was geworden, dat haar aanstaande echtgenoot haar bij aankomst in India niet herkende.

Het was bijna donker tegen de tijd dat we uitvoeren. Samen met Tor en een stel mannen van het schip zijn we naar de achtersteven gelopen om uit te kijken op de verlichte haven. Flarden muziek drongen tot ons door, en

denkend aan alles wat er in het verschiet ligt, besefte ik hoe heerlijk het is
om te leven.

Lieve mammie, je moet me helpen! Ik lees regelmatig in mijn boek met
bruidsetiquette, maar er zijn dingen die ik niet begrijp. Er staat bijvoor-
beeld in dat toespraken uit de mode zijn, maar als er op het bruidspaar
wordt getoost, dan moet dat gebeuren door een oude vriend van de familie.
Wie moet ik daarvoor vragen? CiCi Mallinson ken ik amper, dus dat lijkt
me nogal brutaal. Zou jij Jack willen schrijven om het hem te vragen?
Bovendien is het in India mode om een bruidsontbijt te houden. Denk je
dat ik dan de roze zijden crêpe georgette zou kunnen dragen? Of is dat een
beetje te?

Wanneer je me terugschrijft, stuur je brief dan naar het kantoor van
Thomas Cook, 15 Rue Sultan Hussein, Port Said. Je kunt ook een telegram
sturen.

De gong voor het ontbijt is gegaan, en ik hoor druk geloop boven mijn
hoofd.

Schrijf me snel terug. Geef Copper een dikke kus van me en een handje
wortels.

Veel liefs,
Rose

In plaats van naar het ontbijt te gaan, liet ze zich echter weer op het bed
vallen, denkend aan haar vader en aan de laatste keer dat ze samen hadden gekampeerd, die zomer.

Ze waren op forel gaan vissen in een klein stroompje in Wales, een van
zijn favoriete stekjes vlak bij het dorpje Crickhowell. De hele uitrusting
was achter in de stokoude Daimler geladen: de gammele primus, de twee
honden met hun manden, de grote thermoskannen met ruitdessin, hengels, kampeerbedden en de zware, oude legertent die als zodanig dienst
had gedaan in Afrika en Mesopotamië. Als kind was ze al dol geweest
op deze kampeerexcursies – Tor ging ook vaak mee, en dan leerde haar
vader hun allerlei jongensdingen: schermen met elzentakken waar ze de
bast van af hadden gestroopt, vissen op forel met een werphengel, het
opvouwen van een tent, het maken een boomhut. Hij had zelfs een keer
zijn geweren meegebracht, en toen hadden ze een wedstrijd gedaan wie

de meeste blikjes uit een boom kon schieten. Een wedstrijd die Rose tot haar eigen verbazing met gemak had gewonnen, zodat ze haar de rest van de trip Willem Tell hadden genoemd. Tor en zij waren aan een touw van de ene rivieroever naar de andere geslingerd, en 's avonds hadden ze worstjes gebakken boven het kampvuur.

Ze was zich er toen slechts vaag van bewust geweest dat ze probeerde net zo stoer te zijn als Simon – de zoon die haar vader had verloren en die hij zo wanhopig graag terugwilde – maar bij die laatste keer, toen ze met hun tweetjes waren, was haar kijk op de dingen veranderd. Op een avond – ze hadden de zalm gebakken die hij had gevangen, en hij had een geurige pijp opgestoken – had hij haar heel duidelijk te verstaan gegeven dat ze van mammie en hem geen haast hoefde te maken met haar huwelijk met Jack. Hij hoopte dat ze niet die indruk hadden gewekt. Want hij wilde niets liever dan dat ze een man vond die haar waard was. Daarbij had hij haar met een bezorgde blik in zijn ogen aangekeken, en zijn stem had getrild van emotie toen hij zei dat je geen groter geschenk kon ontvangen dan het vinden van de juiste persoon met wie je je leven wilde delen. Zoals hij daar zat, ineengedoken op zijn kampeerkruk in het wegstervende licht, had hij er ineens zo oud en zorgelijk uitgezien dat ze had beseft dat het nu haar beurt was om hem te beschermen en te ontzien, ook als in India niet alles volmaakt bleek te zijn.

10

Aan boord van De Kaiser-i-Hind, honderdvijftig mijl van Port Said

Toen Tor wakker werd en in het donker overeind schoot, hoorde ze het geluid weer. Het kwam uit de hut naast hen. De hut van de jongen. Een escalerend gekreun, alsof iemand of iets werd vastgehouden en gemarteld, gevolgd door haperende woorden en een gekraak als van een bed. Ten slotte werd het stil.

Verontrust ging ze weer liggen. Als de jongen wat toeschietelijker en aardiger was geweest, zou ze misschien naar hem toe zijn gegaan om te vragen of alles goed met hem was. Maar ze vond hem vreemd, hij maakte dat ze zich slecht op haar gemak voelde. Ze zagen hem vaak op het dek zitten met een sigaret, uitkijkend over zee. Een paar avonden eerder, tijdens een bal in de Siena Room, had hij zichzelf nogal te kijk gezet. Het orkest speelde het soort walsen dat vooral de kolonels en de al wat oudere passagiers aansprak, en toen was hij plotseling opgestaan en wild en volstrekt ongepast in zijn eentje gaan dansen. Omdat ze 'buren' waren, en omdat de oudere passagiers afkeurend hadden gemompeld, had ze geprobeerd hem bemoedigend toe te lachen, maar hij had zich haastig afgewend.

Bovendien had hij een enorme scène gemaakt over het feit dat hij alleen met Viva wilde eten, iets wat voor Rose en haar alleen maar een enorme opluchting betekende, want er viel weinig met hem te lachen. Ze vonden het echter wel jammer dat ze daardoor minder tijd hadden met Viva, die – tot die conclusie was Tor gekomen – exotisch en mysterieus was.

'Ik wed dat ik amper drie jaar ouder ben dan hij,' had Tor zich bij Rose beklaagd. 'Maar hij geeft je het gevoel alsof je een ouwe vrijster bent.'

'Vergeet niet hoe ontzettend gemeen wij op die leeftijd konden zijn,' zei Rose, die altijd de mildste was van hen beiden.

'Jij bent nooit gemeen geweest, Rose. En ik was gemeen voor twee,' zei Tor.

De geluiden stopten even plotseling als ze waren begonnen, en omdat Tor niet goed wist wat haar te doen stond, trok ze het kussen over haar hoofd om na te denken, waarop ze in slaap viel en de hele zaak vergat.

Vijf uur later werd ze gewekt door de zon. Ze koesterde zich in de warme stralen als een kat op een vensterbank en dacht, zoals bijna elke ochtend sinds ze op zee was: O, wat heerlijk! Ik ben vrij!

Amper drie maanden eerder had ze zonder toestemming van haar ouders nog niet eens poeder mogen gebruiken of mogen opblijven na half-twee of zonder chaperonne door Londen mogen lopen. En ze had om de week naar mevrouw Craddock in Salisbury gemoeten, om de juiste lichaamshouding te leren.

Maar nu begon de dag met thee in bed en een lekker potje roddelen met Rose over de avond tevoren. Daarna kwam er een heerlijk ontbijt, met kippers, of eieren met bacon, en verrukkelijke koffie die ze sinds kort had leren drinken en die haar het gevoel gaf echt een vrouw van de wereld te zijn. 's Ochtends werden er spelletjes gedaan, en soms maakten ze een wandelingetje over het dek met Frank, de knappe scheepsarts, die zich de vorige dag bij hen had gevoegd, toen Rose en zij aan de reling gingen staan om uit te kijken over zee. Om zes uur kwam Viva, die hen overdag gelukkig volledig met rust liet, bij hen in de hut voor wat ze een *bishi* noemden. Dat was het Marathi-woord voor een vrouwenfeestje, had ze hun verteld.

De vorige avond was het gesprek tijdens hun bishi gekomen op de vraag welke eigenschappen belangrijk waren voor een man. Viva kon erg goed luisteren, en zo kwam het dat Tor ongewild het verhaal had verteld van Paul, de man die de afgelopen zomer haar hart had gebroken.

'Aanvankelijk leek het allemaal zo volmaakt,' zei ze verdrietig. 'We ontmoetten elkaar in de tuin van zijn ouderlijk huis in Tangley, niet ver van waar wij wonen. Hij was heel donker en erudiet, zo'n man met een gekwelde blik in zijn ogen. Toen ik hem leerde kennen had hij net drie jaar in Rome gezeten, als kunsthistoricus. Mijn moeder stond me als een gek aan te stoten terwijl ik met hem praatte. Zijn ouders hadden geld, dus ze vond hem de ideale partij. Wij hebben in de oorlog erg veel geld verloren.'

Ze probeerde humoristisch te vertellen over haar eigen onnozelheid, maar de herinnering deed nog altijd pijn hoe ze die eerste avond had gedacht dat Vrouwe Fortuna haar toelachte: de geur van ouderwetse rozen, het gerinkel van champagneglazen (zijn ouders vierden hun dertigste trouwdag) en deze man als uit een droom, in een zomers pak compleet met panamahoed, die echt met haar had gepraat en haar aan het lachen had gemaakt en die speels haar hand had gekust.

'Hij was drie jaar ouder dan ik.' Ze deed nog altijd haar best luchtig te klinken. 'En veel interessanter dan alle andere mannen die ik ooit had ontmoet. Hij nam me mee naar concerten, en dan las hij mee in de partituur. Hij leende me *Middlemarch*. Heb je dat gelezen, Viva? Het is echt prachtig. Hij was oprecht geschokt toen ik zei dat ik het niet kende. Hij gaf me zelfs advies welke kleuren ik zou moeten dragen. Ik wist niet eens dat ik een olijfbruine huid heb, tot hij me dat vertelde.'

'Weet je nog, die verrukkelijke brief die hij je stuurde?' Rose haakte in op Tors luchtige toon, ook al had ze haar snikkende vriendin moeten troosten in het tuinhuisje toen de droom plotseling uit was.

'O ja, dat is waar ook! Wacht even. Eens even denken of ik nog weet wat hij schreef.' Tor trok een peinzend gezicht, ook al stond de brief in haar geheugen gegrift. '"De wereld is zo rijk,"' declameerde ze alsof ze op het toneel stond. '"Zo bruisend en zo vol van boeiende mensen en kostbare schatten. Geef je eraan over!"'

'Hij klinkt inderdaad interessant,' had Viva lachend gezegd. Ze leek het heerlijk te vinden naar hun verhalen te luisteren, ook al vertelde ze nooit iets over zichzelf. 'En toen?'

'Toen was hij ineens verdwenen.' Tor had plotseling geen zin meer om het verhaal af te maken. Zo grappig was het niet. Ze kon er de kracht niet voor opbrengen. Bovendien was het nog te pijnlijk om toe te geven dat ze tegen het eind van de zomer zo zeker van haar zaak was geweest dat ze al namen had bedacht voor de kinderen die ze zouden krijgen, en dat ze al had gedroomd over de huizen waarin ze zouden wonen.

Want het was ineens helemaal fout gegaan, om redenen die ze nog steeds niet begreep.

Het was gebeurd op een ochtend, in het begin van de herfst. Hij had haar moeder gevraagd – die hem zo mogelijk nog meer adoreerde sinds hij Frans met haar sprak – of hij Tor voor een picknick mocht meenemen naar Magdalen, zijn oude college in Oxford. Haar moeder was euforisch. Ze voelde dat er een huwelijksaanzoek in de lucht hing. Dus ze zag geen reden voor een chaperonne.

's Ochtends ging hij naar de Bodleian Library, om wat eeuwenoude

71

manuscripten te bestuderen, en na de lunch had hij haar meegenomen naar een plekje onder een wilg, bij een oude brug, waar hij zorgzaam een opgerolde handdoek onder haar hoofd had gelegd. Plotseling – het ging vanzelf, zonder dat ze erbij nadacht – had ze zich zo overweldigd gevoeld door de rivier, en de eenden, en de geur van nieuw gras, en de blauwe hemel, en het feit dat ze hier was met haar eigen *beau*, dat ze haar handen langs zijn gezicht had gelegd en hem had gekust.

Tot haar schrik en afschuw was hij opgesprongen en tegen haar uitgevallen. 'Denk erom dat je dat nooit meer doet!' Hij klopte het gras van zijn broek.

'Waarom niet, gekkie?' Ze probeerde – tevergeefs – luchthartig te klinken.

Hij keek op haar neer, boos, dreigend afstekend tegen de blauwe hemel. 'Ik kan het niet,' had hij gezegd. 'Het is belachelijk.'

Tor had het gevoel alsof de sandwich die ze net had gegeten, als een steen in haar maag lag. 'Wat is er dan? Ik begrijp het niet,' had ze gezegd. Zelfs terwijl ze er nu aan terugdacht, kromp ze nog ineen. 'Ik dacht dat we... Ik dacht dat je van me hield.'

'Je moet nog heel veel leren voordat je volwassen bent,' had hij gezegd, alsof het allemaal haar schuld was. Terwijl ze terugliepen was haar hak tot overmaat van ramp blijven haken in de zoom van haar jurk, wat had bijgedragen aan het verpletterende, vernederende gevoel dat ze niet alleen hem maar ook zichzelf had teleurgesteld.

De hele weg naar huis had ze gehuild, vervuld van afschuw om haar tranen. Ze had hem zelfs gesmeekt er nog eens over na te denken, maar dat had hij geweigerd. Een week later was hij langsgekomen, even vriendelijk en charmant als altijd, om te vertellen dat er een positie was vrijgekomen in Rome en dat hij die simpelweg niet kon laten lopen. Mocht hij haar op enig moment de indruk hebben gegeven dat ze verloofd waren, dan speet hem dat enorm. Ze was geweldig, echt waar, en hij wist zeker dat ze op een dag een man heel erg gelukkig zou maken.

Haar moeder had twee dagen lang niet tegen haar gesproken. Het was Rose geweest die haar in haar armen had gehouden. Rose, die haar had verteld wat een schoft hij was, wat een lomp zwijn, en dat hij er de rest van zijn leven spijt van zou hebben een meisje als Tor te hebben afgewezen. Ze hadden de hele nacht in het tuinhuis gezeten. Tor had gehuild tot ze geen tranen meer had, en ze had zoveel gerookt dat haar keel de volgende dag rauw was. De lieve woorden van Rose hadden geholpen, en de reis aan boord van de Kaiser had haar nieuwe energie en nieuwe moed gegeven, maar diep vanbinnen voelde ze zich nog altijd verward en bezeerd. Dus ze had waarschijnlijk beter haar mond kunnen houden over het hele drama.

'Wat lijkt het me heerlijk om jong te zijn op een schip als dit,' had majoor Smythe, een van hun medepassagiers, de vorige avond nog weemoedig tegen haar gezegd. En dat was het ook: het dansen, de spelletjes, het flirten. Maar wat Paul in haar had gewekt en onbevredigd had gelaten, was honger. Honger naar een wereld waarvan hij haar een glimp had laten zien, bruisend en zo vol boeiende mensen en kostbare schatten. Honger om te worden bemind om wie ze was, met haar haren los, haar korset af. Verlangde ze daarmee naar het onmogelijke?

De zon kwam op, de zee was saffierblauw. Suday kwam hun hut binnen met een dienblad.

'*Chai*, dames.' Zonder een woord van verwijt liep hij om de jurk en de veren boa heen die Tor de vorige avond bij het uitkleden op de grond had laten liggen. 'Chai en fruitige koekjes en warme broodjes, *irrawaddy*.'

Ze hadden geen van beiden ook maar het flauwste benul wat irrawaddy betekende, maar hun gelach deed hem elke morgen stralen van kinderlijke verrukking.

Uit een zilveren pot schonk hij met een zwierig gebaar thee voor hen in, vervolgens haalde hij de warme broodjes uit een servet en legde ze op hun bord. Glimlachend luisterde hij terwijl ze verklaarden hoe absoluut geweldig hij was, en nog altijd stralend trok hij ten slotte de deur achter zich dicht.

'Ik hou van Suday,' zei Tor sentimenteel. 'Kom bij me in bed, Rose. Ik heb dringend behoefte aan een potje *gup*.'

Gup, hun nieuwe woord voor een roddelpraatje, kwam van de cursus 'Huis-tuin-en-keuken-Hindi voor memsahibs' die luitenant-kolonel Gorman tweemaal per week gaf in de Wellington Room. Rose was een en al aandacht, en Tor ging mee om haar gezelschap te houden.

'Denk erom dat je me niet schopt,' zei Rose terwijl ze bij haar vriendin in bed kroop. 'Anders krijg je kokendhete thee over je heen.'

'Het eerste agendapunt,' zei Tor. 'Marlene en Suzanne?'

Ze waren allebei gefascineerd door de twee vriendinnen, die onmiskenbaar de opvallendste schoonheden aan boord waren. Ze hadden een van de beste hutten – eigenlijk een soort suite – op het A-dek. 'Ze zijn maar gewoon secretaresse,' had mevrouw Gormon, de vrouw van de kolonel, hatelijk gezegd. Het gerucht ging dat Marlenes laatste werkgever een puissant rijke Indiase tapijtimporteur was geweest. Maar Tor en Rose, en met hen minstens de helft van de bezetting, waren gefascineerd door hun stralend gelakte kapsels en hun japonnen met glitterkralen, hun smeulende ogen, hun bijpassende gitten sieraden en hun met parels bezette sigarettenkokers.

'Ik heb Marlene gisteravond met Jitu zien dansen,' rapporteerde Tor. 'Hij had zijn hand op haar rug. Zo.' Tor deed het voor door haar eigen hand op het elastiek van haar pyjamabroek te leggen. 'En terwijl mevrouw Gorman en ik gretig toekeken, zei ze dat ze vorig jaar net zo'n meisje aan boord had gehad. Een erg knap, intelligent meisje. Ze werkte op de afdeling sjaals bij Lillywhites, en ze belandde uiteindelijk in het paleis van een maharadja. Je raadt nooit wat die haar van haar wilde. Ze moest zes keer per dag een bad nemen. Dat was alles.'

Het gezicht van Rose verried dat ze het niet begreep. 'Waarom?'

'Geen idee. Ik neem aan dat hij het leuk vond om naar haar te kijken.'

'Hemeltje.' Rose had een lichte blos op haar wangen gekregen. 'Wat verschrikkelijk gênant.'

'Volgende onderwerp,' zei Tor haastig, in de hoop dat ze niets verkeerds had gezegd, ook al kon ze zich nauwelijks voorstellen dat kapitein Jack Chandler naar Rose zou willen kijken terwijl ze een bad nam. 'Wat waren die vreselijke geluiden vannacht?'

'Wat voor geluiden?'

'Van die jongen hiernaast. Heb je hem niet gehoord?' vroeg Tor. '"O god! O god! O god! O! O! O!"'

'Wat vreselijk.' De blauwe ogen van Rose werden rond als schoteltjes. 'Misschien had hij een nachtmerrie.'

'Ik weet het niet.'

'Maar je bent niet naar hem toe gegaan om te vragen of alles goed was?'

'Dat was ik wel van plan, maar ik ben weer in slaap gevallen.'

'Briljant! Werkelijk briljant! Ik hoor het al, met jou kunnen we de oorlog winnen.'

'Ja, ik weet het. En ik schaam me diep. Maar ik heb gisteravond een Singapore Sling gedronken, dus ik was niet echt helder.'

74

'Nou, dan moeten we het hem straks maar vragen,' zei Rose. 'En we moeten het tegen Viva zeggen. Die zit rond deze tijd meestal in de schrijfkamer.'

'Ach weet je, laten we het maar vergeten.' Tor knabbelde op haar tweede warme broodje. 'Ik zou me verschrikkelijk voelen als er iets ergs is gebeurd.'

'O, doe niet zo dramatisch.' Rose kneep in Tors grote teen. 'En hou op over mijn voet heen te kruimelen. Waarschijnlijk had hij gewoon te veel gegeten en heeft hij last van *trotagees*.' Trotagees was hun zelfverzonnen Hindi-woord voor diarree.

Trouw niet, Rose, dacht Tor terwijl ze luisterde naar het vrolijke gebabbel van haar vriendin, zich bewust van haar warme lichaam naast het hare. Ik zal je zo verschrikkelijk missen.

'Ik ga in bad,' zei Tor even later. Ze hadden de thee en de broodjes op en lagen dicht naast elkaar om allebei van de zon te kunnen genieten.

'Wacht even. We zijn nog niet klaar met onze gup.' Rose strekte zich genietend uit. 'Met wie heb je gisteravond allemaal gedanst? Ik kon niet van mevrouw Llewellyn-Pearse afkomen. Die vertelde in geuren en kleuren over de zevenenveertig variëteiten rododendrons, vorig jaar in Simla. Ik heb haar laten beloven dat ze jou de foto's ook laat zien.'

'O hemel, met iedereen. Met Philip. Wat is dat een opsnijer! En met kolonel Green. Die stonk naar knoflook. O Rose, als ik je een chocolaatje geef, wil jij dan het bad aanzetten? Ik ben nu al uitgeput.'

'En Frank?' Rose sperde haar ogen wijd open. 'Hebben we ook met Frank gedanst? Frank, Frank, Frankieieieieie?'

'O, Frank.' Tor deed haar best zo neutraal mogelijk te klinken. Toen ze hem over de dansvloer op zich af zag komen, had haar hart een sprongetje gemaakt, voor het eerst sinds het fiasco met Paul. Hij zag er zo innemend uit in zijn witte smoking en met zijn warrige haardos. Bovendien was een dokter opwindend, ook al zou mammie zeggen dat hij beneden hun stand was. Maar haar hart had haar gewaarschuwd. Let op, gevaar! Alarmfase 3! Denk erom dat je tegen niemand iets over hem zegt!

'Het is een aardige jongen,' zei ze dan ook nonchalant. 'O, trouwens, hij vroeg of we plannen hebben als we aanmeren in Port Said. Hij kent daar een geweldig restaurant. Ze gaan allemaal.'

'O lieverd, we kunnen niet mee,' zei Rose. 'We hebben je moeder beloofd om na Gibraltar niet meer van boord te gaan. Dat weet je toch?'

'Ach, mijn moeder is geobsedeerd door de handel in blanke slavinnen,' zei Tor. 'Dat is gewoon belachelijk. Trouwens, Frank is een volwassen vent. Hij heeft al op zoveel schepen gevaren. Nou ja, op minstens twee. En als er iets gebeurt, hebben we een dokter bij de hand.'

'Nou, we denken er nog even over,' zei de altijd verstandige Rose.

'Jij kunt denken zoveel als je wilt. Ik ga.' Tor kroop uit bed en liep tussen de kleren door die nog op de grond lagen. 'En voor iemand die op het punt staat te trouwen, wordt het tijd dat je je eigen beslissingen neemt.'

Er gleed een schaduw over het gezicht van Rose, en Tor kon haar tong wel afbijten.

'Ik zeg het niet om bazig te zijn,' zei Rose. 'Maar... je kent hem helemaal niet en...'

Tor wist maar al te goed wat ze dacht: Ik wil niet dat je weer zo bezeerd raakt. Maar toen ze even later in bad zat, zette ze onder haar gebloemde badmuts haar kiezen vastberaden op elkaar. Het kan me niet schelen, dacht ze. Ik ben er weer klaar voor. En deze keer voor alles.

11

'Wat kost een man?' Kladversie nummer 6.
Door Viva Holloway

Viva zat op bed, met haar schrijfmachine op een kussen, en probeerde niet in huilen uit te barsten van frustratie. Juffrouw Snow was net binnengekomen met een stroom van verontschuldigingen – 'Sorry, sorry, sorry!' – en was begonnen 'haar uitrusting' zoals ze het olijk noemde, te ordenen: haar onderkleding, haar jurken – de ene nog saaier en kleurlozer dan de andere – en haar boeken.

'Het ziet er wel erg ongemakkelijk uit zoals je daar zit,' zei ze nadrukkelijk. 'Vind je de schrijfkamer niet een geschiktere plek om te werken?'

Viva had het geprobeerd, maar het was onmogelijk om daar iets gedaan te krijgen. Vier van de oudere memsahibs – intimiderende vrouwen met hun schetterende lach en hun zelfverzekerde, voorname manier van praten – hadden de schrijfkamer geconfisqueerd om te bridgen. Met als gevolg dat de stilte regelmatig werd onderbroken door kreten als: 'Vier schoppen' of: 'Allemachtig, wat ben jij uitgekookt!' of: 'Schitterend!'

De vorige dag, toen de schrijfkamer er verlaten bij lag (er werd een of andere sportieve competitie gehouden aan dek) en ze zich had gebogen over de vierde versie, was er een jonge steward binnengekomen, schaamteloos knap in zijn P&O-uniform. 'Wat schrijft u daar?' Hij had zich over haar schouder gebogen en vertrouwelijk gefluisterd: 'Allemaal spannende geheimen?'

Viva was vuurrood geworden. Als ze een echte schrijfster was, had ze geprobeerd hem beter te leren kennen, dacht ze later, toen ze hem aan dek op dezelfde familiaire toon grappen hoorde maken met Marlene en Suzanne. De vriendinnen gilden het uit van de lach, en hij lachte vrolijk mee. Misschien had ze een beetje met hem moeten flirten om zijn vertrouwen te winnen en hem zover te krijgen dat hij uit de school klapte over dingen die aan boord gebeurden en die niet door de beugel konden. Maar ze kon het niet. Daar was ze veel te verlegen voor. Die verlegenheid gold ook ten aanzien van Frank, de jonge scheepsarts, die duidelijk een liefhebber van vrouwen was. Net zoals duidelijk was dat Tor – en met haar de meeste vrouwelijke passagiers – al smoorverliefd op hem was. Viva had hem de vorige dag gadeslagen op het dek. Hij liep met de tred van een man in de kracht van zijn leven – een beetje brutaal, met een lichte neiging tot o-benen. En ze had gezien hoe alle vrouwen naar hem keken.

Hij flirtte niet openlijk. Dat was verboden, aldus Tor. 'Hij mag geen gesprek met ons beginnen, maar hij mag wel antwoord geven als wij hem aanspreken,' had ze gerapporteerd. Maar hij hoefde ook niet te flirten. Want zelfs Viva, die hem wantrouwde, moest toegeven dat hij een verrukkelijke glimlach had.

Juffrouw Snow had aangekondigd te gaan lunchen, en eindelijk alleen draaide Viva een nieuw vel papier in de schrijfmachine. Ze kreunde zacht, gefrustreerd. Na een vliegende start met 'De vissersvloot', inmiddels definitief omgedoopt in 'Wat kost een man?', was ze hopeloos vast komen te zitten. Elke keer dat ze herlas wat ze had geschreven, leek het haar onbeduidender, minder steekhoudend, kwaadaardig zelfs, in aanmerking genomen dat ze niet de moeite had genomen om te praten met de vrouwen over wie ze schreef. Althans, nog niet. Ze had zich voorgesteld dat ze nonchalant hier en daar een praatje zou aanknopen, bijvoorbeeld met de oogverblindende Marlene en Suzanne, of met sommige van de kindermeisjes, desnoods met juffrouw Snow of met andere jonge vrouwen die ze op de dansvloer had gezien of bij het ringwerpen. Dat ze met hen over het dek zou wandelen en boeiende gesprekken zou voeren. Maar inmiddels leek het haar veel te brutaal om volslagen vreemden aan te spreken en intieme vragen te stellen over hun leven.

Afgezien van Rose en Tor bij hun dagelijkse bishi had ze nog niemand gesproken. Behalve juffrouw Snow. De andere jonge vrouwen aan boord waren heel beleefd tegen haar, ze zeiden vriendelijk goedendag en wensten haar goedenavond wanneer ze elkaar tegenkwamen in de eetzaal, maar ze bleef een chaperonne, dus ze werd van verdere intimiteiten buitengesloten. Terwijl ze in de schrijfkamer zat, of op het dek, had ze flarden van hun gesprekken opgevangen.

'Ik heb tegen mammie gezegd dat hij de wei in moet; volgende winter wil ik met hem jagen... O, natuurlijk is ze een *pukka* Able Smith... Zo'n aardig ventje... Het pak van Christopher, letterlijk voor de helft van de prijs... Natuurlijk kennen we ze. We hebben daar vorige winter gejaagd... Voor dat feestje hadden we ons verkleed als circusartiesten...'

Hun zelfverzekerde manier van praten en het feit dat ze zich per dag misschien wel zes keer verkleedden, maakten dat Viva soms boos werd op zichzelf. Waarom zou ze het zich aantrekken dat ze werd afgewezen door mensen met wie ze niet eens bevriend wílde zijn? Het was absurd, onlogisch.

Maar het was de oude onzekerheid die de kop weer opstak, vooral wanneer het met haar werk niet lekker liep. Dat was de reden dat ze zich niet de zelfverzekerde, onafhankelijke bohémienne voelde die tot de reis had besloten, maar een buitenstaander, een muurbloempje aan wie het leven voorbijging. Misschien was ze haar hele leven al een buitenstaander, met haar geïsoleerde jeugd waarin ze voortdurend had moeten verhuizen vanwege het werk van haar vader; en misschien had ze zichzelf dat beeld aangepraat van een jonge vrouw die snakte naar eenzaamheid, naar een donkere kamer verlicht door een schemerlamp, naar haar boeken, haar schrijven. Het was niet altijd een bewuste keuze.

Ze verdrong haar sombere overwegingen en dacht aan Rose en Tor, die ze steeds aardiger begon te vinden. Natuurlijk waren ze nog jong en onvolwassen, maar Viva genoot van hun bishi's. De vorige avond had Tor de grammofoon opgedraaid, een glaasje crème de menthe ingeschonken en Viva de charleston geleerd.

En het was onmogelijk om Rose niet aardig te vinden – zo blond, zo fris, zo charmant, altijd goedlachs, altijd vriendelijk, zich totaal niet bewust van haar eigen schoonheid. Rose was iemand die van het leven verwachtte dat het haar gelukkig maakte; iemand die waarschijnlijk doorgaans ook gelukkig wás. De vorige dag had Viva gehoord hoe ze een groepje oudere passagiers in verrukking had gebracht met haar verhalen over haar aanstaande huwelijk. 'Ja, ik vind het allemaal zo opwindend. Het wordt verrukkelijk! De receptie is in de Bombay Yacht Club... O, dat is mooi! Ik heb gehoord dat het er allemaal beeldschoon uitziet... niet helemaal zeker van de jurk, maar ik heb mammies sluier bij me.'

In Tilbury had Viva van een afstand toegekeken terwijl Rose afscheid nam van familie en andere uitzwaaiers, die haar duidelijk adoreerden. Al kijkend had Viva een maar al te vertrouwde steek van pijn gevoeld: een compleet gezin, een onderling verbonden organisme, als een kolonie mieren, dat Rose hielp de overstap te maken van het ene leven naar het andere. Ze hadden haar hoed rechtgezet, haar hand gedrukt; haar vader, een voornaam geklede, oudere heer met een mager, ingevallen gezicht, had naar haar gekeken met een blik van onuitgesproken verdriet en bezorgdheid.

Er werd geklopt.

'Viva.' Juffrouw Snow verscheen in de deuropening. 'Dat vergat ik nog je te vertellen. Ik kwam in de gang die jongeman van je tegen. Hij hing maar wat rond, zo te zien. Ik vond dat hij erg bleek zag. Hoe dan ook, hij wilde weten hoe laat je gaat lunchen. Bij de eerste of de tweede ronde.'

Viva slaakte in gedachten een reeks verwensingen die er niet om logen. Toen ze de opdracht had aangenomen, had ze verwacht dat het Stuk Chagrijn, zoals ze hem heimelijk noemde, eenmaal aan boord aansluiting zou zoeken bij mensen van zijn eigen leeftijd, waardoor zij alle tijd zou hebben om te schrijven. Maar helaas, het enige wat hij deed, was somber en in zijn eentje op het dek rondhangen, roken en eten, samen met haar. En dat zou ze hem misschien nog hebben vergeven, als hij ook maar enigszins zijn best had gedaan om althans een beetje gezellig te zijn. Maar het was bijna onmogelijk een gesprek met hem te voeren. Niet dat zíj zo graag gin rummy wilde spelen, of met een opgerolde krant papieren kikkers over het dek wilde slaan, of in de spelletjeskamer wilde zitten met *Mary Queen of Scots* op een papiertje op haar voorhoofd, maar dat soort activiteiten hoorde nu eenmaal bij het leven aan boord van een schip, en zijn totale gebrek aan enthousiasme begon haar danig op haar zenuwen te werken. Het leek wel alsof hij met zijn verlegenheid een muur om hen allebei had opgetrokken. Tenminste, als het verlegenheid was waar hij last van had.

'Wat heb je tegen hem gezegd?'

'Dat je bezig was, maar dat je wel even met hem komt praten zodra je klaar bent.'

Het was zonneklaar dat juffrouw Snow hun relatie merkwaardig vond. Ze had Viva meer dan eens gevraagd waarom zijn ouders niet een ouder iemand als chaperonne hadden genomen. Of desnoods een oudere man. En ze leek ervan overtuigd dat Viva zonder Guy 'een dolle tijd' aan boord zou hebben gehad. 'Maar trek het je niet aan, kindje,' had ze tot Viva's ergernis een paar dagen eerder gezegd. 'Over nog geen twee weken zijn we er, en in India wemelt het van de mannen die op zoek zijn naar een jonge vrouw zoals jij.' Alsof het feit dat ze schreef slechts een dappere façade was voor haar werkelijke ambities.

Maar de redelijkheid gebood toe te geven dat juffrouw Snow haar eigen problemen had – een nieuwe school in een nieuw district, de angst voor eenzaamheid, gebrek aan geld en schuldgevoelens omdat ze haar oude moeder in Dorset had moeten achterlaten, in een pension voor mensen van beschaafde komaf.

Er heerste een levendig geroezemoes in de eersteklas eetzaal toen Viva die avond kwam dineren. Het was een prachtige zaal met fraaie muurschilderingen, weelderige luchters en spiegelwanden. Voor een meisje dat nog maar enkele weken eerder had geleefd op sardines uit blik en witte bonen, opgewarmd op een gaspitje dat ze onder haar bed moest verstoppen, was het een droom die werkelijkheid was geworden om hier te zitten en te worden bediend door geüniformeerde obers die zich met zilveren schalen tussen de gasten bewogen. Op tafels langs de muren stonden mooie wijnen en lagen de exotische vruchten hoog opgestapeld. Wanneer de deuren naar de keuken openzwaaiden, ving ze af en toe een glimp op van de hectische, dampende wereld daarachter.

Ze was dan ook meteen uit haar humeur toen ze zag dat Guy Clover met een bleek, verongelijkt gezicht in een hoek van de eetzaal op haar zat te wachten en lusteloos zijn hand naar haar opstak.

Nu het zoveel warmer was – achtendertig graden, volgens een van de passagiers, een zekere kolonel Price, die Viva die ochtend had aangeklampt om haar de laatste gegevens van zijn zakthermometer te melden – waren de passagiers overgeschakeld op zomerkleding: lichtere japonnen voor de dames, smoking voor de heren. Guy droeg echter nog altijd zijn lange, zwarte jas en zag eruit als een doodgraver op een bruiloft.

Terwijl ze ging zitten, schoten er drie obers toe. Guy stond niet op.

Hij had zich slordig geschoren, registreerde ze. Op zijn kin had hij nog wat dons laten zitten. Bovendien had hij zich gesneden en een plukje watten op het wondje gedrukt.

De ober gaf haar de menukaart. Aan een van de andere tafels werd uitbundig gelachen. 'De Jongelui', zoals de oudere passagiers iedereen onder de dertig noemden, trokken naar elkaar toe. Rose en Tor zaten aan tafel met twee andere vrouwen van wie Viva niet wist hoe ze heetten, en een jonge ambtenaar, Nigel. Viva zag het blonde haar van Rose naar voren vallen terwijl ze lachte. Een jonge marineofficier schonk wijn in Tors glas. Tor, die Viva had toevertrouwd dat ze hoopte te worden 'geschaakt', wapperde met haar wimpers naar hem.

'Het spijt me dat ik zo laat ben,' zei Viva.

'O, dat had ik niet eens in de gaten.' Hij keek haar vluchtig aan, met duidelijke tegenzin, en wendde zich toen weer af.

'Heb je al besteld?'

'Nee, nog niet.'

Ze bekeek de menukaart, zich bewust van de verantwoordelijkheid die zwaar op haar schouders drukte.

'Waar gaat jouw voorkeur naar uit?'

Als ik dat eens wist.

'De dagspecialiteit is sole Véronique. Dat is volgens mij erg lekker.' Ze had geen flauw idee, maar ze moest toch iets zeggen.

'Er is ook steak Rossini. En kreeft thermidor.' De Kaiser stond beroemd om het eten aan boord. Dat had te maken met de op hout gestookte ovens, was Viva verteld. 'O, lekker,' zei ze. 'En er staan pommes dauphinoises op de kaart.'

'Ik kan zelf ook lezen.' Hij had sinds kort sarcasme toegevoegd aan zijn eigen beperkte menukaart.

'Neem me niet kwalijk.'

Ze had het echt geprobeerd. Toen ze net aan boord waren, had ze – als een soort oude tante, dat moest ze toegeven – gevraagd of hij ernaar uitkeek om naar huis te gaan. 'Niet echt.' En wat voor sporten hij op school had beoefend. 'Geen.' Maar een mens moest ergens beginnen. Ze had de wandschilderingen in de eetzaal bewonderd, de prachtige luchters, ze had hem gevraagd hoe hij de liedjes vond die de pianist speelde, maar inmiddels was haar geduld zo goed als op.

'Water?'

'Graag, en...' Hij keek haar aan, met een nauwelijks verholen uitdaging in zijn blik. 'Een fles Pouilly-Fuisée. Ober!'

Ze had hem de eerste avond diep gekwetst door te vragen of hij mocht drinken van zijn ouders. Dat had hij haar nog niet vergeven. 'Ik ben achttien!' Mevrouw Bannister had gezegd dat hij zestien was, en hij zag er geen dag ouder uit, maar ze besloot er niet verder op in te gaan. 'Geen acht! Ik begrijp ook niet waarom mijn ouders vonden dat ik een chaperonne nodig had.'

'Dus, wat eten we?' vroeg ze. 'Ben je klaar om te bestellen?'

'Nog niet.' Hij verdween achter zijn menukaart.

Ze smeerde boter op een broodje, gaf het mandje met brood door en luisterde naar het verre gelach van andere gasten, naar de pianist, die 'Claire de Lune' speelde.

Zo moet het voelen om ongelukkig getrouwd te zijn, dacht ze. Een oneindige reeks maaltijden die een eeuwigheid lijken te duren. Elk gesprek een bezoeking, een vorm van mentaal huishoudelijk werk.

'Ik neem een tournedos Rossini,' zei ze. 'Rosé gebakken.'

Toen het eten kwam, luisterde ze naar het geluid van hun bestek op de borden; ze keek naar de ober die de borden vervolgens weer afruimde; naar het oude echtpaar aan de tafel naast hen dat ook zwijgend had gegeten.

'Het is zaterdagavond,' zei ze. 'Er speelt een band in de balzaal die erg goed moet zijn. Heb je zin om te gaan?'

'Nee, ik denk het niet.' Hij slaakte een diepe zucht en tuitte zijn lippen op een manier die verried dat hij zich niet op zijn gemak voelde.

'Is er iets anders wat je wilt doen?' O, soms kon ze hem wel slaan! 'Je zegt het maar.

Ellendig stuk chagrijn,' voegde ze er zachtjes aan toe.

De dessertwagen kwam, zwaarbeladen met vruchten in gelei, citroenschuimtaarten, appelsoufflé, ijs en Indiase *julebi*'s, een soort zoetigheid waar Viva van griezelde.

'Nog wat wijn, sir?' vroeg de sommelier met een stralende glimlach. 'We hebben een verrukkelijke Beaumes de Venise die uitstekend past bij de crème anglaise. Madam?'

'Voor mij alleen de citroenschuimtaart, alstublieft.' Ze dronk haar glas leeg. 'Me dunkt dat we genoeg hebben gedronken.'

'Voor mij een fles Beames de Venise,' zei het Stuk Chagrijn tegen de ober. Toen hij zijn hoofd boog en haar aankeek, deed hij haar denken aan een jonge stier, op het punt om aan te vallen.

'Wie betaalt dat?' fluisterde ze boos toen de sommelier zich weghaastte.

'Mijn ouders,' zei hij stijfjes. 'Bemoei je er niet mee.'

Ze keek naar de Jongelui, die vrolijk pratend en lachend naar boven vertrokken, en bedacht hoe heerlijk het zou zijn als ze hem een flinke draai om zijn oren kon geven. De eetzaal was inmiddels halfleeg, en hij keek haar opnieuw fronsend aan, met een blik van nauwelijks verholen minachting.

'Zijn je ouders er wanneer we aankomen?' Ze stelde de vraag welbewust, wetend wat de reactie zou zijn.

'Ik weet het niet.' Hij keek ingespannen naar iemand achter haar, op een manier die suggereerde dat die ander veel interessanter was dan zij. Plotseling voelde ze het verlangen om hem althans iets te laten voelen, het kon haar niet schelen wat – pijn, gêne, het besef dat zij ook een leven had.

'Mijn ouders zijn er in elk geval niet,' zei ze.

'Waarom niet?' Het was voor het eerst dat hij haar een vraag stelde.

'Ik heb mijn ouders en mijn zusje verloren toen ik tien was. In India. Daarom ben ik teruggekomen naar Engeland. Een van de redenen dat ik deze reis maak, is om hun spullen op te halen. Er staan daar nog wat hutkoffers.'

Hij staarde haar aan, aanvankelijk met zo'n lege blik in zijn ogen dat ze dacht dat hij haar niet had gehoord. Toen hij opstond, viel zijn stoel om.

'Zijn ze vermoord?' Zijn gezicht drukte oprechte, hevige afschuw uit. 'Zijn ze vermoord door Indiërs?' Zijn gelaatstrekken waren verwrongen van weerzin.

Ze was zich bewust van een gevoel van schaamte dat zich vanuit haar maag omhoogwerkte naar haar borst. Wat had haar bezield om dat eruit te flappen? Uitgerekend tegen hem? Maar het was al te laat. Hij leek gefascineerd – en tegelijkertijd vervuld van afschuw – door haar verhaal.

'Nee. Rustig maar.' Ze hief bezwerend haar handen.

'Zijn ze doodgeschoten?'

Het oudere echtpaar aan de tafel naast hen keek hun kant uit.

'Nee,' antwoordde ze.

'Wat is er dan gebeurd?'

'Ze zijn gewoon gestorven,' fluisterde ze. De vlammen sloegen haar uit. 'Ik praat er liever niet over. Ze zijn omgekomen bij een auto-ongeluk. Ik weet niet waar.' Ze vond het afschuwelijk als mensen naar bijzonderheden vroegen.

'Ik weet niet wat ik moet zeggen. Wat moet ik zeggen?' vroeg hij met stemverheffing. Opnieuw wenste ze dat ze haar mond had gehouden. Nu ze hem eindelijk uit zijn verstarring had gewekt, wilde ze de zwijgzame Guy terug.

Het was verstikkend warm buiten toen ze aan dek kwam om hem te zoeken. De maan lag in een mand van wolken.

'Guy!' riep ze, maar ze werd overstemd door het geraas van het boegwater en door flarden muziek uit de balzaal. Door de verlichte ramen zag ze haar medepassagiers, als een reeks stillevens: vrouwen die zaten te kaarten, een grijze, oude man haalde een sigarenknipper uit zijn vestzak, een groepje dronk elkaar lachend toe. In een donkere hoek bij de schoorsteen stond een paartje innig omstrengeld, donker en onopvallend als schaduwen.

'Guy!' Ze stond inmiddels bij de reddingsboten. Een krachtige, warme wind blies door haar haren. 'Guy, waar zit je?'

Het liefst liet ze hem in zijn sop gaar koken, maar ze begon zich hoe langer hoe meer zorgen te maken. Zijn bijna hysterische reactie op haar verhaal, het feit dat hij nog steeds die afschuwelijke overjas droeg terwijl de thermometer regelmatig waarden tegen de zevendertig bereikte, de maar al te duidelijke onoprechtheid waarmee hij soms naar haar glimlachte, alsof hij op het toneel stond in het Old Vic... Misschien was hij wel gek, in plaats van een onhandelbare jongen die te veel in zichzelf opging.

Na een vergeefse zoektocht door lege gangen en over het verlaten A-dek, vond ze hem ten slotte in een reddingsboot, waar hij languit lag te roken, nog altijd gehuld in zijn dikke, zwarte jas.

'Hoor eens, Guy, er zijn een heleboel mensen die hun ouders hebben verloren in India. Dus dat moet je je niet te veel aantrekken.'

De maan was verdwenen achter een wolk, maar het was nog licht genoeg om de tranen op zijn wangen te zien, de vurige wanhoop in zijn ogen. Hij was dronken. Dat leed geen twijfel. Maar het leed ook geen twijfel dat hij het er slecht mee had.

'Waarom is het leven zo verschrikkelijk?' vroeg hij.

'Niet alles is verschrikkelijk. Dingen veranderen, worden beter. Ik had het niet moeten zeggen. Ik weet zelf niet meer waarom ik het deed.'

'Ze zijn weg, voorgoed weg.'

'Ja.'

'Je hele gezin.' De maan kwam weer tevoorschijn en wierp een groenachtige gloed op zijn gezicht. 'Voorgoed weg,' herhaalde hij. 'Voor altijd.'

Ze wist bijna zeker dat hij het nu weer over zichzelf had.

'Nee,' zei ze. 'Nee, dat geloof ik niet. Ze zijn niet echt weg. Geloof jij van wel?'

Hij ging rechtop zitten en staarde haar aan.

'Laten we het even niet over mij hebben,' zei ze, in het besef dat dit misschien haar enige kans was. 'Ik wil je iets vragen. Iets wat over jou gaat. In jouw ogen ben ik waarschijnlijk stokoud, maar dat is niet zo. Ik weet nog heel goed hoe het is als je van het ene op het andere moment ergens wordt weggehaald en ergens anders wordt neergepoot. Ik weet hoe...' Haar stem haperde, maar ze deed haar best.

'Nee, dat is het niet,' viel hij haar in de rede. 'Dat is het helemaal niet. Het spijt me... Ik ga naar bed.'

Toen hij zich uit de reddingsboot werkte, liet het watje los dat hij op de snee in zijn kin had geplakt, zodat die weer begon te bloeden. Ze keek hem na terwijl hij houterig en met opgetrokken schouders wegliep en verdween door een verlichte deuropening.

'Ik heb je verraden,' zei ze hardop.

'Neem me alsjeblieft niet kwalijk,' zei een stem vanachter een stapel dekstoelen. 'Je denkt natuurlijk dat ik jullie heb afgeluisterd, maar dat is niet zo.' Een schim richtte zich op. Het was Rose in een tuleachtige witte jurk. Haar blonde haar glansde als zilver in het maanlicht.

'Ik ben hier gaan zitten omdat ik wilde nadenken,' zei ze. 'De anderen waren zo lawaaiig.'

'Heb je alles gehoord?' vroeg Viva.

Rose keek gegeneerd.

'Niet alles. Maar ik maakte vroeger altijd ruzie met mijn broer. Zo gaat dat met jongens.'

'Ik weet niet of ik het met hem uithou.' Viva beefde. 'Hij doet zo neerbuigend.'

Een ober was Rose gevolgd, voor het geval dat ze ergens behoefte aan had – zoals mannen waarschijnlijk altijd probeerden elke wens van haar lippen te lezen.

'Koffie, madam? Een likeurtje? Een cocktail? Emmeline Pitout gaat straks zingen in de muziekkamer.'

'Weet je wat?' Rose schonk Viva een ondeugende glimlach. 'Laten we eens gek doen en een cognacje nemen. Het ergste is dat hij niet je broer is, en dat je hem dus geen flinke draai om zijn oren kunt geven. Dat zou zo bevredigend zijn.'

Rose had een verrukkelijke, warme lach die heel diep uit haar keel leek te komen. Het was door de zweem van ongeremdheid in die lach dat ze niet te mooi leek om waar te zijn. Als een klein kind kneep ze haar ogen dicht en gaf ze zich over aan haar vrolijkheid.

Toen Viva opkeek zag ze dat de maan, die het schip leek te achtervolgen, een vluchtige, gouden mist over het waas van sterren had gesponnen.

'Het moet vreemd voor hem zijn om terug te gaan.' Rose nipte van haar cognac. 'Na al die jaren alleen.'

'Tien jaar.' Viva probeerde haar kalmte te hervinden. 'En het is zo erg voor een kind om uit India weg te moeten. Weg van de zon, de vrijheid, de blauwe hemel, de bedienden die je met zorg en eerbied omringen. En waar je dan terechtkomt... Hij heeft er weinig over gezegd, maar in Engeland kom je op een school waar het ijskoud is en waar je 's ochtends het ijs moet stukslaan in je waskom.'

'Alsof je wordt verdreven uit het paradijs,' zei Rose.

'Ja, maar India is niet het paradijs. In veel opzichten is het er verschrikkelijk.'

'Geef eens een paar voorbeelden. Niet al te vreselijk, alsjeblieft.'

'Nou, om te beginnen de hitte. Zoiets kennen we niet in Engeland. Soms lijkt het alsof je met een knuppel op je hoofd wordt geslagen. En dan de vliegen, de schokkende armoede. Maar als je van het land houdt, zoals ik, dan gaat het in je vezels zitten, in je ziel. Let maar eens op.'

Dit was het langste – echte – gesprek dat ze hadden gevoerd sinds ze aan boord waren gegaan. En daar was Viva blij om, ook al was het van haar kant behoorlijk emotioneel geweest.

'Het is zo vreemd om te denken dat ik daar ga trouwen,' zei Rose. Het puntje van haar volmaakt rechte neus kwam boven haar stola uit, die ze als een deken om zich heen had getrokken. 'Er is zoveel om over na te denken.'

Ze is bang, dacht Viva. Dat zijn we allemaal.

Rose had haar een dag eerder bekend, op een toon alsof het een geweldige grap was, dat ze haar verloofde alles bij elkaar vier keer had gezien! Vijf keer als je de steeplechase meetelde in de buurt van Salisbury, waar ze naartoe waren geweest.

Hoe kon je jezelf zo onbekommerd weggeven, had Viva zich afgevraagd. Hoe hadden haar ouders hun toestemming kunnen geven? Dit was iets heel anders dan de gearrangeerde huwelijken in India, waar de families elkaar al generatieslang kenden.

'Ja, dat kan ik me voorstellen.' Viva zou die kinderlijk zachte hand willen aanraken, een arm om haar heen willen slaan, maar ze kon het niet. In plaats daarvan dacht ze aan haar moeder in haar trouwjurk, aan haar lachende bruine ogen, haar blijde gezicht. Het maakte haar duizelig. Ik ben bevroren, dacht ze. Sindsdien ben ik bevroren.

'Het is zo leuk, zo gezellig hier op De Kaiser.' Rose draaide aan de ring met de saffier die ze droeg aan de vinger waaraan straks haar trouwring zou prijken. Haar stem klonk dromerig, alsof ze heel ver weg was met haar gedachten. 'Al onze nieuwe beste vrienden, het gevoel dat je telkens weer op weg bent naar een nieuwe bestemming. Trouwens...' Ze keek op haar horloge. 'Nog even, en we moeten Port Said kunnen zien. Tenminste, dat zei onze ober.'

Ze rechtte haar rug en haastte zich naar de reling. Haar jurk deed in het maanlicht denken aan de vleugels van een vlinder.

'Kijk eens! O, kijk eens!' Ze wees naar de horizon. 'Je kunt de lichtjes al zien.'

Viva kon zich er niet toe brengen in beweging te komen. Ze had het nooit moeten zeggen tegen Guy.

'Kom nou kijken! Is het niet opwindend? Zou dat Port Said zijn? Dat moet haast wel.'

Samen keken ze over de donkere, rimpelende zee naar een verre, vage ketting van lichtjes. Een vreemde stad waar vreemde mensen hun tanden poetsten en de borden van het avondeten afwasten en erover dachten om naar bed te gaan.

'Klopt het dat we nu ook aan dek mogen slapen? Dat klinkt enig.'

Wanneer Rose zo straalde, kon je zien hoe ze als kind moest zijn geweest.

Ik hoop dat het een aardige man is, dacht Viva. Ik hoop dat hij haar verdient. Wat een afschuwelijke gok.

'Ken je Port Said?' De stem van Rose deed haar opschrikken uit haar gedachten.

'Niet echt. Ik ben er twee keer geweest.' De laatste keer was ze een jaar of zes, zeven geweest. Ze herinnerde zich slechts losse beelden: de eerste keer dat ze vers sinaasappelsap had gedronken in een café aan het plein; haar vader die haar liet paardjerijden op zijn schouders.

'Tor is zo ongeduldig om aan wal te gaan.' Rose klonk ongerust. 'Frank gaat met een hele groep en hij heeft ons allemaal meegevraagd. Trouwens, wat vind je van hem?'

'Ach, dat weet ik niet,' zei Viva. 'Hij lijkt in elk geval behoorlijk zeker van zichzelf, en van het effect dat hij heeft op vrouwen. Ik hoop dat hij haar geen verdriet doet.'

'Ik ook,' zei Rose. 'Ze heeft zo'n ellendige tijd gehad in het uitgaansseizoen. Ik begrijp niet waarom mannen niet aardiger voor haar zijn.'

Omdat ze te hard haar best doet, dacht Viva. Dat wil ze niet, maar ze doet het wel, omdat ze denkt dat ze niet knap genoeg is.

'Kolonel Patterson vertelde me gisteren dat Franks oudere broer is gesneuveld bij Ieper.' Rose deed haar opnieuw opschrikken uit haar gedachten. 'En dat hij daarom dokter is geworden. Volgens kolonel Patterson is die opgewektheid maar schijn. Want hij is er nog steeds niet overheen. Het kwam blijkbaar ter sprake omdat de zoon van de kolonel daar ook gesneuveld is.'

'Weet je dat zeker?' Viva had even tijd nodig om de informatie tot zich te laten doordringen. Dat doe ik nou altijd, dacht ze, plotseling beschaamd. Ik schrijf mensen al af voordat ik ze ken. Of ik zie vriendelijkheid, een zekere mate van openheid, aan voor een teken van zwakte.

'Dat zei de kolonel.' Rose had plotseling tranen in haar prachtige blauwe ogen. 'Mijn broer is gesneuveld in Frankrijk. Ik had altijd ruzie met hem. Hij was veel ouder, maar ik wilde altijd alles doen wat hij deed. Hè, laten we het er maar niet meer over hebben. Het is te erg. Soms vind ik het gewoon onverdraaglijk. Volgens mij is dat een van de redenen dat mijn ouders me hebben weggestuurd. Omdat ze er ook niet mee kunnen leven. Het is zo afschuwelijk stil in huis. Maar wat ik net zei,' vervolgde ze op fermere toon. 'Frank weet in Port Said een of ander geweldig restaurant. En bovendien schijnen we een tochtje te kunnen maken naar de piramides. Tor wil dolgraag, maar ik heb mijn ouwelui beloofd niet aan wal te gaan zonder chaperonne. Dus heb jij zin om mee te gaan?'

'Het lijkt me heerlijk.' Viva probeerde niet te gretig te klinken. 'Zoals ik al zei, ik ken Port Said niet zo goed, maar...'

'Er gaan een heleboel anderen,' zei Rose. 'Maar dat zijn allemaal mannen, en ik wil geen verkeerde indruk wekken. De mensen praten zo snel.

Daar zou ik me eigenlijk niets van aan moeten trekken, maar dat doe ik wel.'

'Natuurlijk,' zei Viva. 'Dat is heel begrijpelijk.'

'En hoe zit het met Guy?' vroeg Rose beleefd, maar op haar hoede. 'Ik bedoel, als hij zin heeft, mag hij natuurlijk ook mee. Maar waarschijnlijk vindt hij ons maar een stel bejaarden.'

'Hij toonde zich niet echt geïnteresseerd toen we het erover hadden,' zei Viva. Wat hij had gezegd was: 'Aha, kalmeelzadels en parfumfabrieken. Schítterend!' Zijn stem brak op dat laatste woord.

'Misschien vindt hij het wel prettig om een dag alleen te zijn,' opperde Rose hoopvol. 'Maar als het moet, dan neem je hem gewoon mee.'

Nee, nee, nee, dacht Viva. Dat moet helemaal niet. Hij heeft heel duidelijk gemaakt dat hij graag een dag alleen wil zijn.

Ze had al besloten, en ooit zou ze voor dat besluit moeten boeten.

12

Port Said, dertienhonderd mijl van Bombay

Tor stond vroeg op, gewekt door het geroep van de mannen in kleine bootjes die het schip omzwermden in de haven van Port Said. Ze was bijna misselijk van opwinding over de dag die voor haar lag. Haastig pakte ze haar kleren, en op haar tenen, om Rose niet wakker te maken, sloop ze naar de badkamer. Nadat ze de deur achter zich op slot had gedaan, trok ze als eerste een witte linnen jurk aan. Het was de jurk die ze op aandringen van haar moeder had gekocht bij Swan & Edgar. Staande op het badkamerkrukje bekeek ze zichzelf van top tot teen in de spiegel. En vervolgens trok ze de jurk weer uit. Veel te zoet en te popperig.

Het linnen pakje met zijn korte jasje kon in haar ogen ook geen genade vinden. Te stijf en te gewoontjes. Tien minuten later stond ze, zwetend en geagiteerd, te midden van een berg kleren in een bleekgroene, katoenen jurk met jade knoppen in haar oren, terwijl ze probeerde zich voor te stellen hoe Frank haar zo zou vinden.

In een handspiegel bekeek ze haar profiel. Ze bewoog haar lippen alsof ze praatte, om te zien hoe ze er uitzag in de ogen van anderen, en lachte geluidloos, met hetzelfde oogmerk.

'O god,' verzuchtte ze, toen ze weinig zachtzinnig terugkeerde in de werkelijkheid. 'Waarom verander ik toch elke keer in mijn moeder zodra ik een man leuk vind?' Als ze niet oppaste, inspecteerde ze straks haar spiegelbeeld in het bestek wanneer ze zat te eten, of ze ging naar bed met antirimpelpleisters op haar gezicht – kleverige stukjes canvas die haar moeder 's nachts tussen haar wenkbrauwen plakte om denkrimpels te voorkomen.

Terwijl het bad volliep dacht ze aan die verschrikkelijke middag met haar moeder, die achteraf het keerpunt was gebleken. Al maanden woedde de discussie tussen haar ouders over de vraag of ze met Rose mee mocht naar India. Haar vader, die het grootste deel van zijn tijd doorbracht in zijn tuinhuisje – zijn bunker, zoals hij het noemde – waar de muren waren bedekt met boeken en waar hij onderzoek deed naar lieveheersbeestjes, muziek luisterde en weerstand bood aan de hartstochtelijke pogingen van zijn vrouw om hem en het huis te veranderen, was erop tegen.

'Ik heb Tor liever hier,' zei hij. 'Bovendien verwacht ik grote problemen in India.'

Op een avond, tijdens een stormachtig diner, had hij zijn vrouw gesmeekt althans even te stoppen met haar verhalen over party's en polowedstrijden, en stil te staan bij de onmogelijke situatie dat tweeduizend Engelsen probeerden eenvijfde van de wereldbevolking onder de duim te houden. '*Pouf*.' Hij moest ophouden Tor bang te maken. Dat was erg gemeen van hem, zei ze. Daarop was ze de kamer uit gelopen, en ze had de deur met een knal achter zich dichtgesmeten.

Na een slapeloze nacht had Tor een poging gedaan haar moeder in vertrouwen te nemen over het fiasco met Paul.

Ze waren in de kamer waar haar moeder bloemen schikte. Het leek wel alsof ze tegenwoordig voortdurend nijdig op haar was, dacht Tor, terwijl haar moeder rozen kortwiekte en de stelen met nodeloos geweld in mandjes van draad prikte.

'Ben je klaar?' had ze gevraagd toen Tor huilend haar bekentenis had gedaan. 'Want ik heb besloten volkomen eerlijk tegen je te zijn, lieverd.'

Ze legde de bloemenschaar neer. 'Wanneer je jong bent, denk je dat je alle tijd hebt om te wachten tot een man je vraagt. Maar dat is niet zo. En als je moeder je dat niet vertelt, wie moet het dan doen?' Ze nam Tors hand in de hare en keek haar aan met een spijtige glimlach – iets wat Tor nog erger vond dan haar boosheid.

'Lieverd,' vervolgde haar moeder na een gepaste stilte. 'Hoe moet ik het zeggen? Je bent echt niet onaantrekkelijk. In de meeste opzichten kun je er best mee door. Sterker nog, wanneer je dat wilt, kun je er heel leuk uitzien. Maar je bent geen meesterwerk, om het zo maar eens te noemen. Waar het op neerkomt is dat je...' Haar moeder sprak elk woord langzaam en nadrukkelijk uit. 'Veel... harder... je... best... moet... doen... Echt... veel... harder. Want het vinden van de juiste man is een kwestie van hard werken.'

Tor wist wat er ging komen: de vaste tirade van haar moeder dat de liefde vergelijkbaar was met een balletvoorstelling – een prachtige leugen, een wervelende, blijmoedige leugen die de pijn maskeerde. Haar moeder had zelfs een speciale, maskerachtige glimlach die ze reserveerde voor dit betoog.

'Moeder! Luister nou alsjeblieft eens naar me!' Tor sloeg haar handen voor haar oren. 'Ik probeer je te vertellen wat er is gebeurd tussen Paul en mij; wat er mis is gegaan. Hij wílde me niet eens kussen!'

Daarop was haar moeder rood geworden van verontwaardiging, en ze had Tor de volle laag gegeven.

'Je had je haar laten knippen als een jongen! Het was gewoon lachwekkend! Wat had je dan verwacht? En dan die schoenen! Dat zijn schoenen voor een klein kind! Als het om kleren gaat, hou je er zulke belachelijke ideeën op na. Pappie en ik hebben een fortuin uitgegeven om je als debutante te presenteren, dus het minste wat je kunt doen, is proberen er leuk uit te zien. Meer verwachten we niet van je. Is dat zo onredelijk?'

Haar moeder was het huis uit gestormd om te gaan bridgen; haar vader had de voordeur vergrendeld; en Tor was met een halve fles keukencognac naar het tuinhuis gevlucht, waar ze als kind vader en moedertje hadden gespeeld met Rose, en dierenartsje, en schooltje.

Later was ze halfdronken naar de slaapkamer van haar ouders gegaan; ze had zich uitgekleed tot op haar ondergoed en besloten de waarheid eindelijk onder ogen te zien. Was ze lelijk, misschien zelfs afzichtelijk?

Ze was achter haar moeders niervormige kaptafel gaan zitten – een glimmend roze stuk suikergoed met daaronder de roze satijnen muiltjes van haar moeder met hun *frou* van struisvogelveren op de neuzen. Tor stak haar voeten erin en schopte de pantoffeltjes in een hoek van de kamer.

Toen was ze naar de lange passpiegel bij het raam gelopen. Ze was langer dan de meeste meisjes, dat was waar. En bruiner dan als modieus werd beschouwd. Ze had brede schouders en was atletisch gebouwd. Maar ze was niet dik. Ze was níét dik. Haar haren hadden een onbestemde bruine kleur en waren volkomen steil. Ze had de blauwe, tragikomische ogen van haar vader geërfd, waar ze vaak opmerkingen over kreeg. Al met al had ze niets voornaams en was ze bepaald geen schoonheid, concludeerde ze, terwijl ze zag dat haar ogen zich vulden met tranen.

Ze was op het tapijt gaan liggen en had zichzelf opnieuw bekeken in de spiegel. Het vroege middaglicht was genadeloos.

'Ik hou van je,' zei ze, zich afvragend hoe ze er die dag in Pauls ogen had uitgezien. Lelijk, lelijk, lelijk, antwoordde het kwaadaardige stemmetje in haar hoofd.

'Kus me, Paul,' zei ze tegen haar spiegelbeeld. Er kwam een huilerige trek op haar gezicht, want ze was inmiddels erg dronken.

Ze deed de grote notenhouten klerenkast open en haalde haar moeders trots eruit: een perzikkleurige zijden creatie van Balmain – met de hand geplooid, elk lovertje met de hand erop genaaid. Haar moeder had de japon jaren eerder gekocht in Parijs, zoals ze te pas en te onpas vertelde, voor een leven vol glamour dat nooit echt werkelijkheid had willen worden. Het voelde als godslaster om de kledingzak zelfs maar los te ritsen en de ingewikkelde bandjes van de hanger te wurmen.

De jurk gleed soepel over haar hoofd, als een waterval van perzikkleurige zijde. Tor huiverde.

'Als je beter je best deed, zou je een mooi meisje kunnen zijn,' had haar moeder gezegd.

Ze ritste de jurk dicht en ging aan de kaptafel zitten, van drie kanten aangestaard door haar eigen spiegelbeeld. In een van de laatjes vond ze, behalve haarspelden en een poederdons van zwanenveren, een pakje sigaretten. Met haar ogen geloken rookte ze een sigaret uit het lange ebbenhouten pijpje. Ze dronk haar glas leeg en besproeide zichzelf met Shalimar uit een kristallen flesje met een kwastje aan de dop.

Daarna deed ze lippenstift op, ze bekeek zichzelf opnieuw in de spiegel en zei ten slotte: 'Ik wil jou niet zijn, mammie. Voor geen goud!'

Toen haar vader boven kwam, op zoek naar zijn pantoffels, trof hij haar huilend aan. Voor het eerst sinds ze een klein meisje was, had hij haar in zijn armen genomen en geknuffeld.

'Ik denk dat je maar naar India moet gaan,' had hij ten slotte gezegd. 'Ik zal vanavond met je moeder praten.'

Maar nu voelde ze zich opnieuw onzeker, ten prooi aan wisselende stemmingen. Buitengewoon ergerlijk. Alleen kwam het deze keer door Frank. Het probleem in een notendop was dat ze verschrikkelijk, afschuwelijk verliefd op hem was. Toen hij haar nonchalant had gevraagd, of Rose en zij al plannen hadden voor Port Said, zat ze in de bar, te kletsen met Jitu Singh. Jitu was de hoffelijke jonge maharadja, die in Oxford had gestudeerd en van wie werd beweerd dat hij minstens twaalf bedienden bij zich had die voor hem kookten en ervoor zorgden dat hij er onberispelijk uitzag en dat er altijd schrijfpapier in zijn hut lag. Met hem vergeleken zag Frank er, na een dienst van vijf uur, aanbiddelijk gekreukt en verfomfaaid uit. Hij was de volgende dag vanaf halfeen vrij, had hij gezegd, dus misschien konden ze samen iets drinken en daarna lunchen. Toen hij naar haar glimlachte, werden haar handen klam en sloeg haar hart een slag over. Het was inmiddels al zo erg dat ze elke dag naar hem uitkeek en grappige opmerkingen repeteerde voor als ze hem tegenkwam. De vorige dag had hij met haar over het dek gewandeld en haar, onderbroken door beleefde begroetingen – 'goedemorgen' – aan het adres van de Fossielen – iedereen boven de dertig –, op gedempte toon toevertrouwd wat ze op hun kerfstok hadden. 'Die heeft in een vlaag van wellust de beste vriendin van zijn vrouw vermoord,' had hij gezegd toen ze majoor Skinner passeerden, die nietsvermoedend aanstalten maakte om te gaan ringwerpen met zijn familie. 'Die stond aan het hoofd van een opiumbende.' Dat sloeg op juffrouw Warner, die in haar dekstoel de Bijbel zat te lezen.

'Nou, dat lijkt me wel wat,' had ze gezegd toen hij haar vertelde over de dagtocht naar Cairo die ze vanuit Port Said konden maken. 'Het klinkt best aardig.'

Ze was er trots op dat ze klonk alsof er, eenmaal in Port Said, nog duizend-en-een andere mogelijkheden waren.

'Ik ben morgenochtend bij het kantoor van de purser, om mijn post op te halen,' zei hij. 'Als ik het tegen die tijd weet, is het vroeg genoeg.'

Wat heerlijk spontaan allemaal.

'Lieverd.' De stem van Rose kwam door het sleutelgat. 'Denk je dat ik voor Bombay nog de kans krijg gebruik te maken van de badkamer?'

'O god!' jammerde Tor. 'Hoe laat is het?'

'Geen paniek. Het is pas negen uur. Maar kom eens kijken, je kunt Port Said zien. En allemaal grappige kleine mannetjes in bootjes die van alles verkopen. O, wat zal het een verrukkelijke dag worden!'

Vijftig minuten later zag Tor hem staan, bij het kantoor van de purser.

'O hallo, Frank.' Ze ergerde zich aan haar eigen dwaze grijns. 'Goed geslapen?'

Erg origineel!

'Amper,' zei hij. 'Ik had dienst en we hebben het razenddruk gehad.'

'Nog een paar smeuiige schandalen?'

'Een heleboel.' Daar was het weer, dat charmante trekken van een spiertje in zijn kaak. 'Maar daar mag ik niets over zeggen. In elk geval niet voordat ik minstens drie grenadines achter de kiezen heb in de Windsor Bar.'

'Flauwerd!' zei ze. 'Nou, misschien krijg je er een van me, want we gaan mee.'

'Ik kan hier pas tegen lunchtijd weg. Maar ik heb een betrouwbare chauffeur voor jullie geregeld om jullie naar het station te brengen. De trein vertrekt om kwart over twaalf. Vier uur later zijn we in Cairo. We kunnen lunchen in de trein. Dan hebben jullie vanmorgen nog tijd om te winkelen als jullie dat willen.'

Ze voelde zich warm worden bij de aanblik van zijn gebruinde hand terwijl hij stond te schrijven. Hij was zoveel mannelijker dan de bleke, artistieke Paul Tattershall. Ze hoopte dat het niet lang zou duren voordat hij haar schaakte.

Toen ze boven kwam, stonden Viva en Rose al op het A-dek, klaar om van boord te gaan. Het was een stralende dag, de zon scheen oogverblindend, een blauwe hemelkoepel welfde zich boven een glanzende horizon. In het water beneden hen krioelde het van de kleine bootjes met exotische mannen die probeerden hun iets te verkopen. Een oosterse goochelaar toverde krijsend vogels uit zijn oksels, kleine jongens doken naar munten.

De wind was dartel. Met haar hand op haar rok om te voorkomen dat die opwaaide, leunde Tor over de reling, opgewonden door alles wat ze zag. En toen gebeurde er iets vreselijks.

'Mammie! Mevrouw Queen! Kijk eens hier!' riep een kleine man met armen vol armbanden vanuit een van de bootjes naar Tor. 'Mammie kopen?' Hij hield zijn hoofd ontwapenend schuin en grijnsde zijn witte tanden bloot. Ze had nog nooit zo'n naakte man gezien – hij droeg niets anders dan een halve zakdoek die hij met een touwtje om zijn middel had gebonden.

'Ja, mammie! Alsjeblieft! Mevrouw Queen! Heel mooi.'

Rose en Tor begonnen te giechelen, maar toen zwegen ze abrupt. Een windvlaag blies het stukje stof opzij. En ze zagen allemaal – Rose en Viva, juffrouw Snow en brigadier Chorley Haughtington – zijn 'ding', donkerbruin, de kleur van kastanjes, omringd door stralend roodbruin haar. Het was enorm. Juffrouw Snow krijste. Tor kreeg een droge mond. Dus dat was het, dacht ze. Dat was het geheimzinnige mannelijke attribuut waarvoor continenten werden doorkruist en levens geruïneerd. Rose, die een brief van Jack in haar hand hield, wendde zich ontsteld af.

Tor wist precies wat ze dacht en drukte haar hand. Het huwelijk was zo'n reusachtige sprong in het duister; angstaanjagend, als je er goed over nadacht.

Zeven uur later zaten Tor en Rose met Viva en een groepje vrienden van het schip in de Windsor Bar van het Shepheard's Hotel in Cairo. Ze waren diep weggezakt in stoelen gemaakt van oude vaten, omringd door bergen tassen met wat Frank noemde 'onbesuisd aangeschafte prullen'. In Tors geval een borduurwerk en een tropenhelm afgezet met struisvogelveren. Rose had een koperen dienblad gekocht voor haar nieuwe huis en een slecht gelooide, sterk ruikende riem voor haar aanstaande echtgenoot, waarover ze zich nu al zorgen maakte. Viva een stoffig notitieboek met een kameel op de kaft en een stuk gedraaid papier gevuld met wierook dat heerlijk rook wanneer je het brandde, zei ze.

'Is het niet hemels om weer op terracotta te zijn?' vroeg Tor, genietend rondkijkend in de hotelbar.

'Schat, ik geloof dat de formulering *terra firma* is,' zei Nigel.

De jonge ambtenaar was een van hun nieuwe beste vrienden. Hij had sluik, zandkleurig haar en was het tegenovergestelde van atletisch gebouwd. Zijn bleke, fijngetekende gezicht verried een nerveuze intelligentie.

'Ik lust wel een sodawater met limoensap,' zei Rose tegen Frank, die zou bestellen.

Tor vond dat hij er schitterend uitzag nu hij zijn uniform had verruild voor burgerkleding, in dit geval een gekreukt linnen pak. Ze hield ervan als mannen niet al te kieskeurig waren op hun kleren.

'Voor mij een Pink Lady,' zei Tor. 'Dat moet je ook eens proberen, Rose. Grenadine met gin. Het smaakt naar perenzuurtjes. Ik weet zeker dat je het lekker vindt. Het gebeurt tenslotte niet dagelijks dat je ontbijt in Port Said en dineert in Cairo.'

Tors haar voelde zanderig na de treinreis, haar benen deden pijn van de kamelenrit waarbij ze het allemaal hadden uitgegild – een van de kamelen had Nigel recht in zijn oog gespuugd – maar ze voelde zich op een uitgelaten manier gelukkig in het gezelschap van Frank, die loom glimlachte en opgelucht leek even niet te hoeven werken, en van Viva en Rose en Nigel die inmiddels allemaal aan de grenadine zaten. Door het raam kon ze de hemel zien die zich rood had gekleurd; de zon ging onder achter de palmbomen. Palmbomen met dadels eraan!

'Kijk nou toch eens om je heen.' Nigel gebaarde met zijn glas naar de antieke tapijten en de glimmend gewreven vloer van de Windsor Bar, naar de koppen van opgezette dieren aan de muur. 'Ooit was dit een heel chique club voor Engelse officieren. Het zal niet lang meer duren of het is geschiedenis.'

'Nigel is verschrikkelijk slim,' legde Rose aan Viva uit. 'Hij...'

'Nigel, schei alsjeblieft uit met je onheilsscenario's,' pleitte Tor. 'We zijn een dagje uit.'

'Maar het is toch zo?' Nigel keek Viva aan.

Ze beantwoordde zijn blik en glimlachte weemoedig, maar zei niets. Ze zag er schitterend uit, dacht Tor, in haar vuurrode jurk, de exotische ketting, haar haren een wirwar van losse krullen, wat haar iets artistieks gaf, iets zigeunerachtigs. Ze was uniek, besloot Tor, die Viva bewonderde om het feit dat ze nooit de indruk wekte haar best te doen zichzelf zo voordelig mogelijk te presenteren. Frank keek ook naar haar. Beide mannen wachtten gespannen af tot ze iets zou zeggen.

'Doe mij nog maar een grenadine,' zei Tor tegen Frank. 'Onbeschrijfelijk heerlijk.'

Er verscheen een mollige, glimlachende ober aan hun tafeltje, met een servet over zijn arm. Ze bestelden veel te veel: schalen rijk gevulde olijven en stevige, kleine tomaten, kikkererwten, *hummus* en een heleboel kip en *tabbouleh*. Dat alles spoelden ze weg met een plaatselijke wijn.

Frank stond erop dat ze de *roz b laban* proefden, Egyptische rijstpudding met rozijnen en kaneel. 'Heel anders dan wat onze moeders maakten.'

'Leer ons eens een echte Egyptische toost, Mustafa,' zei Frank tegen de ober.

'Moge er een kameel uit je reet komen,' klonk het obscene antwoord.

Tor vond het heerlijk om Frank te horen lachen. Genietend keek ze naar de gebruinde hand waarin hij zijn glas hield. Wanneer hij zich naar Viva keerde, sloeg ze hem vanuit haar ooghoeken gade. Viva straalde een soort verstildheid uit waarom ze haar benijdde. Ze hield zichzelf als het ware op een afstand. Ineens besefte Tor dat Frank blijkbaar iets grappigs had gezegd, want Viva's gezicht begon te stralen. Ze boog zich naar voren en zei iets met nadruk, iets ondeugends dat Tor tot haar ergernis niet kon verstaan, maar waar Frank om moest lachen.

Waarom begrijp ik dit nooit, vroeg Tor zich af, terwijl ze voelde dat haar geluksgevoel wegsijpelde. Dat charmante mensen iedereen charmeren – mensen die niet alleen op mij maar op iedereen indruk maken. De gevreesde Paul wist zelfs mammie te fascineren.

'Neem er ook een.' Viva hield Tor een schaal olijven voor, haar welbewust weer in het gesprek betrekkend. 'En vertel me dan eens of Frank jokt. Hij beweert dat archeologen bij Moukel al Tes een pas ontdekte tombe van een farao hebben blootgelegd en dat ze daarin stapels oude haarnetjes, pincetten en potten gezichtsolie hebben aangetroffen.'

'Ik denk dat hij jokt.' Het was niet Tors bedoeling zo zuur te klinken.

'Helemaal niet!' Toen Frank zich naar haar toe keerde, was Tor weer gelukkig.

'Waarom zouden zij hun uiterlijk niet net zo belangrijk hebben gevonden als wij? IJdelheid is toch niet iets wat wij hebben uitgevonden?'

'Ik voel een citaat opkomen,' zei Viva. 'Wacht even.' Ze keek alsof ze nadacht.

'"In het leven van een man is niets zo belangrijk als het besef dat hij aantrekkelijk dan wel onaantrekkelijk is." Tolstoj.'

'Perfect,' zei Frank. 'Ik hoef niets meer te zeggen.'

Tor, die Tolstoj nooit had gelezen, glimlachte veelbetekenend.

Frank keerde zich weer van haar af. 'Waar denk je te gaan wonen als we eenmaal in India zijn?' vroeg hij aan Viva.

Ze aarzelde. 'Dat weet ik nog niet. Ik heb een paar introductiebrieven. Dus ik stel me voor dat ik eerst wat ongeregeld werk zal doen.'

Ze pakte een schaal Turks fruit en liet die rondgaan.

'Ga je alleen wonen?'

'Dat denk ik wel.'

Iedereen wachtte tot ze meer zou zeggen, maar dat deed ze niet.

'Denk je dat je naar het noorden gaat? Daar ben je toch opgegroeid?' Nigel was duidelijk ook geïntrigeerd.

'Misschien,' zei ze. 'Ik heb nog niets besloten.'

Dat was het geheim. Je moest geheimzinniger zijn. Zij praatte honderduit, tegen iedereen, dacht Tor.

'En...' Nigel keerde zich naar Tor in de stilte die volgde. 'Wat zijn jóúw plannen na Bombay?'

'Ach...' Tor wilde ontwijkend reageren, maar Rose antwoordde namens haar.

'Tor is mijn bruidsmeisje,' zei ze loyaal. 'En bovendien de beste vriendin van de hele wereld.'

'Is dat een volledige baan?' vroeg Frank plagend.

'Ja, want ik ben afschuwelijk veeleisend,' antwoordde Rose.

Tor had nog nooit zo'n kinderlijke, onzelfstandige formulering gehoord als het ging om haar rol in India.

'Zodra Rose in het huwelijksbootje is gestapt, ga ik er als de wind vandoor!' Ze blies de rook van haar sigaret uit. 'Ik wil reizen, wat van de wereld zien.'

'O!' Rose keek alsof ze een klap in haar gezicht had gekregen en stond abrupt op. 'Neem me niet kwalijk.' Ze duwde haar stoel naar achteren en verdween in de richting van de wc's.

'Is alles goed met haar?' vroeg Viva heel zacht aan Tor.

'Vast wel.' Tor voelde zich in verwarring gebracht. Rose was haar hele leven nog nooit kwaad weggelopen. 'Ik ga wel even kijken. Misschien voelt ze zich niet zo lekker.'

Rose stond voor een fraai betegelde wastafel te huilen toen Tor de toiletruimte binnen kwam.

'Rose! Wat is er aan de hand?'

'Jij!'

'Ik? Wat bedoel je?'

Tor had haar nog nooit zo kwaad gezien.

'Het spijt me, Tor,' zei Rose. 'Maar ik dacht dat je het leuk vond om bruidsmeisje te zijn en dat we in India een tijdje samen zouden optrekken, dat we van alles zouden beleven samen. En dat dachten je moeder en mijn moeder ook. Maar zo te horen vind je het allemaal reuze saai. En, nou ja, ik begin onderhand te denken... dat...'

'Wat?'

'Dat het je allemaal niets kan schelen.'

En plotseling stond Tor tegen Rose te schreeuwen, want het hele uitje dreigde te eindigen in een enorme teleurstelling, en ze had er meer dan genoeg van om niet meer dan een bijrol te vervullen in andermans dromen.

'O, dus mijn enige functie in dit leven is achter jou aan lopen?'

'Nee! Natuurlijk niet! Maar het enige waar jij tegenwoordig nog over praat, is dat je weggaat, dat je iets van de wereld wilt zien.'

Rose slaakte een kreet van wanhoop, tranen stroomden over haar gezicht. 'Besef je dan niet... Besef je dan niet hoe vreemd het allemaal zal zijn, voor mij?'

Even keken ze elkaar woedend aan, zwaar ademend. Achter de ramen met ijzeren tralies hoorden ze een ezel balken en het geluid van mannen die schreeuwden in een vreemde taal.

'O Rose.' Tor viel haar om de hals. 'Het spijt me zo.' Ze streek haar vriendin over de haren.

'Het spijt me echt heel erg. Ik wilde opscheppen tegen Frank. Andere mensen hebben soms zo'n boeiend leven. Tenminste, zo lijkt het. En dat wil ik ook.'

'Dat krijg je ook, Tor. Dat weet ik zeker.'

'Ja.' Tor streek de haren van Rose weer glad. 'Ja, dat krijg ik ook.' Haar stem leek hol te weerkaatsen tegen de betegelde muren.

'Zijn we weer vriendinnen?'

'Ja.' Tor knuffelde haar. 'Vriendinnen. Sterker nog, als je niet oppast, ga ik mee op huwelijksreis. Zullen we teruggaan naar de anderen?'

'Ja,' zei Rose. 'Het spijt me als ik me heb aangesteld. Maar het is allemaal zo vreemd.'

Ze liepen terug naar hun tafeltje. Daar zat alleen Nigel nog, verdiept in een Arabische dichtbundel. Frank en Viva waren verdwenen.

'Waar is iedereen?' vroeg Tor.

'Vertrokken,' zei hij. 'Toen jullie weg waren, kwam er iemand van De Kaiser. Viva moest zo snel mogelijk terug naar het schip. Er is iets gebeurd aan boord.'

'En waar is Frank?'

'Die is met haar meegegaan.'

'En wij dan?' vroeg Tor.

'Hij heeft een auto besteld om ons naar het schip te brengen.'

'Wat attent van hem.' Tor voelde dat haar hart opnieuw in een steen veranderde. 'Hij denkt ook aan alles.'

13

Poona

'Sunita!' riep Jack Chandler. Hij stond voor haar deur, op de kleine veranda met aardewerken potten waarin bougainville en geraniums bloeiden. De vochtige kringen op het hout verrieden dat ze de planten net water had gegeven. Hij legde zijn voorhoofd tegen de deur. Sunita, Sunita, het spijt me zo.

Binnen hoorde hij het zachte rinkelen van haar armbanden toen ze naar de deur kwam.

'Jack!' Ze schonk hem een stralende, oprechte glimlach. Dat was een van de dingen die hij het meest in haar bewonderde: het feit dat ze volkomen open was, zonder iets achter te houden. Ze droeg een van zijn favoriete sari's: bleekgroene motieven op een licht mauve ondergrond die hem deed denken aan de lathyrus in de tuin van zijn moeder in Dorset.

Ze legde haar handen tegen elkaar en bracht de *namaste*, de traditionele groet.

'Mijn lathyrus,' zei hij.

'Lathyrus?' Ze keek hem niet-begrijpend aan.

'Dat is een bloem. Een mooie bloem.'

Hij volgde haar in een spoor van rozenparfum naar de eenvoudige kamer waar zijn leven voorgoed was veranderd. Daar stond hun bed, een lage divan met een wit laken erop en een klamboe, en een kleine koperen tafel met een rijk versierde lamp. Naast het bed had ze de cognac al klaargezet die hij kocht in de mess, met zijn favoriete sigaren en een karaf water.

Haar haren vielen als een zijden waterval naar voren toen ze zich bukte om hem een glas cognac in te schenken.

'Je ziet er moe uit,' zei ze. 'Moet ik iets te eten voor je maken? Ik ben naar de markt geweest, en ik heb twee prachtige mango's gekocht: alfonso's.'

Sunita was een kenner als het om mango's ging.

'Nee dank je wel, alleen iets te drinken.' Hij was te nerveus om te eten.

Terwijl hij keek hoe ze met behendige vingers de schil van de vrucht pelde, was hij zich pijnlijk bewust van wat hij spoedig zou kwijtraken: haar zachtmoedige gezelschap, haar tedere mond, haar trotse houding. Ze was een Rajput, een dochter van de krijgerskaste, met alle zachtmoedigheid van de waarlijk sterken.

'Sunita, ik...' Hij nam haar hand in de zijne, draaide hem om en streelde de bleekroze kussentjes aan de binnenkant van haar vingers. Ze sloot haar ogen en streek zijn haar glad over zijn slapen.

'We hebben alle tijd om te praten wanneer je wat hebt gedronken.'

Terwijl hij zijn cognac dronk, werd het donker buiten. De avond viel even plotseling als altijd, als een brandgordijn dat naar beneden komt tijdens een toneelstuk. Het ene moment is het nog licht, en dan is het ineens donker.

Ze waren nu drie jaar samen. Sunita was aan hem voorgesteld door een collega-officier die terugging naar Engeland. Ze was een voorname vrouw, had hij gezegd, geen meisje van de straat. Een rechtstreekse afstammeling van de nautch-meisjes die de Engelsen zo hadden geboeid met hun verrukkelijke zang en dans, met de verfijnde manieren waarop ze mannen wisten te betoveren, voordat India, in de woorden van de collega, 'bijna net zo preuts en stijfjes' was geworden als het moederland, met alle beperkingen vandien.

Vóór Sunita was Jack op Sandhurst wel een paar keer verliefd geweest op sportieve meisjes, meestal dochters van militairen, die net zo verlegen waren als hij. Daarna had hij kortstondig een affaire gehad met de echtgenote van een lagere officier in Jaipur. Een kleine, mollige, eenzame vrouw. Haar kinderen zaten in Engeland op kostschool, haar man was vaak maanden van huis. Ze had hemelse billen – rond en hoog en te dik volgens de heersende mode – en dat was ook het enige wat hij zich van haar herinnerde. Verder had hij wat onhandige pogingen ondernomen met andere vrouwen, maar dat was allemaal niet te vergelijken met dit.

'Kom maar.' Sunita trok hem zijn schoenen uit en begon zijn voeten te wassen.

'Sunita...' Hij wilde het netjes doen: zeggen wat hij te zeggen had, zijn *salaam* brengen en vertrekken.

'Kom.' Toen ze zijn overhemd losknoopte, rook hij zijn eigen zweet.

Het enig juiste zou zijn haar nu meteen zeggen wat hij op zijn hart had en niet nog een laatste keer met haar slapen.

Maar hij was inmiddels opgewonden, en hulpeloos. Haar geur, haar zijdezachte haar dat langs zijn borst streek, het gevoel te zijn losgesneden van zichzelf, van alle stoffigheid van het leven in de legerplaats met zijn uniformen, zijn regels en rituelen, waar hij voortdurend het gevoel had te worden bekeken... dat alles maakte deze kamer deel van wat hij nodig had om hem het gevoel te geven dat hij leefde, echt leefde.

Haar huid was zacht en enigszins vochtig onder zijn handen. Toen hij haar op het bed legde en zijn lippen op de hare drukte, voelde hij haar ribben door de zijde van haar sari, haar lange, slanke lichaam. Opnieuw had hij het gevoel dat hij gewichtloos werd, dat hij samen met haar wegzweefde, de duisternis tegemoet: gelukkig en hulpeloos.

'Wacht! Wacht!' Ze legde haar hand op zijn mond. 'Ik heb muziek voor je. Zal ik die aanzetten?'

De radiogrammofoon was een van zijn meest succesvolle cadeautjes. Hij had hem tijdens zijn eerste verlof gekocht, in Londen, in een winkel aan een zijstraat van Camden Passage. Ze had de doos zo eerbiedig en met zoveel tederheid opengemaakt dat hij tranen in zijn ogen had gekregen. Hij had haar het apparaat gegeven, maar zij had het hem duizend maal terugbetaald door hem kennis te laten maken met Ustad Hafiz Ali Khan die net was begonnen met platen maken in de Tiger Studio in Bombay. Daarnaast had ze hem de rijkdom van de Indiase raga's leren kennen – de gewijde muziek om dageraad en zonsondergang, zomer, geesten en vuur te begroeten. Hij herinnerde zich de avond dat hij *Madame Butterfly* voor haar had opgezet, en hoe ze hadden gelachen toen ze na een paar noten haar handen voor haar oren had geslagen. 'Stop!' had ze geroepen, jammerend van oprechte pijn. 'Dat is verschrikkelijk. Het lijkt wel kattengejank!'

Maar nu zei ze: 'Luister!' Ze zette de muziek op, hief haar handen boven haar hoofd en even veranderde haar lichaam in een slang. Haar lichaam dat ze zo gul, maar ook zo waardig met hem had gedeeld.

Ze was onder het laken gegleden en masseerde teder zijn nek. Ondertussen zong ze zacht in zijn oor: '*Chhupo na chhupo hamari sajjano*' – verberg je niet voor me, mijn liefste. Hun lied.

Geduldig als een moeder had ze hem gekoesterd toen hij, naar buiten toe correct en zelfverzekerd, nog een boer was geweest in het bedrijven van de liefde en zich als een bronstige boerenknaap had bediend van soldatentaal, omdat hij de juiste woorden niet kende. *Ik wil met je neuken. Wil je mijn pik in je? Ben je er klaar voor?*

In het donker keek ze hem aan met haar prachtige ogen die de kleur hadden van zeewier, en ze bespeelde hem als een ware virtuoos. Soms masseerde ze hem en keek ze naar hem terwijl hij opgewonden raakte. Dan liet ze hem voelen dat zij de bron was van elke uitgelezen sensatie die hij ooit had ervaren, en ze wist het genot met schokkende zoetheid te laten voortduren, tot ze hem liet gaan.

Ze was verfijnd, mooi, ontwikkeld, ze had zelfs goede connecties: haar vader, een liberaal, ontwikkeld man, was advocaat in Bombay. Toch zou hij niet – nooit – met haar kunnen trouwen. Het zou echter te gemakkelijk zijn dat toe te schrijven aan snobisme, want daar had het niets mee te maken. Het probleem was zijn liefde – die grensde aan het obsessieve – voor zijn regiment, zijn collega-officieren. Geen enkele vrouw, ongeacht of ze Indiase of Engelse was, zou ooit kunnen begrijpen wat zijn regiment en zijn makkers voor hem betekenden. Als groep keurden ze collega's die een inheemse vrouw namen en zich conformeerden aan de inheemse cultuur, scherp af.

Alle mannen die hij kende waren – tot op zekere hoogte – gespleten persoonlijkheden: privé obsceen en onvolwassen, in het openbaar hoffelijk en gereserveerd tegenover vrouwen. Sunita had die gespletenheid geheeld. Maar zelfs al hadden de anderen hun goedkeuring aan haar gegeven, dan nog wist hij diep vanbinnen dat hij nooit met haar zou kunnen trouwen. Want uiteindelijk waren ze te verschillend.

Met mijn lichaam aanbid ik u. Daar had hij geen enkele moeite mee. *Met mijn ziel trouw ik u.*

Dat was het probleem. Als hij een ziel had (iets wat hij soms ernstig betwijfelde) dan was die op talloze manieren zo anders gesmeed dan de hare. Ondanks de pijnlijke avond die hem te wachten stond, zou het uiteindelijk zoveel gemakkelijker zijn om te trouwen met een meisje als Rose.

'Je bent erg stil vanavond,' zei ze nadat ze hadden gevrijd. 'Waar denk je aan?'

Met één vloeiende beweging stond ze op en omwikkelde zich met haar sari.

Hij trok de zijden kamerjas aan die ze voor hem bewaarde en nam haar in zijn armen.

'Sunita, ik ga trouwen. Het spijt me.'

Hij voelde dat haar ademhaling veranderde.

In de stilte die volgde, hoorde hij het zwoegen van de ventilator, het zoemen van insecten buiten, het geluid van karrenwielen op straat.

'Ik heb altijd geweten dat het er eens van zou komen,' zei ze ten slotte.

Ze liep naar de tafel waar een kaars stond te druipen op de ansichtkaart die hij haar uit Engeland had gestuurd, drie weken nadat hij Rose had ontmoet. Het was een belachelijke kaart, waar hij zich inmiddels voor schaamde: een eend die probeerde te fietsen. Ze had hem als een heilig relikwie bewaard, zoals alles wat ze van hem had gekregen: een handtas, een speelgoedauto, een fles Nights in Paris, nog in de verpakking. Alle cadeaus stonden op een plank waar kaarsen brandden voor een beeldje van Shiva.

'Wanneer is de bruiloft?'

Haar rug sierlijk, kaarsrecht.

'Volgende maand.'

'Ken je haar? Of komt ze via de koppelaarster?' Ze keerde zich naar hem toe en probeerde te glimlachen.

'Ik ken haar wel, maar niet erg goed. We hebben elkaar ontmoet tijdens mijn laatste verlof in Engeland.'

'Is ze knap?'

'Ja, maar...'

'Is ze een goede vrouw?'

'Ik geloof het wel.'

'Zeg maar dat ik de *goonda's* achter haar aan stuur als ze niet goed voor je is.'

Ze gaf haar pogingen op om de kaars recht te zetten en blies hem uit. Ze was een krijgersdochter. Hij had haar nog nooit zien huilen, en dat zou hij ook nu niet zien.

'Ze mag zich gelukkig prijzen, Jack.'

'Ik hoop dat het allemaal goed gaat met ons,' zei hij. 'Maar dat ligt in de schoot der goden.'

'Wat hebben de goden ermee te maken?'

'Niks. Laat maar.'

'Mijn vader wil dat ik ook trouw.' Ze zat inmiddels op de divan, omhuld door schaduwen. Haar stem klonk verdrietig. 'Hij is vijftien jaar ouder dan ik, maar erg aardig, en knap en een geschikte echtgenoot.'

We zijn geen van beiden vrij om te kiezen, dacht hij. Tenslotte had hij Rose om min of meer dezelfde redenen gekozen: het juiste milieu, de juiste stem, het juiste uiterlijk, niets wat de paarden, zijn kolonel, zijn makkers zou afschrikken.

'Denk je dat ik het moet doen? Dat ik met hem moet trouwen?'

'O Sunita, dat weet ik niet. Ik kan niet...' Hij riep zichzelf tot de orde. Als zij dapper was, moest hij het ook zijn.

Ik ken de vrouw met wie ik trouw ook nauwelijks. Dat was het overheersende gevoel terwijl hij met tranen in zijn ogen naar huis reed in de riksja, en dat was het die nacht nog steeds toen hij met het klamme zweet op zijn voorhoofd de slaap niet kon vatten. Hij hoopte dat het gevoel de volgende dag zou zijn weggeëbd.

14

Port Said, tien dagen van Bombay

Toen Viva terugkwam bij het schip, stond meneer Ramsbottom haar onder aan de loopplank op te wachten. Zweet parelde op zijn voorhoofd, en hij was zo boos dat hij haar niet kon aankijken.

'Meneer Ramsbottom.' Viva's mond werd kurkdroog. 'Wat is er gebeurd? Waar is Guy?'

'Het lijkt me verstandig dat u mee naar beneden gaat om met hem te praten,' luidde het antwoord. 'Dan vertel ik u later wel hoe ik denk over uw gedrag.'

Ze volgde zijn rechte schouders en krakende veterschoenen de loopplank op en vervolgens drie verdiepingen naar beneden over steeds smallere trappen, de buik van het schip in, waar met olie besmeurde bemanningsleden hen verbaasd opnamen.

'U had niet het recht om ons met hem op te schepen,' zei hij nijdig over zijn schouder. 'Zijn ouders kennen we een beetje, maar van hém weten we helemaal niets. Onvoorstelbaar gênant.' Zijn veterschoenen kraakten nog steeds, de ene trap na de andere af. 'Waar hebt u in vredesnaam de hele dag gezeten? Het is niet mijn taak om op hem te passen, en mijn vrouw heeft het aan haar hart.'

'Wat is er aan de hand?' vroeg ze gejaagd. 'Is alles goed met hem?'

'Dat zult u zo wel zien. Ze hebben hem in de cel gestopt. Het scheepscachot, of hoe het ook mag heten,' antwoordde meneer Ramsbottom, nog altijd spinnijdig.

Een geüniformeerde officier bracht hen naar een kleine, benauwde suite waar het vaag naar urine en Dettol rook.

'Aha! Juffrouw Holloway, de chaperonne. Goed dat u er bent.' De officier van dienst – rood haar, verhit gezicht – keek op vanachter zijn bureau. 'Mijn naam is Benson.' Meneer Ramsbottom en hij wisselden een blik van mannelijke verstandhouding omtrent de onbetrouwbaarheid van vrouwen. 'Meneer Glover is nogal een druk baasje geweest tijdens uw afwezigheid.'

'Zou ik hem even alleen mogen spreken?' vroeg Viva.

Meneer Ramsbottom sloot zijn ogen en hief zijn handen alsof hij wilde zeggen: *ik heb er niets mee te maken*. De officier deed de deur van het slot.

Toen ze binnenkwam, lag Guy op een smalle brits, met zijn gezicht naar de muur. Het was heet in de cel, misschien wel veertig graden, maar hij lag diep weggekropen onder een grijze deken. Zijn lange, zwarte jas hing aan een haak. Ze rook hem al in de deuropening: alcohol en zweet.

'Guy, wat is er gebeurd?'

Hij draaide zich om. Zijn gezicht zag eruit alsof iemand het als boksbal had gebruikt: zijn ene oog was blauw en gezwollen, zijn lippen waren twee keer zo dik als normaal. Uit een snee in zijn mondhoek liep een straaltje waterig bloed.

'Waarom hebben ze je niet naar de ziekenboeg gebracht?' vroeg ze.

Hij keek langs haar heen naar de officier die beschermend een oogje in het zeil hield.

'Zeg dat ze weggaat,' zei hij luid en met slepende stem. 'Ze kan er niks aan doen. Die idioot van een Ramsbottom, die lamstraal, zegt maar steeds dat het haar schuld is.'

'Rustig maar, Guy.' Terwijl ze op het voeteneinde van de brits ging zitten, hoorde ze dat de deur zachtjes werd dichtgetrokken.

'Rustig maar. Hij is weg,' fluisterde ze. 'Wat is er gebeurd?'

'Niets,' mompelde hij. 'Dat hoef je niet te weten.' Hij vertrok zijn gezicht als een kind dat op het punt staat in huilen uit te barsten. Toen deed hij zijn ogen dicht, zodat het leek alsof hij sliep.

'Juffrouw Holloway.' Benson stak zijn hoofd om de deur. 'De dokter heeft hem een kalmerende injectie gegeven, dus ik denk niet dat u vanavond nog veel wijzer van hem wordt. Als u daar geen bezwaar tegen hebt, willen we u graag een paar vragen stellen,' voegde hij er zacht aan toe.

'Natuurlijk.' Ze legde vluchtig haar hand op Guys voet. 'Weet je zeker dat ik niets voor je kan doen?'

'Breng me maar een fles bleekwater. Dan drink ik die leeg.' Hij keerde zich weer naar de muur. 'Grapje,' mompelde hij.

Zelfs in deze extreme situatie liet hij haar niet dichterbij komen.

'Hij moet naar een dokter,' zei ze tegen de dienstdoend officier. Ze zaten in zijn kantoor, niet meer dan een klein hokje. Zweet droop van Bensons gezicht op het vloeiblad, zijn dunne, rode haar plakte aan zijn slapen. Hij zette de ventilator aan.

'Het is aanzienlijk warmer geworden, vindt u ook niet?' vroeg hij bijna luchtig. 'Volgens mij hebben ze gisteren in Bab-el-Mandeb drieënveertig graden gemeten.'

'Wat is er gebeurd?' vroeg ze. 'Waarom ligt hij niet in de ziekenboeg?'

'Madam.' Een steward kwam binnen met een kop thee, en ze registreerde vaag dat het schip weer in beweging was gekomen. 'U hebt uw boodschappen aan dek laten staan, juffrouw Holloway.' Toen de steward haar het pakje met haar nieuwe aantekeningenboek en het wierookstokje gaf, voelde ze zich opnieuw overweldigd door schaamte. Het was allemaal haar schuld. Ze had hem nooit alleen mogen laten.

'Wat is er gebeurd?' vroeg ze voor de derde keer toen ze weer alleen was met de officier. Hij gaf nog altijd geen antwoord.

'Zijn oog zit helemaal dicht,' zei ze. 'Hij moet naar een dokter.'

'U hebt gelijk.' Hij krabde aan zijn bezwete voorhoofd. 'Ik regel meteen een dokter, maar het liefst zouden we hem terugbrengen naar zijn hut.'

'Zou de ziekenboeg niet beter zijn?'

Benson rommelde in zijn papieren. Terwijl hij de dop van zijn pen schroefde en het formulier dat hij zocht uit de stapel haalde, betrapte Viva zich op de vraag of ze zou kunnen houden van een man met rood haar op zijn benen.

'Tja, het is nogal gecompliceerd.' Hij draaide zijn stoel zo dat hij haar recht aankeek. 'Terwijl u boodschappen deed, of bezienswaardigheden bezocht, of wat dan ook, heeft meneer Glover een van onze passagiers aangevallen en beledigende taal uitgeslagen.' Hij keek haar aan met zijn bleke ogen, benieuwd hoe ze zou reageren. 'Het gaat om een Indiase passagier, meneer Azim. Hij behoort tot een vooraanstaande islamitische familie uit het noorden. Meneer Azim betrapte Glover in zijn hut met een paar manchetknopen en een klein, zilveren sierzwaard in de zak van zijn jas. Er volgde een schermutseling. Aanvankelijk leek het allemaal wel mee te vallen. Maar terwijl ze de zaak uitpraatten, haalde meneer Glover plotseling uit en stompte meneer Azim in het gezicht en tegen het oor. Daarop heeft meneer Azim vijf uur in de ziekenboeg doorgebracht. Inmiddels is hij terug naar zijn hut. Op dit moment zegt hij geen aanklacht te willen indienen, maar ik sluit niet uit dat hij nog van gedachten verandert.'

Viva merkte dat het zweet haar nu ook op het voorhoofd stond, en onder haar jurk voelde ze het langs haar lichaam druppelen. 'Wie heeft Guy zo toegetakeld?' vroeg ze.

'Dat is nu juist het probleem. We geloven niet dat zijn blauwe oog het werk is van iemand anders. Uw beschermeling werd ongeveer een halfuur nadat hij was betrapt, door twee bemanningsleden op het achterschip aangetroffen, terwijl hij met zijn hoofd op de reling stond te beuken.'

'O nee!' Viva staarde Benson ongelovig aan. 'Maar waarom?'

'Dat weten we niet, maar we zullen wel een besluit moeten nemen hoe we deze zaak het best kunnen aanpakken. Met ruwweg tweehonderdvijftig andere passagiers in de eerste klas, zullen we alles zorgvuldig moeten overwegen, dat begrijpt u. Maar het concrete feit ligt er...' Benson schroefde de dop op zijn pen en keek haar weer aan. 'Meneer Glover heeft verklaard dat hij het voor u heeft gedaan. Hij zei iets wat erop neerkwam dat hij verliefd op u is en dat hem door stemmen was verteld dat hij het moest doen.'

Boven haar hoofd rommelde een dikke pijp als een reusachtige maag, en het was alsof de geur van Dettol en urine zich naar haar toe bewoog.

Benson hield zijn gezicht zorgvuldig in de plooi en keek haar ondoorgrondelijk aan.

'Dat is krankzinnig,' zei Viva.

'Misschien. Maar als we ervan uitgaan dat meneer Azim geen aanklacht indient – en om eerlijk te zijn, mag uw beschermeling zich buitengewoon gelukkig prijzen als dat zo is – zijn dit onze opties: we halen de politie erbij, wat zou kunnen betekenen dat u van boord moet en voor onbepaalde tijd in Suez zult moeten blijven; we sluiten hem aan boord op, wat zal leiden tot een schandaal; of we nemen het risico dat het niet nog eens gebeurt. Wat vindt u? U kent hem het best. En ik neem aan dat hij, formeel gesproken, onder uw verantwoordelijkheid valt. Hoewel, als ik eerlijk ben moet ik zeggen dat het me verbaast dat zijn ouders iemand van uw leeftijd met een dergelijke verantwoordelijkheid hebben belast.'

Ze keek hem aan en probeerde na te denken. Haar hoofd begon pijn te doen, haar mond was nog droog van alle cocktails die ze had gedronken, ook al leek dat inmiddels dagen geleden.

'Kent u Frank Steadman?' vroeg ze ten slotte. 'Hij maakt deel uit van de medische staf aan boord. Ik ken hem niet echt goed, maar ik zou graag met hem willen praten voordat ik een besluit neem. Bovendien kan hij dan meteen meneer Glover onderzoeken.'

'Dat lijkt me een goed idee.' De dienstdoend officier was zo opgelucht dat hij glimlachte. 'Tenslotte gebeuren er op zee wel ergere dingen die onze aandacht vragen. Wat zou u ervan zeggen als we ervoor zorgen dat meneer Glover vanavond nog wordt teruggebracht naar zijn hut? Dan regel ik dat meneer Steadman daar naar u toe komt.'

'Dank u wel.' Ze begon misselijk te worden van de hoofdpijn en was bang voor een migraineaanval.

'Nog één ding,' zei hij toen ze haar spullen pakte. 'Als ik u was, zou ik hier met niemand over praten. Een schip is een gekke wereld: geruchten, angsten verspreiden zich als lopende vuurtjes. Ik heb hetzelfde tegen meneer Ramsbotton gezegd, en hij was het met me eens.'

'Akkoord, ik hou mijn mond.'

'Bovendien zou u ook geen bijster goede indruk maken als het algemeen bekend werd,' voegde hij er sluw aan toe. 'Het was misschien niet zo verstandig om hem aan zijn lot over te laten. Want het had nog veel erger kunnen aflopen.'

'Ja.' De rechterkant van haar gezicht begon te tintelen; zijn contouren vervaagden tot golvende lijnen.

Allebei op hun hoede keken ze elkaar nog even aan. Toen liep ze naar de deur en sloot die achter zich.

Er moesten twee bemanningsleden aan te pas komen om Guy, die nog altijd versuft was door kalmerende middelen, in zijn eigen hut in bed te stoppen. Toen ze weggingen, deed Viva de deur achter hen op slot en plofte in een stoel. Guy viel bijna onmiddellijk in slaap, zijn oogleden – het ene blauw en gezwollen – trilden, het bloed op zijn lippen droogde op.

Terwijl ze naar hem keek, voelde ze een kille minachting jegens zichzelf. Ze mocht hem niet, dat viel niet te ontkennen, maar daarom viel het nog niet goed te praten dat ze hem aan zijn lot had overgelaten.

Voordat ze uit elkaar waren gegaan, had Benson haar nogmaals gewaarschuwd dat de verantwoordelijkheid bij haar kon worden gelegd, mocht er alsnog officieel aangifte worden gedaan. Toen ze hem vroeg wat dat behelsde, had hij gezegd dat het niet zijn taak was om haar de juridische consequenties uit te doeken te doen, maar hij had tevens laten doorschemeren dat die consequenties ernstige vormen konden aannemen.

Blijkbaar was ze even ingedommeld, maar toen er zacht op de deur werd geklopt schoot ze overeind.

'Mag ik binnenkomen? Ik ben het, dokter Steadman. Frank.'

De opluchting was overweldigend.

'Kom binnen en doe de deur achter je dicht,' zei ze fluisterend.

In zijn witte uniform leek hij een ander mens, een effect dat werd versterkt door de situatie. Hij maakte een professionele, onpersoonlijke indruk. En daar was ze hem dankbaar voor. In de huidige situatie zou ze het onverdraaglijk hebben gevonden als hij grapjes had gemaakt of zich vertrouwelijk had opgesteld. Hij ging op de stoel naast het bed zitten en zette een kleine leren tas naast zich op de grond.

'Wacht nog even voordat je hem wakker maakt,' zei hij. 'Eerst wil ik weten wat er gebeurd is.'

Toen ze haar mond opendeed, begonnen Guys gezwollen oogleden te trillen.

'Dag, dokter,' zei hij moeizaam door zijn gehavende lip. 'Leuk dat u even langskomt.' Toen hij probeerde rechtop te gaan zitten, drong zijn verschaalde geur tot haar door, een geur van zweet en braaksel.

'Blijf maar liggen.' Frank boog zich naar hem toe en raakte voorzichtig zijn ooghoek aan. 'Ik wil eerst even hiernaar kijken.'

Viva zag dat het gezicht van Guy verzachtte. Rond zijn gescheurde lip speelde voor het eerst een zweem van een zelfgenoegzame glimlach. Het leek wel alsof hij genoot van de aandacht.

Frank rolde zijn mouw op over zijn indrukwekkend gespierde arm en inspecteerde Guys gezicht grondig en nauwkeurig.

'Ik weet niet wat er is gebeurd, maar je mag blij zijn dat je oog blijkbaar niet rechtstreeks is geraakt,' zei Frank. 'Hoe kom je hieraan?'

'Een blikseminslag.'

'Hoezo, een blikseminslag?'

'Precies zoals ik het zeg.'

'Ik kan je niet helpen als je een loopje met me neemt,' zei Frank rustig. 'Dat oog ziet eruit alsof iemand je een flinke opdonder heeft verkocht. Dus vertel op! Wat is er gebeurd?'

'Dat is mijn zaak.' Guy keerde zijn gezicht weer naar de muur.

'Luister eens,' zei Frank onverstoorbaar. 'Voordat je gaat slapen, wil ik je mond schoonmaken en iets op je oog doen om de zwelling te minderen. En misschien...' Hij keek Viva aan. 'Misschien zou ik Guy even alleen kunnen spreken. Mannen onder elkaar.'

'Natuurlijk.' Viva pakte Guys bebloede overhemd. 'Ik zal dit aan de steward geven. En tegen hem zeggen...' Ze schonk Frank een veelbetekenende blik. 'Dat hij ons voorlopig niet moet storen. Benson zei dat ik de deur op slot moet doen wanneer ik wegga.'

'Kom over een halfuurtje maar terug,' zei Frank. 'En misschien kun je dan even met me meelopen naar de behandelkamer. Dan geef ik je iets om te zorgen dat Guy lekker slaapt.'

Verdoofd en wazig van de hoofdpijn haastte Viva zich de gang door, vurig hopend dat ze de meisjes niet tegen het lijf zou lopen.

Uit een van de hutten kwam plotseling een zwaar opgemaakte man in een jurk. Hij giechelde nerveus toen hij tegen haar aan botste. 'Pardon!' zei hij met verdraaide stem. Achter hem verschenen nog meer passagiers die verlegen giechelden, uitgedost met veren boa's en gehuld in clownspakken.

'Stelletje rotzakken!' schreeuwde een vrouw van middelbare leeftijd, verkleed als kruiswoordpuzzel. 'Wacht nou even op mij!'

'Ach, mens!' riep een van de clowns terug. Toen grijnsde hij naar Viva – lange, gele tanden, rode lippenstift. Verward dacht ze even dat ze deel uitmaakten van haar opkomende migraine. Toen wist ze het weer. Die avond was het Extravaganten Bal. Ze had toegezegd dat ze misschien met Tor en Rose mee zou gaan. Dus de eerstkomende uren zou hun gang voor een groot deel verlaten zijn, omdat iedereen zich had verzameld in de balzaal op het A-dek.

Ze kwam langs het kantoor van de purser. Er brandde licht. Om de tijd te doden en om de feestgangers te ontlopen, die inmiddels gillend van de lach door de gangen renden, ging ze naar binnen om te vragen of er post voor haar was.

De klerk overhandigde haar een bruingele envelop met een telegram.

Het was afkomstig van de *Pioneer Mail and Indian Weekly*. 'Het spijt ons u te moeten meedelen dat het ons ontbreekt aan de middelen om deze maand nog een correspondent in Bombay aan te stellen. Maar komt u na aankomst vooral bij ons langs.' Was getekend Harold Warner. Meneer Warner was een oude vriend van mevrouw Driver, en hij had gezegd dat hij vast wel 'een baantje' voor haar zou weten te regelen.

'Hebt u een prettige dag gehad, juffrouw Holloway?' De purser, een gedrongen, goedlachse Schot, was bezig zijn glazen hokje af te sluiten. 'Hebt u genoten van het tochtje naar Cairo?'

'Het was enig,' zei ze, want woorden schoten te kort om uit te leggen hoe verschrikkelijk ze zich voelde.

Met het telegram was er weer een levenslijn doorgesneden.

'Wilt u dat misschien kwijt?' Hij wees van het telegram naar de prullenmand.

'Dank u wel.' Ze gooide het verfrommelde telegram erin.

'En, gaat u vanavond ook naar dat doldwaze feest?'

'Nee, ik heb genoeg opwinding gehad voor één dag.'

Ze keek op haar horloge, maar kon amper zien hoe laat het was. Inmiddels was ze tien minuten weg, schatte ze, dus ze zou over tien minuten teruggaan.

Het ergste van een schip was dat je je nergens kon verstoppen. Als ze naar haar hut ging, zou ze juffrouw Snow onder ogen moeten komen, die ongetwijfeld zou zeggen dat ze haar wel had kunnen vertellen dat er moeilijkheden van kwamen als ze Guy aan zijn lot overliet, en die haar zou overladen met goede raad. Als ze naar de eetzaal ging, zaten daar de Ramsbottoms. De enige bij wie ze zich op dit moment veilig voelde, was Frank.

Terwijl ze langzaam terugliep, dacht ze over hem na. Zijn manier van doen was zo los en ontspannen, bijna alsof hij met haar flirtte. Dat kwam ongetwijfeld door zijn glimlach en door zijn dromerige groene ogen.

Maar als wat Rose zei waar was, als hij inderdaad een broer had die was gesneuveld bij Ieper, dan was die losheid misschien maar een houding om zijn verdriet te verbergen. Ze vroeg zich af of zijn broer op het slagveld was gesneuveld, of in een veldhospitaal had gelegen, onder het bloed en de modder waar hij nauwelijks een kans had gehad om te overleven. En of Frank zich – met dat in zijn achterhoofd – stoorde aan de luxe aan boord. Hij had een paar keer grapjes gemaakt over de lange rijen die 's morgens bij zijn praktijkruimte stonden, van passagiers die hun oren wilden laten doorspoelen of om een nieuwe voorraad reukzout vroegen.

Dat was ook om woest van te worden, als je erover nadacht. Ze vroeg zich af of hij er ooit over praatte, en op de een of andere manier betwijfelde ze dat.

Toen ze binnenkwam, zat hij nog altijd op de stoel aan het voeteneind van Guys bed. Hij had een overhemd over de lamp aan de muur gehangen, zodat de hut slechts schemerig werd verlicht en was gehuld in schaduwen.

'Hoe gaat het?' vroeg ze.

'Hij is nog wel even van streek geweest,' antwoordde hij fluisterend. 'Maar nu slaapt hij. En ik verwacht dat hij tot morgenochtend doorslaapt.'

'Kunnen we hier praten?'

'Ach, het is niet ideaal, maar ik kan op dit moment geen betere plek bedenken.'

Het bleef even stil.

'Hoe oud ben je?' vroeg hij tot haar verrassing.

'Achtentwintig.'

'Zo zie je er niet uit.'

'O nee?' Ze vond het vervelend om tegen hem te liegen, maar het leek haar belangrijk vast te houden aan haar verhaal.

'Weet je iets van zijn ouders?'

'Toen ik solliciteerde, heb ik een tante van hem ontmoet. Ze vertelde dat zijn vader in de thee zat, ergens in de buurt van Assam. Oorspronkelijk hadden ze een oudere chaperonne aangenomen, maar die had het laten afweten.'

'Ze hadden jou nooit in deze situatie mogen brengen.' Hij streek met zijn hand door zijn haren en schudde zijn hoofd.

'Welke situatie?'

'Vind je het vervelend als we naar de badkamer gaan? Want ik wil niet dat hij ons hoort.'

Ze sloten zich op in de badkamer, waar ze ongemakkelijk aan weerskanten van het bad gingen zitten.

Guys oosters bedrukte kamerjas hing aan de deur. Op de wastafel lag een smoezelige scheerkwast, haren plakten aan het stuk zeep. Het was duidelijk dat de steward niet was langsgeweest om schoon te maken.

'Om te beginnen moet wat ik zeg onder ons blijven,' zei Frank. 'Bovendien weet ik geen antwoord op alle vragen.'

'Dat begrijp ik.'

'Kan ik vrijuit spreken?'

'Natuurlijk.'

Frank leek niet goed te weten hoe hij moest beginnen, of waar hij moest kijken.

'Kunnen Guy en jij het een beetje vinden samen?'

'Wil je een eerlijk antwoord?'

'Ja.' Hij schonk haar een vluchtige blik en glimlachte. 'Natuurlijk. Eerlijk duurt het langst.'

'Ik vind hem onuitstaanbaar.'

'Nou, dat laat aan duidelijkheid niets te wensen over.'

'Ik weet heus wel dat jongens van die leeftijd moeite hebben met het voeren van een normaal gesprek,' zei ze. 'Maar hij heeft de afgelopen twee weken amper een woord gezegd, en als hij zijn mond al opendoet, krijg ik het gevoel dat hij me haat.'

Frank dacht even na.

'Hij haat je niet,' zei hij ten slotte. 'Hij haat zichzelf.'

'Maar waarom dan?'

'Dat weet ik niet. Heb je hem in zijn eigen omgeving gezien? Bijvoorbeeld op school?'

'Ik heb hem daar opgehaald. Maar toen hij vertrok, waren alle andere jongens blijkbaar weg. Aan het sporten of zoiets. Er was niemand in zijn slaapzaal.'

'Dat lijkt me nogal ongebruikelijk, vind je ook niet? Hij zei dat hij voorgoed van school ging.'

'Dat klopt.'

'Weet je ook waarom?'

'Ja, dat weet ik. Hoor eens, dit is allemaal mijn schuld. Ik had veel eerder aan de bel moeten trekken. Hij had gepikt, van zijn medeleerlingen. Ik heb het niet voldoende serieus genomen.'

'Wat had hij gepikt?'

'Dat weet ik niet precies. Ik geloof dat het wel meeviel. Alle kinderen pikken wel eens iets.'

'Je moet de schuld niet te veel bij jezelf leggen,' zei Frank. 'Het feit dat hij steelt, zou een onderdeel kunnen zijn van een groter probleem.'

'Namelijk?'

'Dat weet ik nog niet precies. Toen jij weg was, zei hij dat hij soms stemmen hoort. Ze komen uit de radio.'

'Maar dat klinkt volslagen...'

'Natuurlijk. En hij zei ook dat hij heeft besloten dat jij voortaan zijn moeder bent. En dat hij zijn echte moeder haat.'

Viva voelde dat haar huid begon te prikken.

'Wat moet ik doen?' Ze wachtte niet op antwoord. 'Ik had hem nooit alleen moeten laten. Denk je dat hij gevaarlijk is? Dat het nog eens gebeurt?'

Frank legde een hand op haar schouder.

'Dat is het verraderlijke. Ik weet het niet. Zijn reactie leek me behoorlijk extreem. Het is duidelijk dat ik het met mijn superieur moet opnemen, dokter Mackenzie, maar ik heb zo'n gevoel dat we hem een paar dagen in de gaten moeten houden. Dus ik zal proberen hem zover te krijgen dat hij zich laat opnemen in de ziekenboeg. En ondertussen proberen we de zaak stil te houden. We zijn al over tien dagen in Bombay, en eenmaal in de Indische Oceaan is het zo heet dat niemand veel zal willen ondernemen.'

'Wat is het alternatief?'

'Dat we hem in Suez van boord zetten. Maar dan zou hij moeten wachten tot zijn ouders hem komen halen, en dat lijkt me niet wenselijk, gezien zijn toestand.'

'En als hij nou eens niet naar de ziekenboeg wil?'

'Dan zouden we hem onder een soort huisarrest kunnen plaatsen, in zijn hut. Er zou een extra slot op de deur kunnen worden gezet. Hoe zou je dat vinden?'

Ze schudde huiverend haar hoofd. 'Ik weet het niet. Trouwens, zijn hut ligt naast die van Tor en Rose. Wist je dat?'

'Nee, dat wist ik niet.'

'Moet ik het ze vertellen?'

'Voorlopig niet. Waarom zou je ze bang maken?'

'Wat zou jij doen als je in mijn schoenen stond?' vroeg ze.

'Om te beginnen zou ik morgenochtend in alle rust de inventaris opmaken van de situatie. Ik zal ondertussen met dokter Mackenzie praten. We laten je dit niet alleen opknappen. En dan zien we wel verder...' Hij stond op en keek op zijn horloge. 'Als ik jou was ging ik naar boven. Hoogste tijd voor een borrel. Die heb je wel verdiend.' Hij nam haar onderzoekend op. 'Is alles goed met je?'

'Jawel. Waarom vraag je dat?'

'Omdat je zo bleek ziet.'

'Ik voel me prima. Dank je.' Ze wilde niet zeggen dat ze last had van migraine.

'Het moet een schokkende dag voor je zijn geweest.'

'Dat valt wel mee. Maak je geen zorgen.' Ze deed een stap achteruit. Het was zo'n tweede natuur van haar geworden om geen hulp te vragen, dat ze domweg niet in staat was met die gewoonte te breken. Ze schudde hem formeel de hand. 'Maar in elk geval bedankt. Je hebt me enorm geholpen.'

Hij glimlachte. Het was de glimlach die andere vrouwen en meisjes slappe knieën bezorgde.

'Dat hoort allemaal bij de dienstverlening van de P&O, madam.' Hij was weer zijn gebruikelijke, luchthartige zelf.

Nadat hij het licht had uitgedaan, trok hij de dekens glad over de slapende Guy. Viva pakte haar sjaal en haar tas.

'Maak je niet te veel zorgen,' zei hij. 'Het komt allemaal goed. Heus.' Zijn lichaam streek langs haar arm terwijl hij de deur van de hut achter hen dichttrok. Toen ze een stap achteruit deed, botste ze tegen iemand op. Het was Tor, gehuld in een zwarte mantel met een kap. Een touw was als een soort strop om haar hals gebonden. Aan het touw hing een fles met op het etiket AFZAKKERTJE. Toen ze hen herkende, verdween de glimlach van haar gezicht.

15

In de straat van Bab-el-Mandeb
28 oktober

Lieve mammie,

Ik kreeg je brief in Cairo en was zo blij om van je te horen. Dank je wel voor alle nuttige wenken over plaatskaartjes en bloemen en voor dat artikel over corsages. Wat lief dat je het ook naar Jack hebt gestuurd – hij stuurt het vast en zeker door naar CiCi Mallinson als hij het allemaal te verwarrend vindt! Ik geloof niet dat hij denkt dat hij door zijn huwelijk in een gruwelijk vrouwenregiment belandt. Integendeel, hij zou dankbaar moeten zijn voor een aanstaande schoonmoeder die aan alles denkt.

Het is hier verschrikkelijk heet! Tor en ik hebben onze winterkleding in de hutkoffer gestopt en onze zomerkleren tevoorschijn gehaald. De bemanning draagt inmiddels het witte uniform en in plaats van bouillon krijgen we 's morgens ijs en meloen.

Meneer Bingley – hij is jutekweker en een van onze tientallen nieuwe beste vrienden aan boord – loopt elke ochtend veertig rondjes over het dek (in wapperende korte broek). Vandaag wist hij te melden dat het al meer dan zevenendertig graden is in de schaduw. 's Avonds na het eten slepen de stewards onze matrassen naar het dek – mannen aan de ene kant, vrouwen aan de andere!!! De zonsondergang is hier werkelijk ongekend mooi. Het Suezkanaal, tenminste de bredere stukken, was nogal saai, maar in de Golf van Suez – die is maar tien mijl breed – konden we vanaf het schip de meest fascinerende dingen zien: kamelen, mannen in lange, wijdvallende nachthemden, vrouwen met potten op hun hoofd, een aaneenschakeling van bijbelse taferelen.

Ik volg nog altijd de cursus huis-tuin-en-keuken-Hindi bij kolonel Gorman. Drager, khana kamre ko makhan aur roti lana, ek gilass pani bhi – Drager, breng me een glas water en boter en jam in de eetkamer. Ik heb het waarschijnlijk helemaal verkeerd gespeld. Als Tor en ik proberen het te spreken in onze hut, stikken we van de lach. Onze vrouwenbijeenkomsten heten bishi's.

De vrouw van meneer Bingley was zo lief me haar 'onmisbare bijbel' te *lenen,* The Complete Indian Housekeeper and Cook, *geschreven door een zekere mevrouw Steel die eeuwen in India heeft gewoond. Het boek staat vol nuttige informatie, inclusief recepten, bediendenlijsten, de beste adressen om dingen te kopen enzovoort. Dus je ziet dat ik druk bezig ben mezelf klaar te stomen voor een leven als pukkamem.*

(Trouwens, volgens mevrouw Steel is de beste remedie voor lastige bedienden een stevige uitbrander, gevolgd door een flinke dosis wonderolie.) Memsahib tum ko zuroor kaster ile pila dena hoga *– de memsahib zal je wonderolie moeten geven.*

Probeer dat maar eens bij mevrouw Pludd en schrijf me dan hoe het ging!

Lieve mammie, het is te heet om te schrijven, en de bel gaat om aan te kondigen dat er spelletjes worden gedaan aan dek. Ik heb nog duizend-en-een vragen die ik je moet stellen, maar dat komt later wel.

Je liefhebbende en toegewijde dochter,
Rose

Ps. Tor was niet erg lekker. Niets om je zorgen over te maken. Ze zegt dat het de hitte is en dat ze zich alweer een stuk beter voelt. Zeg maar niets tegen mevrouw Sowerby.

Pps. Zaterdagavond weer een gekostumeerd feest. Ik heb nog geen idee wat ik aantrek.

16

Vanaf de dag dat ze aan boord was gestapt, had Tor uitgekeken naar het feest met duizend-en-één nacht als thema. Het werd gehouden op een avond met volle maan, op de dag dat het schip de Rode Zee in voer. Volgens ervaren medereizigers was het een van de hoogtepunten van de reis, en alleen al de gedachte eraan was genoeg om Tor in een staat van extatische opwinding te brengen. Er werd van de passagiers verwacht dat ze zich hulden in exotische kostuums, en de uitmonstering waartoe Tor had besloten – een lange, nauwsluitende jurk van fraaie, goudkleurige zijde – smeekte om een sigarettenpijpje, rode lippen en een languissante blik. Het was een jurk voor een femme fatale, en iedere andere moeder dan de hare zou haar dochter hebben verboden die te dragen.

Een paar dagen eerder, toen ze de jurk in de vochtige badkamer had opgehangen om de kreukels eruit te krijgen, had ze gehuiverd van spanning bij de aanblik ervan. Ze was van plan er een klein gouden masker bij te dragen, een lang snoer parels en lippenstift op te doen. Aldus uitgedost zou ze een Egyptische godin uitbeelden. Ze wist niet precies welke, want haar kennis van het onderwerp was nogal vaag, maar in elk geval een autocratische, schitterende figuur, boven de wet verheven. Elke keer dat ze aan het feest dacht, zag ze in gedachten hoe Frank het gouden masker wegnam en haar diep in de ogen keek. Soms vertelde hij haar dan dat ze prachtige ogen had, andere keren voerde hij haar – doodsbang, maar een en al opwinding – simpelweg mee naar zijn hut waar hij een vrouw van haar maakte. En dan vlogen haar gedachten vooruit – wat mankeerde haar? – naar baby's, huizen, fotoalbums.

Op de ochtend voor het bal was ze al vroeg wakker en – niet voor het eerst – woedend op zichzelf. De goudkleurige jurk hing aan een haakje op de deur van haar klerenkast en leek haar te honen met zijn belachelijke beloften. Hoe onnozel was ze eigenlijk? Hoe lang duurde het voordat ze besefte dat mannen haar niet leuk vonden? Het enige onderdeel van haar plan dat haar nog aansprak, was het masker. Want ze voelde zich ellendig.

Ze stompte met haar vuist in haar kussen en draaide zich om. Jaloezie was iets afschuwelijks, besloot ze. Vanaf het moment dat ze Viva en Frank uit de kamer van Guy had zien komen, was het beeld haar zonnige verbeelding binnen gedrongen als de schurk in een film van Abbot en Costello, compleet met hooivork, boosaardig glinsterende ogen en rook uit zijn oren.

Hun aanblik – als samenzweerders en ineens zo anders – had haar eindelijk doen accepteren dat Frank weliswaar vrolijk met haar over het dek had gewandeld, maar dat hij niet in het minst in haar geïnteresseerd was, en dat ook nooit was geweest. Gezien haar recente, vernederende ervaringen met Paul Tattershall, begreep ze zelf niet hoe ze ooit had kunnen denken dat Frank iets in haar zag. Maar deze keer zou ze zich gedragen als een volwassene, nam ze zich voor, en met haar hoofd nog altijd op het kussen trok ze een vastberaden gezicht. Hou op het zo erg te vinden, had ze zichzelf de afgelopen dagen streng voorgehouden. Zet hem uit je hoofd.

De avond tevoren, toen hun groepje voor een paar borrels had afgesproken in de bar, had ze geflirt en gedanst met iedereen, om duidelijk te maken hoe goed het met haar ging. Toen Frank plotseling op het toneel was verschenen en na een haastige borrel met Viva was verdwenen, had Tor zich afgewend, zich ervan bewust dat Rose haar bezorgd opnam. En ze had onzinnig gelachen om iets wat een van de anderen zei. Ze had gedanst met Nigel, die een schat was, maar te zachtmoedig, te poëtisch, en daarna met Jitu Singh, de meest exotische man die Rose en zij ooit hadden gezien – daar waren ze het over eens. Omdat ze te veel had gedronken, had ze nu een bonzende hoofdpijn en een verschrikkelijke smaak in haar mond.

Terwijl ze in het nachtkastje naar antimaagzuurtabletten zocht, dacht ze om geen bijzondere reden aan een meisje op wie ze op school verliefd was geweest; een meisje dat toen al iets ongrijpbaars had gehad, iets waaraan het háár volledig ontbrak. Ze heette Athena, ze was donker en mooi, en ze bracht haar vakanties door in Zuid-Amerika waar haar vader belangrijke en geheime dingen deed voor de overheid.

Na de schoolvakanties babbelden de meeste meisjes in de trein onafgebroken tot ze het station binnen reden van Cheltenham, waar de school stond. Allemaal behalve Athena die, terwijl zij honderduit praatten over garnalenvissen in Salcombe, of over de waanzinnige pret die ze hadden gehad op het eiland Wight, zich hulde in een intrigerend stilzwijgen.

'Kom op, Athena,' smeekten ze dan. 'Waar ben je geweest? Vertel!'

Dan zei ze bijvoorbeeld 'Buenos Aires,' met dat niet helemaal Engelse accent van haar, en ze wachtte glimlachend op hun reactie.

'En? Vooruit, Athena. Afschuwelijk kind dat je bent! Voor de draad ermee!'

'Ach, gewoon, de gebruikelijke dingen: feestjes, jongens.'

Terwijl Tor samen met de rest hongerig wachtte op meer details, die nooit kwamen, zag ze hoe machtig zwijgen kon zijn, en ze probeerde het ook een keer.

Op een schoolreisje naar Londen had ze zichzelf opgedragen een geheim te bewaren (het was iets heel belangrijks, maar ze kon het zich nu met de beste wil van de wereld niet meer herinneren), minstens tot ze in Reading waren. Maar tegen de tijd dat ze bij Didcote waren, had ze het er al uit geflapt tegen Athena, die de vernedering alleen maar groter had gemaakt door haar wenkbrauwen op te trekken en 'Goh' te zeggen op dezelfde, ongeïnteresseerde toon als waarop haar moeder 'enfin' zei, tegen de tijd dat ze genoeg had van een telefoongesprek.

Er kwam een andere herinnering aan Athena naar boven: wanneer ze op schoolreisje waren en ze kregen broodjes en chocoladerepen mee voor de lunch, dan bewaarde zij die ook daadwerkelijk tot het tijd was om te lunchen.

Tor had de hare doorgaans al voor tienen verorberd. Geen greintje zelfbeheersing. In dat opzicht had haar moeder gelijk.

Viva was net als Athena. Toen Frank haar naar haar plannen vroeg, had ze niet hulpeloos maar wat gebrabbeld zoals Tor zou hebben gedaan, en ze had ook niet de indruk gewekt dat ze uit was op zijn goedkeuring of zijn advies. 'Ik weet het nog niet,' was alles wat ze had gezegd, en het was maar al te duidelijk dat Frank helemaal weg van haar was.

Rose en zij hadden uiteindelijk de intrigerende leemtes moeten invullen en hem verteld dat Viva van plan was schrijfster te worden; dat ze misschien wel, maar misschien ook niet naar Poona zou gaan, waar haar ouders waren omgekomen – niemand wist precies hoe – en waar die geheimzinnige hutkoffer op haar wachtte, waarschijnlijk vol met spullen en juwelen, en dat ze in de tussentijd op de bonnefooi ging proberen om in Bombay aan werk te komen.

Tors grootste probleem, besloot ze, was dat ze niet kon wachten: op eten, op liefde, op mensen die haar interessant vonden, wat ze niet was.

In het schemerige licht van de dageraad kroop ze over de grond naar de uitnodiging die achter de spiegel was geschoven, en bestudeerde die voor de zoveelste keer.

DE KAPITEIN EN ZIJN BEMANNING HEBBEN HET GENOEGEN ENZO-VOORT, ENZOVOORT, ENZOVOORT. BIJ OPKOMST VAN DE MAAN, OM NEGENTIEN UUR, ZAL ER CHAMPAGNE WORDEN GESCHONKEN EN ZULLEN ER OOSTERSE SPIJZEN WORDEN GESERVEERD.

Wat klonk het ineens afschuwelijk. Vluchtig speelde ze met de gedachte het te laten afweten – Rose kon zeggen dat ze in de hut was gebleven met hoge koorts of een ernstige vorm van diarree. Maar dan zou Frank misschien bij haar komen kijken, vaderlijk en vriendelijk, samen met Viva. Bovendien – ze keek naar haar vriendin die nog rustig lag te slapen – wilde ze Rose er niet in betrekken. Ze had er zo genoeg van om altijd het lelijke zusje te zijn, het eeuwige vijfde wiel aan de wagen, het kind dat haar neus tegen het raam van de liefde drukte terwijl Rose alleen maar naar een man hoefde te kijken of hij viel voor haar in zwijm.

Maar lieverd, zou de altijd redelijke Rose hebben gezegd. *Je kent hem amper.* Of misschien zou ze een betoog hebben gehouden over scheepsromances, waardoor Tor zich op slag erg gewoontjes zou voelen.

Maar ik smelt, ik raas, ik hunker.

Het was moeilijk om zich Rose smeltend, razend, hunkerend voor te stellen. Haar leven leek als vanzelf te gaan, misschien omdat ze zo knap was. Ik doe te hard mijn best, dacht Tor.

Rose werd wakker van haar gekreun. In haar kanten nachthemd ging ze rechtop zitten, en ze strekte haar volmaakte armen naar het plafond.

'Hm, hemels,' zei ze slaperig. 'Ik heb zo raar gedroomd. Ik had een baby, en die reed op de rug van een olifant, met een piepkleine tropenhelm op zijn hoofd. Iedereen zei dat het kindje nog veel te klein was, maar ik was zo gelukkig.'

'Goh.'

Het bleef even stil. Toen zei Rose: 'Gossie, hebben we vanavond dat feest van duizend-en-één nacht? Laten we overleggen over onze kostuums.'

'Geen denken aan. Ik slaap nog,' zei Tor. 'Welterusten'.

'Jij je zin. Maar wat vind je? Kan ik die tuleachtige roze jurk aan, met de sjaal als sluier?'

'Het spijt me, maar het kan me hoegenaamd niet boeien.'

'Je bent me anders nog iets schuldig. Want je was erg lawaaiig vannacht. Je ging tekeer als een vis in een net.'

'Het spijt me, Rose, maar ik slaap. Geen verdere mededelingen.'

Frank is niet eens echt waanzinnig knap, dacht ze zodra ze hoorde dat de ademhaling van Rose weer gelijkmatig werd. Hij had een verrukkelijke glimlach, een snelle geest, maar hij was bijvoorbeeld niet lang genoeg om echt een filmster te kunnen zijn, en dan had hij ook nog – het was wreed, maar waar – een neiging tot o-benen. Mammie zou hem bovendien volstrekt ongeschikt vinden omdat hij dokter was, ook al was hij dan geen echte scheepsarts. Eenmaal in India ging hij naar het noorden om onderzoek te doen naar de een of andere gruwelijke ziekte.

Trouwens, blijkbaar gaf hij de voorkeur aan Viva. Prima! Ze zou zich er niet druk over maken, laat staan dat ze hun de bevrediging van een scène zou gunnen. Als genieten van het leven de beste wraak was, dan zou ze die avond genieten tot ze erbij neerviel. Ze zou dansen en flirten en zich niets, maar dan ook helemaal niets van hem aantrekken. Er waren meer dan genoeg mannen die met haar wilden dansen.

Ze zette de ventilator aan boven haar hoofd en dronk het glas water leeg dat naast haar bed stond, half alert op eventuele geluiden uit de aangrenzende hut. Het was haar nog altijd een raadsel wat Viva en Frank daar te zoeken hadden gehad.

En waar was Guy Glover eigenlijk? Ze had hem in geen dagen gezien. Op de vraag waarom ze zo haastig was teruggeroepen naar het schip, had Viva gelachen en de hele zaak afgedaan als loos alarm.

Rose had niets gemerkt, maar met nog zes dagen te gaan voordat ze in Bombay arriveerden, was het begrijpelijk dat ze volledig in beslag werd genomen door de ontmoeting met Jack Chandler – ook een reden waarom ze haar niet zou moeten lastigvallen met zoiets onbeduidends als de vraag waarom Frank haar niet wilde. Het was een scheepsromance.

Ze had zich voor de zoveelste keer laten meeslepen door haar fantasie en zich overgegeven aan belachelijke, op niets gebaseerde dromen.

Het feest van duizend-en-één nacht was in volle gang toen Tor later die avond aan dek verscheen. De hemel was vlammend koraal- en wijnrood en deed de gezichten van de feestgangers baden in een vurige gloed. De bemanning was de hele dag druk in de weer geweest. Tafels waren omwikkeld met roze lappen, fruit lag hoog opgestapeld: vijgen, mango's, *pawpaws*, maar ook suikergoed en Turks fruit. Er waren gekleurde lichtjes langs de reling gehangen, en het dek waar doorgaans werd gesport, was omgetoverd tot de tent van een sultan.

In de tent vertoonde een vuurvreter zijn kunsten, omringd door een menigte luidruchtige passagiers gehuld in sari's en wijdvallende gewaden, met maskers voor en Turkse muilen aan hun voeten. Kolonel Kettering stond, gehuld in een lange kaftan, heen en weer te zwaaien op de muziek van de Egyptische band.

Tor haalde diep adem. Schouders naar achteren. Hoofd omhoog. Glimlachen. En lopen. Haar bestemming was de andere kant van het scharlakenrode dek, waar ze haar groepje had ontdekt, drinkend en lachend.

'Lieve hemel!' Nigel maakte een diepe buiging. Hij was gekleed in een glimmend, grijs smokingjasje met een fez op zijn hoofd. 'Daar hebben we Nefertiti. En wat ziet ze er eh... betoverend uit!'

'Dank je wel, Nigel.' Tor kuste hem op zijn wang.

'Wie stel jij voor?' vroeg ze aan Jane Ormsby Booth, de struise jonge vrouw naast Nigel die geen vanzelfsprekende kandidaat was voor een sari.

'Dat weet ik niet precies,' klonk het opgewekt. 'Een buitenlands iemand.'

'Dank je wel, lieverd.' Tor nam een glas champagne aan van Nigel en posteerde zich in een nonchalante houding tegen de reling. Haar gouden masker zat in haar avondtasje, voor het geval dat het haar allemaal te veel werd. 'Is het niet goddelijk?'

'Het is voor het laatst dat we echt op volle zee zijn,' zei Jane. 'Hoe moeten we ooit weer wennen aan het gewone leven? Ik...'

Ze werd onderbroken door de bewonderende kreet die opging vanuit een groepje passagiers. 'Ooooh!' Rose was aan dek verschenen, in stralend roze zijde. En terwijl de band 'Ain't She Sweet?' inzette, deed ze een paar danspassen in de richting van de kolonels en de mems die aan hun vaste tafel zaten. 'Ik ben Scheherazade,' zei ze vrolijk. 'En ik ken een heleboel verhalen die ik jullie niet ga vertellen.' Er werd toegeeflijk geglimlacht.

De band barstte in volle hevigheid los, trompetten schalden en overal hielden mensen hun adem in. Marlene en Suzanne maakten hun entree, gemaskerd en gekleed in gewaagde, weelderige avondjurken, gevolgd door Jitu Singh, die zwierig over het dek paradeerde, met schitterende ogen en verblindend witte tanden. Hij droeg een jasje van blauwe zijde, een wijdvallende broek en zacht leren laarzen waarin hij, net als Rudolf Valentino, nonchalant een dolk had gestoken. De leren riem om zijn middel was gevuld met patronen, en op zijn hoofd had hij een zijden tulband met een grote diamant.

'Jitu,' riepen ze. 'Kom hier! En vertel wie je bent.'

Hij klopte Marlene en Suzanne liefkozend op hun bips, toen kwam hij naar het groepje toe en maakte een diepe buiging, waarbij hij vluchtig zijn hand op zijn ogen, zijn mond en zijn borst legde.

'Mijn naam is Nazim Ali Khan,' verkondigde hij. 'Ik ben een Mongoolse keizer. En ik breng u goud, parfum en diamanten.'

Toen hij strelend zijn lippen over Tors hand liet gaan, hoopte ze dat Frank het zag.

Nadat de zon was ondergegaan in een laatste glorieus oplaaiende gloed, kwamen de sterren tevoorschijn. De feestvierders dansten en aten op zijden kussens, verspreid door de tent. Daarna deden ze een spel dat 'Wie ben ik' heette, waarbij je de naam van een beroemdheid op een strookje papier op iemands voorhoofd plakte, waarna diegene moest raden wie hij was. Het spel gaf aanleiding tot grote hilariteit, en toen het was afgelopen, gingen de meeste oudere passagiers naar bed.

De Egyptische muzikanten werden met de boot teruggebracht naar hun dorpen – hun bootjes veroorzaakten een flonkerende, borrelende fosforescentie in het water. Daarop was het de beurt aan de band die meevoer aan boord. De muziek die weerklonk, was zacht, romantisch, passend bij het late uur. Paren dansten wang aan wang; in de hoeken van het dek waren vaag de contouren te zien van kussende stelletjes.

Tor sloeg het allemaal gade vanaf een tafel die bezaaid lag met kapotte serpentines en sigarettenpeuken met lippenstift erop. Haar jurk was vochtig van de transpiratie, op haar hiel zat een beginnende eksteroog. Nigel was net vertrokken, en op het moment dat ze haar energie bij elkaar probeerde rapen om ook naar bed te gaan, kwam Frank plotseling bij haar zitten. Hij zag bleek en leek uit zijn doen.

'Heb je een prettige avond gehad, Tor?' vroeg hij ongewoon formeel.

'Geweldig! En jij?'

'Ik ben moe. En ik heb trek in een borrel.' Hij schonk zichzelf een glas wijn in. 'Wil je ook iets?'

'Nee, dank je.'

Ze luisterden naar het geruis van de golven, naar het slaperige, schorre geluid van de trompet.

'Tor...'

'Ja?'

'Blijf zo zitten.'

Hij nam haar doordringend op, en even dacht ze dat ze zich had vergist, dat hij haar toch zou gaan kussen, maar in plaats daarvan haalde hij het strookje papier van haar voorhoofd en gaf het haar.

'Virginia Woolf,' las hij. 'Nee, dat ben je niet. Helemaal niet. Je bent geen Virginia Woolf.'

'Wie ben ik dan, volgens jou?' Ze hoopte dat het luchtig klonk, maar terwijl ze op zijn reactie wachtte, besefte ze hoe belachelijk gespannen ze was. 'Theda Bara? Mary Queen of Scots?'

Hij schudde zijn hoofd en weigerde haar spelletje mee te spelen.

'Ik weet het niet,' zei hij ten slotte. 'En volgens mij weet je het zelf ook niet.'

Ze voelde dat haar gezicht van ontzetting begon te gloeien. Toen sprong ze op. 'Jitu!' riep ze. 'Waarom zit je zo alleen? Kom hier, dan drinken we nog wat samen.' Ze vroeg het niet omdat ze dat graag wilde, maar gewoon om iets te zeggen.

'We weten het geen van allen.' Frank staarde somber in zijn glas. 'We...'

Maar op dat moment voegde Jitu zich bij hen. 'Ik ben geroepen door een godin. Mag ik als simpele sterveling haar vragen met me te dansen?'

Ze deed haar tas open en zette haar masker op, gewoon voor alle zekerheid. Want Franks reactie had haar bezeerd, en de hele avond bracht haar in een vreemde, ongelukkige, enigszins onthechte stemming. Toen er achter het karton een traan over haar wang rolde, was ze blij dat het zo donker was dat niemand het kon zien.

Glimlachend strekte ze haar armen naar Jitu uit. 'De godin wil graag met je dansen. En ze is je dankbaar dat je het haar hebt gevraagd.'

Hij leidde haar naar de dansvloer, waar hij haar deskundig, onpersoonlijk in zijn armen nam. Enkele stellen dansten wang aan wang. De band speelde 'Can't Get Enough of You'. Tor was geschokt toen ze zag dat Marlene een cavalerieofficier kuste met wie ze haar al eerder had gezien, in het volle zicht van het keukenpersoneel.

'Ik vind dit zo'n heerlijk nummer,' zei ze tegen Jitu, wiens hand een paar centimeter over haar rug omhoog was geschoven. 'Echt mieters.'

Waarom zei ze toch altijd dingen die ze niet meende? Ze vond het helemaal geen heerlijk nummer. Integendeel. Ze werd er ellendig van. En ze verlangde naar haar bed.

Ze voelde dat hij haar dichter naar zich toe trok, terwijl hij met gespreide vingers nonchalant haar rug aftastte. Zijn ogen met de lange wimpers keken in de hare, alsof hij haar wilde vragen hoe ver hij kon gaan.

'Heb je je een beetje geamuseerd vanavond?' Ze probeerde hem op een armlengte afstand te houden.

Zijn reactie was dat typisch Indiase gebaar: geen ja en geen nee, maar een heen en weer wiegen van het hoofd.

'Het was prima. Een noodzakelijk feest.'

'Wat een grappige formulering.'

'Ach, je weet wel.'

'Nee, ik heb geen idee.'

'We moeten nog één zee oversteken, dan ben ik thuis.'

'Is dat niet fijn dan?'

'Nee, voor mij niet. Ik ben lang weg geweest.' Hij zuchtte en trok haar nog dichter naar zich toe, zodat ze een zweem van zijn kruidige parfum rook. 'In Cambridge en Londen had ik zo'n vrij leven. Je weet wel, feestjes, wereldse dingen. En stoute meisjes, zoals jij. Ik zal ze missen.'

Ze wilde dat hij haar losliet. Hij was te mannelijk, te zwaar geparfumeerd, maar ze had hem zelf aangemoedigd. Ze had met hem willen pronken en hem min of meer opgedragen met haar te dansen. Inmiddels was hij – zo behendig, dat ze het niet eens had gemerkt – van de kleine, door de maan beschenen dansvloer met haar weggedanst naar een donker, intiem hoekje vlak bij de schoorsteen van het schip.

'Je hebt prachtige ogen,' zei hij toen hij haar met haar rug tegen de wand had gemanoeuvreerd. 'Zo groot, en zo blauw.'

'Dank je wel,' zei ze stijfjes.

In een snelle beweging legde hij een hand tussen haar benen en probeerde hij haar te kussen.

'Jitu!' Vervuld van afschuw duwde ze hem weg.

'Je hebt gedronken,' zei hij streng, terwijl hij haar op zijn beurt ook een duw gaf. 'Je bent een stout meisje,' fluisterde hij.

Ze voelde de punt van zijn tong in haar mond, terwijl hij haar hand naar het grote, rubberachtige ding loodste dat plotseling uit hem naar voren stak.

'Jitu! Stop! Alsjeblieft!'

Slechts met inspanning van al haar krachten wist ze hem weg te duwen, maar voordat ze de trap af rende, draaide ze zich nog één keer om, en ze zag dat hij zichzelf voor zijn hoofd sloeg. Het was duidelijk dat hij zich net zo in verwarring gebracht voelde als zij.

17

De dag na het feestje zat Viva – ze zag bleek door een gebrek aan slaap en frisse lucht – in een dekstoel in de schaduw en probeerde even niet aan Guy te denken. Ze hadden zojuist Steamer Point gepasseerd, en De Kaiser was omringd door tientallen kano's met Arabische knapen in niets anders dan een witte lendendoek. Ze wachtten tot er van het schip muntjes naar beneden werden gegooid in het water om hen heen, waar het wemelde van de haaien. Zodra de muntjes – voornamelijk *anna's* – werden gegooid, doken de jongens de heldergroene diepten in, en het duurde heel lang voordat ze weer boven kwamen, de een na de ander, hun warrige haar rood geverfd met limoen- en hennabladeren, doorgaans met een muntje tussen hun glinsterende tanden.

Het contrast tussen deze uitbundige knapen, bruisend van leven, en de bleke, indolente Guy die al dagen weigerde zijn hut uit te komen, kon niet schriller zijn. Viva keek verlangend naar het water, toen wierp ze een blik op haar horloge, en met een diepe zucht stond ze op en ging ze terug naar zijn hut.

Toen ze binnenkwam, lag hij op bed met een radio te spelen, een kristalontvanger. Hij had zich niet geschoren en zag er ellendig uit. Hoewel het in de hut rond de vijfendertig graden moest zijn, had hij zich in een laken en een deken gewikkeld.

De vloer van de hut lag bezaaid met papieren en snoepwikkels en wat schroeven en moeren die hij uit de radio had gehaald. Sinds twee dagen had hij de steward verboden om binnen te komen, en hij raakte geïrriteerd wanneer Viva probeerde wat orde in de chaos te scheppen.

Ze zette de ventilator aan. De geur van oude sokken en verschaalde lucht bewoog door de kamer, en er waaiden wat snoepwikkels op.

'Voel je je vanochtend alweer een beetje beter, Guy?'

'Nee. Om te beginnen wou ik dat ik van die radiogolven af was.'

De moed zonk haar in de schoenen. Ze vond het afschuwelijk als hij over zijn radio begon.

'Ik geloof niet dat ik weet wat je bedoelt,' zei ze.

'Dat weet je heel goed.' Hij keek haar aan met een blik die duidelijk moest maken dat hij niet achterlijk was. 'Dat weet je heel goed.'

'Guy...' Ze probeerde het opnieuw. 'Dokter Mackenzie komt vandaag bij je langs. Hij moet beslissen wat het beste voor je is. Over vijf dagen zijn we in Bombay. En daar staan je ouders op je te wachten.' Hij sloot zijn ogen toen ze het zei, maar ze zette dapper door.

'Dokter Mackenzie zegt dat het erg druk is in de ziekenboeg, maar als dat het beste is, kan hij wel een plekje voor je vrijmaken.'

'Ik ben niet ziek.' Hij trok zijn lippen naar binnen en keek langs haar heen. 'Waarom zeg je toch steeds tegen iedereen dat ik ziek ben?'

Ze ging er niet op in.

'Wat wil je dat ik doe vandaag?' vroeg ze. 'Volgens mij komt Frank over een halfuurtje ook even bij je kijken.'

'Ik wil dat je blijft tot hij er is, en dat je daarna weggaat.' Hij klonk alsof hij alweer half in slaap was en stompte zijn kussen in model.

'Voordat je indommelt, vind ik dat je je moet wassen, Guy. En dat je de steward de kans moet geven om hier schoon te maken,' pleitte ze. 'Voordat dokter Mackenzie komt.'

'Dat kan ik niet,' mompelde hij. 'Te moe.'

Ze sloeg hem wantrouwend gade terwijl hij weer indommelde. Dr. Mackenzie, die maar één keer en niet langer dan vijf minuten met hem had gesproken, leek erop gebrand hem ver weg te houden van de ziekenboeg.

Frank wist niet goed wat hij met hem aan moest. Sinds Port Said was hij haar elke avond gezelschap komen houden in de hut van Guy. Wanneer die eenmaal sliep, hadden ze samen in de schemering gezeten en gepraat over van alles – boeken die ze mooi vonden, muziek waar ze van hielden, reizen die ze hadden gemaakt. Nooit te persoonlijk, behalve op die avond toen hij haar had verteld over Charles, zijn broer.

'Hij is niet gesneuveld bij Ieper,' zei hij zo zacht dat ze hem nauwelijks kon verstaan. 'Tegenover de meeste mensen is het gemakkelijker om dat te zeggen. Maar Charles is als invalide naar huis teruggestuurd. Hij had verwondingen aan zijn keel en zijn luchtpijp, en hij schreef op een stukje papier dat hij het fijn zou vinden als ik tot het einde bij hem bleef.

Hij wilde dat ik tegen hem praatte. Dus we hielden elkaars hand vast, en ik kletste maar door.'

'Waarover?' Viva merkte dat ze verkrampte – de emoties benauwden haar.

'O, ik weet het niet.' Hij klonk alsof hij ver weg was met zijn gedachten. 'Alledaagse dingen. Cricketwedstrijden met de familie in Salcombe, waar we in de zomervakantie altijd heen gingen, kampeertrips in de New Forest, de Eccles-cakes die we aten in Lyon's Corner House, een reisje naar The National Gallery waar we voor het eerst de schilderijen van Turner zagen, familiediners, dat soort gewone dingen. Maar die waren voor hem heel moeilijk. Hij fluisterde iets, en dan vertelde ik wat ik me ervan herinnerde.'

Frank zei dat het de vreemdste vijf nachten van zijn leven waren geweest, en de verdrietigste. En dat hij zo opgelucht was geweest toen het voorbij was, dat hij een chocoladetaart uit de voorraadkelder had gestolen en die helemaal alleen had opgegeten. Waarover hij zich vervolgens verschrikkelijk had geschaamd. Maar het kwam simpelweg door de opluchting over het feit dat zijn broer niet hoefde door te leven met zijn verschrikkelijke verwondingen.

Na deze onthulling deed Viva er het zwijgen toe – wat moest ze zeggen? Bovendien was ze bang dat hij zou gaan huilen.

'Denk je dat je daarom dokter bent geworden?' vroeg ze ten slotte.

'Misschien.' Hij stond op. 'Op je achttiende ben je erg gevoelig voor indrukken. Charles was tien jaar ouder dan ik.'

Hij keerde zich naar Guy en trok zijn deken glad. 'Ik maak me zorgen om hem,' zei hij toen kordaat, met een andere klank in zijn stem. 'En om de hoeveelheid tijd die jij gedwongen met hem doorbrengt. Dat is niet gezond. En het is ook niet bepaald leuk voor je.'

Ze keek hem zwijgend aan, zich ervan bewust dat ze had gefaald als vertrouwenspersoon.

'Nee, dat is het inderdaad niet,' zei ze. 'Maar wat kunnen we eraan doen?'

'Het is lastig, maar ik denk dat het tijd is om de situatie aan Rose en Tor uit te leggen, al was het maar vanwege hun veiligheid. Het kan niet anders of ze vragen zich af waar je bent.'

'Ik heb gezegd dat Guy ziek was; dat hij last had van zijn maag.'

De rest vertelde ze hem niet – dat Tor heel vreemd had gereageerd toen ze dat zei.

'Doe geen moeite om een smoes te verzinnen,' had ze gezegd, en ze had Viva een ijzige blik geschonken. 'Ik heb het van meet af aan geweten.' Daarop was ze weggelopen.

Dokter Mackenzie zou over een halfuur komen. Viva ging in een stoel zitten om op hem te wachten.

Lezen was onmogelijk, omdat Guy de gordijnen dichthield wanneer hij sliep, en schrijven lukte even niet. Het enige waartoe ze zich op dit moment in staat voelde, was een soort wezenloos tobben over Guy, en over zichzelf. Ze raakte steeds meer doordrongen van de hachelijkheid van haar situatie.

Maar toen braken de wolken even open. Ze was naar de kleine wastafel in zijn badkamer geslopen om water in haar gezicht te spetteren, toen ze hem aan de andere kant van de scheidingswand zacht hoorde zingen. Een lied waarvan ze zich herinnerde dat haar *ayah* het ook voor haar had gezongen: *humpti – tumpti gir giya.*

Ze stak haar hoofd om de deur. Maar er kwam geen geluid meer vanonder de berg beddengoed.

'Talli, talli, badja baba,' zong ze, en zijn genietend snuiven was het eerste teken van hoop die ochtend.

'Zongen ze allemaal dezelfde liedjes?' Hij deed een bloeddoorlopen oog open.

'Waarschijnlijk wel,' zei ze. 'De mijne vertelde me ook verhaaltjes, en die begonnen allemaal met *Ecco burra bili da*: er was eens een grote kat,' zei ze op de zangerige toon van de Indiërs.

'Je mag me wel een verhaaltje vertellen als je wilt.' Zijn stem klonk zachter, kinderlijker dan anders.

Ze dacht koortsachtig na, maar kon niets bedenken.

'Vertel me eens wat over je school.'

'O, eh... *Ecco burra bili da...*' zei ze, om tijd te rekken. 'Als je dat leuk vindt, zal ik je vertellen over de eerste keer dat ik terugging naar Engeland om naar school te gaan.'

De berg beddengoed bewoog weer. Ze hoorde hem opnieuw zacht kreunen.

'Het was een kloosterkostschool in North Wales. Ik was zeven. Mijn moeder, mijn zusje en ik gingen samen met de boot terug. We logeerden in een klein hotel in Londen, vlak bij Waterloo Station, en daar trokken

Josie en ik onze grijze uniformen aan. Met een blauw overhemd en een blauwe das. Verveel ik je, Guy?'

'Nee, helemaal niet. Ga door.' Hij bewoog ongeduldig.

'Mijn moeder was al op onze school geweest, maar wij hadden hem nog niet gezien. Ik herinner me dat we samen over een kiezelig strand liepen, en dat ik opkeek en een naargeestig, grimmig gebouw zag, hoog op de rotsen. Mijn moeder huilde, en om haar te troosten zei ik: "Stil maar, mammie. We hoeven gelukkig niet daarheen." Maar toen moest ze ons vertellen dat we daar wel heen moesten. Want dat gebouw was onze nieuwe school.'

'Werd je er geslagen?' Zijn gezicht verscheen boven de dekens. Zijn mond hing open in een volmaakte cirkel. 'Waren ze daar ook zo verschrikkelijk, net als op mijn school?'

'Ze waren erg streng. We werden met een liniaal op onze handen geslagen en we moesten akelige karweitjes doen. Maar dat was niet het ergste. Het ergste was de heimwee. Het ergste was dat we India zo misten.

In India liepen we over stranden zo zacht als zijde, we zwommen in water zo warm als melk. Op school liepen we knarsend over reusachtige, scherpe kiezels, en de grijze golven van de zee beukten met geweld in je gezicht. De nonnen hadden allerlei vreemde straffen. Een van de nonnen, zuster Philomena, had een beugel om haar been, en als we stout waren geweest, moesten we in een badkuip gaan staan en dan zette ze de slang op ons.'

Hij lachte kort, keffend.

'Ga door, ga door,' zei hij gretig. 'Je kunt goed vertellen.'

Ze aarzelde. Want ze wist niet of ze dit wel aan hem kwijt wilde.

'Ik was zo ongelukkig dat ik besloot mezelf letterlijk ziek te maken. Dus elke avond goot ik de inhoud van mijn waterkan over mijn bloes, en dan ging ik bij het open raam zitten, in de hoop dat ik een tragische ziekte zou krijgen. Dan zou iedereen medelijden met me hebben en mammie zou me komen halen en me mee terug nemen naar India.'

'En toen? Wat gebeurde er?' Zijn adem stonk wanneer hij zijn mond open liet hangen. Ze zei tegen zichzelf dat ze hem op z'n minst zo ver moest zien te krijgen dat hij zijn tanden poetste voordat dokter Mackenzie kwam.

'Niet veel. Ik kreeg last van een hardnekkige hoest, dus ik lag een week in de ziekenboeg, en daarna ging het beter. Ik kreeg vriendinnen.'

Verdorie! Dat was niet erg tactvol, want ze had niet de indruk gekregen dat hij op school ook maar één vriend had gehad.

'Achteraf wilde ik dat iemand me had verteld dat je schooltijd nu eenmaal verschrikkelijk is,' vervolgde ze snel. 'Maar ook dat hij snel voorbij gaat. Echt waar. En daarna zijn andere dingen extra leuk – onafhankelijk zijn, je eigen geld verdienen, zelf je beslissingen nemen.'

'Ik denk niet dat ik later een leuk leven ga krijgen.' Hij ging rechtop zitten en stak een sigaret op. Toen de rook was weggetrokken, keek hij haar recht aan. 'Want ik heb min of meer besloten om mezelf van kant te maken.'

'Guy! Zulke dingen mag je niet zeggen. Zelfs niet als grap.'

'Het is geen grap,' zei hij. 'Was het dat maar.'

Ze wist dat ze hem tegemoet moest komen. Dat ze een hand op de zijne moest leggen. Dat ze een arm om hem heen moest slaan. Maar de geur van zijn sokken, de hitte, de zinloze somberheid van de hele situatie maakten het haar onmogelijk.

'Guy, kom alsjeblieft je bed uit! Kleed je aan, poets je tanden. Doe iets. Er valt zoveel te zien buiten. De zeestraat is hier en daar zo smal dat je vanaf het dek kinderen op de wal kunt zien, en flamingo's, pelikanen, ganzen. Het is ongelooflijk. Vooruit, opstaan! Ik ga met je mee naar boven. En ik blijf bij je.'

'Misschien doe ik dat wel. Maar toch blijf ik erbij dat ik mezelf van kant ga maken.' Hij schonk haar een sluwe, kinderlijke grijns. 'Dat zou ik maar aan dokter Mackenzie vertellen als ik jou was. Want die moet het ook weten.'

'Nou, dat kun je dan zelf doen. Want hij komt vanmorgen bij je langs.'

'Ik wil hem hier nu niet hebben. Ik heb me bedacht,' zei hij. 'Hij zit ook op mijn radiogolven.'

Ze keek op hem neer. De huid rond zijn ogen was nog altijd gelig en gemarmerd, maar dat werd elke dag minder. Het waren zijn ogen en de vreemde, wazige uitdrukking daarin die haar zorgen baarden. Dat was het moment waarop ze besloot hulp te halen.

De spreekkamer van de scheepsarts lag op het B-dek, het spreekuur duurde van halftien tot twaalf uur 's ochtends. Dan ging de dokter lunchen. Toen Viva er om vijf over twaalf arriveerde, zat de deur potdicht en stootte ze haar tenen.

Ze haastte zich weer naar beneden en klopte in wanhoop op de deur van Tor en Rose, ook al verwachtte ze niet dat er iemand zou zijn.

Tor deed open, op blote voeten en met een klodder crème op beide wangen.

'Kun je me misschien helpen?' vroeg Viva. 'Ik zit in een nogal lastig parket.'

'O?' De ijzige uitdrukking op Tors gezicht veranderde nauwelijks.

'Mag ik binnenkomen?'

Tor haalde weinig enthousiast haar schouders op, maar deed een stap naar achteren.

'Luister eens, het spijt me dat ik laatst zo op stel en sprong ben vertrokken,' begon Viva, en omdat Tor haar met grote niet-begrijpende ogen aankeek, vervolgde ze: 'Je weet wel, bij Shepheard's. Toen we zo'n gezellig dagje uit waren.'

'Gezellig voor jou misschien,' luidde Tors raadselachtige reactie.

Viva probeerde vervolgens tien minuten lang haar uit te leggen wat er met Guy aan de hand was; dat hij zich steeds merkwaardiger ging gedragen en hoe ze hadden geworsteld met het besluit waar ze hem moesten onderbrengen.

'Ik heb het jullie niet eerder verteld omdat ik jullie niet ongerust wilde maken,' zei ze. 'Frank was echt geweldig. Hij heeft hem kalmerende middelen gegeven en hij heeft mij moreel gesteund, maar we hebben allebei het gevoel dat het niet juist zou zijn jullie nog langer in onwetendheid te laten. Guy is van school gestuurd. Omdat hij had gestolen van zijn medeleerlingen. Daar kan een goede reden voor zijn – zijn ouders houden hem financieel erg kort. Ik heb het er met hem nog niet over kunnen hebben, maar het is niet meer dan redelijk om jullie te waarschuwen.'

Tot haar verrassing legde Tor een hand op haar schouder en knuffelde ze haar in een snelle omhelzing.

'Het spijt me,' zei ze. 'Arme ziel. Je ziet er doodmoe uit.' Toen schudde ze haar hoofd en knuffelde haar weer. 'Ik was zo nijdig op je. Maar daar hebben we het nu niet over. Dit is belangrijker.'

Tor maakte een piepklein flesje drambuie open en verdeelde de inhoud over twee glazen. 'Weet je zeker dat het echt zo erg is als jij denkt? Ik was op mijn zeventiende ook behoorlijk de weg kwijt. En ik dreigde ook voortdurend mezelf van kant te maken.'

'Ik wou dat je gelijk had, maar dit ligt anders. Dit is echt veel erger.'

'En mijn vader kan soms ook heel merkwaardig doen,' vervolgde Tor. 'Maar dat komt door het mosterdgas in de oorlog. Hoe dan ook, we moeten zorgen dat Guy genoeg leuke dingen heeft; dat er elke dag iets is om naar uit te kijken. Ik zou met mijn grammofoon naar hem toe kunnen gaan om hem wat muziek te laten horen.'

'O, Tor, je bent een schat.'

'Dat ben ik helemaal niet. Maar voor we het weten zijn we in Bombay. Dus met z'n allen moet het lukken hem aangenaam bezig te houden. En in Bombay mogen zijn ouders het overnemen.'

Rose kwam de hut binnen, blozend van het ringwerpen aan dek.

'Wat is hier aan de hand?' vroeg ze. 'Een drinkgelag? Mag iedereen meedoen?'

Tor pootte haar in een stoel en legde haar de situatie uit. 'Dus ik ben ervan overtuigd dat die arme jongen niet in het cachot hoeft, of hoe ze dat ook noemen,' besloot ze.

'Voel je vooral niet verplicht om mee te doen,' zei Viva toen ze zag dat Rose aarzelde. 'Ik begrijp het volkomen als je er geen zin in hebt.'

'Nou, ik wil eerst graag met Frank praten,' zei Rose.

'Natuurlijk.' Tor glimlachte. 'We moeten allemaal met dokter Frank praten.'

'En vergeet je niet iets, lieverd?' Rose keek naar Tor.

'Wat dan?'

'Die geluiden die je hem hoorde maken.'

'Wat voor geluiden?' vroeg Viva.

'Doe ze eens na,' zei Rose tegen Tor.

Tor begon dramatisch te kreunen. '"O god! O! O god!" Ik dacht dat hij werd vermoord. En ik had natuurlijk naar hem toe moeten gaan om te vragen wat er was.'

'Het is waarschijnlijk maar goed dat je hem met rust hebt gelaten.'

'Waarom?' vroegen de meisjes in koor.

'Omdat...' Viva keek naar het tapijt. 'Dat zijn de geluiden die jongens maken wanneer ze masturberen.'

'Wat?' Rose keek verbijsterd.

'Je weet wel. Dan raken ze hun ding aan, en dan voelen ze zich heel erg opgewonden en gelukkig.'

Ze werden alle drie rood.

'Wat?' Het gezicht van Rose drukte nog altijd verwarring uit. 'Waar heb je het over?'

'Anders gezegd, zo reageert het lichaam van een man wanneer hij op het punt staat de liefde te bedrijven of een kind te maken.'

'O gossie.' Rose slikte. 'Maar hij is nog zo jong. Weet je het zeker?'

'Nee, natuurlijk weet ik het niet zeker, maar dat kan het heel goed geweest zijn. Dus ik weet bijna zeker dat hij geen hulp nodig had.'

Rose en Tor keken haar aan, geschokt en onder de indruk.

'Is dat alles wat je erover gaat zeggen?' vroeg Tor. 'Kom op, Viva, vertel nou eens één keer het hele verhaal! Jij weet zoveel meer dan wij.'

'Later misschien. Niet nu.'

'Belóóf je dat je later de rest vertelt? We hebben in geen dagen een bishi gehad.' Tors gezicht gloeide. 'En ik vind dat een mens uiteindelijk alles moet weten.'

De arme Rose keek nog altijd zo verbijsterd dat Viva aarzelend een besluit nam.

'Ik ben geen deskundige,' zei ze. 'Ik heb maar één minnaar gehad. Maar ik zal jullie erover vertellen. Niet nu. Later.'

'De liefdeslessen én het verhaal,' zei Tor.

'Misschien,' zei Viva afwezig, ook al zou ze het liefst nooit meer aan hem denken.

18

Indische Oceaan, vijfhonderd mijl van Bombay

Hoewel Rose had besloten de jongen in de hut naast de hunne zoveel mogelijk uit de weg te gaan, werd ze zich steeds meer bewust van een vreemd, verdrietig soort verwantschap. Viva had haar verteld dat hij zijn ouders in geen tien jaar had gezien en dat hij steeds angstiger werd naarmate ze dichter bij hun bestemming kwamen. Hij sliep diep weggekropen onder een dikke laag dekens, zei ze.

En dat begreep Rose maar al te goed. De vorige dag had ze het woord 'fiancé' gebruikt, om Jack te beschrijven tegenover een van de mems, maar het woord was als het ware in haar mond blijven steken, als een slecht passend kunstgebit. En die ochtend bij het wakker worden had ze op haar duim liggen zuigen! Iets wat ze in geen jaren meer had gedaan. Ze had de foto gepakt van Jack in uniform, met zijn zwaarden, zijn glimmend gepoetste koperen knopen en met een vreemde, trotse, zelfingenomen glimlach om zijn mond. Ze had gewild dat haar hart zwol van... van íéts bij zijn aanblik, maar het enige wat ze had gevoeld was een bijna duizeligmakend besef van verlies. Over twee dagen waren ze in India. Dan was haar lot bezegeld, dan werd de deur gesloten naar haar jeugd, naar de vrijheid die daarmee verbonden was geweest, en een andere deur werd geopend, naar een wereld die haar net zo vreemd was als de maan.

Bij die gedachte werd ze bestormd door angsten. Angsten die haar als een zwerm muskieten geen moment rust gunden. Zou Jack haar na een halfjaar nog wel herkennen? En zo ja, zou hij teleurgesteld zijn? Het decor van die eerste kus in de Savile Club – een trappenhuis in het maanlicht, met dartelende cherubijnen boven hun hoofd – had niet volmaakter kunnen zijn. Het heden was zo anders, en er hing zoveel van af waar je iemand ontmoette en hoe je je op dat moment voelde. Wanneer ze van boord kwam, in het genadeloze zonlicht dat zelfs de kleinste onvolkomenheid aan de kaak zou stellen, zou hij dan denken dat hij een reusachtige vergissing had gemaakt? Of zou zij plotseling beseffen dat ze het bij het verkeerde eind had gehad? Dat hij niet de ware was?

Ze liet het bad vollopen en spetterde nijdig water in haar gezicht. Terwijl ze haar haren naar achteren bond en coldcream op haar wangen smeerde, bedacht ze hoe vreemd het was dat ze Tor niets had verteld over haar nervositeit. Het voelde als een soort ontrouw, maar ze wist niet of die ontrouw Jack gold of haar beste vriendin. Zo verward waren haar gedachten al geworden. Ze durfde niet aan haar ouders te denken – ze had zichzelf tijdens de reis diverse malen in slaap gehuild wanneer ze zich voorstelde hoe verdrietig ze zouden zijn omdat ze nu echt weg was. Zelfs de meest alledaagse dingen verbonden met Park House waren onverdraaglijk, zoals wie er nu met pappie zou schaken, wie hem 's middags zijn thee bracht met een stuk citroentaart, of hoe Copper het zou vinden dat zij er niet meer was om wortels en appels voor hem in stukjes te snijden. Hij zou heus wel worden gevoerd, maar niemand kende dat speciale plekje onder zijn kin waar hij graag gekriebeld wilde worden, en ze was bang geweest dat ze haar kinderachtig zouden vinden als ze hun dat vertelde.

Ze borstelde haar haren. Moest ze het vandaag wassen? Hier, midden op de Indische Oceaan, had iedereen het er steeds over hoeveel frisser en versterkender de lucht leek; maar tegen de lunch liep bij iedereen het zweet tappelings over het gezicht.

Zelfs Tor, dacht ze, terugkerend naar haar vriendin, was nooit zo roekeloos geweest dat ze haar leven had geschonken aan een man die ze amper kende. Trouwens, Tor leek aansluiting te zoeken bij Viva, terwijl ze zich samen bekommerden om de jongen in de hut naast de hunne.

Die ochtend bijvoorbeeld was ze vertrokken met haar grammofoon en een stapel achtenzeventig-toerenplaten, en inmiddels hoorde Rose de gedempte klanken van 'Stormy Weather' en een driestemmig gezongen 'Keeps rainin' all the tiiimmmmeeee....'.

Volgens Tor en Viva waren de stemmingen van de jongen nog altijd erg wisselend, maar Tor had ontdekt dat hij een passie had voor jazz en films, en op zijn goede momenten kon ze eindeloos met hem kletsen, als met een oude vriend.

De vorige avond had ze echt een openhartig gesprek met hem gevoerd, aldus Tor. Guy had zelfs gezegd dat hij er spijt van had dat hij van zijn medeleerlingen had gestolen. Hij had het gedaan, zei hij, omdat ze allemaal van vakantie terugkwamen met cake en lekkere broodjes om uit te delen. Dat wilde hij ook. Wanneer hij bij zijn familie was geweest, namen de andere jongens het hem kwalijk dat hij met lege handen terugkwam.

De verwrongen logica van zijn verhaal had Rose niet kunnen ontroeren. Sterker nog, alleen al bij de gedachte aan de jongen kwamen de muskieten weer opzetten. Misschien was het egoïstisch van haar, maar ze had er niet de minste behoefte aan van boord te gaan met deze enigszins merkwaardige jongen als lid van haar entourage. Hij zou waarschijnlijk meteen een sigaret opsteken en lelijk kijken en met zijn heupen zwaaien, of die griezelige overjas aantrekken. Wat moest Jack daar wel van denken?

Persoonlijk vond ze dat ze hem meteen aan dokter Mackenzie hadden moeten overdragen, en dat had ze gezegd ook toen ze het er tijdens een drankje met Frank over hadden. Maar Tor, die eerder zo onaardig over hem had gesproken, had zich tot ergernis van Rose een en al medeleven getoond. Ze had gezegd dat ze met z'n allen een soort veiligheidskordon om hem heen konden vormen, tot hij over een paar dagen zou worden overgedragen aan zijn ouders.

Trouwens, inmiddels hadden ze hun kans verspeeld: er waren drie passagiers ziek geworden van een zending bedorven oesters, dus de ziekenboeg was tot op het laatste bed bezet.

Rose sloot haar ogen en legde haar hoofd tegen de wand van de hut. Inmiddels klonken er andere klanken bij de buren: Indiase ragamuziek, aarzelend, onduidelijk en grenzeloos weemoedig. Toen de muziek zweeg, hoorde ze de stem van Tor, opgewekt, ongezouten, gevolgd door een explosie van gelach.

Lieve Tor, dacht ze plotseling, met haar dierbare grammofoon, haar muziek, haar honger naar het leven. Het was zo duidelijk dat ze nog altijd hopeloos verliefd was op Frank. Die reusachtige ogen van haar konden niets verborgen houden.

De gedachte dat Tor nu ook geheimen had voor háár stemde Rose verdrietig, maar anderzijds vond ze het ook wel een opluchting dat ze het niet over hem hoefde te hebben. Frank was erg leuk en buitengewoon aantrekkelijk, maar hij was geen geschikte partij voor Tor. Om te beginnen was hij dokter, dus mevrouw Sowerby zou hem niet goed genoeg vinden als schoonzoon. En bovendien stond hij wel erg onconventioneel in het leven, vermoedde Rose. Een man die nog geen duidelijkheid had over wat hij wilde met zijn toekomst. Zoals dat sinds de oorlog voor zoveel mannen gold. Althans, dat had haar moeder haar verteld.

Toe ze hem de vorige avond tijdens het diner naar zijn plannen had gevraagd, had hij gezegd dat hij naar het noorden wilde, naar Lahore, om zich bij zijn vroegere professor te voegen voor het een of andere onderzoek naar een afschuwelijk klinkende ziekte. Maar hij wilde ook reizen. Zijn leven was 'een werk in uitvoering'. En dat was allemaal mooi en aardig, maar...

Daarop had hij zich naar Viva gekeerd, op wie hij duidelijk stapelverliefd was. 'Wat vind jij dat ik moet doen?' 'Waarom vraag je dat aan mij?' had ze bijna koel geantwoord, en ze had zich afgewend. Rose had het vreemd gevonden dat ze hem zo behandelde, terwijl ze steeds meer tijd samen doorbrachten. Maar Viva was een raadsel, ze liet nooit het achterste van haar tong zien, en hoe tegenstrijdig het ook leek, misschien had Tors moeder gelijk toen ze haar dochter had geadviseerd om de mannen in haar leven 'altijd een beetje te laten hunkeren'. Arme Tor, die vol verwachting als een jonge hond om de mannen heen sprong. Het leek wel alsof het haar lot was telkens opnieuw een gebroken hart op te lopen.

Rose was boos op zichzelf omdat ze zulke sombere gedachten koesterde over de liefde en de daarmee verbonden gevaren. Mammie had haar gewaarschuwd dat de meeste bruiden vlak voor hun huwelijk last hadden van koudwatervrees; misschien waren haar sombere gedachten niet meer dan dat. Ze moest gewoon ophouden met piekeren en beginnen met pakken. Om te beginnen zou ze de loshangende zoom van haar rok repareren.

Een klein stoffen zakje belandde met een zacht plofje op de grond toen ze haar naaigarnituur van de ladekast pakte. O god! Nog iets wat ze krampachtig had verdrongen: de anticonceptiespons die dokter Llewellyn haar had gegeven. Ze moest hem laten weken in azijn en ermee oefenen voor de eerste huwelijksnacht, aldus de dokter. Maar alleen al de gedachte dat ze zichzelf daar zou moeten aanraken, deed haar terugdeinzen.

Maar vooruit, waarom zou ze het nu niet proberen? Ze nam het zakje mee naar de badkamer en deed de deur achter zich op slot. Toen tilde ze haar jurk op, ze schoof haar onderbroek naar beneden, en voor het eerst van haar leven ging ze op verkenning in wat de dokter haar geboortekanaal had genoemd.

Even werd ze overvallen door paniek – ze had zoiets helemaal niet, alleen maar een glibberige opening waar de huid vochtig was – maar toen... ja, ze had het gevonden! Het deed pijn toen ze probeerde de spons in te brengen. Sterker nog, dacht ze hijgend en met gloeiende wangen, het was onmogelijk om het ding in die veel te kleine opening te duwen. Toen ze haar benen iets verder uit elkaar deed en zich met ondamesachtig gekreun door haar knieën liet zakken, schoot de spons uit haar hand, tegen de spiegel. Ze ging op de rand van het bad zitten en huilde, niet alleen van schaamte, maar ook van iets wat dicht in de buurt kwam van boosheid.

Waarom had haar moeder – of wie dan ook – haar dit niet verteld? Bij alle goede raad die ze voor haar vertrek had gekregen van vrienden en familie – over jurken en lendegordels, over schoenen, slangenbeten, uitnodigingen voor feestjes en over de etiquette bij het afleggen van bezoeken – had niemand ook maar één woord gewijd aan dit onderwerp.

Ze stond net de spons uit te spoelen toen ze Tor hoorde binnenkomen, samen met Viva. Haastig stopte ze de spons terug in zijn *gingang* behuizing, waarna ze zo nonchalant mogelijk de badkamer uit kwam.

'Wat is er?' vroeg Tor meteen.

'Niks.'

'Jawel, er is iets,' hield Tor vol. 'Doe maar niet alsof er niks aan de hand is. Ik zie aan je gezicht dat je hebt gehuild.'

'Ach...' Rose keek naar Viva. Ze wilde iets algemeens en filosofisch zeggen over het schip dat spoedig in Bombay zou arriveren, en wat een belangrijk moment dat zou zijn voor hen allemaal, maar in plaats daarvan barstte ze in snikken uit.

'Wil je dat ik wegga?' vroeg Viva.

'Nee, blijf alsjeblieft,' zei Tor, hoewel Rose inderdaad liever had gehad dat Viva wegging. 'Een voor allen, allen voor een.'

Rose glimlachte beleefd. 'Het spijt me,' zei ze tegen Viva. 'Ik stel me aan.'

Maar ineens bedacht ze dat Viva misschien iets meer over het onderwerp zou weten. Bovendien was dit haar laatste kans, besefte ze. Dus ze haalde het zakje tevoorschijn en liet Tor en Viva de spons zien.

'Ik heb moeite met dit.' Haar gezicht was verkrampt omdat ze haar best deed niet weer te gaan huilen. 'Hebben jullie enig idee wat ik ermee moet?'

'Wat is het?' Tor nam de spons van haar over. 'Wat een schattig klein ding.'

'O Tor! Hou alsjeblieft je mond!' snauwde Rose. 'Het is helemaal niet schattig. Het is afschuwelijk.' Ze griste de spons terug en hield hem Viva voor, nog altijd krampachtig slikkend.

Viva boog zich erover heen. 'Het spijt me, maar ik heb geen flauw idee. Hoewel, wacht eens...'

Ze haastte zich naar haar eigen hut en kwam even later terug met een dik boek in een eenvoudige, bruine kaft. *Het ideale huwelijk* stond erop.

'Dit heb ik gevonden in een boekwinkel vlak bij het British Museum,' vertelde ze. 'Ik vind het afschuwelijk als ik dingen niet weet, dus vandaar dat ik het heb gekocht.'

Ze gingen met hun drieën op een van de bedden zitten, Viva met het boek in het midden.

'Wil je dat ik "sponzen" opzoek, lieverd?' vroeg Tor met een berouwvolle blik op Rose. Ze pakte het boek uit Viva's handen. 'Dat moet erin staan. Schuif eens op. Eens even kijken, waar is de inhoud?' Ze begon te bladeren. 'Hier heb ik hem: Liefde als abstract concept; Liefde als persoonlijke beleving; De taal van de ogen; Seksuele competentie van klein geschapen vrouwen – wat zouden ze dáár in 's hemelsnaam mee bedoelen? Lichamelijke hygiëne; Geestelijke hygiëne; Naspel. Er moet iets instaan over sponzen. Het is gewoon een kwestie van zoeken.'

'Doe geen moeite.' Rose keek naar het fraaie Perzische tapijt dat tussen de twee bedden op de vloer lag. 'Uiteindelijk kom ik er vanzelf wel achter.'

'Hoor eens, Rose. Dit is niet het moment om terug te krabbelen,' zei Tor streng. 'Wat doe je in Poona wanneer Viva er niet meer bij is? Het is afschuwelijk om het gevoel te hebben dat je van niets weet,' vervolgde ze. 'Toen ik voor het eerst mijn maandelijkse periode had, wist ik ook van niets. Niemand had me iets verteld. Dus ik was ervan overtuigd dat ik zou doodbloeden. Mijn moeder zat in Londen, dus ik ging ermee naar mijn vader. Hij stierf bijna van gêne en bracht me uiteindelijk wat oude lappen en zijn regimentsdas, en vervolgens heeft hij er nooit meer iets over gezegd.'

Rose stond op. Ze verafschuwde dit soort gesprekken, maar Tor wilde van geen ophouden weten.

'Ga zitten, Rose,' zei ze. 'Viva, we nemen een glas drambuie en we gaan dit boek lezen.'

'Maar Tor, het is ochtend!' zei Rose afkeurend.

'Dat kan me niet schelen,' zei Tor. 'Drink op!'

Rose nam een slok drambuie, en toen nog een, dankbaar voor het benevelende effect van de drank.

'Dit boek, daar hebben we niks aan,' zei Tor na een tijdje. 'Je hebt beloofd dat je ons er alles over zou vertellen, Viva. En jij bent de oudste. Dus ik zou zeggen, begin met kussen, en dan alles wat daarna komt. Ik heb natuurlijk wel eens een man gezoend – dat heeft zelfs Rose – maar hoe vinden mannen dat het lekkerst?'

'Ik ben echt geen deskundige,' protesteerde Viva met een verlangende blik naar de deur.

'Viva! Vertel!' commandeerde Tor.

'Goed dan, ik zal jullie vertellen wat ik weet van kussen,' zei Viva ten slotte. 'Maar bedenk wel dat ik maar één verhouding heb gehad, geen tientallen. Het eerste wat je moet beseffen, en dat geldt voor bijna iedere man: als je maar dicht genoeg bij hem staat, zal hij bijna zeker proberen je te kussen. En als hij dat doet, als een man zijn hoofd schuinhoudt en zijn gezicht naar je toe buigt, moet jij de andere kant uit buigen, om een botsing der neuzen te voorkomen.' Uitbundig geschater. 'En hoewel ik dit zelf niet echt zo heb ervaren, schijnt het dat sommige kussen te vergelijken zijn met muziek – soms hartstochtelijk en onderzoekend, soms zacht. En volgens mij moet je de man als het ware laten leiden, zodat je niet uitzinnig begint te zoenen, terwijl hij bijvoorbeeld een heel tedere kus in gedachten heeft.'

'Ik heb Jack gekust.' Rose maakte haar blik met moeite los van het tapijt. 'Maar toen heb ik dit allemaal niet gedaan. Het klinkt zo wetenschappelijk. Maar wat fijn voor je,' voegde ze er tactvol aan toe. 'Dat je iemand had die de moeite nam om je te leren hoe het moet.'

'Vind je?' Viva sloeg haar ogen neer. 'Ach, misschien heb je gelijk...' Ze draaide haar glaasje rond tussen haar vingers. 'Ook al was hij niet echt een leraar. Tenminste, niet iemand van wie ik iets wilde leren,' voegde ze er cryptisch, bijna stamelend aan toe. Het was duidelijk dat de herinnering aan de man in kwestie haar verdrietig maakte.

'Kom, meisjes! Opdrinken.' Tor schonk nog een beetje drambuie in hun glazen. 'Ik heb ook een belangrijke vraag voor Viva.'

'Vraag maar raak.' Viva sloeg de inhoud van haar glas achterover. 'Maar ik ben echt geen bron van wijsheid, alleen de bezitter van dit boek.'

'Ik vraag het je toch. Misschien weet je het.' Tors gezicht drukte gêne uit. 'Ik denk dat ik gisteravond iets heel stoms heb gedaan, met Jitu Singh.'

Rose hield geschokt haar adem in.

'Nee, maak je geen zorgen. Zo ver ben ik niet gegaan,' stelde Tor haar gerust. 'O lieverd, je zou je eigen bleke gezicht eens moeten zien.'

Ze vertelde dat ze Jitu bij zich had geroepen en met hem had geflirt. Dat ze hem min of meer had gevraagd om met haar te dansen, en dat hij toen plotseling een toenaderingspoging had gedaan.

'Ik zal wel onnozel zijn,' besloot ze haar verhaal. 'Maar zijn alle Indiase mannen zo? Zijn het allemaal zulke beesten? Dus moeten we extra voorzichtig met ze zijn?'

'Natuurlijk zijn het geen beesten,' zei Viva. 'Maar ik denk wel dat wij ze in verwarring brengen.'

'Hoe dan?'

Viva zweeg even. 'Ach, een man als Jitu heeft waarschijnlijk met eigen ogen gezien dat sommige blanke vrouwen makkelijker met een man naar bed gaan dan de vrouwen uit zijn vaderland. Tenslotte gaan we heel vrij om met mannen die geen familie van ons zijn, en we dansen in openbare gelegenheden. Dat doen in India alleen prostituees en danseressen. Dus ik heb het niet over jou, Tor, maar over de buitenlandse vrouwen in Jitu's eigen land. Indiërs zien hoe de mems verhoudingen hebben, of openlijk flirten op een manier zoals een vrouw uit India dat nooit zou durven. Dus het is geen wonder dat we hen in verwarring brengen.'

'Dan zullen ze ons wel erg opwindend vinden?' Tor klonk bijna gretig.

'Ach, dat weet ik niet,' zei Viva. 'De schrijfster voor wie ik werkte, had jaren in India gewoond. Volgens haar vonden de meeste mannen daar de Europese vrouwen niet bijster aantrekkelijk. Ze vinden ons veel te bleek – "de kleur van ongebakken deeg," waren haar woorden. Maar het blijven mannen, en een blanke vrouw is een curiositeit en voor sommigen zelfs een statussymbool.'

'Maar zijn de mannen in India warmbloediger?' hield Tor vol.

'Waarschijnlijk.' Viva bloosde bijna terwijl ze het zei. 'Maar dat weet ik niet zeker.'

Ze slaakten alle drie een diepe zucht. Toen begonnen ze een beetje gegeneerd te lachen.

'Dus we zouden inderdaad voorzichtiger moeten zijn,' concludeerde Tor.

'Ja.'

'Wat opwindend.'

'Lieverd, ik vind echt dat we naar boven moeten, om te lunchen.' Rose wilde er niet langer over nadenken. Het was veel te warm in de hut, en ze voelde zich een beetje misselijk.

'Laten we drinken op... Ik weet het niet... Het naspel!' Tor trok een gek gezicht.

'Ach, gekkerd.' Rose kneep haar, en ze dacht: Wat ga ik je verschrikkelijk missen!

Bij de deur van de hut bleef ze staan: 'Viva, als we in Bombay zijn, kom je dan op mijn bruiloft?'

En Viva zei ja.

19

Poona

In zijn vier jaar als cavalerieofficier was Jack regelmatig bang geweest. Vier maanden na zijn basistraining in Poona was hij naar een afgelegen post in de heuvels gestuurd, in de buurt van Peshawar, aan de noordwestgrens, om te helpen bij het patrouilleren langs een van de gevaarlijkste en minst stabiele grenzen ter wereld. Na nachten te paard op bergachtige wegen wanneer je in iedere schaduw een dodelijk gevaar zag, stonden de spieren in je nek strak als orgelregisters.

De jacht op wilde zwijnen, een van de gevaarlijkste sporten ter wereld die door het regiment met hartstocht werd beoefend, had hem aanvankelijk ware doodsangst aangejaagd. Je reed in razende galop over ruw terrein, door het dicht opwaaiende stof vaak niet in staat meer dan een paardlengte voor je uit te zien.

Op de dag dat Scuds, zijn beste vriend, tijdens de sport was omgekomen, had hij gezien dat het paard van Scuds met zijn hoef bleef steken in een vossenhol, waarop zijn vriend als door een katapult was weggeschoten. Enkele ogenblikken later had tussen de bomen een misselijkmakend gekraak geklonken toen Scuds zijn nek brak.

India maakte hem bang. In Bombay had hij ooit gezien dat een bestuurder door een woedende meute uit zijn auto werd gesleurd, overgoten met benzine en veranderd in een soort krijsende Guy Fawkes-pop, omdat hij per ongeluk een kind had aangereden.

Maar de angst die hij nu voelde, was nieuw en omhulde hem volledig, als een verstikkend, duister net. Het was de angst die voortkwam uit de gedachte dat Rose al over enkele uren zou aankomen; dat hij over tien dagen met haar getrouwd zou zijn. Ik ken je niet, dacht hij. Die ochtend was hij in bed overeind geschoten terwijl die woorden door zijn hoofd dreunden. Al maanden probeerde hij haar beeld vast te houden – de verlegen kus, als van een schoolmeisje, op het tussenbordes in het trappenhuis van de Savile club, een picknick in de tuin van haar ouderlijk huis –

maar het was ineens verdwenen, als een heerlijke geur, of als een droom die je je bij het ontwaken nog slechts vaag herinnert. Inmiddels voelde de hele situatie als een akelige grap, een nare droom waar geen eind aan wilde komen. En het zou niet lang meer duren, of die maar al te levendige droom werd een publiek schouwspel.

Volgens de memsahibs op de club moest hij wel verschrikkelijk opgewonden zijn, sterker nog, in de zevende hemel! Met als gevolg dat hij zich een afschuwelijke bedrieger voelde. De *Pioneer Mail* had hem de vorige dag gebeld met de vraag naar de juiste spelling van haar meisjesnaam – Wetherby? Whetherby? – en waar in Engeland ze precies vandaan kwam. Hij had een gênante aarzeling moeten maskeren omdat hij diep had moeten nadenken over dergelijke elementaire informatie. De goudsbloemen die de bedienden tegenwoordig regelmatig bij haar foto zetten, maakten dat hij zich nog ellendiger voelde, een nog grotere oplichter.

De onwaarschijnlijkheid van de hele situatie was er de oorzaak van dat hij zich licht in zijn hoofd voelde, en dat hij voor het eerst in jaren zijn vader miste. Hij zou met hem uit rijden willen gaan, zoals ze dat vroeger hadden gedaan wanneer hij met een probleem zat. Hij verlangde naar de onverbloemde taal van zijn vader, hij wilde zijn vader horen zeggen dat alle mannen het benauwd kregen vlak voor hun trouwen. Maar dat was natuurlijk onzin, en dat wist hij maar al te goed. Zijn ouweheer had zelf een potje gemaakt van zijn huwelijk. Trouwens, hij had met zijn vader nooit echt over gevoelens gepraat.

Hij had ook overwogen om Maxo – luitenant Maxwell Barnes – in vertrouwen te nemen, de stotterende, humoristische regimentsbroeder die een van zijn beste vrienden was geworden. Hun vriendschap dateerde uit de tijd dat hij op de rijschool in Secunderabad had gezeten. Ze hadden samen gekampeerd en ze waren zelfs ooit samen onder schot gehouden door een woedende meute bij Peshawar. En dan was er natuurlijk Tiny Barnsworth, de zachtmoedige reus met wie hij tijdens het seizoen vier dagen per week polo speelde en met wie hij het goed kon vinden. Maar het juiste moment leek zich nooit voor te doen. Trouwens, het was een van de regels van het regiment dat er in de mess niet over vrouwen werd gesproken.

Hij keek op zijn horloge. Over vierentwintig uur zou het schip aankomen; de angst verspreidde zich van zijn nekspieren naar zijn grommende maag. Om zes uur die avond zou hij naar Bombay rijden, om met Cecilia Mallinson een 'hartversterkertje' zoals zij het noemde, te drinken voordat zijn meisje aankwam.

Hij had Cecilia – 'Zeg maar CiCi' – de afgelopen maand twee keer ontmoet en vond haar nogal intimiderend met haar opgewekte, geraffineerde spraakwaterval, haar zwoele, veelbetekenende blikken. Ze had hem uitgenodigd op haar club voor een 'informeel babbeltje' over bruidsjurken en de uitnodigingen voor het huwelijk, en over alles wat ze met de meisjes van plan was, en wat ze voor hen had georganiseerd in de tien dagen voor de bruiloft.

'Je hoeft natuurlijk niet bij alles aanwezig te zijn.' Ze had haar benen over elkaar geslagen en een rookwolk in zijn richting geblazen. Hij verafschuwde rokende vrouwen; de vurige lippenstiftvlekken op de twee sigarettenpeuken in de asbak vervulden hem met weerzin.

'Dat zal ook niet gaan,' had hij bot geantwoord. 'Het regiment verkeert in staat van semi-paraatheid door de Awali-crisis. Er bestaat zelfs een kans dat we op korte termijn weer naar het noorden moeten.'

'Ach gossie.' Ze had glimlachend met haar hoofd gewiebeld. 'Weet het vrouwtje dat wel?'

'Welk vrouwtje?' vroeg hij snauwend. Hij besefte dat hij onbeleefd was, maar haar manier van converseren was ronduit brutaal.

'Rose, natuurlijk.'

'Nee,' zei hij. 'Nog niet. Ik wil dat we elkaar eerst wat beter leren kennen.'

Nog vierentwintig uur te gaan. Om een beetje rustig te worden liep hij naar de stallen, naar Bula Bula, zijn lievelingspaard. Bula Bula betekende nachtegaal in het Urdu. Het paard was een ondermaats beestje geweest toen ze elkaar hadden leren kennen. Het had geen naam en was nog nooit de stal uit geweest. Nu glansden Bula's gestaalde spieren tijdens zijn dagelijkse borstelbeurt. Jack kon vanuit het zadel in volle galop een handdoek van de grond pakken. En hij had Bula geleerd doodstil te blijven liggen onder een berg stro terwijl zijn makkers een groep overvallers in een hinderlaag lokten. Een goede oefening voor zowel ruiter als paard.

'Bullsy, ouwe jongen.' Hij kriebelde het dier in de holte onder zijn kaak, zodat het paard bijna zijn adem inhield van genot. 'Mijn eigen B.B.. Mijn Bullsy Boy.'

Hij streek het paard over zijn manen, kneedde ze tussen zijn vingers en voelde dat het paard gelukzalig tegen hem aan leunde. Als je de moeite nam ze te leren kennen, was het zo gemakkelijk om met paarden om te gaan – vooral de paarden die op stal stonden, hunkerden ernaar te worden geaaid.

'Goedemorgen, sahib.' Zijn stalknecht kwam van onder het dier tevoorschijn, salueerde en ging verder met borstelen: vijf minuten de rug, tien minuten de buik, vijf minuten het hoofd. Aldus luidde de opdracht voor elk afzonderlijk paard. Daarna kwam het glanzende hoofdstel aan de beurt, het blauw-met-gouden sjabrak, Bula's hoeven die moesten worden geolied, zijn hoofd moest worden gewreven en zijn glanzende nek gepoetst. Jack begon zich al beter te voelen. Er klonk hoefgeklepper. Maxo en Tiny reden het erf op en riepen zijn naam. Toen Jack omkeek, zag hij vanuit de schemerige paardenbox de twee mannen scherp afsteken tegen de stralende hemel. Taaie jonge kerels in de kracht van hun leven. Zijn beste vrienden.

Hij besefte dat ze naar hem glimlachten zoals mensen dat deden op een begrafenis. In de hechte wereld van het regiment wisten ze allemaal hoe je wereld veranderde wanneer je eenmaal getrouwd was.

Vijf minuten later galoppeerden ze schreeuwend als wilden, bedekt met rood stof over het poloveld, waar ze als kwajongens deden alsof ze elkaar de bal toespeelden. Vandaar kozen ze het lange, rode pad dat naar de renbaan leidde. De paarden sprongen naar voren, hun hoeven dreunden over de rode aarde, hun flanken bedekt met schuimend zweet.

Schreeuwend en huilend tegelijk had hij eindelijk het gevoel dat hij zichzelf hervond, en hij was dankbaar dat niemand hem kon zien. Het voelde als de laatste dag van zijn leven.

Drie uur later zat hij – in uniform, geschoren, gebaad en tot rust gekomen – tegenover kolonel Atkinson in diens kantoor.

Zijn bevelvoerend officier was een opgewekte man met een rood gezicht die vloeiend Urdu sprak en een liefhebber was van amateurtoneel. Jack mocht hem graag en bewonderde de keiharde militair om het gemak waarmee hij omging met zijn mannen. Vandaag speelde Atkinson verstrooid met het hoefijzer dat hij als presse-papier gebruikte. Jack begreep al snel wat daarvan de reden was.

'We hebben gisteravond slecht nieuws gekregen uit Bannu,' zei de kolonel. 'Drie van onze mannen daar zijn in een hinderlaag gelokt en verdwenen. Ik ga het morgen algemeen bekend maken. Reynolds, onze hoogste man daar, weet bijna zeker dat dit alleen nog maar het begin is.'

'Het spijt me dat te horen, kolonel.'

'Het spijt ons allemaal, maar waar het om gaat, is dat het eind nog niet in zicht is. Vandaar dat we – dat is zo goed als zeker – nog meer mensen zullen sturen. En we zouden graag zien dat jij het commando op je neemt van een compagnie. Ik besef dat het moment erg ongelukkig gekozen is.'

'Wanneer is het zover, kolonel?'

'Over een paar weken, misschien eerder. Het spijt me als dit je trouwplannen in de war stuurt, maar mijn handen zijn gebonden.'

De blik van de kolonel – eerder geërgerd dan berouwvol – sprak boekdelen. Het was algemeen bekend dat hij het afkeurde wanneer zijn mannen voor hun dertigste in het huwelijksbootje stapten.

'Daar kunt u niets aan doen, kolonel. Ik beschouw het als een eer.' Dat meende hij oprecht. Onder andere omstandigheden zou hij het geweldig hebben gevonden.

'Denk je dat je vrouw het aankan?'

Op slag werd zijn mond weer kurkdroog, begon zijn hart te bonzen.

'Daar ben ik van overtuigd, kolonel.'

'O, en Chandler.'

'Kolonel?'

'Ik wens je veel geluk.'

'Dank u wel, kolonel.'

20

Bombay: afstand naar Londen 6284 mijl.
Tijdsverschil: vijfenhalfuur
31 oktober 1928

De hutkoffers van Tor en Rose waren gepakt en voor de deur op de gang gezet, toen Nigel bij hen aanklopte.

'Boodschap van de kapitein,' begon hij stotterend. 'De laatste dienst op zee wordt vanmiddag om halfvijf gehouden in de grote salon. Boodschap van mij: ik heb een grote fles champagne die onze aandacht vraagt, om één uur in mijn hut.'

'O, Nigel.' Tor sloeg haar armen om hem heen en knuffelde hem. 'Wees eens eerlijk. Denk je dat je wel zonder ons kunt?'

Hij beantwoordde haar omhelzing, blozend van verlegenheid.

'G-g-geen idee. Ik zal het jullie schrijven.'

De volgende dag zou hij de trein nemen naar Cherrapunji, wist ze, de afgelegen post in de bergen. Een van de natste plekken ter wereld, zoals hij hun had verteld. Hij had er op zijn nonchalante, schertsende manier aan toegevoegd dat drie van zijn voorgangers zelfmoord hadden gepleegd, door de eenzaamheid tot wanhoop gedreven.

'Maar dan hoef ik tenminste niet langer naar dat afgrijselijke gekweel van jullie te luisteren.'

Wanneer Nigel somber werd, hadden Tor en Rose zich aangewend los te barsten in *'Oh de painin', oh de pain'* in negro spiritual-stijl, omdat ze het niet aankonden akelige dingen over India te horen.

'Ik moet rennen! Mijn koffers zijn nog niet gepakt,' zei hij. 'Maar vergeet de champagne niet. En zeg het ook tegen Viva.'

'Ik zal het haar zeggen, maar volgens mij heeft ze vannacht geen oog dichtgedaan,' zei Tor. 'Guy is volledig van streek door de naderende ontmoeting met zijn ouders.'

'Ik heb echt met hem te doen.' Nigels knappe gezicht werd ernstig. 'En met Viva. Ze zal het in India niet makkelijk krijgen.'

'Welja. Die redt zich prima. Ze is al zo volwassen en ze wordt schrijfster,' zei Tor trots. 'Bovendien gaat ze immers de spullen van haar ouders halen?

Die hebben haar vast en zeker meer dan genoeg nagelaten om van te leven.'

'Ik weet het nog zo net niet. Dat ze zich prima zal weten te redden, bedoel ik. Ze is te uniek, te vrijgevochten.'

'Nigel! Je gaat me toch niet vertellen dat jij ook al verkikkerd op haar bent?'

'Schei toch uit, Tor,' zei hij scherp. 'Je kunt je toch wel zorgen maken over iemand zonder dat je er verkikkerd op bent?'

'Maar Viva is onze bron van kennis als het over India gaat. Ze is er geboren. Daar voelt ze zich meer thuis dan in Londen, zegt ze.'

'Ze was nog maar een kind toen ze wegging,' zei hij. 'India is volwassen geworden. En de situatie wordt steeds angstaanjagender. De mensen daar willen ons niet meer. En ik kan het ze niet kwalijk nemen.'

Maar Tor had haar vingers al in haar oren gestopt en begon te neuriën – 'Oh de painin', oh de pain' – tot Nigel zweeg en jankte als een jonge hond, alsof het allemaal maar een grapje was geweest.

Viva zag bleek en maakte een nerveuze indruk toen ze op het champagnefeestje verscheen.

Samen met Tor, Rose, Frank, Jane Ormsby Booth en Marion, een andere nieuwe vriendin, wist ze zich een plaatsje te veroveren in Nigels stampvolle hut.

'O heerlijk! Goddelijk.' Tor sloot haar ogen en hield Nigel haar champagneflûte voor. 'Wat een uitstekend idee!' Ze deed haar uiterste best Frank te laten zien hoe vrolijk en opgewonden ze was, ondanks het feit dat ze zich nog steeds bezeerd voelde door hun gesprek van de vorige avond.

'Niet zo haastig, kindje.' Nigel zette de fles neer en pakte een boek. 'Ik ga jullie eerst een gedicht voorlezen. Stilte! Stelletje cultuurbarbaren!' mopperde hij om een eind te maken aan hun gesteun en om hun protesten een halt toe te roepen dat hij hen onder valse voorwendselen naar zijn hut had gelokt. 'Het duurt maar twee minuten. Later zijn jullie me er dankbaar voor. Het gedicht heet "Ithaka", maar het had net zo goed "India" kunnen heten.'

Hij ging dicht naast Viva zitten en begon te lezen.

'Als je de tocht aanvaardt naar Ithaka
wens dat de weg dan lang mag zijn,
vol avonturen, vol ervaringen.

De Kyklopen en de Laistrygonen,
de woedende Poseidon behoef je niet te vrezen,
hen zul je niet ontmoeten op je weg
wanneer je denken hoog blijft, en verfijnd
de emotie die je hart en lijf beroert.
De Kyklopen en de Laistrygonen,
de woeste Poseidon, je zult hen niet ontmoeten
als je ze niet in eigen geest meedraagt,
je geest hen niet gestalte voor je geeft.'

'Sorry,' viel Jane Ormsby Booth hem in de rede. 'Ik lees nooit gedichten. Waar gaat het over?'

Maar Viva en Frank legden haar het zwijgen op, en Nigel vervolgde:

'Wens dat de weg dan lang mag zijn.
Dat er veel zomermorgens zullen komen
waarop je, met grote vreugde en genot
zult binnenvaren in onbekende havens,
pleisteren in Phoenicische handelssteden
om daar aantrekkelijke dingen aan te schaffen
van parelmoer, koraal, barnsteen en ebbenhout
ook opwindende geurstoffen van alle soorten,
opwindende geurstoffen zoveel je krijgen kunt;
dat je talrijke steden in Egypte aan zult doen
om veel, heel veel te leren van de wijzen.'

'Ben jij in Egypte ook van boord gegaan?' vroeg Jane aan Tor. 'De winkels waren – oeps! Sorry!'

'Ga door, Nigel.' Tor legde haar hand op Janes mond. In de stilte die volgde, hoorde Tor het razen van de zee.

Nigel begon weer. Om de een of andere merkwaardige reden stotterde hij niet wanneer hij poëzie voordroeg.

'Houd Ithaka wel altijd in gedachten.
Daar aan te komen is je doel.
Maar overhaast de reis in geen geval.
Beter is dat die vele jaren duurt,

zodat je oud zult zijn wanneer je bij het eiland
het anker uitwerpt, rijk aan wat je onderweg verwierf
en niet verwachtend dat Ithaka je rijkdom schenken zal.
Ithaka gaf je de mooie reis.
Was het er niet, dan was je nooit vertrokken,
verder heeft het je niets te bieden meer.

En vind je het er wat pover, Ithaka bedroog je niet.
Zo wijs geworden, met zoveel ervaring, zul je al
begrepen hebben wat de Ithaka's beduiden.'

Het werd stil toen hij was uitgesproken. Een stilte die werd verbroken toen hij de kurk van de champagne liet knallen en hun glazen vulde. 'Laten we drinken op schitterende reizen,' zei hij. 'Op al onze Ithaka's.' Tor zag dat er tranen in zijn ogen glinsterden.

'Bravo, Nigel,' zei Viva zacht. Ze legde haar hand op zijn arm. 'Van wie is het?'

'Kavafis.' Hij keek haar aan. 'Ik wist dat je het mooi zou vinden.'

'Ja, ik vind het erg mooi.' Ze keken elkaar recht in de ogen.

'Op Phoenicische havens en op Bombay.' Frank nam Tors hand in de zijne, zodat ze nerveus begon te giechelen.

'Op prachtige reizen,' zei Viva.

'En op jullie allemaal omdat deze reis dankzij jullie zo mieters is geweest,' zei Tor met zoveel vuur dat ze allemaal begonnen te lachen, behalve Rose, die peinzend naar de horizon staarde.

Ruim een uur later zetten ze hun hoed op en namen ze plaats in de salon, die voor de laatste dienst op zee tijdelijk was veranderd in een kerk. Een Britse vlag lag over het provisorische altaar gedrapeerd, en door de ramen konden ze vaag de wazige kustlijn van India zien.

Een grote, hevig transpirerende vrouw stortte zich op het harmonium, waarna het gezang van zo'n honderd stemmen opsteeg naar de stralend blauwe hemelkoepel. Tor liet haar blikken over de rijen gaan: de memsahibs, allemaal in hun mooiste kleren, de kolonels, Jitu Singh, de missionarissen, de man met het rode gezicht die in de jute zat, de kleine kinderen op hun knietjes bij hun moeders, terwijl hun ayahs buiten de salon wachtten in hun kleurige sari's.

Toen het gezang was afgelopen, knielden ze allemaal neer. Rose, die naast haar zat, bad zo vurig dat haar knokkels wit waren, zag Tor.

Viva kwam te laat binnen, met Guy. Het pak dat hij droeg, was hem veel te groot, en in combinatie met zijn verdwaasde blik zag hij eruit als een mol.

Frank was ook te laat. Hij ging aan de andere kant van het gangpad staan en zag er in zijn uniform zo knap uit dat Tor uit alle macht haar nagels in de palm van haar hand begroef.

De vorige avond, aan dek, had ze een gesprek met hem gehad dat haar veel pijn had gedaan, ook al had hij daar geen idee van.

Ze hadden een rondje over het dek gemaakt, en het had allemaal zo romantisch geleken. Een zachte bries streek langs haar gezicht, het hele schip was verlicht en leek op een sprookjeskasteel van glas tegen de achtergrond van de met sterren bezaaide hemel. Als hij me echt wil kussen, dan doet hij het nu, had ze gedacht. Maar in plaats daarvan had hij de duisternis in gekeken en zo'n hartgrondige zucht geslaakt dat ze nonchalant – althans, dat hoopte ze – had gevraagd: 'Wat ga je eigenlijk doen wanneer we eenmaal in India zijn? Je bent zo geheimzinnig als een sfinx over je plannen.'

Hij had haar uitdrukkingsloos aangekeken. 'Is dat zo? Nou, ik ben een sfinx zonder geheim, want ik ben er inmiddels vrij zeker van dat ik eerst een paar weken in Bombay blijf om geld te verdienen. Daarna ga ik naar het noorden, om onderzoek te doen.'

'Naar dat zwartwaterkoortsgedoe?'

'Ja,' zei hij somber. 'Volgens mij heb ik het daar al eens over gehad. Een afschuwelijke ziekte. Er is nog niet veel over bekend.'

Onder andere omstandigheden had ze misschien geprobeerd meer van hem te weten te komen. *Alle mannen vinden het heerlijk om over zichzelf te praten. Toon belangstelling voor zijn werk.* Maar hij had er diep ongelukkig uitgezien en was in stilzwijgen vervallen. In een poging tot luchtigheid had Tor gezegd: 'Het is niet te geloven dat we morgenochtend al in Bombay zijn. Ik vind het allemaal zo opwindend.'

'Wat ben je toch lief,' had hij verdrietig gezegd. 'En zo gretig, zo enthousiast over alles.'

'Ben jij dat dan niet? Kom op, Frank. Dat moet jij toch ook zijn? Het is zo'n geweldig avontuur. Voor ons allemaal.'

'Niet echt.' Hij had een sigaret opgestoken en chagrijnig de rook uitgeblazen.

In de daaropvolgende vijf minuten had hij haar verteld dat ze een reuze-meid was, echt allerliefst enzovoort. Onder andere omstandigheden pre-cies het soort meisje waarop hij verliefd zou zijn geworden. Maar hij hield al van iemand anders.

Tor had zichzelf gedwongen te knikken en te glimlachen.

'Is het iemand die ik ken?'

Hij had zich afgewend.

'Nee. Ik denk niet dat iemand haar kent.' Hij had nog iets gezegd, maar de wind had de woorden meegenomen. Daarop had hij zich weer naar haar toe gekeerd, met een blik van oprechte wanhoop in zijn ogen. 'Ik heb zo hard mijn best gedaan. Waarschijnlijk te hard. Ze is bevroren, ze heeft zich helemaal teruggetrokken in zichzelf. Maar ik kan haar niet meer uit mijn gedachten zetten. Ach Tor, waarom vertel ik je dit alle-maal? En wat lief van je om naar me te luisteren.'

'Dat spreekt toch vanzelf. Daar zijn vrienden immers voor.' Ze had zelfs een grapje gemaakt. 'Mijn moeder noemt dat altijd deurknopgehei-men. De dingen die je eruitflapt als je op het punt staat te vertrekken. En dit is tenslotte onze laatste avond aan boord.'

Het dek lag er verlaten bij, dus hij had haar luchtig op het puntje van haar neus gekust. Als een oom die zijn nichtje kuste.

'En, lief meisje, wat verwacht jij van het leven? Romantiek? Baby's? Feestjes?'

'Nee.' Ze voelde zich gekwetst. 'Ik verwacht meer, veel meer.'

'Ik bedoelde het niet kwetsend.' De afwezige blik was uit zijn ogen verdwenen. Hij keek haar onderzoekend aan. 'Wat verwacht je dan alle-maal?'

'Ik weet het niet, Frank.' Ze had het gevoel alsof haar geest werd ver-troebeld door nevelen van droefheid, maar uiteindelijk trok de mist op, en toen ze hem aankeek had ze even het gevoel dat hij de vijand was.

Geef hem het gevoel dat hij belangrijk is. Ze moest denken aan alle wee-ige raadgevingen die ze in de damesbladen had gelezen. Maar plotseling kon het haar allemaal niets meer schelen.

'Ik hoop op iets waarmee ik verder kan. Een baan. Iets blijvends. Iets wat me niet zomaar kan worden afgenomen.'

'Allemachtig, ben jij ook al zo'n suffragette?' had hij verbitterd gezegd. 'Of is dat Viva's invloed?'

'Lieverd.' Rose porde haar onzacht tussen haar ribben. 'Hou op met staren.'

'Dat deed ik niet.' Tor maakte met moeite haar blik los van Frank.

'Wel waar,' hield Rose vol. 'Je stond hem ronduit aan te gapen!'

Ze gingen dichter bij elkaar staan, vriendinnen tot het laatste moment. Ze zongen 'To Be A Pilgrim' en daarna 'I' Bow to Thee My Country'. Nigel, die aan de andere kant naast haar stond, probeerde haar aan het lachen te maken door de bovenstem te zingen.

Lieve, zachte, slimme, grappige Nigel. Hij was het type man met wie ze zou moeten trouwen. En met zijn gestotter was hij net zo'n mislukkeling als zij. Arme Nigel. Ze drukte zijn arm.

Toen verstomde de muziek, en terwijl de kapitein opstond, was ze zich weer bewust van het diepe dreunen van de motor die niet meer op volle toeren draaide, van het langsrazende water. De kapitein, plechtig in zijn uniform met tressen, vroeg hun elkaar de hand te geven. Hij bad om vrede in deze moeilijke tijd in de geschiedenis van India. Hij bad om vrede en hij bad voor de Koning en voor het glorieuze Britse Imperium, waarvan ze plotseling zo'n klein, zo'n onzeker stukje leken te vormen.

21

Bombay

Viva bracht de ochtend door met het sorteren van de ranzig ruikende kleren die Guy had geweigerd te laten wassen, terwijl ze hem ondertussen wantrouwend in de gaten hield. Voor een deel was het een manier om zichzelf te ontlopen, want ze hadden hun bestemming bijna bereikt. Toen ze eerder die dag aan dek stond en de skyline van Bombay zich steeds duidelijker aftekende, had ze gedacht aan net zo'n zonovergoten dag, toen ze Josies hand in de hare had gehouden. In haar herinnering zag ze haar vader – een knappe, jeugdige, atletische verschijning – die zich losmaakte uit de menigte om zich over hen te ontfermen. En ze zag haar moeder, nerveus maar gelukkig, honderduit pratend om de lichte verlegenheid te maskeren die ze altijd voelden bij elke hereniging van het gezin.

Later op de dag vierden ze hun aankomst met een lunch in het restaurant op de bovenste verdieping van het Taj Hotel met zijn overweldigende uitzicht op de blauwe lucht, boten, vogels. Die lunch had zijn vaste rituelen: de verse mango's waar ze op school naar had gesnakt, gevolgd door een pittige curry voor haar vader, *biriyani* voor haar, ijs, bonbons, verse limonade. Het was allemaal zo'n traktatie na de gehaktschotels en stoofpotten met niertjes. Na alle dagen die ze had afgekruist op de kalender in haar slaapzaal. Het was voorbij. Waar ze van had gedroomd, was werkelijkheid geworden. Josie en zij waren herenigd met hun ouders.

Ze had haar ogen gesloten en toen ze die weer opendeed en de trillende skyline zag, werd ze even bijna misselijk van de pijn, als iemand die te vroeg op een gebroken been gaat staan. Ze waren er niet meer, ze wáren er niet meer. En hoewel ze vijftien jaar de tijd had gehad om aan dat besef te wennen, begonnen de wonden die ochtend opnieuw te bloeden.

Chowpatty Beach lag aan de overkant van de smalle strook land die bekendstond als Bombay Island. Daar waren Josie en zij op hun laatste middag in India, half verdoofd van ellende omdat ze terug moesten naar school, telkens en telkens weer het warme, turkooisblauwe water ingedoken, vanaf het strand gadegeslagen door hun moeder.

'Tijd om uit het water te komen, lieverds,' had ze uiteindelijk geroepen. Josie, die dertien maanden ouder was dan Viva en meer verantwoordelijkheidsbesef had, waadde naar de kust.

Maar Viva had haar tenen diep in het zand geduwd. 'Ik kom niet,' had ze geroepen. 'Je kunt me niet dwingen.'

Ze was in snikken uitgebarsten en had haar gezicht naar de horizon gekeerd, zodat mammie het niet zag. Maar uiteindelijk was ze toch gekomen. Ze had tenslotte geen keus.

'Malle meid,' had haar moeder gezegd, en ze had haar getrakteerd op een ijsje.

'Juffrouw Holloway?' De assistent van de purser kwam naar haar toe met een handvol bonnetjes van de bar die ze nog moest tekenen, voor consumpties van Guy en van haar. Niet voor het eerst had ze het gevoel alsof er een knoop in haar maag werd gelegd. Ze hadden de toelage van vijfentwintig pond die zijn ouders hem hadden gestuurd, met dertig pond overschreden. Over nog geen uur zou ze hen ontmoeten.

Ze stelde zich zijn vader voor als een langere uitvoering van Guy. Vleziger ook. Met een angstaanjagend gebit. *Niet om het een of ander*, hoorde ze hem in gedachten al zeggen. *Heb ik goed begrepen dat u een kind van zestien hebt toegestaan te drinken? En dat u in Port Said van boord bent gegaan en hem aan zijn lot hebt overgelaten?*

Wie zou haar bijvallen – behalve Frank – wanneer ze zijn ouders probeerde duidelijk te maken hoe vreemd Guy zich had gedragen? Hoe moeilijk haar positie was geweest? De scheepsarts leek zijn belangstelling voor Guy volledig te hebben verloren, nadat hij haar de paar fenobarbitallen had gegeven die hij 'noodrantsoenen' had genoemd. *Wij hebben nooit problemen met hem gehad*, zouden zijn ouders zeggen. En als de Glovers weigerden haar overtocht te betalen, zat ze weliswaar niet volledig aan de grond, maar het scheelde niet veel.

Ze had in totaal nog honderdveertig pond, die ze al vóór vertrek had laten overmaken naar de Grindlays Bank in Bombay, deels voor noodgevallen, deels om onderdak te kunnen betalen, deels om de reis te kunnen maken naar Simla, waar ze de hutkoffer van haar ouders zou gaan halen. Als ze niet meteen na aankomst werk vond, zou ze het nog ongeveer een maand kunnen uitzingen, dacht ze.

Inmiddels kon ze India vanaf het schip al ruiken: die ongrijpbare, onvergetelijke geur van kruiden, mest, stof, rotting. Vanuit de haven klonk het geluid van gebarsten trompetten en trommels, van *chanawalla*'s die ventten met pinda's en mungbonen.

'Madam!' Een oude man stond op het dek van een raderboot die zich langszij had gemanoeuvreerd. Hij hield een magere oude aap omhoog met een rode hoed op en liet het beestje naar haar zwaaien. 'Hallo, madam! Mevrouw Queen!' In Engeland zou niemand zo stralend lachen naar een wildvreemde.

Terwijl ze haar handen tegen elkaar legde en de namaste bracht, kwamen er tranen in haar ogen. Op de pier achter de oude man stond een veelkleurige menigte te wachten tot het schip had afgemeerd, met daartussen, als bleke paddestoelen, enkele in kaki gehulde Europeanen.

Viva keek op haar horloge en zette het een uur vooruit. Halftwaalf. Vijfeneenhalf uur vóór op Londen. In Earl's Court had ze op dit uur uit het raam van haar souterrain gekeken naar de gebruikelijke parade van enkels en schoenen die spetterend door regenplassen naar de bus en de tram liepen.

De winter stond voor de deur, maar in Bombay had ze het gevoel alsof haar huid zich als een bloem opende naar de zon.

'Viva! Viva!' Tor kwam opgewonden aanstormen. 'Is het niet allemaal verschrikkelijk opwindend?'

'Is alles goed met Rose?' vroeg Viva snel.

'Nee, natuurlijk niet. Ze is beneden, helemaal over haar toeren. Om alle nieuwsgierige blikken van de mems te ontwijken heeft ze besloten dat ze hem niet op de kade wil ontmoeten. Dus Nigel is al vooruitgegaan om Jack te zoeken en hem naar onze hut te brengen.'

'Wat heeft hij aan? Is hij in uniform of in burger?'

'Ik heb geen flauw idee, en Rose ook niet. Volgens mij moet je getrouwd zijn om dat soort dingen te weten.' Tor zette grote ogen op van de pret.

'Lieve hemel, wat angstaanjagend allemaal!'

'O Viva.' Tor omklemde haar arm nog strakker. 'Beloof je dat je me niet in de steek laat als we eenmaal van boord zijn? Jij kunt mij de stad laten zien, en ik nodig jou uit voor alle feestjes waar we naartoe gaan.'

Viva glimlachte maar zei niets. Hoe kon ze haar financiële rampspoed in hemelsnaam uitleggen aan een meisje als Tor, voor wie een maandelijkse toelage – hoe bescheiden misschien ook – iets volkomen vanzelfsprekends was?

'We gaan vanavond met de hele groep borrelen in het Taj. Ken je dat?'

'Ja.'

'Waag het niet de benen te nemen zodra het schip heeft aangelegd.'

'Nee, dat zal ik niet doen.' Schuchter beantwoordde ze Tors druk op haar arm. Ze wist nooit goed raad met dit soort situaties. 'Ik denk dat ik maar eens naar beneden ga om Guy te halen.' Ze keek op haar horloge.

'Is alles goed met hem?'

'Niet echt, nee. Ik zal blij zijn als het allemaal achter de rug is.'

Hij kwam gapend naar de deur, onaangenaam riekend en met een onverschilligheid waarvan ze wist dat die gespeeld was. Zijn kin was een stoppelveld en hij was nog in pyjama.

'Je moet nu echt een beetje voortmaken, Guy. Het is bijna kwart over twaalf. Ga je gezicht en je haren wassen. En laat je handen eens wapperen,' zei ze nijdig van ongeduld. *Je bent zestien! Geen zes!* zou ze willen zeggen.

'Dat kan nog niet. Er is iemand in de badkamer die op mijn kristalontvanger zit.' De avond tevoren, terwijl ze bezig waren zijn spullen te pakken, had hij midden in een in haar ogen volmaakt normaal gesprek zijn hoofd geschud en was losgebarsten in een kreunend gerochel waardoor de haren in haar nek overeind gingen staan.

'Wáárom heb ik wát gedaan?' Hij had haar aangekeken alsof zij het was die hard op weg was krankzinnig te worden.

'Als je ergens bang voor bent, vertel het me dan gewoon,' had ze gezegd. 'Ik hou niet van dat soort griezelige geluiden.'

'Blijf je erbij als mijn ouders me komen halen?' had hij even later nonchalant, onverschillig gevraagd. 'Ze gaan me vast en zeker een heleboel vervelende vragen stellen.'

Hij had zijn bril afgezet, waardoor zijn gezicht er ineens naakt uitzag.

'Ja, Guy, ik blijf erbij. Maar je moet het even de tijd geven. Voor je het weet voelt het weer als een gezin.'

'Mijn ouders zijn vreemden voor me, volslagen vreemden,' had hij gezegd, gevolgd door een verwensing. 'Maar bedankt voor het advies.'

'Ik weet dat ik gelijk heb,' had ze gelogen. Frank en zij waren het erover eens geworden dat het erom ging ervoor te zorgen dat hij evenwichtig bleef. Voor de zekerheid had ze hem de avond tevoren twee felroze pillen gegeven.

Inmiddels waren ze gearriveerd: ze voelde dat er een laatste huivering door De Kaiser ging terwijl het schip definitief afmeerde. Op de kade ging een luid gejuich op.

'Toe maar! Ga maar naar buiten! En zorg dat je die ellendelingen vindt.' Guys stem sloeg over van nervositeit. 'En zet op weg naar de deur die verrekte radio uit!'

22

Rose had uiteindelijk besloten toch aan dek te komen. Ze hield Tors hand in de hare geklemd, met haar nagels diep in het vlees.

'Waar is hij? Heb je hem al gezien?' vroeg ze aan Tor, die nerveus van de ene voet op de andere wiebelde.

'Nog niet, maar ik zie Viva wel.' Ze keek naar beneden, naar de wazige zee van gezichten, waar Viva zich een weg door de menigte baande. Enkele ogenblikken later drukte ze de hand van Rose. 'Kijk!' riep ze uit. 'Daar!'

Nigel stond naast een lange blonde man in kaki, met een bos vuurrode canna's in zijn hand. Toen hij hen zag, stak Nigel nonchalant zijn hand op. Het gebaar was niet veel meer dan een vluchtige draai van zijn pols. Ze hadden geweten dat ze op zijn discretie konden rekenen.

De hand van Rose sloot zich als een bankschroef om die van Tor.

'Ik ga weer naar beneden,' zei ze plotseling. 'Ik wil niet dat iedereen kijkt. Wil jij hier blijven wachten en hem naar beneden brengen?'

'Natuurlijk, lieverd. Wat is hij knap, hè?' Maar de strenge blik op zijn gezicht was haar niet ontgaan, net zomin als zijn starre houding.

'Ja,' zei Rose zwakjes.

'Vergeet niet te glimlachen als hij binnenkomt,' zei Tor. 'En probeer er ontspannen uit te zien. O hemel, ik lijk mijn moeder wel!'

Rose zei niets, maar staarde weer naar beneden.

'Voor je het weet heb je het gevoel dat jullie elkaar al jaren kennen, Rose.'

'Ja. Ja, dat weet ik.'

Nog een snelle blik, toen haastte Rose zich naar beneden, terug naar de hut, waar ze in een nonchalante pose plaatsnam in een van de rieten stoelen die tussen de twee bedden stonden. Boven haar hoofd hoorde ze het geluid van rennende voeten. Het wachten leek haar een eeuwigheid te duren, terwijl ze luisterde naar het doffe bonzen van haar hart. Toen werd er op de deur geklopt. Ze sprong overeind.

'Rose,' zei een diepe stem. En daar was hij, in de deuropening, met in zijn ene hand zijn tropenhelm, in de andere de bloemen. Hij was langer dan ze zich hem herinnerde en niet zo knap, of misschien kwam dat door de enigszins verkrampte uitdrukking op zijn gezicht.

'Nou, daar ben ik dan!' zei hij. Ze herinnerde zich ook niet dat hij zo joviaal kon zijn. Hij gaf haar de lelies. 'Die zijn voor jou. Ze groeien hier als onkruid.'

Toen hij zijn tropenhelm op het bed legde, dacht ze dat hij haar misschien zou kussen, maar in plaats daarvan zei hij: 'Is het goed als ik ga zitten?' Hij liet zich op een stoel vallen, met zijn gespierde benen gespreid, alsof hij poseerde voor een rugbyfoto, en schraapte zijn keel.

'Ze zijn prachtig, Jack.' Ze stak haar neus in de bloemen, maar ze hadden geen geur. 'Dank je wel.'

'Aardig van die Nigel om me te komen halen,' zei hij. 'Hij lijkt me een fatsoenlijke vent.'

'Ja. Hij is ambtenaar en hij gaat naar – gossie, wat dom van me, ik ben het vergeten. Maar daar kan ik wel achterkomen voor je.' Alsof het hem ook maar iets kon schelen wat Nigels standplaats zou worden. 'Ze zijn echt prachtig!'

Terwijl ze glimlachend naar de bloemen keek, voelde ze opnieuw een onaangename leegte waar haar hart zou moeten zijn.

'Een beetje stoffig, ben ik bang,' zei hij. Wat leek hij groot zoals hij daar zat. Het was alsof hij de hele hut vulde. 'Ze zijn op de motorfiets van Poona hierheen gekomen. Ik hoop dat je het niet erg vindt dat ik nog geen auto heb. Dat ben ik vergeten je te vertellen.'

'Natuurlijk vind ik dat niet erg,' zei ze, en hij schraapte opnieuw zijn keel.

Ze wenste dat haar moeder erbij was, met haar snelle lach en haar slag om met onbekenden om te gaan.

'Tor en ik hadden zo'n mieterse reis,' zei ze na een korte stilte. 'Het zal niet meevallen om weer aan het echte leven te wennen.' Zijn glimlach verdween als sneeuw voor de zon.

O hemel! Hoe kan ik dat nou zeggen? Nu denkt hij natuurlijk dat ik spijt heb van de hele toestand, dacht ze.

'Nou, je zult hier geen tijd krijgen om je te vervelen,' begon hij, maar toen zweeg hij abrupt.

De ventilator was ermee opgehouden. Haar hand voelde gênant plakkerig in de zijne.

'De plannen voor het huwelijk zijn een beetje veranderd. Ik vertel het je maar meteen, want ik wil niet dat je het van iemand anders hoort.'

Terwijl hij het zei, voelde ze een overweldigende opluchting. Het ging niet door. De hele boel was afgeblazen.

'Er zijn recent wat problemen geweest aan de grens in het noordwesten. Ik leg het je later allemaal wel uit.' Hij transpireerde, zag ze, en hij had een kuiltje in zijn kin. 'Mijn bevelvoerend officier heeft me gevraagd om me bij de grenscompagnie aan te sluiten. Maar ik weet nog niet wanneer. Mocht de trouwdatum veranderen, dan kun je zolang bij CiCi Mallinson logeren. Dat heeft ze al aangeboden. Het uitgaansseizoen begint meteen na Kerstmis, dus er zijn meer dan genoeg feestjes.'

Ze lachte een beetje gespannen. 'Schat...' Het voelde zo vreemd om dat woord te gebruiken. 'Wat je ook besluit, ik vind het allemaal goed.'

Opluchting deed zijn gezicht oplichten, alsof de zon doorbrak.

'Ik waardeer het dat je geen scène maakt,' zei hij. 'De enige zekerheid hier in India is dat alles altijd anders loopt dan je had gedacht.'

Toen ze tien minuten later de loopplank af liepen, kwam er een slanke vrouw uit de menigte naar voren om hen te begroeten. Ze was zwaar opgemaakt en droeg een modieuze cloche op haar hoofd.

'Dag lieverds! Romeo heeft zijn Julia eindelijk weer gevonden. Ik ben Cecilia Mallinson. Zeg maar CiCi.' Toen ze Rose luchtig op beide wangen kuste, was die zich bewust van een sterke geur van sigaretten en parfum, en van pepermunt – mondwater, vermoedde ze.

'Alles in orde?' vroeg Tor op gedempte toon terwijl ze naar CiCi's auto liepen.

'Prima, dank je,' fluisterde Rose zonder haar lippen te bewegen. 'Kon niet beter.'

Maar toen bleef ze abrupt staan. 'O, wat vreselijk! Ik ben vergeten afscheid te nemen van Viva. Hoe is het mogelijk?'

'Maak je geen zorgen,' zei Tor. 'Ze wist dat je in alle staten was. Trouwens, dat was zij ook. Guys ouders waren gearriveerd. Ik heb haar ons adres gegeven.'

Ze volgden de modieuze, kleine hoed van mevrouw Mallinson door de menigte, vergezeld van een ploeg inheemse dragers die hun bagage op het hoofd droegen. Een klein meisje met een smoezelig gezichtje en warrige haren kwam aanrennen en trok Rose aan haar mouw.

'Geen mammie, geen pappie, dame moet kopen.' Ze klauwde naar haar mond.

'Gewoon negeren en doorlopen,' luidden de instructies van hun gastvrouw. 'Het is pure oplichterij.'

Het duizelde Rose – er waren zoveel overweldigende indrukken: de verblindende zon, de stank van riool en wierook, de kleurige sari's en de donkere gezichten. Op de hoek van de straat keek een man in een gebarsten spiegel terwijl hij met een schaar de haren in zijn neusgaten te lijf ging.

Terwijl ze de weg overstaken, bleven ze halverwege staan: er kwam een kleine menigte aan, begeleid door het oorverdovende lawaai van fluitjes en kornetten. Boven de hoofden deinde een olifant van papiermaché, gezeten op een opzichtige troon.

Mevrouw Mallinson sloeg haar vuurrood gelakte nagels voor haar oren en vertrok haar gezicht van afschuw. 'Afgrijselijk. Werkelijk afgrijselijk!'

Tor danste op en neer van opwinding.

'Dat is Ganpati,' schreeuwde Jack. 'De god van de handel.'

Rose keek hem aan, met haar ogen half dichtgeknepen tegen de zon, en concludeerde dat hij toch wel knap was. En dat hij er erg sterk, erg mannelijk uitzag.

Ze reden naar huis in het kittige autootje van mevrouw Mallinson – een flesgroene T-Ford. Tor, die voorin zat, straalde en slaakte de ene verbaasde uitroep na de andere. Rose zat met Jack achterin, zich belachelijk bewust van waar zijn hoekige bruine knieën eindigden en de hare, gehuld in roze zijde, begonnen. Toen CiCi een mager paard ontweek, deed ze haar uiterste best om te voorkomen dat hun benen elkaar raakten. Het ging allemaal te plotseling, te snel.

CiCi draaide zich naar hen om. 'Ik zal jullie al rijdend meteen een rondleiding geven. Dat grote *pukka* imposante gebouw links, met die koepel op het dak, is het beroemde Taj Mahal Hotel,' kweelde ze luid, blijkbaar vastberaden om grappig te zijn, waardoor Rose zich zo mogelijk nog slechter op haar gemak voelde. 'Daar hebben we op oudejaarsavond een feestje. Er bestaat een grappig verhaal over het hotel,' vervolgde ze zangerig. 'Het hotel is gebouwd door een Indiër, die beledigd was omdat hem de toegang werd ontzegd tot een Europees hotel. Zijn architect, de een of andere Franse sukkel, legde het zwembad aan op de verkeerde plek – achter het hotel in plaats van ervoor. Met als resultaat dat hij zelfmoord pleegde.'

Ze lachten allemaal een beetje aarzelend, behalve Jack, die niet lachte. Hij had haartjes op de rug van zijn hand, zag Rose. Fijne, blonde haartjes. En nu ze de kans had gehad om erover na te denken, bewonderde ze hem om het feit dat hij op het schip geen bloemrijke toespraak tegen haar had gehouden. Het zou gewoon tijd nodig hebben.

'Aan de linkerkant zien jullie zometeen de Bombay Yacht Club. Daar gaan we altijd zeilen. Ook weer een stek waar we vaak en graag komen. En daarachter – oeps!'

Toen CiCi abrupt op de rem trapte, stootte het been van Jack tegen dat van Rose. Vlak vóór de auto stak een man de weg over met een tros bananen.

'En daarachter...' CiCi klonk alsof ze al genoeg had van de rondleiding. 'India. Stampvol heidense goden, in niets te vergelijken met Hampshire.'

Rose zag dat haar ogen ondeugend glinsterden terwijl ze naar hen keek in haar achteruitkijkspiegeltje. Ze bloosde, haar hart ging als een razende tekeer. Jack had haar hand weer in de zijne genomen.

23

2 november 1928 – YWCA, Bombay. Fragment uit het
dagboek van Viva Holloway

*Ik moet het allemaal opschrijven voordat ik dingen begin te vergeten. Guy
Glover is een rat, hij heeft me erin geluisd. Hij smeekte me erbij te blijven
wanneer hij met zijn ouders werd herenigd. Ze hadden vier dagen in de trein
gezeten vanuit Assam, waar meneer Glover een theeplantage heeft. Gezien
Guys mentale conditie (hij was de laatste dagen ongelooflijk labiel, en hij beweert dat hij stemmen hoort door de radio, of dat soort onzin; hij heeft amper
geslapen, hij stinkt, hij heeft zich al dagen niet gewassen), leek me dat ook inderdaad verstandig. Bovendien hoopte ik het geld in ontvangst te kunnen
nemen dat we waren overeengekomen. Guys ouders hadden, via zijn tante,
toegezegd, dat ze mijn overtocht zouden betalen.*

*Frank had beloofd dat hij er ook bij zou zijn, om zijn professionele mening
te geven over Guy (dokter Mackenzie had zijn handen van de zaak afgetrok-
ken), voor het geval dat de Glovers voor problemen zouden zorgen. Maar hij
werd op het laatste moment weggeroepen naar de ziekenboeg. Dus ik moest het
helemaal alleen zien te klaren.*

*Tien minuten voordat zijn ouders arriveerden, begon Guy de ene sigaret na
de andere te roken. Ten slotte stond hij op, hij ging naar buiten en beukte met
zijn hoofd tegen de muur. Toen ik naar hem toeging, zei hij tot mijn stomme
verbazing: 'Ik heb geprobeerd om van je te houden, maar je hebt het me wel erg
moeilijk gemaakt.' Ik wist niets anders te zeggen dan: 'Guy, ga alsjeblieft zitten. En neem een kopje thee.' Volstrekt, belachelijk Engels!*

*Uiteindelijk, goddank, daar kwamen ze. Zijn moeder, Gwen Glover, is een
kleurloos, huilerig klein vogeltje, meneer G. een braller met een rood gezicht.
Hij schudde Guy de hand en sloeg hem op de schouder.*

*'Goed gedaan, ouwe jongen. Daar ben je dan eindelijk.' Enzovoort, enzo-
voort. 'Lekker warm hier, hè?' Dat zei hij tegen mij. En: 'Hebben jullie nog
een beetje lol gehad samen?' Lol! Niet het eerste woord waar ik aan zou
denken.*

Aanvankelijk speelde Guy zijn rol als verloren zoon perfect, maar toen we zijn spullen gingen halen, liep hij plotseling de hut uit en gooide de deur met kracht achter zich dicht.

Toen hij weg was, gaf ik zijn vader de twee brieven die de school me had meegegeven. Meneer Glover stopte ze in zijn zak. Hij had op dat moment geen tijd om ze te lezen, zei hij. Waardoor ik me afvroeg of hij misschien al op de hoogte was van het stelen, de slechte cijfers enzovoort.

Ik probeerde zijn ouders uit te leggen (erg gehaast, en door de zenuwen heb ik het misschien niet goed geformuleerd) onder welke nerveuze spanningen Guy tijdens de reis had geleden. Dat hij onder doktersbehandeling was geweest en ook – dat leek me alleen maar eerlijk – dat hij was gesignaleerd terwijl hij tot bloedens toe met zijn hoofd op de reling stond te beuken.

'Dat is absurd!' Meneer Glover werd nog roder dan hij al was. 'Wilt u daarmee suggereren dat mijn zoon geestelijk niet gezond is?'

'Dat denk ik inderdaad,' zei ik. Misschien had ik me diplomatieker moeten uitdrukken.

Mevrouw Glover begon te huilen en zei iets in de trant van 'Ik wíst dat er zoiets zou gebeuren,' en: 'Het was een kwestie van tijd.'

Meneer Glover zei: 'Hou je mond, Gwen.' En tegen mij: 'Hoe durft u!' Daarop marcheerde hij de hut uit en kwam even later terug met Guy.

'Ga op dat bed zitten, Guy,' zei hij, op een toon alsof hij dit varkentje wel eens even zou wassen en deze onzin de wereld uit zou helpen. 'Juffrouw Holloway beweert dat je aan boord bij een vechtpartij betrokken bent geweest. Dat je iemand in elkaar hebt geslagen, of dat je zelf in elkaar geslagen bent, of zoiets.'

Guy leek zijn liefdesverklaring even daarvoor te zijn vergeten. Hij keek me aan met een kille blik in zijn ogen en schudde zijn hoofd.

'Ze liegt,' zei hij toen. 'En ze drinkt. Ze zei dat we alle drank maar op jullie rekening moesten zetten.'

Uitgerekend op dat verschrikkelijke moment kwam zijn hutsteward binnen met een handvol bonnetjes, allemaal onbetaalde rekeningen van de bar. Meneer G. spreidde ze uit op het bed, alsof het besmette muizenkeutels waren. (Mevrouw G. deed inmiddels niets anders dan jammeren en aan haar jurk plukken.)

Meneer G. haalde een blocnote en een zilveren potlood tevoorschijn: 'Een fles Pouilly-Fuissé, een fles Beaumes de Venise...' Tegen de tijd dat hij klaar was, bedroeg de rekening bijna tien pond – de kleine rat had ook nog stiekem gedronken.

Meneer G.'s hoofd leek op te zwellen van woede, als de kop van een pofadder. Ik werd ervan beschuldigd dat ik dronk en dat ik een leugenaar was zonder enig verantwoordelijkheidsbesef. Als ik niet zoveel had gedronken, zou ik meer open hebben gestaan voor de fijngevoeligheid van een jongen die, door omstandigheden waarop zij geen invloed hadden gehad, zijn ouders in tien jaar niet had gezien, en die dus begrijpelijk nerveus was. Vandaar dat meneer G. niet van plan was me het geld te geven waar ik recht op had. Ik mocht van geluk spreken dat ik niet werd overgedragen aan de politie.

Misschien ging er achter zijn gebral angst schuil: toen ik voorstelde met de scheepsarts te gaan praten om mijn verhaal te controleren, ging hij daar niet op in. In plaats daarvan bood hij grootmoedig aan de barrekening te betalen, op voorwaarde dat ik een papier tekende waarin ik verklaarde dat ik die schuld in termijnen zou afbetalen. Al die tijd zat Guy – hij is of knettergek of hartstikke slim – met grote ogen naar de muur te staren, alsof hij er niets mee te maken had.

Ze vertrokken met de nachttrein naar Assam. Op de valreep heb ik Guy nog het doosje fenobarbital toegestopt. Hij liep weg tussen zijn ouders, maar plotseling kwam hij terugrennen en probeerde me te omhelzen terwijl hij fluisterde: 'Non illegitimi te carborundum *– laat de ellendelingen je niet kleinkrijgen.' Hoe durft hij!*

Toen was ik alleen, midden op de Apollo Bunder, omzwermd door kruiers. Ik vroeg een man met een tonga me naar de YWCA *te brengen. Juffrouw Snow had me verteld dat het een goedkoop, schoon, fatsoenlijk logeeradres was.*

Ik betaal twee roepie per nacht voor een eenpersoonskamer. Een tweepersoonskamer kost drie roepie, maar na alles wat er is gebeurd, kan ik de gedachte simpelweg niet verdragen een kamer te moeten delen. Mijn kamer is weliswaar klein (ongeveer vier bij drie meter), maar kijkt uit op een reusachtige, schitterende boom (ik moet een bomenboek kopen). Er staat een ijzeren eenpersoonsbed, een tafel, en op de gang is een kast waarin ik mijn kleren kan hangen.

Voorzover ik dat nu kan beoordelen bestaat de clientèle uit een combinatie van Engelse en Indiase vrouwen, van wie de meesten in Bombay werken als missiezuster of onderwijzeres. Of ze studeren. De leiding maakt een vriendelijke maar autoritaire indruk. ERG VEEL REGELS.

Ik kan het dagtarief net betalen, maar zelfs dat kleine bedrag baart me zorgen. IK HEB GEEN GELD, *of zo goed als geen geld. En als de cheque voor mijn eerste artikel niet komt, zal ik moeten proberen onmiddellijk betaald werk te vinden.*

Later

De bel die waarschuwt dat de lichten uitgaan, gaat om halfelf; om elf uur gaan de deuren dicht.

Tegen de avondschemering ben ik de straat op gegaan. De lucht voelde warm en zijdezacht. Op de hoek van de straat zat een oude man op zijn hurken bhelpuri te bakken in een koekenpan. De smaak was een overweldigende ervaring. Ik ben weer thuis, dacht ik. Wat echt belachelijk is, want Bombay is nooit mijn thuis geweest. De puri-verkoper was verrukt over mijn klandizie – en mijn genietend kreunen. Toen ik was uitgegeten, waste hij mijn handen in een kom water die hij naast de koekenpan had staan. Daarop haalde hij een meloen tevoorschijn en sneed die deskundig in parten. Hij was heerlijk, maar ik vond dat ik hem er extra voor moest betalen. Ik maak me grote zorgen over geld.

De volgende morgen

Toen ik wakker werd, klonken buiten op de straat de kreten van een waterverkoper. Ik hoorde een koe loeien, het geronk van een auto, en in de aangrenzende kamer lachte iemand.

Na het ontbijt – chapati's en dahl, heerlijk – ging ik een kijkje nemen op het memobord waarop drie vacatures hingen voor 'nette Engelse meisjes'.

1. Lerares gezocht op plaatselijke missieschool. Vraag: moet je erg gelovig zijn (hypocriet in mijn geval) om daar les te mogen geven?

2. Gezelschapsdame voor een zekere mevrouw Van de Velde, vlak bij de Jain Tempel op Malabar Hill. Gezocht wordt een betrouwbaar iemand om haar correspondentie af te handelen. En – bij voorkeur – om met haar te bridgen. Tenzij ik echt, absoluut wanhopig ben, wil ik voorlopig liever geen werk als gezelschapsdame. G.G. heeft me voor het leven getekend.

3. Reclamebureau: J. Walter Thompson zoekt Engelse secretaresse, met goede type- en stenovaardigheden. Laxmi Building. Laxmi is de godin van de rijkdom. Klinkt veelbelovend. Jammer dat ik geen steno beheers. Ik ga er toch op schrijven.

Toen ik bij de dame aan de receptiebalie informeerde naar de mogelijkheid om in Bombay een appartement te huren, vertelde ze tot mijn grote schrik

175

dat geen zichzelf zelfrespecterende Engelse vrouw ergens anders zou willen wonen dan in Malabar Hill of Colaba, wijken waar de huren erg hoog zijn. Maar daarna zei ze dat sommige durfallen – voornamelijk sociaal werksters en vrouwen in het onderwijs – zich hadden gevestigd in minder chique buitenwijken. Een zekere Daisy Barker, blijkbaar een 'geweldig mens', geeft hier les aan de Bombay University Settlement, een organisatie die haar basis heeft in Engeland en die onderwijs verzorgt op universitair niveau voor Indiase vrouwen. Ik wil haar graag ontmoeten.

Een andere Engelse onderwijzeres heeft recent ook in de YWCA verbleven, op weg naar een Engelse school in het noorden. De dame achter de balie vertelde gretig dat ze een goede vriendin was van de gouverneur en dat ze overal had kunnen logeren, maar dat ze hierheen was gekomen om een vriendin te ontmoeten. Dit zijn waarschijnlijk uitzonderingen, maar toch gaf het gesprek me moed. Blijkbaar behoren niet alle vrouwen hier tot de gin-en-vermoutclub, met mannen die zich onledig houden met de wilde-zwijnenjacht. Het bracht me ook op een idee: misschien zou het leuk zijn om een reeks gesprekken te voeren met deze buitenbeentjes, bijvoorbeeld voor Eve magazine. Ik zal vanavond een synopsis maken.

Ik vind wel werk. Trouwens, dat móét.

24

Bombay, vijf weken later

Vijf dagen voordat Rose zou gaan trouwen, zat Tor op de veranda van CiCi's huis in Malabar Hill, met haar voeten omhoog. Een tedere bries, die geurde naar bloesems, streek langs haar gezicht. Ze schreef een brief aan haar moeder. Iets wat ze al veel eerder had moeten doen. Haar moeder schreef elke week lange epistels vol vragen waarop ze nooit antwoord kreeg. Het weer in Engeland was meer dan verschrikkelijk. Meneer Thaw, de tuinman, moest het bed houden nadat hij zijn pols had gebroken toen hij was uitgegleden op de natte bladeren op de oprijlaan. Een fatsoenlijke hoed was in Winchester niet te krijgen. Maar dat terzijde, hoe ging het met Tor? Had ze het goed naar haar zin? Een hoop feestjes en wat dies meer zij? Hoe vond Rose het dat de bruiloft twee weken was uitgesteld? Ze was ongetwijfeld spinnijdig.

Tors hand aarzelde boven het papier. Ze wist niet goed hoe of waar ze moest beginnen, want in plaats van spinnijdig te zijn over het uitstel, leek Rose alleen maar opgelucht. 'Het geeft me wat ademruimte,' had ze uitgelegd op die zorgvuldige, behoedzame manier die Tor zorgen baarde. En als ze alleen aan zichzelf dacht, vond Tor het geweldig dat ze twee weken extra had met Rose in dit sprookjeshuis.

Het huis. Hoe moest ze haar moeder daarover vertellen, zonder dat die helemaal gek werd van jaloezie? Hoe volmaakt het was, en hoe goed haar oude schoolvriendin was terechtgekomen, want meneer Mallinson – van wie Ci zei dat hij iets heel slims had gedaan met katoen – wekte de indruk stinkend rijk te zijn, zelfs naar de maatstaven van Malabar Hill.

Vanwaar Tor zat, keek ze uit over het glooiend aflopende gazon dat helemaal doorliep tot de Arabische zee. Het terras werd omlijst door uitbundig bloeiende jasmijn en bougainville, de hemel was oogverblindend blauw, en overal om haar heen waren huisknechten, dienstmeisjes en tuinmannen druk aan het vegen, opruimen, harken, wassen, rommel oprapen en zorgen dat alles er perfect uitzag en op rolletjes liep.

Op dit moment waren zes bedienden bezig de spectaculaire maharadja-tent op te zetten, die Ci had bedoeld als pièce de résistance bij de bruids-receptie de komende week.

De tent – flamingoroze en versierd met stukjes glas en weelderig bor-duurwerk – was een typisch voorbeeld van Ci's beroemde 'gevoel voor stijl'. Terwijl de andere grote huizen in dit exclusieve en voornamelijk Europese deel van Bombay degelijke namen hadden als Mon Repos of Laburnum, heette dat van Ci Tambourine. In de marmeren hal hing een reusachtige glazen vogel voor een raam op het westen, waar hij in het licht van de ondergaande zon gloeide en draaide alsof hij in brand stond. Ci's salon was ingericht met lage sofa's en zijden stoffen in zachte pastel-tinten. Boven, in de logeersuite die Tor en Rose deelden, was de bad-kamer uitgerust met dikke handdoeken en potten badzout met houten lepels. In de slaapkamer stond een koektrommel met een zilveren deksel, gevuld met geïmporteerde Franse wafels. En er was een leren schrijfmap gevuld met dik crèmekleurig papier voorzien van een wapen. Rose en zij hadden hun geluk niet opgekund toen ze zagen waar ze terecht waren gekomen.

Het eten was ook hemels – niet de opgewarmde kliekjes, of *réchauffées* zoals haar moeder ze noemde, die je thuis kreeg: gehaktschotels en ta-piocapuddingen en dat soort dingen. Hier kregen ze 's morgens verse ananas en mango's en sinaasappels, rechtstreeks van de boom. En nie-mand zeurde ooit over het badwater, of dat je de lichten uit moest doen, of dat de kindertjes in Afrika honger leden.

Terwijl ze erover nadacht, kauwend op het uiteinde van haar pen, was Geoffrey eigenlijk de enige domper op alle pret. De grote, nogal opge-blazen man met wenkbrauwen als dikke rupsen, had de neiging ellen-lange verhalen te houden over de katoenindustrie in India, die volgens hem op het punt van instorten stond. Maar gelukkig was hij zo vriende-lijk elke ochtend het veld te ruimen. Dan tufte hij weg in zijn auto met chauffeur, god mocht weten waarheen. Pas tegen de avond, wanneer het tijd werd voor zijn *chota peg*, kwam hij terug.

Tor draaide de dop van haar pen en zuchtte. Wat een beproeving! Er waren zoveel dingen die haar moeder wilde weten. De allerbelangrijkste vraag 'Ontmoet je een hoop leuke jongemannen?' had als onderliggende gedachte: Ik hoop dat de investering die we hebben gedaan – alle mooie kleren en het geld voor de overtocht – zichzelf terugbetaalt. Gezien de aaneenschakeling van feesten en picknicks die Ci had georganiseerd, had ze die vraag gemakkelijk kunnen beantwoorden met: Moeder, het ziet er veelbelovend uit.

Sterker nog, toen ze op een ochtend aan de koffie zaten op de veranda had Ci haar heel zakelijk en gedetailleerd uit de doeken gedaan op welk type jongeman ze zich moest richten.

'Een ambtenaar is doorgaans het beste wat je kunt krijgen,' had ze poeslief gezegd. 'Zowel dood als levend. Je krijgt driehonderd pond per jaar wanneer je weduwe wordt, dus in sommige opzichten...' Ze knipoogde. 'Is dood zelfs nog beter dan levend. Dat was natuurlijk maar een grapje, lieverd.'

Tor was alle andere categorieën die Ci had voorgesteld, alweer vergeten, maar ze herinnerde zich dat cavalerieofficieren ook hoog op de lijst stonden – bij voorkeur dienend bij de Engelse cavalerie, niet bij de Indiase, wat een beetje een klap in het gezicht was van Jack.

Haar gastvrouw had ook onheilspellende, waarschuwende woorden gesproken over de Chi Chi-meisjes, half Indiaas, half Europees. Volgens Ci waren ze schaamteloos aantrekkelijk en 'echte roofdieren – ze kennen geen enkele gewetenswroeging als ze een verloving kapotmaken. Maar maak je geen zorgen, m'n bloemetje...' Ze besloot haar waarschuwing met een geruststellend klopje op Tors knie. 'Voor je het weet, staan ze voor je in de rij. Zeker als we...' Maar de zin was vaag geëindigd in een wolk van sigarettenrook, en in dit geval was Tor vast van plan aan de voorzichtige kant te blijven. Hoewel verschillende mannen haar telefoonnummer hadden gevraagd, was er nog niet een geweest die een rechtstreekse toenaderingspoging had gedaan. En ze kende haar moeder goed genoeg om te weten hoe gevaarlijk ze werd wanneer ze te hooggespannen verwachtingen ging koesteren.

4 december 1928

Lieve mammie,

Ik ben bang dat dit een erg korte brief wordt, want ik sta op het punt de deur uit te gaan. We zijn allemaal erg opgewonden over de bruiloft. Nog twee dagen, dan is het zover. Vandaag gaan we nog wat laatste inkopen doen bij de Army & Navy Store in de wijk rond het Fort. Het spijt me erg te horen dat meneer T. zijn pols heeft bezeerd. Morgen schrijf ik je uitvoeriger om je over alles te vertellen. Met mij gaat het heel goed. Dank je wel voor de patronen voor jurken, mammie. Ik zal zien of ik hier iemand kan vinden die ze goedkoop voor je kan maken.

Veel liefs voor jou en pappie,
Victoria

Toen Ci plotseling op de veranda verscheen in een lila kimono en balletslippers, omringd door een wolk Arpège, haar favoriete geur, moest Tor zich beheersen om zich niet als een schoolkind beschermend over haar brief te buigen. Wat ze had geschreven, leek ineens zo saai en gewoontjes.

Tijdens haar eerste dagen in huize Tambourine, was Tor hevig geïntimideerd geweest door Ci – met haar vuurrode lippen, haar nonchalante manier van lopen, haar chique kleren. Daarbij vergeleken had Tor zich verschrikkelijk lomp, traag van begrip, middelmatig gevoeld. Inmiddels had dat gevoel van ongemakkelijkheid zich ontwikkeld tot een soort heldenverering. Door Ci zorgvuldig te observeren, kon ze leren hoe ook zij leuk en werelds kon worden, zonder zich te veel aan te trekken van wat andere mensen van haar vonden, dacht Tor.

'Hoe gaat het vanmorgen met ons weesje?' Ci ging met haar lange nagels door de scheiding in Tors haar.

Het 'weesje' was sinds enkele dagen een grapje tussen hen, want Ci had zelf twee kinderen – een jongen en een meisje, die in Engeland op kostschool zaten, schimmige figuren in zilveren lijstjes op de schoorsteenmantel. Ze praatte zelden over hen, behalve schertsend. 'Mijn galgenbrokjes,' zei ze dan. Of 'mijn addergebroed'. En soms las ze met een hoog kinderstemmetje hun haperende epistels voor.

Geen van beide kinderen leek een wezenlijke rol te spelen in Ci's leven of gedachtewereld; het enige wat Ci over Flora had gezegd, die – afgaande op de foto – de trouwe hondenogen van haar vader had geërfd, was dat twaalf een verschrikkelijke leeftijd was en dat ze hoopte dat haar dochter 'althans weer half mens' was tegen de tijd dat ze naar huis kwam in de vakantie.

'Kijk eens aan!' Ci nam een stapel uitnodigingen door die een bediende naast haar ochtendkoffie bij haar stoel had gelegd. 'We zijn zó in trek, dat ik niet weet of ik het allemaal wel aankan.'

Ze sneed de eerste brief open. 'Chrysantenshow. Tien januari. Willoughby Club, met aansluitend thee op het gazon. Dank u wel, mevrouw Hunter Jones, maar we zullen geen gebruikmaken van de uitnodiging.' Ze vouwde een pijltje van de brief en schoot hem loepzuiver de prullenbak in. 'Ik heb zelden zo'n saai mens ontmoet.'

Tor giechelde.

'Zou je zo lief willen zijn me nog een half kopje in te schenken?' Ci ging met haar rode nagels langs de volgende envelop. 'Geen suiker... Dít klinkt al een stuk beter: een picknick bij maanlicht op Chowpatty Beach met de Pendergasts. De familie Pendergast is een buitengewoon goede partij, en ze hebben een erg knappe zoon. Dus laten we deze uitnodiging in gedachten houden, lieverd.' Tor liep naar binnen en zette de kaart op de schoorsteenmantel, vóór Flora's hoopvolle gezicht, dat inmiddels schuilging achter een stapel uitnodigingen voor etentjes, picknicks, polowedstrijden en jachtpartijen.

De telefoon ging. Ci sprong op en liep ook naar binnen. 'Malabar 444,' kweelde ze. Toen rolde ze met haar ogen en gaf de telefoon aan Tor. 'Wéér een man,' zei ze duidelijk hoorbaar. 'Hij zegt dat hij Timothy heet.'

Timothy was een kleine man met rood haar die Tor een week eerder had ontmoet op een feestje in het Taj. Hij deed iets in de bosbouw. Met excuses voor het feit dat hij zo kort van tevoren belde, vroeg hij of ze dat weekend met hem uit eten wilde.

'Ach, wat aardig dat je het vraagt,' antwoordde Tor. 'Vind je het goed als ik je over een minuut of tien terugbel?'

'Dat was Timothy,' zei ze tegen Ci. 'Maar ik weet eigenlijk niet of ik wel zin heb om met hem uit eten te gaan.'

'Dan moet je het niet doen, lieverd,' zei Ci. 'Meer dan genoeg *poisson*.'

Dat was inderdaad waar. Alleen al op de club en in het Taj, waar ze naar cocktailparty's en dansavonden was geweest, had ze diverse jonge marineofficieren ontmoet, buitengewoon aantrekkelijk in hun witte uniform, maar ook cavalerieofficieren, zakenmannen die probeerden in Bombay hun slag te slaan met jute of katoen, en zelfs wat Indiërs uit hoge kasten, van wie sommigen er met hun vochtige ogen en perfecte huid erg verleidelijk uitzagen. Toch was ze wat die laatste categorie betrof, erg voorzichtig sinds haar aanvaring met Jitu. Hoe dan ook, al had nog geen van al die mannen haar 'geschaakt', ze had naar hartelust kunnen flirten. Na de vele kleine vernederingen tijdens het uitgaansseizoen in Londen, kon Tor nauwelijks geloven dat ze de mannen min of meer voor het uitkiezen had.

'O, wat geweldig!' Ci maakte een grote vuurrode envelop open die op de achterkant een opzichtig wapen droeg. 'Wat enig!' Ze las de brief die ze uit de envelop had gehaald. 'Dit zal Goofers geweldig vinden. Cooch Behar heeft ons uitgenodigd om over drie weken met hem te gaan jagen. Hij heeft werkelijk een schitterend huis.'

Over drie weken, dacht Tor. Tegen die tijd is Rose getrouwd en vertrokken. Wat zal dat vreemd zijn.

'"Helaas is de accommodatie beperkt,"' las Ci verder. '"Dus ik hoor graag zo zpoedig mogelijk van u." *Zpoedig*. Ik dacht dat hij in Oxford had gestudeerd. Dan zullen we oppas moeten regelen voor onze kleine wees, waar of niet, lieverd? Want ik neem aan dat je dan nog hier bent?'

Terwijl ze opkeek, werd Tor even overweldigd door een gevoel van paniek. Waar zou ze anders moeten zijn? Ze had nog geen plannen.

'Ik zou het heerlijk vinden om nog een tijdje te blijven, als ik jou niet in de weg zit,' zei ze bescheiden.

'We zullen zien hoe je je gedraagt,' zei Ci. 'Wel verdorie...' vervolgde ze nijdig. Ze had nog een brief opengesneden. 'De Sampsons kunnen niet naar het huwelijk komen. Wat vervelend. Trouwens, dat had ik je al eerder willen vragen. Ik heb je advies nodig. Vorige week...' Ci nam haastig een slok van haar koffie. 'Vorige week had ik een nogal moeizaam gesprek met kapitein Chandler, of hoe hij ook mag heten, die zuurpruim. Over de receptie. Ik vond hem werkelijk een beetje brutaal, want het kwam erop neer dat hij op het feest na afloop eigenlijk maar een stuk of vijf gasten wilde uitnodigen. Alleen mensen die hij echt goed kende. Maar met zo'n klein clubje ziet het gazon hier er niet uit – kaal, een soort golfbaan. En ik ben de gastvrouw, dus ik heb wat amusante lui uit onze kennissenkring uitgenodigd om de groep wat uit te breiden. Ik denk dat het Rose niet veel uitmaakt of er nu veel of weinig mensen komen. Wat denk jij?'

Tor, die zich gevleid voelde dat CiCi haar om raad vroeg, zei zonder nadenken: 'Welnee, natuurlijk niet. Waarom zou ze er bezwaar tegen hebben dat je nog wat mensen hebt uitgenodigd? We kunnen wel wat extra stoffering gebruiken,' voegde ze eraan toe, trots op haar eigen formulering. Ci had het precies zo kunnen zeggen. Sterker nog, toen ze er later over nadacht, herinnerde ze zich dat Ci het enkele avonden daarvoor, in de club, letterlijk zo had gezegd.

Inmiddels – de week was omgevlogen! – was het vierentwintig uur voor de bruiloft, en Tor werd badend in het zweet wakker. Het eerste wat ze zag toen ze haar ogen opendeed, was de ivoorkleurige zijden trouwjurk van Rose die aan de kast hing. Haar bruidsmeisjesjurk hing ernaast, als een dik zusje.

Ze bleef nog even liggen en dacht aan de receptie. De telefoon had de hele week roodgloeiend gestaan, en elke keer dat hij ging en Ci zei: 'Natuurlijk, lieverd. Je moet vooral komen. Hoe meer zielen hoe meer vreugd,' had Rose peinzend gekeken en had Tor haar mond gehouden. Want toen ze Rose had verteld over de extra gasten, had ze er niet bij gezegd dat Jack daar bezwaar tegen had gemaakt. Inmiddels was het te laat om er nog iets aan te doen. Bovendien was Rose hypernerveus, en naarmate de trouwdag dichterbij kwam werd ze hoe langer hoe stiller.

Tor liet zich uit bed glijden en liep naar het raam. In de tuin legden Pandit en zijn mensen de laatste hand aan de maharadjatent, die er schitterend uitzag. De bedienden die vanuit het huis naar de tuin liepen, deden haar denken aan een kolonne mieren. Ze zetten oliefakkels langs de rand van het gazon, ze poetsten glazen en sleepten tafels naar buiten. Heel veel tafels.

Om elf uur ging Tor met Rose naar de salon in het Taj Mahal Hotel om hun haar te laten doen. Zoals altijd waren de 'oh's' en 'ah's' over de zijdezachte blonde lokken van Rose niet van de lucht. Allebei waren ze zich die dag scherp bewust van de tijd. In de verstikkend hete, lege middag leek het wel alsof de wijzers op de klok niet vooruit kwamen, zeiden ze tegen elkaar. En toen was het ineens nog maar negentien uur tot de bruiloft! En al snel nog maar achttien! En zo ging het door.

Toen het donker werd en ze voor hun laatste diner samen naar beneden gingen, waren ze stiller dan anders, vervuld van ontzag door wat er in het verschiet lag. Rose had voet bij stuk gehouden en gezegd dat ze een rustige avond wilde, samen met Tor, en Ci – die nog boven was om zich te kleden voor het diner – was bij wijze van uitzondering gezwicht.

Tor en Rose gingen samen op de veranda zitten. In de verte hoorden ze het dreunend aanrollen van de golven. Recht voor hen tekende de kustlijn zich af als een eindeloze reeks gloeiende stipjes – de olielampen en vuurtjes van de inheemse bevolking.

Ze zaten enige tijd zwijgend naast elkaar.

'Ik ben doodsbang, Tor,' klonk ten slotte de stem van Rose in de duisternis. 'Het klinkt onnozel, maar toch is het zo.'

'Het komt allemaal best goed.' Tor pakte haar hand en hoopte dat ze de juiste woorden wist te vinden. 'Ik weet zeker dat je er prachtig uitziet!'

Wat een banaal iets om te zeggen, maar de eerlijkheid gebood haar toe te geven dat ze geen flauw idee had of haar vriendin gelukkig zou worden met een man als Jack, die ze persoonlijk nogal streng en ontoegankelijk vond.

'Het gaat niet zozeer om de bruiloft, maar om alles wat eromheen hangt. Het is zo raar om te trouwen, zonder dat pappie en mammie erbij zijn. Ik...' Tor hoorde haar zachtjes inademen en vervolgens een lichte zucht slaken. 'Natuurlijk begrijp ik dat ze niet konden komen. En ik zou het afschuwelijk vinden als pappie nog zieker was geworden. Maar...'

Op dat moment kwam Ci dansend de trap af, gevolgd door twee bedienden met bladen waarop drankjes stonden. Ze had een jazzplaat bij zich, net binnengekomen uit Londen, die ze hun wilde laten horen.

Ze deed twee lampen aan en zei tegen Pandit dat ze trek had in een dubbele gin. 'Maar meisjes toch! Jullie zien eruit als weduwen in een Grieks drama. Kijk eens wat vrolijker.'

Nog vier uur, dan was het zover. Rose sliep nog. Tor ging naar buiten voor een vroege ochtendwandeling, om een beetje tot rust te komen.

De zee in de verte schitterde oogverblindend, als een reusachtige saffier. Aan het eind van het pad was een tuinman bezig de geraniums water te geven. Hij schonk haar een stralende glimlach en maakte een diepe buiging. Wat leken alle bedienden die voor Ci werkten opgewekt in vergelijking met het personeel in Engeland. Tor dacht aan Doreen, moeders afschuwelijke schoonmaakster, en aan hun norse oude tuinman. Ze klaagden altijd dat ze te weinig verdienden en te hard moesten werken, en ze maakten dat je je een onmens voelde als je hun iets vroeg.

Ci, die haar bedienden behandelde met een soort geamuseerde minachting, leek door hen te worden aanbeden. En waarom ook niet, redeneerde Tor, terwijl ze terugliep naar het huis.

Akkoord, hun kleine hutjes aan de achterkant van de villa zagen er dan misschien *un peu* uit als hondenkennels, maar het klimaat was hier zó anders, en ze hadden altijd meer dan genoeg te eten, een schitterende werkplek, en ze kregen de kans om te leren hoe ze hun werk goed moesten doen, in ruil voor een heel redelijke beloning. Toch kon Tor de kleine tuinman wel knuffelen omdat hij zo vrolijk keek op de ochtend van de bruiloft van haar vriendin. Hij wekte de indruk alsof hij zich oprecht betrokken voelde bij het gebeuren.

Toen ze weer boven kwam, was Rose niet alleen wakker, ze had ook al een bad genomen, en nu stond ze in haar lichte kousen en haar nieuwe zijden ondergoed voor de spiegel.

'Weet je dat ik eigenlijk heel blij ben dat pappie de reis niet heeft gemaakt,' was het eerste wat ze zei. 'Ik weet zeker dat het allemaal veel te veel voor hem was geweest.' Ze klonk alsof ze van meet af aan niet anders had gewild. Maar haar bleke huid boven de petticoat zat onder de uitslag, iets waar ze altijd last van had als ze bang was. Ze had een paar plekken ingesmeerd met zinkzalf.

Na het ontbijt, waarbij ze geen van beiden een hap door hun keel konden krijgen, gingen ze weer naar boven om zich op te frissen, waarna Rose wat poeder op haar gezicht deed en een vleugje Devonshire Violets achter haar oren.

'Ben je er klaar voor?' vroeg Tor, vastberaden om zich moederlijk en beschermend op te stellen, ook al was ze zelf volslagen overweldigd door de situatie.

'Ja.'

Tor nam de trouwjurk van het haakje en liet die als een waterval van zijde over het hoofd van haar vriendin glijden. Rose stond doodstil terwijl ze naar haar spiegelbeeld staarde.

'Gossie,' zei ze. '*Caramba*.'

'Nu de sluier.' Tor hield het fijne kant omhoog.

Terwijl ze het vastzette rond het gezicht van Rose, bedacht ze hoe onschuldig die eruitzag, hoe jong en vol verwachting. En ze dacht aan de vorige keer dat ze zo hadden gestaan. Toen hadden ze zich verkleed voor het toneelstuk op school. Rose was de Maagd Maria geweest en zij de herbergierster in Jeruzalem, gehuld in twee aan elkaar genaaide jutezakken.

'Zo!' Ze deed een stap naar achteren. 'Laat me eens naar je kijken.

Nou, je kunt ermee door,' zei ze om Rose aan het lachen te maken, want ze las pure doodsangst in haar ogen.

Er werd op de deur geklopt.

'Nog een uur! Dan is het zover!' zong de stem van CiCi.

'O, verdorie!' Tor die bezig was haar eigen jurk aan te trekken, worstelde met de drukknoopjes. 'Hè, het lukt niet!'

'Kom eens hier.' Rose maakte ze voor haar dicht en plantte toen een kus op haar voorhoofd.

'Je ziet er prachtig uit! De volgende keer dat we dit doen, ben jij de bruid.'

Om halfelf reed Pandit, met op zijn hoofd een tulband van rode zijde, de Daimler voor. Naast hem zat Geoffrey, in jacquet, glimmend van het zweet. Ci, met een paarse cloche waarin ze een grote, vuurrode veer had gestoken, gedroeg zich afstandelijk en kortaf. En toen Geoffrey begon aan een monoloog over het een of andere bedrijf waarvan ze het hoofdkwartier passeerden, met de strekking dat het daar ook helemaal niet goedging, kapte ze hem af. 'Hou je mond, Geoffrey. Dat wil ze allemaal niet horen op haar trouwdag.'

Maar Rose leek zich van niets of niemand bewust. In gedachten verzonken bewoog ze haar lippen terwijl ze uit het raampje keek, naar de stoffige straten.

Toen ze bij St.-Thomas Cathedral arriveerden, ging het ineens heel snel. De garnizoenspredikant, die de indruk wekte alsof hij uit zijn humeur was omdat hij door de gewijzigde plannen speciaal uit Poona had moeten komen, sleurde hen bijna de auto uit en duwde hen min of meer de kerk in. De Bruidsmars werd ingezet, en Rose en Tor liepen tussen een zee van hoeden naar voren. Toen de hoeden zich omdraaiden naar de bruid, herkende Tor geen van de gezichten daaronder, behalve dat van CiCi, die zo ver mogelijk bij Geoffrey vandaan stond. Ze waren gebrouilleerd omdat CiCi had gezegd dat hij zijn mond moest houden, iets wat in zijn ogen ongepast was in het openbaar.

Toen Jack – een strenge, knappe verschijning in zijn blauw-met-gouden uniform dat bijna volledig schuilging onder de koperen knopen en tressen – plotseling naar voren trad en zich voor het altaar bij Rose voegde, hoopte Tor vurig dat hij zich naar haar toe zou keren en zijn adem zou inhouden bij haar aanblik – ze zag eruit als een sprookjesfee, een prinses – maar hij staarde strak voor zich uit en schraapte zijn keel. De garnizoenspredikant werkte de ceremonie in vliegende vaart af, waarbij hij de achternaam van Rose verkeerd uitsprak. Het jawoord van Rose was nauwelijks hoorbaar, zelfs niet voor Tor die vlak achter haar stond.

Toen de dienst voorbij was en ze naar buiten kwamen in het schelle zonlicht, vormden een stuk of tien mannen uit Jacks regiment een ereboog met hun zwaarden. Rose keek even verbaasd naar hen, net als naar Ci's vriendenkring die bij het verlaten van de kerk al liep te roddelen en te lachen. Tors hart brak toen Rose zich vervolgens als een verschrikt konijn onder de gekruiste zwaarden door haastte. Aan het eind van de ereboog stond Tor haar op te wachten, kortstondig verblind door de weerkaatsing van het zonlicht op een van de zwaarden.

'Laat me bij de receptie alsjeblieft niet alleen,' fluisterde Rose haar toe, voordat ze met Jack in de Daimler stapte.

Toen ze elkaar weer zagen, in de tuin van huize Tambourine, stond Rose – die in de ogen van Tor veel te jong leek om al getrouwd te zijn – er bleekjes bij, enigszins afzijdig van een uitbundige menigte feestvierders. Ci's vrienden- en kennissenkring was in groten getale komen opdraven. Tor keek om zich heen, op zoek naar Viva, die had beloofd te komen, maar ze zag haar nergens.

Op dat moment kwam Ci naar voren, ze drukte Rose en Tor een glas champagne in de hand en riep: 'Zo, nu kan de pret pas echt beginnen!'

Tor sloeg de inhoud van haar glas in één teug achterover en nam er meteen nog een. De ochtend was zo enerverend geweest. Ze was blij dat ze het achter de rug hadden.

Na diverse glazen en allerlei heerlijks om te eten, klom Ci op een stoel. 'Mag ik even de aandacht?' riep ze door een megafoon. Onder luid gelach kondigde ze aan dat Geoffrey een toespraak ging houden, vóórdat het feest ontaardde in een *Midzomernachtdroom* en de gasten zich met hun glazen in het gras lieten vallen omdat het zo heet was, en omdat iedereen zoveel bij te praten had. De toespraken zouden worden gehouden bij de vijver.

De gasten liepen met hun glazen onder de boog met blauwe regen door naar het schaduwrijke gedeelte van de tuin, waar twee stenen nimfen dartelden aan de voet van een reeks kleine watervallen. Ci probeerde de regie in handen te houden door zowel Jack als Rose bij de hand te nemen en hen haastig mee te trekken over het pad. Maar Jack, die er nog altijd geschokt uitzag en die, bedacht Tor, hoe dan ook geen type was om te rennen, maakte zich los en wandelde stijfjes en in zijn eigen tempo richting vijver.

Toen het gezelschap compleet was, hief Geoffrey Mallinson zijn glas en ging voor de vijver staan, waar het water rond de nimfen spetterde. 'Veel van jullie kennen me ongetwijfeld alleen als directeur van Allied Cotton,' begon hij prozaïsch. 'We hebben elkaar ontmoet op de club, op de racebaan, bij gymkana's enzovoort, tot...'

'Schiet alsjeblieft een beetje op, Geoffrey,' zei Ci duidelijk hoorbaar.

'Maar vandaag sta ik hier namens de vader van Rose Wetherby,' ploeterde Geoffrey verder. 'Ik heb nooit de eer gehad hem te ontmoeten, maar hij klinkt als een geweldige kerel. En wat zou hij vandaag trots zijn als hij zijn prachtige dochter had kunnen zien zoals ze hier voor ons staat, als een vers geplukte bloem.'

Tor was dolblij toen ze zag dat Rose naar hem glimlachte en zich vervolgens verlegen naar de menigte onbekenden keerde, waaruit hier en daar een zacht 'Bravo!' opsteeg. Op dat moment ontdekte Tor een bekend gezicht in de menigte: Viva! En het begon ineens op een echte bruiloft te lijken. Maar toen bedierf Geoffrey alles weer door met bulderende stem te roepen: 'Op Rosemary!'

Niemand noemde haar ooit Rosemary. Dat was niet eens haar echte naam.

Tegen vier uur die middag stond de zon op zijn hoogste punt aan de volmaakt blauwe hemel en waren sommige gasten, precies zoals Ci had voorspeld, bezweken onder de hitte.

Toen Rose weer naar buiten kwam in het mantelpakje dat ze had gekocht voor de huwelijksreis, liep Tor naar haar toe om afscheid te nemen. Ze wilde iets zeggen om de leegten van die vreemde, onwezenlijke dag te vullen. Om Rose te bedanken voor het feit dat ze de beste vriendin was die ze zich had kunnen wensen. Om haar veel geluk en veel baby's te wensen. Maar toen het moment daar was, klapte ze van narigheid volledig dicht, en ze wist niets anders te doen dan haar preuts op de wang te kussen en enigszins bars te zeggen: 'Nou, daar ga je dan.' Alsof ze ongeduldig uitzag naar haar vertrek, wat – hoe vreemd het misschien leek – in zekere zin ook zo was.

Toen de auto met Rose en Jack in een enorme stofwolk uit het zicht was verdwenen, liep Tor naar boven, naar de slaapkamer. Daar zag het er nu al anders uit – de bedienden hadden tijdens de receptie het donsdek van Rose strak getrokken, haar nachtkastje opgeruimd en afgestoft, en alle sporen van haar verwijderd. Tor ging in haar bruidsmeisjesjurk op het bed van Rose liggen. Ze sloot haar ogen en viel in een onrustige slaap, zich vaag bewust van het gejoel en gelach van Ci's gasten in de verte, en van het geluid van serviesgoed dat werd weggeruimd.

Toen ze een halfuur later wakker werd, liep ze naar het raam en keek naar de zon die onderging boven zee. Voor het eerst sinds haar aankomst had ze heimwee, was ze zich bewust van de uitgestrektheid van India die haar omringde, van de miljoenen en nog eens miljoenen mensen die ze niet kende, en die kinderen kregen, stierven, hun leven leidden, en ineens voelde ze zich heel klein, een onbeduidend stipje ver van huis, aan de andere kant van de wereld.

Ze trok haar bezwete bruidsmeisjesjurk uit, ging in haar ondergoed weer in bed liggen en trok het laken over haar hoofd. Net toen ze bijna sliep, hoorde ze Ci roepen, onder aan de trap.

'Tor, doe eens gezellig en kom naar beneden! Ik zit met een borrel op de veranda.'

'Ik kom eraan,' riep Tor terug. Met tegenzin, maar ze durfde geen nee te zeggen, want in haar eentje voelde ze zich nog altijd niet helemaal op haar gemak bij CiCi.

Ze kleedde zich aan en ging naar beneden. Ci lag in het halfdonker op een rieten ligstoel, gehuld in een kimono.

'Ik ben kapot!' zei ze. 'Hoe is het met jou?'

Blijkbaar had ze in de gaten dat Tor had gehuild, want ze schoof een glas cognac naar haar toe. Ze genoten samen van hun drankje, terwijl de bedienden de puinhopen van het feest opruimden. 'De meeste bruiloften in Bombay zijn behoorlijk deprimerend, lieverd,' zei CiCi plotseling en tot Tors totale verrassing. 'Maar inmiddels is ze gelukkig.' Ze schonk Tor een sluwe gimlach. 'Jack ziet er geweldig uit.'

Tor keek haar aan.

'Ik mag hem niet,' zei ze. 'Ik vind hem...'

'Nou? Wat vind je van hem?' Ci klonk ongeduldig.

'Ik vind hem kil,' zei Tor dapper. 'Ik heb de hele dag gehoopt dat hij wat gelukkiger zou kijken.'

'Wat een onzin, lieverd,' protesteerde Ci. 'Tenslotte kennen we hem geen van allen.' Alsof dat iets bewees. 'En bovendien,' voegde ze eraan toe, 'de meeste mensen die hier trouwen, zijn nu eenmaal geen jeugdliefdes van elkaar. Integendeel, zou ik haast zeggen.'

Er viel een ongemakkelijke stilte, waarin ze van hun glas nipten. Ten slotte nam Ci de hand van Tor in de hare. Ze ging met haar nagels over Tors handpalm en zei luchtig: 'Mag ik iets zeggen? Dit is misschien niet het goede moment. Anderzijds, dat is het nooit. Dus ik kan het net zo goed nu doen.'

'Ga je gang.'

'Wees niet te kieskeurig, lieverd. Ik zou het afschuwelijk vinden om je onverrichter zake te moeten terugsturen.'

Tor kromp ineen. Ci lachte alsof ze een grapje had gemaakt, maar Tor wist dat ze het serieus meende.

Ci deed een verse sigaret in haar pijpje, stak hem aan en toen de rook was opgetrokken, nam ze Tor lang en onderzoekend op.

'Luister eens, lieverd,' zei ze na een lange stilte. 'Vind je het erg als ik geen blad voor de mond neem? Want ik denk dat ik je zou kunnen helpen. Tenminste, als je me daar de kans voor geeft.'

'Natuurlijk vind ik dat niet erg.' Tor bereidde zich voor op het ergste.

'Je bent behoorlijk stevig, maar dat is niet nodig. Het enige wat je moet doen, is twee weken lang alle zoetigheid laten staan. 's Morgens alleen water met citroen, en ik denk eigenlijk...' Ze strekte haar hand uit en pakte een lok van Tors haar. 'We moeten eens gaan praten met madame Fontaine. Met een paar centimeter eraf staan ze voor je in de rij. Zou je dat willen? Dat ze voor je in de rij staan?'

'Natuurlijk,' zei Tor, en ook al kon ze wel door de grond zinken, ze dwong zichzelf te glimlachen. 'Wie zou dat niet willen?'

De volgende avond gebeurde er iets verbijsterends. CiCi kwam Tors kamer binnen, met Pandit in haar kielzog. De bediende had zijn armen vol met kleurige zijden japonnen, kokerjurken bestikt met kraaltjes, sjaals zo zacht als babywangetjes, hoofdbanden, veren, kettingen, zelfs oorbellen. Ci nam de hele stapel van hem over en liet die nonchalant op het bed vallen.

'Doe me een plezier, lieverd, en neem jij ze. Ik heb een excuus nodig om nieuwe kleren te kopen.'

'Maar dat kan toch zomaar niet!' riep Tor, zowel opgewonden als ge-geneerd. Ze was nog altijd van streek door het gesprek van de avond te-voren.

'Waarom niet? Nieuw speelgoed is veel leuker, en sommige van deze zijn net *un peu mouton.*'

De daaropvolgende twee uur rookte Ci de ene sigaret na de andere, ter-wijl ze keurend toekeek hoe Tor de kleren paste. Op hier en daar een zoom en een taille na die moesten worden vermaakt, zat het grootste deel haar als gegoten. Tor popelde van ongeduld om de kleren echt te dragen. Ze had nog nooit zulke soepele zijde gevoeld, zulke zachte katoen. Net zomin als ze ooit advies had gehad van een vrouw met Ci's gevoel voor mode. CiCi liet haar zien waar ze een broche moest opspelden voor een optimaal effect, en hoeveel beter drie lange parelsnoeren haar stonden dan het mie-zerige kettinkje dat ze ter ere van haar achttiende verjaardag van haar tante Gladys had gekregen, en dat ze van haar moeder alleen bij haar mooiste kleren had mogen dragen en niet mocht aanhouden als ze in bad ging.

De volgende morgen reed ze met Ci naar het Taj Mahal Hotel, waar madame Fontaine, een slimme, kleine Française – een angstvallig be-waakt geheim slechts bekend bij een exquise clientèle – een lok van haar haren pakte en zei: 'Wat hebben we hier!' Tot grote hilariteit van CiCi. In het daaropvolgende uur danste madame, die volgens Ci een kunste-nares was, al knippend, kijkend, schikkend om Tor heen, terwijl er steeds meer haar op de grond belandde. Kijkend in de spiegel zag Tor zichzelf veranderen. Toen madame klaar was met haar haren, liet ze Tor zien hoe ze door het gebruik van een kohlpotlood haar grootste schoonheid kon accentueren. 'Die práchtige ogen!'

Ongeveer een uur later zat Tor met Ci in de bar van de Bombay Yacht Club, vervuld van ontzag door haar eigen metamorfose. Ze had haar haar niet meer zo kort gedragen sinds Doreen uit Basingstoke haar een rampzalig jongenskopje had bezorgd, maar dit voelde heel anders. Zo soepel, zo zijdezacht, zo modern.

Aan de andere kant van de bar waren twee jonge marineofficieren let-terlijk stilgevallen bij haar binnenkomst! En een van de twee wierp nog steeds met enige regelmaat tersluikse blikken in haar richting.

'Ik trakteer mijn kleine Assepoester op champagne.' De blik waarmee Ci haar aankeek, verried voor het eerst oprechte goedkeuring. 'En ik zie een heleboel glazen muiltjes in de naaste toekomst.'

'Het lijkt wel tovenarij.' Tor deed niets anders dan glimlachen.

'Dat is het ook.' Ci knipoogde naar haar. 'Het is toveren met spiegels. Let maar eens op.'

25

Januari 1929. YWCA, Bombay. Fragment uit het
dagboek van Viva Holloway

*Naar Thomas Cook. Eén brief. Van William. Betreurt zijn afwezigheid op
de kade bij vertrek van De Kaiser maar moest 'onverwacht naar de recht-
bank'. Hoopt dat mijn toekomst 'gelukkig en lucratief' zal blijken te zijn.
En dat we elkaar bij mijn terugkeer weer zullen ontmoeten.*

*William, zou ik hem willen terugschrijven, we zullen elkaar niet meer
zien. Jij bent tot dusverre de grootste fout die ik in mijn leven heb gemaakt.
Ja, het was mijn fout. Ik ben inmiddels oud genoeg om beter te weten dan
me vast te klampen aan een strohalm, in dit geval aan een illusie. Dus ik
moet de schuld niet bij een ander leggen. Maar we zullen elkaar niet meer
zien.*

*Vandaag: Tor en Rose schrijven, naar de Grindlays Bank om te zien of de
postwissel er is. Budget voor vandaag vijf roepie. Niet overschrijden. Tien
nieuwe woorden Marathi leren.*

Oorspronkelijk was ze van plan geweest rechtstreeks naar Simla te gaan
om de hutkoffer te halen, zodat ze die pijnlijke taak van haar lijstje kon
strepen, en vervolgens door te gaan met haar leven. Maar het was anders
gelopen, omdat ze geen geld had, of tenminste, bijna geen geld. Bovendien voerde ze diep vanbinnen een hevige worsteling. Er was een stem
die zei: 'Doen!', een andere stem aarzelde, en een derde creëerde niets
anders dan angst.

'Je bent volslagen idioot,' zei die laatste stem. 'Hoe kun je nu denken
dat je hier zonder de anderen kunt terugkomen en een nieuw leven kunt
beginnen?' Of: 'Je wilt schrijfster worden? Laat me niet lachen. Je bent
een totale mislukking, zowel in de liefde als in het leven.' Wanneer ze in
een dergelijke stemming verkeerde, zakte ze weg in de zwartste herinnering van allemaal. Ze was tien, en ze stond met haar koffer op het perron
in Simla. Josie en haar vader waren dood. Haar moeder had haar meegenomen naar hun grafstenen en zette haar op de trein. Waarom wilde

haar moeder niet dat ze bij haar bleef? Waarom gooide ze de deur van de trein dicht en liep ze weg? Wat had ze misdaan? Heeft ze me een afscheidskus gegeven?

Wanneer deze stemmen haar bestookten, scheelde het niet veel of ze haatte mevrouw Driver, die had gezegd dat je alles kon bereiken wat je wilde, als je er maar hard genoeg voor werkte. Hoe moest het verder als die sentimentele onzin de wreedste leugen bleek te zijn van allemaal?

Ze worstelde al dagen met dit soort gevoelens, maar die ochtend voelde ze zich bij het wakker worden om onverklaarbare redenen ineens een stuk optimistischer. Toen ze haar ogen opendeed, hoorde ze voor het eerst vogels zingen in de banyanboom voor het raam, en de keuze leek haar plotseling bijna lachwekkend helder: ze kon zwemmen of verzuipen, en ze was er klaar voor om weer te zwemmen.

Een baan. Dat was het eerste wat ze nodig had: een kapstok waaraan ze de rest van haar bestaan kon ophangen. Ze liet zich uit bed glijden en raadpleegde haar aantekeningenboek. Voor haar vertrek had mevrouw Driver daar in haar zwierige handschrift de namen genoteerd van wat mensen in Bombay die haar misschien zouden kunnen helpen. Bovenaan stond juffrouw Daisy Barker, dezelfde naam die ze ook op het memobord van de YWCA had gezien. Daaronder had mevrouw Driver geschreven: meneer Woodmansee, gepensioneerd correspondent *Pioneer and Mail* (stokoud, maar kerngezond, vindt het heerlijk om anderen van advies te dienen).

Viva pakte haar pen en zette twee dikke strepen onder de naam van juffrouw Barker. Na het ontbijt zou ze haar bellen. Opgelucht dat ze althans één besluit had genomen, liep ze de gang door naar de badkamer voor algemeen gebruik, waar de houten katrol boven het bad doorzakte onder het gewicht van natte sokken en vergeelde hemden en onderbroeken. Ze liet het bad vollopen, kleedde zich uit en begon zich met kracht te schrobben – haar haren, haar gezicht, haar tanden. Wat voelde het goed om zich weer zo vol overgave te wassen, alsof ze in zichzelf geloofde. Ze trok haar rode jurk aan en stak een zilveren kam in haar haar. Ook al was ze dan straatarm, ze kon wel zorgen dat ze er goed uitzag.

De eetzaal in de Y was een zonnige ruimte op de eerste verdieping met uitzicht op een stoffig park. Elke morgen stonden er twee soorten ontbijt klaar: roerei, brood, marmelade en slappe, lauwe thee voor de Engelse meisjes. Voor de vrouwen en meisjes uit India waren er de kleine bolletjes die ze *pavs* noemden, eieren en *poha*, gestampte rijst.

Drie Bengaalse meisjes – Viva kende hen van gezicht maar niet van naam – keken haar glimlachend aan toen ze binnenkwam. Viva had gehoord dat ze naar Bombay waren gekomen om voor onderwijzeres te leren – een gewichtige stap, om het ouderlijk huis te verruilen voor een leven als dit. Ze waren allervriendelijkst, deden mee aan de gebedsbijeenkomsten en wat er verder werd georganiseerd, maar ze waren verder erg op zichzelf. Waarschijnlijk, dacht Viva, omdat ze in hun hart Hindoe waren en liever niet met andersdenkenden aten.

Bij haar binnenkomst hielden ze op met praten, en ze wiebelden met hun hoofd.

'Wat een mooie jurk,' zei een van de meisjes verlegen.

'Dank je wel,' antwoordde Viva. 'Hoe gaat het met de studie?'

'Ik vind het heerlijk,' zei het meisje glimlachend. 'We zeiden net tegen elkaar dat we ons voelen als vogels die zijn bevrijd uit hun kooi.'

Viva merkte ineens dat ze rammelde van de honger. In de dagen dat de zenuwen haar parten hadden gespeeld, had ze zo goed als niets gegeten.

Ze schepte een paar eieren, een worstje en wat rijst op haar bord en ging bij het raam zitten. Vandaar keek ze neer op het park, waar een kleine jongen achter een vlieger aan holde. De wind trok de vlieger uit zijn mollige handjes. Hij rende er lachend achteraan. Vanuit de keuken drong gezang tot haar door, samen met de geuren van de kerrieschotels die voor de lunch werden bereid. Ze at haar bord schoon leeg.

Na het ontbijt belde ze Daisy Barker, voordat de moed haar in de schoenen zonk.

'Hallo?'

De voorname stem aan de andere kant van de lijn klonk kordaat maar vriendelijk. Viva vroeg of ze haar die dag kon spreken. Waarop juffrouw Barker haar vertelde dat ze die ochtend les gaf op de universiteit, maar na de lunch schikte het wel. Of Viva dan naar haar nieuwe appartement in Byculla kon komen. Was ze daar toevallig bekend? Nee? Nou, het was wel iets buiten het centrum, maar ze zou haar precies vertellen hoe ze er moest komen. 'Kom je met de bus of de riksja?' vroeg ze tot Viva's opluchting. Want voor een taxi had ze voorlopig geen geld.

Gehuld in haar chaperonnekleding en op haar beste schoenen waagde Viva zich de straat op. Ze had nog vier uur te gaan tot haar afspraak met juffrouw Barker, en ze besloot eerst naar het kantoor van Thomas Cook aan Hornby Road te gaan om haar post op te halen, en vervolgens naar de Grindlays Bank om haar slinkende banksaldo te controleren, en zonodig te overleggen met de filiaaldirecteur.

Het had die nacht geregend, en de damp sloeg van het plaveisel toen Viva de straat overstak. Ze was zich bewust van de stad die zich naar alle kanten uitstrekte: van het gerammel van ossenwagens, het gekrijs van de remmen van opzichtige, nieuwe vrachtwagens, het gebalk van een ezel, de onvoorstelbare massa van dicht opeengepakte lichamen, levend, stervend, op weg naar hun werk.

'Goeiemorgen, missy,' zei de palmsapverkoper, die in kleermakerszit op een *charpoy* op de hoek van de straat zat. Ze had er een gewoonte van gemaakt elke ochtend een glas sap bij hem te kopen. De zoete smaak deed haar denken aan Josie, die dol was geweest op palmsap en er bij hun ayah altijd om had gezeurd. Sinds haar terugkeer was Josie, die ze zo lang, zo ver weg had gestopt dat het verlies van haar zusje geen pijn deed, ook weer helemaal terug. In gedachten zag ze hen samen rennen op hun magere beentjes, in de regen, stikkend van de lach. Of ze zag hen door de heuvels rijden, of op het dek van de woonboot zitten in Kasjmir.

Lieve Josie. Ze nam haar eerste slok. Mijn zusje.

Toen het palmsap haar lippen raakte, opende de sapverkoper vluchtig zijn mond, als een moedervogel. Ze had hem regelmatig gadegeslagen vanachter haar raam in de Y, terwijl hij tien, twaalf, soms zestien uur per dag op zijn stoffige straathoek zat. Wanneer de sterren tevoorschijn kwamen, stak hij een olielamp aan en wikkelde zich in een deken. Dus waar haalde ze het recht vandaan om te denken dat zij het zwaar had?

'Heerlijk!' Toen ze hem het glas teruggaf, glimlachte hij naar haar alsof ze oude vrienden waren.

Ze vertrok richting Hornby Road en bleef op de volgende straathoek staan om drie vrouwen te laten passeren. In hun fleurige sari's zagen ze eruit als bontgekleurde vogels. Hun zachte stemmen en hun vlotte lach deden haar denken aan Tor en Rose. Het had haar verbaasd te ontdekken dat ze hen oprecht miste. Aanvankelijk waren ze niet meer dan haar broodwinning geweest, maar gaandeweg was daar verandering in gekomen. Ze aarzelde nog altijd om het woord vriendinnen te gebruiken. Tenslotte had ze zich altijd een buitenstaander gevoeld (of was dat het lot van alle emigranten?). Maar ze miste de momenten waarop ze onder het genot van een glaasje crème de menthe naar hun verhalen had geluisterd. Ze miste Tor met haar grammofoon, die haar de Kaiser-stomp had leren dansen.

En Frank. Dat was helemaal te gek voor woorden. Ze had hem nagekeken terwijl hij de loopplank af liep, met zijn o-benen en zijn zwierige tred, waarvan ze inmiddels wist dat die was bedoeld om te maskeren hoe complex en bedachtzaam hij eigenlijk was. Hij droeg een linnen pak – het scheepsuniform had hij afgelegd – en een hoed, waar zijn lichtbruine haar onder vandaan kwam. Een trekvogel, net als zij, dacht ze, en ze sprong haastig de stoep op om niet omver te worden gereden door een ossenkar. Ze had hem kunnen roepen, die laatste dag op het schip, maar ze stond met de Glovers te praten, en de sfeer was zo beladen, zo verwarrend dat de moed haar in de schoenen was gezonken. Wanneer ze aan dat moment dacht, voelde ze een steek van pijn, gevolgd door boosheid. Boosheid op zichzelf. Wat maakte het uit dat ze geen afscheid hadden genomen? Hij was waarschijnlijk allang doorgereisd en charmeerde inmiddels andere vrouwen. Bij sommige mannen ging dat vanzelf, zonder dat ze er iets voor hoefden te doen. Het was een speling van de natuur – de juiste glimlach, een vlotte, zelfverzekerde uitstraling die weinig vrouwen konden weerstaan. Ze had besloten dat ze hem niet meer zou zien.

Het in uniform gestoken personeel van Thomas Cook & Sons was bezig brieven te sorteren en in kleine koperen kluisjes te leggen. Haar kluisje, nummer zes, bevond zich naast de deur. Toen ze de koperen sleutel uit haar tas haalde, werd ze opnieuw overvallen door angst.

Er waren twee brieven voor haar – de ene een reclamefolder van de Army & Navy Store die haar liet weten dat de 'zilveren visscheppen' in de aanbieding waren. Net als de 'extra breedgerande, vilten zonnehoeden in donkerbeige en andere tinten'. Ze had geen bericht van meneer Glover. Uitstel van executie, grapte ze tegen zichzelf. Ze deed het kluisje alweer dicht toen de klerk haar een rode envelop overhandigde. Viva herkende Tors royale, ronde schoolmeisjeshandschrift.

Lieve chaperonne,

*Ik heb opwindend nieuws. Vanaf 20 januari ben ik hier twee weken hele-
maal alleen. Met auto! De Mallinsons gaan jagen. Dus kom me alsjeblíéft,
alsjeblíéft gezelschap houden. Desnoods voor een avond, als twee weken te
lang is. Er zijn hier meer dan genoeg logeerkamers waar je kunt schrijven.
Ik probeer Rose zover te krijgen dat ze ook komt. Dan kunnen we weer eens
een bishi houden. Trouwens, ik heb het hier geweldig. Wat heet, ik heb
amper de tijd om adem te halen, laat staan om te schrijven.*

Kus,
Tor

Ps: Is er nog nieuws van de verschrikkelijke Guy?

Terwijl ze terugliep over Hornby Road, verkeerde Viva in hevige twee-
strijd over Tors uitnodiging. De trouwreceptie in huize Mallinson was
geweldig geweest. Hoezeer het Viva ook tegen de borst stuitte, ze had
genoten van de bedienden, de overvloed aan warm water, aan heerlijk
eten, van het weerzien met Tor en van alle nieuwtjes die ze te vertellen
had gehad.

Maar logeren in het huis van CiCi Mallinson? Een vrouw die ze niet
kon uitstaan? Op de bruiloft had CiCi zich, telkens wanneer Tor en Viva
hadden geprobeerd een paar woorden met elkaar te wisselen, als een
soort angstaanjagende roofvogel op hen gestort en hen aangespoord zich
toch vooral onder de gasten te mengen. Of ze had vreemde opmerkingen gemaakt over het feit dat er in Bombay zo'n tekort was aan 'vers
bloed'.

'En waar in Bombay, onder welk bed staan jouw pantoffels, vriendin
van Tor?' had ze met haar geaffecteerde, temende stem gevraagd, toen ze
elkaar troffen bij het blad met champagne. 'In de YWCA,' had Viva geantwoord, waarop CiCi hoorbaar haar adem had ingehouden en Viva zo
krampachtig bij haar arm gegrepen dat haar nagels in het vlees drongen.
'Lieverd, wat afschuwelijk voor je. Ik heb gehoord dat de vrouwen daar
werkelijk affreus zijn!' Daarop had ze zich naar een van haar vriendinnen
gekeerd. 'De YWCA heeft absoluut niets met het echte India te maken.'

Ach, misschien was Ci een beetje nerveus geweest, of wat al te opgewonden, want het was erg druk geweest op de receptie, erg hectisch. Toch had Viva ernstig in de verleiding verkeerd om haar drankje langzaam uit te gieten over het gedurfde kapsel van mevrouw Mallinson. Alleen al bij de gedachte aan haar begon haar bloed nog altijd te koken.

Hoe durfde ze zo te praten over de vroedvrouwen en sociaal werksters en onderwijzeressen in de YWCA? Ze had geen idee hoe ze waren, hoe hard ze werkten.

CiCi Mallinson was zo iemand die dacht dat alle vrouwen in India onnozel waren en onderdrukt werden. CiCi Mallinson was een idioot.

En waar was dat échte India waar ze het voortdurend over had? En als zij daar deel van uitmaakte, vanwaar dan die twee gewapende mannen en die Duitse herder bij de poort? Op een gegeven moment tijdens de receptie waren de recente rellen in de buurt van de boulevard ter sprake gekomen. Waarop CiCi had gezegd dat de inheemse bevolking nooit eerder zo onrustig was geweest.

Bij wijze van lunch at Viva een mango op Crawford's Market, gezeten op de rand van een fontein, versierd met slangen en tijgers, vogels en wilde honden. Inmiddels zat ze in de bus, op weg naar het appartement van Daisy Barker in Byculla. Het haar van de vrouw die naast haar zat, rook naar kokosolie, en het zachte, mollige lichaam tegen het hare bezorgde Viva een gevoel van verlangen, ook al wist ze niet waarnaar. De vrouw had een baby op schoot. Terwijl het kindje sliep – lange wimpers op bruine wangetjes – joeg de moeder teder de vliegen weg. Een man in een mouwloos vest, die zich vasthield aan een lus boven zijn hoofd zodat ze het vochtige haar onder zijn armen kon zien, vertelde een verhaal aan een stel andere mannen achter in de bus. Toen hij bij de afronding was, volgde er zo'n explosie van hilariteit, waarbij de mannen zich van de pret op de dijen sloegen, dat Viva onwillekeurig ook begon te lachen, hoewel ze er geen woord van had kunnen verstaan.

Na tien haltes stak de conducteur zijn hand naar haar op. 'Dit is Byculla. U moet er hier uit, madam.'

Nadat ze was uitgestapt en op haar kaartje had gekeken, liep ze een smalle straat in die leidde naar een reeks onheilspellend ogende stegen. Het plaveisel zat vol gaten, overal lagen rottende groenten, en hier en daar stonden nog plassen water na de regen van die nacht. Aan de overkant van de straat hurkte een kleine jongen in de goot. Het kind zat te poepen, met zijn haveloze bloes opgetrokken tot zijn middel. Toen hij haar nieuwsgierig aankeek, wendde ze haar hoofd af.

Daisy had gezegd dat ze vlak bij het Umbrella Hospital woonde, maar het enige wat Viva zag, was een reeks bouwvallige winkels, als donkere kooien in de muur. Ze stak haar hoofd bij een van de winkels naar binnen, waar een oude man op zijn hurken een stapel overhemden zat te strijken.

'Waar is het...?' vroeg ze in het Hindi, en ze vormde met haar armen een denkbeeldige paraplu.

'Daar!' Hij wees naar de volgende hoek en een vervallen appartementengebouw met smeedijzeren balkons, waarvan de meeste kapot waren. Viva liep erheen en stond op het punt aan te bellen toen er boven haar hoofd een luik werd opengedaan.

'Hallo!' riep een stem die voornaam genoeg klonk om bezoekers welkom te heten in Buckingham Palace. 'Juffrouw Holloway?' Op het balkon verscheen een kleine, mollige vrouw met een zonnehoed die ingespannen naar beneden tuurde. 'Wacht even, dan kom ik u halen.'

Er klonken roffelende voetstappen op de trap. Toen vloog de deur open, en Viva stond oog in oog met een vrouw die ze al behoorlijk op leeftijd schatte. Minstens vijfendertig. Ze droeg een bril met een gouden montuur, een simpele, katoenen jurk en ze had een levendig intelligent gezicht. 'Let maar niet op de puinhoop,' zei Daisy. 'Ik ben net vorige week verhuisd. De helft van mijn spullen zit nog op een ossenkar in Colaga die door zijn wielen is gezakt.'

Ze schaterde als een jong meisje.

In de gang rook het naar opgebakken kerrieschotel en anti-vliegenspuitbus, maar toen ze Daisy's appartement betraden, voelde Viva zich meteen thuis. Met zijn hoge plafonds en witgepleisterde muren maakte het een lichte, ruime indruk en het zag er geordend uit met keurige stapels boeken en fleurige kussens. Op een bureau in de zitkamer stond een typemachine, met daarnaast stapels papier. Waarschijnlijk examenopgaven, dacht Viva.

'Kom mijn nieuwe uitzicht bewonderen!' Daisy ging haar door de zitkamer voor naar een groot balkon met een witte mozaïekvloer dat uitkeek op een moskee en een zee van daken. 'Een ideale plek om feestjes te geven.' De zon deed haar bleke gezicht oplichten. 'En gisteravond hebben we hier gebadmintond. Wat mag het zijn? Thee? Met wat sand-wiches misschien? Rammel je van de honger?'

Toen ze eenmaal aan de thee zaten, besloot Viva dat ze zich niet al-leen thuisvoelde in het appartement, maar ook bij Daisy. Achter de vriendelijke ogen van haar gastvrouw was Viva zich bewust van een praktische, energieke geest, die wist hoe ze dingen voor elkaar moest krijgen. Daisy was een vrouw bij wie Viva zich veilig voelde, ook al kon ze nu nog niet zeggen waarom. Tijdens een tweede kop thee vertelde Daisy dat ze deel uitmaakte van een beweging die The Settlement heet-te, opgezet door vrouwen die in Oxford en Cambridge hadden gestu-deerd en die tot de conclusie waren gekomen dat ze 'zo verwend en be-voorrecht' waren dat ze naar India waren gekomen om de vrouwen hier universitair onderwijs te geven.

Veel later hoorde Viva dat Daisy, met haar weinig elegante jurken en haar deftige accent, een vader had die van adel was en die diverse land-goederen bezat in Norfolk. Maar dat was niet het leven dat zij wilde lei-den. Ze had de drang om zich in te zetten voor anderen, ook al was ze daar in de hogere kringen hevig om bespot.

'Indiase vrouwen die naar de universiteit gaan?' vroeg Viva verbaasd – waar zij had gewoond, was niemand ooit naar de universiteit gegaan. 'Neem me niet kwalijk, maar ik dacht dat de meesten analfabeet waren?'

'Dat geldt zeker voor de vrouwen in de dorpen.' Daisy trok een na-denkend gezicht. 'Maar Bombay is in sommige opzichten al veel verder. We hebben hier vrouwelijke advocaten, dichters, dokters, kunstenaars, ingenieurs. En het zijn stuk voor stuk geweldige vrouwen; slim, kritisch, een en al energie en enthousiasme. Als je dat leuk vindt, kan ik je met een aantal van hen in contact brengen.'

Daisy vertelde dat ze naast haar werk als docent zelf een cursus van zes weken aan de universiteit volgde om haar Urdu op te halen. 'Ken je de taal? O, wat een rijkdom! Als je ook maar enigszins geïnteresseerd bent in poëzie, zal ik je wat boeken lenen. Het is echt een ontdekking!'

'Leuk! Graag!'

'Zo, laten we het nu eens over jou hebben.' Daisy keek haar stralend aan vanachter haar metalen bril. 'Heb je eerder in India gewoond?'

'Tot mijn tiende. We woonden in het noorden. Mijn ouders zijn om-gekomen bij een auto-ongeluk.' De leugen rolde moeiteloos over haar lippen. 'Toen ben ik teruggegaan naar Engeland. Een van de redenen dat ik nu weer hier ben, is om hun spullen op te halen. Er staat nog een hutkoffer van mijn ouders in Simla.'

'Ach, dat spijt me. Wat verdrietig voor je.'

'Tja...' Viva wist nooit wat ze moest zeggen.

'Heb je al uitzicht op werk?'

Viva schraapte haar keel. 'Ik wil proberen als schrijfster de kost te verdienen.' Soms voelde ze zich een bedrieger wanneer ze dat zei, vooral als het in dat opzicht niet goed liep. 'Ik heb in Engeland al een paar verhalen gepubliceerd.'

'Gossie, wat opwindend.'

'Niet echt, vrees ik. Althans, op dit moment niet. Was het maar waar. Sterker nog, op dit moment ben ik bereid alles aan te nemen om mezelf in leven te kunnen houden.'

Daisy schonk hen nog eens thee in.

'Maar je bent er net,' zei ze toen. 'En dit is zo'n bijzondere tijd om hier te zijn. Alles is bezig te veranderen. Dus vanuit het oogpunt van een schrijver kun je het niet beter wensen.'

Ze vertelde Viva over de Indian National Congress Party die vastberadener was dan ooit om het land los te maken van de Britten; over de maatregelen om Britse goederen te boycotten en over Gandhi, 'een ware inspiratiebron', die in alle rust bezig was het volk te mobiliseren.

'Denk je dat de Indiërs echt een hekel aan de Engelsen beginnen te krijgen?' vroeg Viva, zoals gebruikelijk niet goed wetend aan welke kant ze stond.

'Nee, dat denk ik niet,' antwoordde Daisy. 'Indiërs zijn erg vergevingsgezind – ik ken op de hele wereld geen warmer, hartelijker volk. Maar ze kunnen ook buitengewoon gewelddadig zijn. En de stemming kan van het ene op het andere moment omslaan.' Ze knipte met haar vingers. 'Er zijn een paar heethoofden die het vuurtje opstoken. Dus wees gewaarschuwd. En wees voorzichtig. Maar terug naar ons onderwerp.' Daisy haalde een pen en een notitieboekje tevoorschijn en dacht ingespannen na. 'Hoe lang ben je van plan hier te blijven?' vroeg ze toen.

'Minstens een jaar.'

'Spreek je Hindi?'

'Een beetje.'

'Schitterend. Maar probeer ook wat Marathi te leren. Dat scheelt enorm.'

Ook Daisy bleek Lloyd Woodmansee te kennen. 'Hij werkte als speciale verslaggever bij *The Times of India*, en bij de *Pioneer*. Ik weet niet zeker of ze vrouwen in dienst hebben. Zo ja, dan schrijven die waarschijnlijk alleen over mode en chrysantenshows, maar het is de moeite van het proberen waard. Hij is inmiddels stokoud, en het zit hem nogal tegen. Neem een chocoladetaart voor hem mee.'

Ze haalde een stukje papier uit haar arbeiderstas en schreef zijn naam en adres erop. 'Hij woont tegenover Crawford Market.'

'Stel dat ik het geluk heb dat ze me een opdracht geven, hoeveel zou ik daarvoor krijgen?' vroeg Viva met bonzend hart.

'O, niet veel, ben ik bang. Tenzij je een tweede Rudyard Kipling bent. Ik heb nooit iets gekregen voor de paar dingetjes die ik recent voor ze heb gedaan.'

'O. Wat jammer.'

'Tja... Het spijt me.'

'Dat geeft niet.' Viva wendde zich af. 'Ik ben blij dat je me wilt helpen.'

Daisy zette de kopjes weer op het blad, keurig in het gelid.

'Zit je erg krap?' vroeg ze toen.

Viva knikte, diep beschaamd toen ze voelde dat er een traan over haar wang biggelde. 'Ik heb nog ongeveer vijfentwintig pond,' zei ze ten slotte. 'Mijn overtocht zou betaald worden, maar daar dacht mijn opdrachtgever uiteindelijk anders over.'

'Dat is niet eerlijk.'

'Nee, dat was het ook niet.'

'Luister eens. Blijf nog even zitten,' zei Daisy. 'Ik heb een idee. Het betaalt niet geweldig, maar het zou voorlopig uitkomst kunnen bieden.'

In het daaropvolgende halfuur vertelde ze Viva dat The Settlement zich niet alleen bezighield met educatie, maar ook twee kindertehuizen in Bombay had geadopteerd. Een van de twee, de Tamarinde, stond in Byculla en zorgde dat straatkinderen tussen de middag een warme maaltijd kregen en leerden lezen en schrijven. Daarnaast waren sommige kinderen er tijdelijk intern. Op dat moment zat het tehuis erg krap qua personeel. De betaling was heel slecht – een roepie per dag – maar de uren waren flexibel, en misschien was dat voor Viva als schrijfster wel plezierig. De functie was inclusief een kleine kamer – heel sober, niets bijzonders – in het aangrenzende pand dat eigendom was van een Pars, meneer Jamshed, wiens dochters aan de universiteit studeerden.

'De kinderen zullen je genoeg stof geven om een heel leven te vullen met schrijven,' voegde ze eraan toe. 'En het is in elk geval beter dan stukjes schrijven over hoeden en chrysanten.'

Viva dacht even na. Toen zette ze haar kopje neer. 'Ik doe het.'

'Geweldig!' Daisy schudde haar de hand.

Terwijl ze zaten te praten, was de hemel boven het balkon en de stad veranderd in een tapijt van vurige vlammen. Op straat klonk de roep van de waterverkoper. 'Pani!'

'Het wordt tijd om je op de bus naar huis te zetten,' zei Daisy. 'Nog even, en het is donker.'

Voor het eerst sinds dagen zag Viva niet op tegen de lege uren die voor haar lagen. Het was allemaal niet wat ze had verwacht, maar het was een begin.

26

Poona, januari 1929

Op Viva's eerste werkdag in Bombay zat Rose zwijgend aan het raampje in de Deccan Express. Jack en zij waren inmiddels drie weken getrouwd en op weg naar Poona, waar ze als getrouwd stel hun eigen huis zouden betrekken. In die drie weken had Rose geleerd dat Jack er niet van hield te worden gestoord wanneer hij de krant las, en dat zijn plannen van nu af aan doorgaans vóór de hare zouden gaan.

Dat had hij haar geduldig maar op besliste toon duidelijk gemaakt in de slaapkamer van het ouderwetse gastenverblijf in Mahableshwar, waar ze een huwelijksreis van vier dagen hadden doorgebracht.

'Wat leuk!' Ze had in haar handen geklapt van verrukking toen hij haar had verteld dat ze op de terugweg naar Poona een dag of twee in Bombay zouden verblijven. 'Dan kan ik Tor gaan opzoeken, en misschien zelfs Viva.'

Ze zag ernaar uit om bij te praten en alle nieuwtjes te horen. Hij had zijn wenkbrauwen gefronst, en ze had het spiertje zien trekken in zijn wang, iets wat ze was gaan herkennen als een voorzichtige waarschuwing.

Hij moest een paard gaan bekijken, zei hij. Bovendien zouden ze wat inkopen moeten doen voor het nieuwe huis. Ze had zich belachelijk teleurgesteld gevoeld, maar erg haar best gedaan om niet te mokken.

'Er is alle tijd om je vriendinnen op te zoeken wanneer we ons eenmaal hebben geïnstalleerd,' had hij haastig gezegd, toen hij desondanks de teleurstelling op haar gezicht had gezien, en hij had een arm om haar heen geslagen. 'Maar we moeten zien dat we mobiel worden.'

'Mobiel worden' was een van zijn favoriete uitdrukkingen. Net als 'de handen uit de mouwen' of, als hij in een speelse bui was *'avante'*, of *'jaldi'*, het Hindi woord voor 'opschieten'.

Soms betrapte ze hem erop dat hij met verbazing naar de inheemse bevolking kon kijken. Veel Indiërs leken urenlang te kunnen dromen en simpelweg voor zich uit te kunnen staren. Iets wat voor Jack een onmogelijkheid was.

Voorzichtig, om Jack niet tegen zijn arm te stoten, haalde Rose de schrijfcassette van kastanjebruin leer met de gouden vulpen tevoorschijn, die ze voor haar vertrek van haar vader had gekregen.

'Lieve ouders,' schreef ze. 'Ik ben inmiddels al helemaal gewend aan de huwelijkse staat en zit met mijn man in de trein. We zijn ongeveer een uur geleden uit Bombay vertrokken voor een reis van ongeveer honderdvijftig mijl. Ik ben erg opgewonden bij de gedachte dat ik vanmiddag ons nieuwe huis te zien krijg. Trouwens, mijn nieuwe adres is: 2 The Larches, Poona Cantonment. Vanuit het raampje van de trein zie ik weelderig beboste hellingen. Het landschap wordt steeds weidser, steeds romantischer, steeds meer het India uit mijn dromen!'

In werkelijkheid zag het er allemaal nogal bruin en stoffig uit. Ook al had Jack haar, tussen het sportkatern en de advertenties die hij zorgvuldig bestudeerde, enigszins gespannen verzekerd dat alles groener zou worden wanneer de regentijd aanbrak.

Rose stopte even met schrijven en dacht aan het weinig romantische uitzicht van eerder die dag – ze bloosde nog steeds bij de herinnering. In een groot, stoffig veld aan de rand van Bombay hadden ze tientallen Indiërs gezien die op klaarlichte dag gehurkt hun behoefte deden. En dan ging het niet om een plasje.

'Niet kijken,' had Jack haar opgedragen, maar vanuit haar ooghoeken had ze al die billen toch gezien. Een lelijke, schokkende aanblik, op het eerste gezicht net een veld vol paddestoelen.

'We hebben een geweldig weekend achter de rug,' schreef ze verder. 'Mijn eerste tijgerjacht, in een jachtkamp bij Tinai Ghat. Tegen de avondschemering zagen we een hele roedel wilde honden de weg oversteken. (Jack vertelde me later dat de honden tot de wreedste en angstaanjagendste diersoorten in dit land behoren.) En even later zag ik mijn eerste tijger. Onze *shikari* (gids) had een dood hert op het pad gelegd. De tijger liep erheen. Toen hij de honden zag, bleef hij abrupt staan, met een blik van weerzin in zijn ogen. Toen liep hij langzaam weg. De honden moeten de tijger ook hebben gezien, maar ze stortten zich op het hert. Het waren er misschien wel een stuk of veertien, en terwijl ze aten, stonden vijf of zes andere honden op wacht. Het geluid van scheurend vlees, het zachte, genietende janken was tegelijkertijd weerzinwekkend en fascinerend. Toen Jack zijn zaklantaarn op hen richtte, zagen we dat ze zich helemaal vol hadden gevreten. Ze vertrokken om twee uur 's nachts, even geruisloos als ze waren gekomen.'

Haar ouders hadden geen behoefte aan een hele bladzijde over wilde honden, wist Rose. Ze wilden alles horen over de bruiloft, over Jack. Ze wilden horen dat ze gelukkig was. Dat ze zich niet elke avond in slaap huilde omdat ze haar vader en moeder en Park House miste. Maar sommige dingen waren te moeilijk en te persoonlijk om op te schrijven.

De huwelijksreis was niet goed verlopen. Op hun eerste avond in Mahableshwar hadden ze gedineerd in een slecht verlichte ruimte in het gastenverblijf. Het rook er klam en vochtig. Aan het tafeltje naast hen zat een echtpaar dat de hele maaltijd geen woord tegen elkaar zei, waardoor de pogingen van Rose tot het voeren van een gesprek zelfs nog lachwekkender en haperender klonken. Ze had wat verteld over Middle Wallop en haar pony's. En ze had hem gevraagd naar de geschiedenis van de Third Cavalery, waarop hij uitvoerig antwoord had gegeven. Er was een blos op zijn wangen verschenen, en ze had hem nog nooit zo geanimeerd gezien als toen hij vertelde dat het een van de geweldigste en oudste regimenten was, en dat hij erg blij was deel uit te maken van een onderdeel van de Indiase cavalerie en niet van een – exclusiever – Engels regiment. Dat hij schouder aan schouder had gewerkt met Indiërs en dat hij met eigen ogen had gezien hoe bekwaam en hoe dapper sommige van die inheemse kerels waren.

Toen ze haar glas wijn had leeggedronken – de wijn smaakte afschuwelijk, bitter en bezorgde haar een wazig, gedesoriënteerd gevoel omdat ze zelden dronk – schonk Jack haar een vreemde blik. Hij boog zich over de tafel en fluisterde: 'Je bent prachtig, Rose. Weet je dat wel?'

Ze had wat met haar hoofd gewiebeld en haar ogen neergeslagen. Daarop had hij op dezelfde gedempte toon gevraagd: 'Wil jij alvast naar boven, om je gereed te maken voor de nacht?'

Het andere stel had haar nagekeken, en het was Rose niet ontgaan dat ze heimelijk naar elkaar glimlachten, want toen Jack en zij waren gearriveerd hadden ze de confetti op haar jas gezien. Waarschijnlijk hoorden ze haar terwijl ze door hun slaapkamer liep, want die lag pal boven de eetkamer. Haar vingers beefden toen ze in de badkamer probeerde het sponsje op zijn plek te duwen. Het glipte twee keer uit haar vingers en schoot onder het bad, zodat ze eronder moest kruipen, doodsbang dat ze daar een slang of een schorpioen zou aantreffen. Terwijl ze het stond uit te spoelen, hoorde ze de deur van de slaapkamer open- en dichtgaan.

'Is alles goed met je?' riep Jack.

'Prima... dank je.'

'Kom, lieverd,' had hij vijf minuten later geroepen. Ze stond met haar voet op het badkamerkrukje en probeerde nog altijd wanhopig het sponsje in te brengen.

Het zweet sloeg haar uit, en ze deed haar uiterste best niet te huilen toen ze ineens voelde dat het op z'n plek schoot. Het negligé van perzikkleurige zijde leek belachelijk overdreven in de spartaans ingerichte badkamer, en het scheurde bijna omdat ze met haar voet bleef haken in de zoom.

Toen ze de kamer binnen kwam, zei hij niets. Hij lag onder de klamboe, in een zijden kamerjas met oosters motief, en deed alsof hij de krant las. Boven het bed draaide een ventilator.

Hij sloeg het bed open en ze zag dat hij handdoeken op het onderlaken had gelegd. Ernstig keek hij haar aan. 'Als je het niet wilt, doen we het niet.'

'Jawel. Ik wil het wel,' zei ze zonder hem aan te kijken.

Tor had haar verteld dat het geen pijn deed als je altijd veel had paard gereden, maar het deed wel pijn. Ze transpireerden allebei van gêne toen het voorbij was, glibberend en glijdend in elkaars zweet en niet in staat elkaar aan te kijken. Nee, het was geen goed begin geweest, en in de twee nachten daarna was het niet veel beter geworden. Sterker nog, op de laatste avond van hun huwelijksreis was hij het geweest die bijna een uur in de badkamer was gebleven, gekweld door – het kon nauwelijks gênanter – een aanval van diarree. Hij had de kraan laten lopen en veel gehoest, zodat zij er zo min mogelijk van hoorde, maar het was voor hen allebei een diep vernederende ervaring geweest.

Om vier uur 's ochtends had hij kribbig gezegd: 'Welterusten, Rose. Ik weet dat je wakker bent.' En ze had met grote, ontstelde ogen naar de duisternis liggen staren, luisterend naar een insect dat met zijn vleugels tegen de hor voor het raam sloeg, en naar zijn ademhaling die schor werd en steeds regelmatiger, tot ze wist dat hij sliep.

De trein reed door een uitgedroogd landschap bedekt met struikgewas. De *chai wallah* was bij hen blijven staan om hun baksteenkleurige thee te verkopen, gevolgd door vruchtencake en een reeks opwindend gekleurde zoetigheden. 'Ik zou er maar niets van eten, lieverd.' Jack had de krant opzijgelegd. 'Want ik weet zeker dat Durgabai vanochtend al is begonnen met koken, genoeg voor een heel regiment.'

Durgabai was de naam van een van de drie bedienden met wie Rose nog kennis moest maken. Lieve hemel, wat was ze nerveus! En misschien gold dat ook wel voor Jack. Hij was zelfs nog stiller dan anders. En hoe lang kon het duren voordat je de krant uithad?

Zes uur later arriveerden ze op de plaats van bestemming. Bij het station van Poona stond een taxi op hen te wachten die hen in snelle vaart door verzorgde, met bomen omzoomde straten reed, langs de club, langs het poloveld. Inmiddels waren ze aangekomen bij een onopvallende, kleine bungalow. Rose had haar ogen dichtgedaan en straalde. Terwijl Jack haar over de drempel droeg, schuurde ze met haar kuit buitengewoon pijnlijk langs het slot, maar ze waardeerde het romantische gebaar en bleef glimlachen.

Toen hij haar neerzette en ze haar ogen opendeed, zag ze de donkere zweetplek onder zijn arm.

'Wat heerlijk om hier te zijn!' Ze hief haar gezicht naar hem op voor een kus, vurig hopend dat hij niet zag hoe teleurgesteld ze was. Want ze had zich voorgesteld... Ja, wat eigenlijk? In elk geval iets wat leek op de vele mooie, ruim ogende bungalows waar ze op weg hierheen langs waren gekomen, met hun brede veranda's en majestueuze bomen. En in elk geval niet zo'n kleine doodse tuin of zo'n donkere, benauwde gang waar het een beetje vochtig rook. Maar hij had haar gewaarschuwd dat het huis dat hun was toegewezen, standaard was voor een lage officier. En dat ze iets groters zouden krijgen zodra hij werd bevorderd.

'Ja, dit is het,' zei hij opgewekt. 'Wat vind je ervan?'

'Ik vind het heerlijk, lieverd. Echt waar. Hoezo, was je bang dat ik niet tevreden zou zijn?'

Het begon haar in verlegenheid te brengen dat ze dat woord de laatste tijd zo vaak gebruikte. *Ik vind het heerlijk. Heerlijk om u te zien! Heerlijk om hier te zijn. Ja, ik heb echt een heerlijke tijd hier. Dat was heerlijk!* Er moesten toch andere woorden zijn om al die nieuwe indrukken te beschrijven.

Hij nam haar mee naar de zitkamer, een kleine, ongemeubileerde ruimte, op een bamboe sofa na die voor een elektrisch kacheltje stond met slechts één gloeispiraal. Aan de muur hing een schilderij van iets wat leek op een Schots heidelandschap, met op de voorgrond een hertenbok met een wijdvertakt gewei die haar bijna droefgeestig aankeek. Buiten voor het raam kraste een vogel, en toen werd het ineens zo stil dat het leek alsof het hele huis wachtte op haar commentaar. Met overdreven belangstelling keek ze weer naar het schilderij.

'Ach, dat arme hertje,' zei ze. 'Zo'n lief dier.' Ze bloosde, want ze hoorde zelf hoe onnozel het klonk.

'We kunnen meer meubels krijgen,' zei Jack gejaagd, en niet voor het eerst registreerde ze de verbeten trek die om zijn mond verscheen wanneer hij ongeduldig was of zich ergerde. 'En we kunnen wat spulletjes halen op de bazaar.'

'Ik vind het heerlijk om huizen in te richten en aan te kleden,' zei ze, maar als ze eerlijk was moest ze toegeven dat ze het nooit echt had gedaan. Ze had alleen haar poppen op een rij op haar bed gezet, of rozetten op de paardenboxen bevestigd.

'We zullen wel een beetje op het geld moeten letten.' Jack keerde haar zijn rug toe. 'Veel mensen huren hun meubels. Vooral tegenwoordig.'

'Huren? Gossie, daar heb ik nog nooit van gehoord.'

'Ach, de situatie hier verandert erg snel. Mensen moeten voortdurend verhuizen en... Nou ja, dat vertel ik je later allemaal wel.' Hij wierp een blik op zijn horloge.

Ze keek hem zwijgend aan. Wat leek hij groot. Reusachtig zelfs. Te groot voor dit kleine huis. Ze liepen samen de gang weer in, waar op een kleine koperen tafel een verzameling visitekaartjes lag.

'Die zijn voor je gekomen.' Jack gaf haar de kaartjes. 'De dames op de club zien ernaar uit om je te ontmoeten. Er zitten een paar dragonders bij, maar de meesten zijn heel aardig. En je hebt ook al twee brieven. Aan mevrouw Jack Chandler,' las hij van de enveloppen. Zijn stem klonk enigszins ongemakkelijk.

'Deze is van Tor.' Voor het eerst die dag glimlachte ze oprecht. 'En die, dat weet ik niet.' Rose herkende het handschrift niet, net zomin als het adres van een Indiaas ziekenhuis in de linkerbovenhoek van de envelop.

Jack zei dat ze de brieven later maar moest lezen. De lunch zou al over een halfuur worden geserveerd, en hij wilde haar eerst de keuken nog laten zien. 'Natuurlijk, lieverd. Ik zou er niet aan denken ze nu meteen te lezen.' Ze stopte de brieven in haar zak, maar ergens vond ze het vervelend. Dit was al de tweede keer die dag dat hij haar bij Tor had weggehouden.

De keuken was een donkere ruimte aan de achterkant van het huis. Jack toonde zich gelukkig met het feit dat de bedienden van de vorige huurder – een kapitein bij de Third Cavalry die zijn nek had gebroken bij een polo-ongeluk – op een houten plank een verzameling ongelijke glazen potten hadden achtergelaten, met kleine hoeveelheden linzen en suiker erin. Dat spaarde weer geld uit, zei hij. Rose zag dat er op het fornuis een pan rijst stond te koken, maar de keuken lag er verlaten bij.

'Waar zijn de bedienden?' vroeg ze.

'Ben je al zover dat je ze wilt ontmoeten?' vroeg hij zorgzaam. 'Ik had ze gezegd naar hun hutten te gaan, tot je een beetje de kans had gehad om rond te kijken.'

'Natuurlijk wil ik ze ontmoeten! Natuurlijk!' zei ze, ook al zou ze zich het liefst hebben verstopt. 'Maar misschien is het leuk om eerst de rest van het huis te bekijken?' Ze slaagde erin te doen alsof ze het allemaal enig vond, een heerlijke verrassing.

'Ach, verder is er niet zoveel.' Hij glimlachte, schuw, verlegen, en ze dacht dat haar hart zou breken. Dit betekende voor hen allebei zo'n ingrijpende verandering.

Als ze maar eenmaal een week verder waren, troostte ze zichzelf. Dan was Jack weer bij zijn regiment en kon zij haar mouwen oprollen en aan de slag. En dan zou het allemaal een stuk gemakkelijker worden.

Daarna zou hij misschien twee weken van huis moeten, had hij laten doorschemeren. Op een geheime missie naar een plek waarvan ze de naam was vergeten, maar het klonk alsof het mijlenver van Poona lag. Terwijl hij weg was, moest zij maar bij Tor gaan logeren, had hij gezegd. Was het een slecht teken dat ze daar nu al naar verlangde, vroeg ze zich af.

Imiddels waren ze uitgekeken in de keuken. Hij sloeg een arm om haar heen en loodste haar een andere, korte gang door. 'Nu gaan we naar onze kamer,' zei hij zacht.

'Ik heb nooit eerder een slaapkamer gehad op de begane grond,' zei ze vrolijk, alsof ze ook dat als een verrassing beschouwde. Hij deed de deur open van een kleine kamer, verdeeld in lichte en donkere banen door het zonlicht dat door de horizontale jaloezieën naar binnen viel. In het midden van de kamer stond een tweepersoonsbed met een witte chenille sprei, waarop iemand met takjes het woord WELKOM had gemaakt.

'Dat moeten Durga en Shukla hebben gedaan,' zei hij zacht. 'Wat lief.'

Ze knikte en bloosde. Het slaapkamergebeuren deed haar nog altijd verkrampen van gêne en maakte haar op een rare manier giechelig.

'Waar zijn onze kleren?' vroeg ze haastig, want ook al was het klaarlichte dag, zijn ogen glinsterden op een manier die haar angstig en onzeker maakte.

'Hier.' Hij liep naar een deur die toegang gaf tot een aangrenzende ruimte. 'Ik vrees dat het nogal een rommeltje is, maar ik wist niet of je wilde dat de bedienden aan je spullen zaten.'

Haar trouwjurk lag in een katoenen zak op de grond, als een dood lichaam. Daarnaast stond haar hutkoffer, gekrast en volgeplakt met labels. Verder zag ze haar tennisrackets, een berg jurken, de rijkleren die ze op school had gedragen... dat alles op een rommelige hoop met polohamers, uniformen en een stapel oude regimentsbladen.

'Ik zoek het allemaal wel uit,' zei ze, vastbesloten om net zo efficiënt te zijn als mammie en om kordaat en voortvarend de leiding van het huishouden op zich te nemen. 'Dat is tenslotte nu mijn taak.'

'Vergeet niet dat je vier bedienden hebt,' zei hij. 'Dus als je dat niet wilt, hoef je helemaal niets te doen.'

CiCi had haar al gewaarschuwd. Het idee dat bedienden ervoor zorgden dat de werklast minder werd, was een mythe waarin alle echtgenoten hier heilig geloofden, had ze gezegd. Ze had Rose doen schateren met haar verhalen over bedienden die soep zeefden door hun tulband. Er was er zelfs een – CiCi had gezworen dat ze de waarheid sprak, maar dat wist je bij haar nooit zeker – die zijn tenen gebruikte als rekje voor geroosterde boterhammen.

'Het personeel is je grootste uitdaging,' aldus CiCi. 'Regel één!' Ze had haar vinger opgeheven en haar ogen wijd opengesperd om haar woorden te onderstrepen. 'Het zijn kinderen, in alle opzichten, ook al heten ze dan volwassen te zijn.'

'Dat weet ik,' zei Rose tegen Jack. 'Maar sommige dingen doe ik graag zelf.'

'Doe wat je niet laten kunt.' Klonk hij een beetje scherp, of verbeeldde ze zich dat maar? Begon ze overal iets achter te zoeken?

'En ik zie ernaar uit ze te ontmoeten,' zei ze, voor het geval dat hij inderdaad geprikkeld was.

Het was zover. Een voor een kwamen de bedienden tevoorschijn om aan haar te worden voorgesteld.

Om te beginnen Durgabai, dienstmeisje en kokkin, een mooie vrouw uit Maharashtra met prominente jukbeenderen en grote, stralende, bruine ogen. Daarna Shukla, haar dochter van zeven, een prachtige replica van haar moeder, die zich achter Durgabais rokken verstopte.

Vervolgens Dinesh, een broodmagere, onberispelijke verschijning, die met een ernstig gezicht voor haar boog. Jack vertelde dat Dinesh de afgelopen drie jaar zijn drager was geweest. Na Dinesh was het de beurt aan de was-man, de *dhobi wallah*, die een mank been had en een melkwit oog, en die net zo verlegen was als het kleine meisje. Durgabai deed haar best om aardig te zijn tegen Rose. Ze wiebelde glimlachend met haar hoofd en zei 'Welkom, memsahib,' alsof ze de onbeholpenheid van de anderen wilde goedmaken.

Tijdens de lunch, soep met ham en erwten en daarna een droge lamskotelet, bekende Rose, voor een deel schertsend, dat ze het verschrikkelijk moeilijk vond om Indiase namen te houden. Zelfs de gezichten brachten haar in verwarring, want ze vond dat veel Indiërs sprekend op elkaar leken.

Hij legde zijn mes neer en zei scherp dat ze daar dan maar haar best voor moest doen. Want het zou volstrekt ongepast zijn de bedienden voor het hoofd te stoten. En hij vertelde haar over een Indiase majoor in zijn regiment die in één week de namen van al zijn mannen uit het hoofd had geleerd.

Rose staarde ongelukkig naar haar kotelet, in het besef dat ze weer eens iets doms had gezegd. Toen ze opkeek, zag ze twee donkere ogen die nieuwsgierig naar haar keken door de half geopende deur.

Jack bulderde iets in het Hindi, waarop de deur haastig werd gesloten. Rose meende een gesmoord gegiechel te horen.

'Wat heb je gezegd?' vroeg ze.

'Dat hij moest ophouden naar de memsahib te staren. Dat ik anders naar zijn huis zou komen om naar zijn vrouw te staren.'

'Maar Jack! Wat ongepast!'

'Memsahib.' Durgabai stak haar hoofd om de deur en richtte zich rechtstreeks tot Rose. 'Het spijt me dat ik u stoor, maar de dhobi wallah is aan de achterdeur.'

Rose keek hulpeloos naar Jack. 'Wat moet ik tegen hem zeggen?'

Jack legde opnieuw zijn mes neer.

'Zeg maar dat hij terug moet komen als we klaar zijn met lunchen. Dat we niet gestoord willen worden. Dat is meteen een goede oefening voor je.'

'We zitten aan de lunch,' zei ze met een beverig stemmetje. 'En we willen niet gestoord worden. Sorry.' De deur ging dicht.

Ze slikte en keek naar haar handen. 'Ik weet niet of ik dit wel kan,' zei ze. 'Er is nog zoveel dat ik moet leren.'

'Je moet het de tijd geven.' Jack krabde op zijn hoofd en zuchtte.

Na de lunch nam Jack haar mee naar buiten om haar het 'perceel' zoals hij het noemde, te laten zien – een stuk beton met in het midden een klein grasveld en wat aardewerken potten met rozen die eruitzagen alsof ze wel wat water konden gebruiken. Het geheel zou moeiteloos in de moestuin van haar ouderlijk huis hebben gepast.

Aan het eind van de tuin bevond zich een latwerk, waarachter ze een vrouw voor een hut op de grond zag zitten met een baby aan de borst.

'Lunch je normaliter thuis?' vroeg ze beleefd terwijl ze knarsend over het grindpad liepen.

'Nee, meestal in de mess of onderweg,' zei hij tot haar intense opluchting. 'Maar het is heerlijk om thuis te komen en te weten dat jij er bent.'

'Dank je wel.' Ze schonk hem een snelle, zijdelingse blik. 'Lieve hemel.' Ze hief haar gezicht naar de onbewolkte, blauwe hemel en kneep haar ogen half dicht. 'Het is niet geloven dat het winter is! Het is zo heerlijk warm hier.'

'Ja, dat is het zeker. Maar lang niet zo warm als in de zomer.'

'Ik ben dol op de warmte.'

'Mooi zo.'

Hij vroeg haar of ze hem even wilde verontschuldigen en liep terug naar binnen. Rose stond in de zon met haar nieuwe tropenhelm op die nog een beetje strak zat. Ze hoorde dat de wc werd doorgespoeld, gevolgd door het geluid van Jack die zijn keel schraapte. Toen hij terugkwam, verried zijn gezicht dat hem iets plezierigs te binnen was geschoten dat hij haar nog moest vertellen.

'Rose, het kan zijn dat mevrouw Clayton Booth morgen langskomt.

Ze is een absolute goudmijn aan informatie over de juiste winkels, bedienden, noem maar op. Ik hoop dat je het niet erg vindt dat ik dat heb geregeld.'

'Natuurlijk niet.' Ze ging op haar tenen staan om hem een kus te geven toen ze achter het latwerk een geritsel van bladeren hoorde.

'Lieverd.' Jack duwde haar weg. 'Denk erom dat je dat nooit meer doet. Dat is niet gepast wanneer de bedienden ons kunnen zien.'

'O.'

'Dat vinden ze onzedelijk.'

'Het spijt me.'

'Ach Rose, kijk niet zo geschokt. Je moet inderdaad nog heel veel leren.'

Hoe moest ze dan kijken? Het liefst zou ze het huis in rennen en in snikken uitbarsten. 'Het spijt me,' zei ze nogmaals, nu heel zacht.

Toen hij naar binnen ging om zijn spullen te pakken, bleef ze staan, midden in haar nieuwe tuin, en ze vroeg zich af of ze misschien de grootste fout van haar leven had gemaakt.

Toen ze de volgende morgen wakker werd, herinnerde ze zich dat ze niet eens de moeite had genomen om de brief van Tor te lezen – hij zat nog in haar zak, samen met de andere brief.

Ze had gedroomd over marmelade. Het was zo'n levendige droom geweest dat ze de marmelade bijna had kunnen ruiken. Elk jaar rond deze tijd waren haar moeder en mevrouw Pludd druk in de weer met sinaasappels kopen, steelpannen wassen, filterzakken spoelen en etiketten schrijven. En dan werd uit de bestekla eindelijk de speciale lepel gehaald, die de sporen verried van tientallen jaren jam maken, om de hele zaak mee door te roeren.

Het huis rook dagenlang naar sinaasappels. Merkwaardig hoe sommige dingen je heimwee konden bezorgen. Dat gold ook voor sterren, of in elk geval de gedachte dat dezelfde sterren die hier aan de hemel twinkelden, aan de andere kant van de wereld neerkeken op haar slapende ouders. Of de aanblik van twee jonge meisjes – de vorige dag – die over een tuinslang sprongen op de club, en die haar hadden doen verlangen naar Tor. Niet de volwassen Tor, die in CiCi's Ford door Bombay toerde, maar de Tor die vroeger met haar ging ponyrijden, of die samen met haar in het gras lag, met haar jurk over haar geschaafde knieën, kauwend op madeliefjes, zoekend naar klavertjes vier, kwetterend over van alles en nog wat, in die zomerse dagen toen de tijd leek stil te staan en toen er nog niets was om je zorgen over te maken.

Ze liet zich zachtjes uit bed glijden en voelde in de zak van haar jurk naar de twee enveloppen. Dus Viva had werk en onderdak gevonden. Wat geweldig! En toen ze Tors uitnodiging las om te komen logeren, biggelden de tranen over haar wangen. Ze wilde zo graag, maar besefte dat het van zoveel dingen zou afhangen die nog nieuw voor haar waren. Ze ging aan haar kaptafel zitten en terwijl ze haar haren borstelde met lange, gelijkmatige slagen, vroeg ze zich af of Jack Tor eigenlijk wel aardig vond. Waarschijnlijk niet. Rose vond het verbijsterend dat de meeste mannen niet leken te zien hoe geweldig Tor was – grappig en lief, met een groot hart en verder alles waarvan Rose zou verwachten dat mannen zochten in een vrouw.

Ze legde zachtjes de borstel terug op de kaptafel en draaide zich om naar Jack. Hij was nog diep in slaap. Een lang, bruin been lag op het laken.

Terwijl ze naar hem keek, smakte hij zacht met zijn lippen, hij strekte zijn armen boven zijn hoofd en legde ze op het kussen. Ze kon de plukjes vochtig blond haar in zijn oksels zien, zijn vingers die haar hadden aangeraakt, overal. O, schei toch uit! Wat ben je toch een onnozele gans, mopperde ze op zichzelf toen ze besefte dat er niet voor het eerst een enorme huilbui dreigde. Wat bezielde haar? Ze mocht niet huilen, niet weer.

27

Bombay, februari 1929

Het begon heet te worden in Bombay, een heiige, benauwde, drukkende hitte die een mens deed verlangen naar een stortbui die alles zou schoonwassen.

Tor, die last had van uitslag, zat in bad – met ontsmettingsmiddel in het water – toen ze hoorde dat de telefoon ging.

Even later riep Ci, die hoe langer hoe kribbiger op telefoontjes reageerde, door de deur: 'Ene Frank. Hij zegt dat hij scheepsarts is, en hij is op zoek naar Viva. Ik heb geen idee waar hij het over heeft.'

Tor voelde dat haar hart na al die tijd nog altijd een sprongetje maakte.

'Hallo, vreemdeling in een vreemd land,' zei ze toen ze hem twintig minuten later terugbelde. 'Wat brengt jou naar Bombay?'

Frank zei dat hij een afspraak met haar wilde maken. Dan zou hij haar alles vertellen. Maar eerst wilde hij weten of ze enig idee had waar hij Viva kon vinden. Hij had nieuws voor haar, en het was nogal dringend.

'Dat klinkt erg opwindend,' zei Tor poeslief. 'Mag ondergetekende misschien weten wat dat nieuws is?'

Misschien zou hij het haar hebben verteld. Misschien ook niet. Maar uitgerekend op dat moment kwam CiCi de kamer binnen, uitzinnig rokend en op haar horloge tikkend. Dus Tor had geen andere keus gehad dan hem Viva's adres te geven en het gesprek te beëindigen.

Toen ze had opgehangen, had ze slechts vluchtig een steek van pijn gevoeld. Want diep vanbinnen had ze altijd geweten dat hij gekker was op Viva dan op haar. Bovendien, ze had het inmiddels druk genoeg. Ze was in de klauwen van wat CiCi een *amour fou* noemde, een krankzinnige passie.

De affaire was begonnen op 21 december 1928, om ongeveer halfelf 's avonds toen ze haar maagdelijkheid had verloren aan Oliver Sandsdow, in een hut op Juhu Beach. Dat had ze achteraf zorgvuldig opgetekend in het kleine leren dagboek dat haar moeder haar had gegeven voor haar reisbelevenissen. 'Juhu. Goddank.' Later had ze de datum met geel omkringeld en er sterretjes bij getekend. Het enige slachtoffer van de avond was het Japanse zijden jasje van Ci dat een teervlek op de mouw had opgelopen.

Ollie was op de kerstparty verschenen die Ci en zij hadden gegeven in de Bombay Yacht Club. Een achtentwintigjarige, zongebruinde handelsbankier die van zeilen hield. Hij was klein en donker, en ook al was Ci niet echt over hem te spreken – hij scoorde erg laag op haar lijstje met aantrekkelijke categorieën – Tor vond hem ontzagwekkend aantrekkelijk, omdat hij zo zelfverzekerd was. Al bij hun eerste ontmoeting had hij haar ten dans gevraagd en zonder ook maar één moment zijn hoffelijke glimlach te laten varen, had hij gezegd: 'Ik zou dolgraag met je naar bed willen.' Iets wat ze zowel grappig als stout vond. Op weg naar het strand hadden ze 'Oh, I Do Love to be Beside the Seaside' gezongen, terwijl hij zijn auto met roekeloze snelheid over de weg joeg. Bij het strand aangekomen hadden ze hun schoenen uitgetrokken. Het zand voelde warm en zwaar tussen haar tenen. De door de maan beschenen golven spoelden als een deken van zilveren en blauwe lichtjes over het strand, en aan de horizon had ze de silhouetten gezien van vissers die bezig waren hun netten uit te zetten. Toen had hij haar gekust. Geen jongenskus – eens-even-zien-hoever-ik-kan-gaan – maar de kus van een man, dwingend, bezitterig. Haar knieën waren letterlijk dubbelgeklapt.

In de hut, waar het niet onplezierig rook naar zeewater en gedroogde vis, stond een laag veldbed, bespannen met touw. Daarop had hij haar genomen, efficiënt, zonder plichtplegingen. Achteraf had hij haar gedwongen voor hem te gaan staan en de parelsnoeren op haar huid geschikt. En vervolgens waren ze de zee in gerend. Ze durfde zich niet af te vragen wat haar moeder zou hebben gezegd over parels en zeewater, en dat had ze dan ook maar niet gedaan. Zwemmend in een lauwwarme zee had ze zich woest gelukkig gevoeld. Het was een ongekende sensatie. En op dat moment was ze blij geweest dat hij niet het bedachtzame type was dat zo nodig alles onder woorden moest brengen. In het water had hij haar opnieuw in zijn armen genomen, en dankzij de fosforescentie hadden ze met hun vingers snoeren van diamanten door de golven getrokken. Ze had zich uitgelaten gevoeld, bevrijd. Het was gebeurd! Heerlijk! Volmaakt! Ze hoefde zich er niet langer zorgen over te maken en ze was ervan overtuigd dat ze het na verloop van tijd ook prettig zou gaan vinden.

Nadat ze hadden gezwommen, wreef hij haar droog met een oude handdoek, hij kuste haar haastig, knoopte onbeholpen – en scheef – haar zijden jasje dicht. Ze had gehoopt dat hij misschien een beetje poëtisch zou worden en dat ze op het strand zouden blijven, om te kijken naar de terugkerende vissers en om over de dingen des levens te praten. Maar er waren wat vrienden van hem in de stad, zei hij, en hij wilde nog een slaapmutsje met ze gaan drinken in de Harbour Bar. De avond was geëindigd in de vijver van het Taj Mahal Hotel.

En Oliver was niet de enige man die in haar geïnteresseerd was. Er was ook nog Simon, een ex-Etonstudent, die voor een paar maanden naar India was gekomen, voornamelijk om te jagen. Hij had haar mee uit eten genomen in de Bombay Yacht Club. En verder was er Alastair De Veer, een nogal bloedeloze jonge ambtenaar die haar na een foxtrot op de veranda had overstelpt met telefoontjes. Iets wat ze nogal ontmoedigend had gevonden. Dus er zat schot in de zaak. Sterker nog, soms ging het haar allemaal wat te snel. Vandaar dat ze niet uit haar doen was door het telefoontje van Frank.

Sinds de avond op Juhu Beach hadden Oliver en zij regelmatig 's middags afgesproken in zijn appartement aan Colaba Beach. Na zo'n afspraak moest ze vaak dagenlang de blauwe zuigzoenen poederen in haar hals en op haar schouder.

Maar Ci zag ze toch. 'Dat moet je hem verbieden.' Ze had een geëpileerde wenkbrauw opgetrokken en afkeurend naar Tors schouder gekeken. 'Dat is vulgair.'

Waarop Tor, die vuurrood werd, had geprobeerd van onderwerp te veranderen door Ci een reusachtige, echt een reusáchtige gunst te vragen. Zou ze het vervelend vinden als Rose de week daarop een paar dagen kwam logeren en ze een leve-de-loldag hielden?

CiCi had Tor al direct na aankomst in Bombay laten kennismaken met het fenomeen leve-de-loldag. Dat was een dag van puur genieten, waarop je je vooral niet als een volwassene mocht gedragen, onafgebroken cocktails dronk, alleen maar leuke mensen ontmoette en precies deed wat je wilde. Het leven was veel te serieus, aldus CiCi.

'Lieverd, wat een goed idee!' Ci begon te stralen, en Tor voelde zich op slag een stuk beter. Het jachttripje van de Mallinsons was niet doorgegaan, waardoor Tor zich genoodzaakt had gezien haar uitnodiging aan Viva en Rose op te schorten. Ze had het erg jammer gevonden, want ze had gesnakt naar een goed gesprek met haar boezemvriendin. Er waren nu eenmaal tijden – zoals nu – wanneer er zoveel gebeurde en het allemaal zo snel ging, dat Rose de enige was met wie ze kon praten. Rose luisterde echt, was oprecht geïnteresseerd, terwijl Ci weliswaar grappig was en geweldig en wat al niet meer, maar ze was niet iemand van wie je het gevoel had dat je haar veilig in vertrouwen kon nemen. Daar was ze te ongeduldig voor. Bovendien begon Tor te beseffen hoe onaardig ze soms over andere mensen kon praten, en hoe gemeen het was dat ze hardop en met een spottende piepstem voorlas uit de brieven van haar kinderen. Flora, haar dochter, die recent in de ziekenboeg had gelegen met een afschuwelijke aandoening die krentenbaard heette, leek erg veel last te hebben van heimwee en wanhopig naar liefde te verlangen.

Bovendien was Ci bezig te veranderen – of verbeeldde Tor zich dat maar? Vroeger, als Geoffreys auto de helling op kwam pruttelen, had ze hem bestookt met ideeën, plannen, dingen die ze met hem wilde gaan doen. Maar tegenwoordig leek ze terughoudender, minder open. En een paar dagen geleden had ze Tor de wind van voren gegeven omdat ze de telefoon te lang bezet hield.

De bedienden leken het ook in de gaten te hebben. De vorige dag, toen Tor aan Pandit had gevraagd of hij misschien wist waar de memsahib was, had hij merkwaardig spottend gelachen en zijn handen geheven, om haar te laten zien dat ze leeg waren. Dat getuigde van een totaal gebrek aan respect. Later had Tor de bedienden horen lachen in de voorraadkamer.

Het was voor Tor reden om zich af te vragen of iedereen hier op de hoogte was van iets wat zij niet wist. Of dat men misschien begon te vinden dat ze misbruik maakte van de gastvrijheid. Dat laatste zou jammer zijn, want ze had het nog steeds geweldig naar haar zin.

Hoe dan ook, Ci had zich onmiddellijk enthousiast getoond bij het vooruitzicht dat Rose kwam logeren. Ze had Tor zelfs aangeboden dat ze de auto mocht lenen. Als ze niet net haar nagels had gelakt, zou Tor haar om de hals zijn gevallen.

'Weet je het zeker? Van de auto, bedoel ik? Waar heb ik dat aan te danken?'

CiCi, die niet echt knuffelig was, had haar een luchtkus gestuurd.

'Omdat je leuk bent en omdat je dagen hier zijn geteld. Ik kreeg vanmorgen een brief van je moeder. Ze wil dat ik een ticket voor je boek. Eind februari. Als het uitgaansseizoen voorbij is.'

Tor had enkele uren nodig gehad om de implicaties van deze onaangename verrassing tot zich te laten doordringen. En zelfs toen weigerde ze te geloven dat haar dagen in India werkelijk waren geteld. Het kon niet anders of iemand deed haar een aanzoek, of er zou zich iets anders voordoen. In elk geval leek het haar belangrijker dan ooit om te zorgen dat ze Rose zo snel mogelijk sprak.

Jack nam op.

'Mag Rose alsjeblieft bij me komen spelen?' had ze met een verdrietig kinderstemmetje gevraagd. 'Als je het niet goedvindt, ga ik net zo lang huilen tot ik ziek word.'

En wat was hij toch een saaie, stijve hork! Want hij had volkomen serieus gereageerd.

'Ik moet even in onze agenda's kijken, maar ik denk dat het wel moet lukken.'

Daarop had hij een heel verhaal afgestoken over een kolonel die op bezoek kwam en over zijn verplichtingen jegens de compagnie. Alsof ze daarnaar had gevraagd! Maar ten slotte had Tor een kreet gehoord aan de andere kant van de lijn, gevolgd door een bons.

'Tor, lieve, lieve Torrie!' jubelde Rose. 'Wat heerlijk dat je belt!'

'Rose, dit is een spoedgeval. Je moet bij me komen logeren. Stap in de Deccan Express. Dan kunnen we een leve-de-loldag houden en eens lekker roddelen en bijkletsen.'

'Een wat?' Rose was slecht te verstaan door het geruis en gekraak in de verbinding.

'Een dag met rondhangen en nietsdoen, champagne, chocola... O Rose, ik hou het niet uit! Er is zoveel wat ik je moet vertellen.'

'Wacht even.' Gedempt gemompel op de achtergrond.

'Het komt allemaal goed, lieverd.' Rose was weer aan de lijn. 'Jack zegt dat het damesrijtuig volkomen veilig is.'

Tor had Jack niet nodig om haar dat te vertellen.

Maar toen had hij haar verrast door haar een uur later terug te bellen. 'Ik wil Rose verrassen,' fluisterde hij. 'Wil je een fles champagne bestellen als jullie gaan lunchen? En zeggen dat ze die van mij krijgt?'

Tor betwijfelde of Ollie zoiets zou hebben bedacht.

Anderzijds, alle mannen vonden Rose nu eenmaal onweerstaanbaar. Dat had Tor al lang geleden geaccepteerd. Net zoals ze had geaccepteerd dat zij altijd harder haar best zou moeten doen.

Op donderdag de week daarna was Tor in Ci's auto op weg naar het station, diep over het stuur gebogen, met opgetrokken schouders, zwetend van angst. De trein van Rose zou over een halfuur binnenkomen, en eenmaal alleen achter het stuur vroeg Tor zich af of ze haar bestuurderscapaciteiten niet een béétje te rooskleurig had voorgesteld. Ze had ooit drie lessen gehad in de Austin van haar vader, waarbij ze hortend en stotend over een modderig boerenpad was geschoten en een paar ritjes door stille lanen had gemaakt. Dus ze had geen enkele ervaring die haar ook maar enigszins had kunnen voorbereiden op de zinderende chaos van het verkeer in Bombay.

Bovendien werd Ci's auto, een flesgroene T-Ford die een jaar eerder in het ruim van de Empress of India naar Bombay was gekomen, in huize Tambourine aanbeden als een van de huisgoden. Elke morgen wreef Pandit de chromen koplampen tot ze glommen als spiegels. En wanneer hij liefdevol de treeplanken waste, gebruikte hij een oude tandenborstel om tussen de kieren te komen. De watertank werd elke ochtend gevuld met schoon water. Pandit behandelde de leren stoelen met bijenwas en vulde dagelijks de pepermuntjes aan, die het handschoenenkastje deelden met Ci's glacés en haar kleine onyx aansteker. Tor was ervan overtuigd dat hij bloemenslingers rond de spiegels zou hebben gehangen en rijstoffers op de stoelen zou hebben gebracht, als hem dat was toegestaan.

Met uitpuilende ogen van concentratie sloeg ze rechtsaf, Marine Drive op. Hier was het verkeer iets minder hectisch. Voor de verkeerslichten stopte ze, en ze haalde diep adem. Haar hart bonsde zo luid dat ze het kon horen, terwijl ze de kleine oranje richtingaanwijzer uitklapte, linksaf sloeg en zich in een wervelende maalstroom van riksja's, ossenwagens, fietsen, paarden, ezels en auto's stortte.

'Help!' riep ze, de magere gedaante van een riksjajongen omzeilend die zich met ware doodsverachting in haar baan had gewaagd.

'O nee!' jammerde ze naar de os die op zijn dooie gemakje door de straat kuierde.

'Sorry,' zei ze tegen de bananenverkoper die, dubbelgebogen onder zijn last, op blote voeten de weg overstak.

Tien minuten later reed ze de poort binnen van het reusachtige, majestueuze Victoria Terminus Station. Ze zwenkte uit om een bedelaar te ontwijken en kwam ten slotte abrupt tot stilstand in een parkeervak onder een palmboom.

Ze sloot de auto af en rende door de menigte, net op tijd om de trein uit Poona te zien binnenrijden en Rose – met haar blonde haren en rozige wangen een bijna bizarre verschijning tussen al die bruine gezichten – uit de eersteklas te zien stappen. Ze droeg de blauwe jurk die ze samen in Londen hadden gekocht. Kruiers vochten om haar koffer. 'O Rose!' Tor viel haar uitbundig om de hals. 'O Torrie! Ik heb je zo gemist.'

Terwijl ze terugreden door de stad, kon Tor de verleiding niet weerstaan om stoer te doen.

'Geef me eens een sigaret, lieve Rose. Ze liggen in het handschoenenkastje. Links – Oeps!' Ze moest uitwijken voor een pindaverkoper die bij de poort stond. 'Sorry!' jubelde ze opgewekt.

'Luister, dit is het plan,' zei Tor, toen ze stilhielden voor een verkeerslicht. 'Eerste halte: madame Fontaine, om ons haar te laten doen. Er werkt daar een meisje, Savita, dat geweldig kan knippen. Daarna gaan we lunchen op de club en eens lekker bijpraten en roddelen – ik heb je nog lang niet alles verteld over mijn feestje. Na de lunch rijd ik je naar huis, naar de Mallinsons voor een borrel, en daarna komen er misschien wat vrienden langs en kunnen we eventueel gaan dansen.'

Rose klapte in haar handen. 'O Tor!' Ze legde vluchtig haar hoofd op de schouder van haar vriendin. 'Dat je dat allemaal mag! Het is gewoon ongelooflijk!'

'Toch is het zo.' Tor blies als een filmster een rookwolk uit. 'Maar vertel het alsjeblieft niet aan mijn moeder. Ze lijkt wel niet goed bij haar hoofd, want ze wil dat ik naar huis kom.' Dat laatste zei ze zo luchtig dat Rose er niet op inging, en daar was Tor blij om. Het laatste wat ze wilde op een dag als deze was dat Rose medelijden met haar kreeg.

Toen ze Hornby Road in sloegen, gilden ze het allebei uit bij de aanblik van een kleine jongen en zijn vader die tegen een muur stonden te plassen.

'Is het niet verschrikkelijk hoe ze hier gewoon alles laten lopen?' zei

Tor, en ze barstten in lachen uit. 'Ik dacht dat we dat hadden verboden. Het is zo onfatsoenlijk!' zei ze met de stem van hun vroegere rectrix.

'O, er schiet me ineens iets te binen.' Rose haalde een boodschappenlijstje uit haar handtas. 'Ik heb een verzoekje. Zou het erg veel moeite zijn om even bij de Army & Navy Store langs te gaan? Ik heb witte vitrage in hun catalogus gezien. Mousseline. Heel eenvoudig. Voor twaalf shilling en sixpence. Die heb ik nodig voor de logeerkamer.'

'Gordijnen!' riep Tor uit, vervuld van afschuw. 'Geen sprake van! Dit is een leve-de-loldag. Je kent de regels. Dan doen we alleen maar leuke dingen.'

'Bullebak.'

'Nou, als je heel braaf bent, dus eigenlijk als je heel stout bent, kunnen we op weg naar huis misschien even naar gordijnen kijken.'

Tor sprak het woord uit alsof het ging om een besmettelijke ziekte.

Ze was net bezig Rose te vertellen dat Frank de week daarvoor had gebeld, toen ze uit alle macht moest remmen om een jonge man met een kar vol sinaasappelen te ontwijken, die ineens de weg overstak. Terwijl de auto tot stilstand kwam, verscheen het gezicht van de man plotseling aan Tors kant voor het raampje. In zijn grote ogen stond minachting te lezen, zijn paarse mond was vertrokken tot een grimas. Hij was zo dichtbij dat ze zijn gezicht had kunnen aanraken.

'Oprotten!' zei hij duidelijk hoorbaar.

'Wat?' Rose keek hem met open mond aan.

'Oprotten!' zei hij nogmaals. 'We willen jullie hier niet. Oprotten!' Hij keek hen aan alsof ze hem vervulden met weerzin.

'Geen sprake van,' zei Rose. Toen de auto weer in beweging kwam, bleef de man midden op de weg staan. Met zijn vuist geheven riep hij hen iets na wat ze niet konden verstaan.

Toen ze op veilige afstand waren, begonnen ze allebei een beetje beverig te lachen.

'Geen sprake van!' riep Tor gierend. 'Nou Rose, je hebt hem flink de waarheid gezegd! Die doet vannacht geen oog dicht.'

'Ik vind het afschuwelijk als er zo naar me wordt gekeken.' Rose lachte niet meer. Ze draaide haar raampje omhoog. 'Denk je dat de situatie kritiek begint te worden?'

'Ach, Geoffrey en Ci zeggen dat het steeds erger wordt,' zei Tor. 'Iets met de handel... ik weet niet precies... sancties... Gandhi heeft ze allemaal opgestookt, maar ze zeggen dat het grootste deel van de inheemse bevolking het verschrikkelijk zou vinden als de Britten vertrokken. Wat vindt Jack ervan?'

'Die hoor ik eigenlijk zelden over dat soort dingen.' Rose keerde zich weer naar het raampje en keek naar de drukte op straat. 'Sterker nog, hij zegt er nooit iets over.'

Inmiddels zaten ze in een met stoom gevulde ruimte in de salon van madame Fontaine, met hun hals gestrekt, hun nek op een wasbak. Het rook er naar sandel- en dennenhout, en naar versgezette koffie.

'Memsahib.' Savita, een welriekende verschijning in een oesterkleurige sari, kwam het vertrek binnen. 'Wilt u dat ik u haar was met henna of olijfolie?' vroeg ze bijna fluisterend.

Ze kozen voor olijfolie met rozenwater, en er verschenen vier jonge meisjes om hun haren te wassen. Twintig vingers masseerden hun hoofd en hun hals met geurige oliën en wikkelden hen vervolgens als een zuigeling in warme doeken.

'Vera zou hier nog heel wat kunnen leren,' zei Tor. Vera was de eigenares van een tochtige kapperszaak in Andover, waar ze allebei hun vlechten hadden laten afknippen en later hun haar met veel krullen hadden laten opsteken voor het uitgaansseizoen in Londen. Vera had handen als een dokwerker, en wanneer ze je haar waste, beukte ze je hoofd tegen de kraan.

'Memsahib,' fluisterde een van de meisjes die naast de stoel van Tor stonden. 'Wilt u iets drinken?'

Het blad met de koffiekopjes was versierd met enorme hibiscusbloemen.

Terwijl Rose en Tor van hun koffie nipten, kwamen de meisjes terug. Ze waren gefascineerd door het lange, blonde haar van Rose dat ze eerbiedig kamden.

'De mensen hier zijn sterren in het vertroetelen.' Rose keek Tor lachend aan in de spiegel. 'En het lijkt wel alsof ze het oprecht heerlijk vinden om voor je te zorgen.'

'Zijn jouw bedienden ook zo?' Tor boog zich naar voren en tuurde naar haar wenkbrauwen. 'Hemel, wat een oerwoud. Ik moet ze epileren.'

'Nee, niet echt. We modderen nog maar wat aan,' zei Rose nuchter. 'Maar ik ben ervan overtuigd dat ik ze uiteindelijk wel krijg zoals ik ze hebben wil.'

Tor keek Rose aan. Soms kon haar vriendin met haar negentien jaar bijna tragisch volwassen klinken, dacht ze.

'Om terug te keren naar de hamvraag,' zei ze enkele ogenblikken later. 'Ze rekenen hier acht roepie voor de eerste keer kort knippen, en ze doen het hier echt fantastisch. Maar laat je door mij niets aanpraten, en hou op met zeggen dat het je niet staat. Jij ziet er zelfs met een koeienvlaai op je hoofd nog fantastisch uit.'

En ze barstten weer los in gegiechel, alsof ze niet ouder waren dan zeven. En dat was zo'n opluchting.

'Je hebt prachtige jukbeenderen. Trouwens, nog even, en het wordt hier behoorlijk heet. Het is maar een idee,' voegde Tor er onschuldig aan toe. 'Maar het is jouw leven, en jouw haar.'

Rose trok haar haar naar achteren en draaide haar hoofd heen en weer voor de spiegel. 'Op de legerplaats zijn we wat water betreft al op rantsoen gezet.'

'Denk je dat Jack het erg vindt?'

Rose aarzelde. 'Hij heeft eigenlijk nooit iets over mijn haar gezegd.' Ze legde haar handen onder haar haar, tilde het op en liet het als gesponnen zijde weer op haar schouders vallen. 'Dus ik zou het echt niet weten.'

Het deed Tor genoegen een licht opstandige klank in de stem van haar vriendin te horen. Als een mens te aardig kon zijn, dan gold dat zeker voor Rose. En dat was iets wat Tor soms zorgen baarde.

Toen ze om kwart over een bij de Bombay Yacht Club arriveerden om te lunchen, zat het er stampvol. Terwijl Rose, een beetje verlegen en met kortgeknipte haren, met Tor naar hun tafeltje liep, vielen links en rechts de gesprekken stil, en een oude man klemde zijn monocle voor zijn oog, terwijl zijn mond openviel en hij haar vol bewondering aanstaarde.

'Rose, je nieuwe kapsel is een succes,' zei Tor op gedempte toon.

De ober ging hun voor naar een tafeltje in de hoek waar ze uitkeken op de haven. Terwijl hij de jaloezieën zodanig verstelde dat ze de jachten beter konden zien, weerkaatste het zonlicht op het zilveren bestek, de smetteloze glazen en de vingerkommen met een schijfje citroen.

'We hebben een buitengewoon aantrekkelijk menu vandaag.' De knappe Italiaanse oberkelner vouwde grote linnen servetten uit op hun schoot. 'Verse kreeft uit de haven, sole Véronique, parelhoen en fazant à la mode du chef. De champagne staat koud, madame,' zei hij zacht ter hoogte van Tors oor.

'Tor!' fluisterde Rose in een vlaag van paniek. 'Ik wil geen spelbreker zijn, maar ik kan me geen...'

Tor stak haar hand op. 'Rustig maar. De champagne is besteld door je man, kapitein Jack Chandler. Waarschijnlijk heeft hij het gevoel dat hij iets moet goedmaken omdat je door hem mijn feestje hebt gemist.'

'Jack!' Rose keek haar verbaasd aan. 'Weet je dat zeker?'

'Heel zeker.' Ze keken elkaar even in de ogen.

De ober schonk de champagne in; de belletjes maakten dat Rose haar neus optrok.

'Wat zijn we toch vrouwen van de wereld geworden!' zei ze na het eerste glas. 'Het is niet te geloven. En zo volwassen.'

'Rose.' Tor zette haar glas neer. 'Ik ben hier pas drie maanden. Ik wil nog niet naar huis. Ik kan het niet...'

'Nee, ga alsjeblieft niet naar huis,' zei Rose. 'Ik zou het ook niet kunnen verdragen. Ik...'

'Laten we het er nog maar even niet over hebben,' zei Tor haastig. 'Het is geen geschikt onderwerp voor bij de champagne.'

'Precies,' zei Rose. 'Trouwens, ik weet zeker dat half Bombay al tot over zijn oren verliefd op je is.'

Tor sperde haar reusachtige pretogen wijd open en stak zwijgend drie vingers op.

'O Tor! Beest dat je bent!' Rose sloeg haar hand voor haar mond. Geen beter iemand om je geheimen aan te vertellen, dacht Tor. 'En is er een man bij die echt bijzonder voor je is?'

'Ach, Oliver is wel leuk. Hij is bankier. En we hebben het heel gezellig samen.'

'Tor, vergis ik me of zie ik dat je bloost? Is het een man om mee te trouwen?'

'Dat weet ik niet.' Tor peuterde aan haar broodje. 'Waarschijnlijk niet. Trouwens, hoe weet je zoiets? Hij is leuk, een echte man, maar...'

'Mag ik iets zeggen, Tor? En nu even heel serieus. Wat je ook doet, doe niets overhaasts. Want je leven verandert er zo ingrijpend door. En zo verschrikkelijk is Middle Wallop nu ook weer niet. Je moet op z'n minst zeker weten dat je van de man in kwestie zou kunnen – Nee, je moet zeker weten dat je van hem houdt.'

Ze keken elkaar opnieuw vluchtig aan. En Tor voelde een steek van pijn bij het zien van de vurige blos op het gezicht van Rose. *Is alles goed met je, Rose?* zou ze willen vragen. *Maakt hij je wel gelukkig?* Maar zulke dingen vroeg je niet aan Rose. Ze was niet voor niets de dochter van een militair.

Natuurlijk ben ik gelukkig, zou ze hebben gezegd. *Het is allemaal even heerlijk.*

Wat zou ze anders moeten zeggen, tenzij haar leven een hel was en hij haar elke avond bont en blauw sloeg?

Na twee uur praten serveerde de ober koffie met bonbons. Tor leunde achterover in haar stoel en liet haar blik goedkeurend door het restaurant gaan.

Plotseling verstijfde ze. 'O nee! Ben ik gek geworden of zie jij hetzelfde als ik?'

Twee tafels verderop maakte een groepje van acht – Indiërs en Europeanen – aanstalten om te vertrekken.

'Het is hem!' Tor verstrakte haar greep om de leuningen van haar stoel. Rose volgde haar blik. 'Wie?'

Guy Glover had hen ook al gezien. Hij kwam overeind, keek nadrukkelijk nogmaals hun kant uit, als om zich ervan te overtuigen dat hij zich niet vergiste, en kwam naar hen toe, met een fototoestel om zijn schouder.

'Kijk eens aan,' zei hij lijzig. 'Dat noem ik nog eens een verrassing.' Hij glimlachte.

'Guy! Wat doe jij hier?' Tor lachte niet terug. 'Viva zei dat je ziek was en dat je nogal plotseling van boord bent gegaan.'

'Ja, ik was ziek.' Drie mensen aan zijn tafel – een westers uitziende Indiër en twee beeldschone Indiase meisjes – stonden op. Het was duidelijk dat er op hem werd gewacht. 'Maar inmiddels voel ik me een stuk beter.' Hij slikte krampachtig, waarbij zijn adamsappel op en neer ging. 'Sterker nog, ik heb een baan.' Zijn blikken schoten door het restaurant. 'Als fotograaf.'

'Als fotograaf?' herhaalde Tor verbaasd. 'Voor wie?'

'Voor een plaatselijke filmmaatschappij. De sprekende film komt naar Bombay, en dus komen er ook Engelse actrices hierheen. Ze hebben iemand nodig... Sorry, het is verschrikkelijk onbeleefd, maar ik moet ervandoor. Ze staan op me te wachten.'

'Dan zou ik maar gauw gaan,' zei Tor ijzig. 'Viva zal blij zijn dat te horen.'

'Ja, het gaat echt veel beter met me.'

Hij klopte op de zakken van zijn overhemd, eerst de linker, toen de rechter. Tor registreerde dat hij nog altijd vieze nagels had.

'Dat is nou vervelend,' zei hij ten slotte. 'Ik heb mijn visitekaartjes thuis laten liggen. Maar als jullie Viva zien, moet je maar zeggen dat ik haar niet ben vergeten. Ze heeft nog iets van me tegoed. Trouwens...' Hij deed een stap naar achteren en glimlachte vluchtig, geforceerd naar Rose. 'Ik vind je haar gewéldig. Je lijkt net een jongetje. Een heel mooi jongetje.'

28

"'Ik vind je haar geweldig!'" Nadat Guy was vertrokken, hadden Rose en Tor elkaar aan het lachen gemaakt door hem na te praten, maar inmiddels voelde Rose zich een stuk minder zelfverzekerd met haar elegante nieuwe kapsel.

Toen ze zichzelf de vorige avond had bekeken in de badkamerspiegel bij de Mallinsons en had geprobeerd het te zien door de ogen van Jack, was ze zich bewust geworden van het zaad van een dodelijke angst dat in haar was geplant. Ronddraaiend in het flatteuze licht zag ze maar al te goed hoe modieus het nieuwe kapsel haar stond, maar ook hoe anders ze er ineens uitzag. Als een ander mens. En toen dat besef eenmaal tot haar was doorgedrongen, was de moed haar in de schoenen gezonken, terwijl ze zichzelf tegelijkertijd de grootste verwijten maakte. Waar maakte ze zich druk om? Het ging om zoiets onnozels als een kapsel! Maar ze had geen idee of Jack het mooi zou vinden. Ze vond hem in veel opzichten nog altijd zo onvoorspelbaar. Sterker nog, als ze er goed over nadacht, moest ze toegeven dat hij nog talloze kanten had die ze helemaal niet kende.

Recent nog, op de club, had Maxo, Jacks beste vriend, haar licht aangeschoten verteld over het plezier dat Jack en hij altijd hadden gemaakt. *Voordat jij in zijn leven kwam.* Ze kon het hem bijna horen denken. Het ging over het uniform van een vriend dat ze op de avond voor een inspectie op de deur hadden gespijkerd. En over een krankzinnige avond voor introducés bij het 14e regiment van de huzaren, toen ze op de gezondheid van de keizer hadden gedronken uit Napoleons nachtspiegel. 'Die hadden ze buitgemaakt bij de Slag bij Waterloo.' Bij de herinnering moest Maxo opnieuw zo lachen dat hij geen woord meer kon uitbrengen. Rose had beleefd geglimlacht, maar het verhaal had haar verdrietig gestemd. De persoon die Maxo beschreef, leek zo anders dan de Jack die zij kende – een kwajongensachtige man, altijd in voor een pretje; een man die ze misschien wel dolgraag zou willen kennen.

De trein naderde het station van Poona. De zon brandde aan een turkooisblauwe hemel en scheen op de bakken met canna's. Rose zag Jack in zijn rijkleding op het perron staan, zijn hoofd heen en weer bewegend, op zoek naar haar. Mijn man, dacht ze. Mijn echtgenoot. Alsof ze met dat laatste woord bepaalde gevoelens bij zichzelf kon oproepen.

Ze dacht eraan dat in films jonge bruiden bij het weerzien met hun echtgenoot ongeduldig worstelden met de deurknop; dat ze hijgend van geluk het perron op vlogen, gedragen op de vleugels van de liefde. Waarom werd de knoop in haar maag dan alleen maar groter? Ze wilde niet bang voor hem zijn. Integendeel, ze wilde niets liever dan dat ze met haar hele hart van hem kon houden.

De trein minderde met krijsende wielen snelheid. Rose stak haar hoofd uit het raampje van het rijtuig. 'Jack!' zei ze zonder geluid, en ze wees op haar haar. 'Vind je het leuk?'

Zijn gezicht verstrakte, toen schudde hij zijn hoofd.

Jack loog nooit. Dat wist ze inmiddels – het was een kwestie van trots, had hij haar duidelijk gemaakt. Maar was het soms niet beter om aardig te zijn in plaats van absoluut eerlijk – vooral als het ging om dingen die niet belangrijk waren?

De trein kwam fluitend tot stilstand. Kruiers in vuurrode jasjes kwamen haastig aanlopen, maar hij wuifde ze weg. Toen kuste hij haar vluchtig op haar wang, hij legde een hand in het kuiltje van haar rug en loodste haar door de menigte.

'Nou, ik vind het wel leuk,' zei ze hardop, ook al kon hij haar niet verstaan. 'Ik vind het echt leuk.'

Maar terwijl ze naar de auto liepen – met zijn hand nog altijd dwingend op haar rug – werd ze overvallen door dezelfde misselijkmakende angst die ze vroeger had gevoeld aan het eind van de zomervakantie, wanneer meneer Pludd haar met de auto weer naar school bracht.

Ze had het zo heerlijk gehad met Tor in Bombay – ze hadden gezwommen, paard gereden, gelachen en eindeloos gekletst – maar terwijl hij haar naar huis reed, voelde ze haar geluksgevoel wegsijpelen.

Ze probeerde een beetje te babbelen en vertelde dat ze een overhemd voor hem had gekocht bij de Army & Navy Store. Dat was lief van haar, zei hij, en hij begon over een etentje waarbij ze werden verwacht, en dat hij die vrijdag een polowedstrijd moest spelen, maar ze hoorde aan de vlakke klank van zijn stem dat hij razend was.

Eenmaal thuis liet ze haar blik door de stoffige tuin gaan. Het was duidelijk dat niemand tijdens haar afwezigheid de moeite had genomen om de geraniums water te geven. Hun blaadjes waren bruin en verschrompeld. Maar dit was niet het juiste moment om daarover te beginnen. Dinesh, die eruitzag als een trotse krijger, hielp haar met het naar binnen dragen van haar bagage. Zelfs hij leek haar stijfjes te groeten. Hij vindt het afschuwelijk dat ik weer thuis ben, dacht ze. Hij zou liever met Jack alleen zijn.

Durgabai kwam binnenlopen en gaf Rose een kop thee. De gebruikelijke, weerzinwekkende thee waarop heldere vetbolletjes dreven, maar Rose was haar belachelijk dankbaar en ze had Durgabai wel om de hals willen vallen toen die naar haar nieuwe kapsel wees en zei: 'Mooi, memsahib.'

Dinesh, die voelde dat er storm op komst was, keek naar Jack om te zien wat die van het kapsel vond. Maar Jack wendde zich haastig af en zei dat hij nog in bad wilde voordat hij weer naar zijn werk ging. Op dezelfde afgemeten toon meldde hij vervolgens dat hij na zijn werk een bespreking had met de polocommissie. Rose geloofde hem niet.

'Kleuter,' mopperde ze tegen zichzelf. 'Zo erg is het allemaal niet.'

Toen Jack uiteindelijk het huis verliet, gooide hij de deur met kracht achter zich in het slot, en hij vertrok zonder even zijn hand op haar arm te leggen, zonder zelfs een glimlach. Helemaal niets. Zodra hij weg was, rende ze naar de badkamer om voor de zoveelste keer naar haar kapsel te kijken. Haar gezicht zag bleek en ingevallen, maar terwijl ze haar vingers door haar boblijn haalde, genoot ze van het gevoel van vrijheid, van lucht in haar nek. Toch vroeg ze zich angstig af of ze met haar nieuwe kapsel niet een beetje een Broeder Tuck was. Dat was de term die Tor en zij vroeger gebruikten bij het beoordelen van andermans mislukte boblijn. Maar wat gemeen van Jack om zo te reageren! Wat ontzettend kinderachtig.

Ze liep naar de slaapkamer. In de glazen lamp boven het bed lag een verzameling insecten, op een na allemaal dood. Het beestje zoemde nog wat halfslachtig. In de hoek van de kamer lag een stapel vuile kleren – zijn overhemden, haar rijbroek – die de dhobi had vergeten.

Wat voelde ze zich nutteloos! En moedeloos! Het was alsof ze al haar krachten had verbruikt. Ze pakte de gestippelde das uit die ze voor Jack had gekocht in het cadeauwinkeltje van de Bombay Yacht Club. Slap en dwaas lag hij in haar hand. Die zou hij ook wel afschuwelijk vinden. En hij zou ongetwijfeld zeggen dat hij te duur was.

Stijf en vermoeid als ze was van de treinreis, besloot ze dat een bad zou helpen de tijd te doden. Bovendien werd ze er misschien rustig van. Dus ze liep de tuin in, op zoek naar de water-man, en zag dat Shukla voor de hut van haar moeder uien zat te snijden. Zodra het kleine meisje haar in de gaten kreeg, sprong ze op en verdween haastig naar binnen. Net voordat ze de deur achter zich dichtgooide, ving Rose een glimp op van een goedkoop uitziend beeld, versierd met bloemenslingers. Ze trok haar neus op toen de geur van wierook tot haar doordrong.

Plotseling werd ze ongeduldig. Waar was de water-man, en waarom gaven de simpelste dingen hier aanleiding tot ergerlijke, ingewikkelde toestanden? Thuis zette je gewoon de kraan open als je in bad wilde. Hier moest Durgabai aan Dinesh vragen – die ze niet mocht – om op zoek te gaan naar Ashish, de was-man, die in een smerige hut aan de rand van hun terrein woonde en die dagelijks hun wc leegde en hun badwater haalde. Vervolgens moest het water worden verwarmd in grote olieblikken die op een rijtje buiten de bungalow stonden, en die vervolgens naar binnen moesten worden gedragen. Arme Ashish! Geen wonder dat hij zo mager was als een kind van tien. Ashish was een onaanraakbare, had Jack uitgelegd, lager dan de laagsten in het Indiase kastenstelsel.

Terwijl ze wachtte, ging Rose op een stoel in de slaapkamer zitten en begon ze zonder enthousiasme de recepten door te kijken achter in *The Complete Indian Housekeeper*. Marmeladepudding, sago, tapiocagelei; het klonk als het eten van vroeger op kostschool.

Jack begon er de laatste tijd steeds vaker op te zinspelen dat ze, na alle welkomstetentjes ter ere van haar komst naar Poona, werden geacht mensen terug te vragen. Daar konden ze niet te lang meer mee wachten, aldus Jack. Het klonk redelijk, maar omdat koken nog zo nieuw voor haar was, sloeg de schrik haar om het hart bij de gedachte dat ze helemaal alleen een etentje zou moeten geven. Ze had al gehoord hoe meedogenloos vals en roddelziek de vrouwen op de club konden zijn. 'Kindje, zo taai als schoenzolen! En een afschuwelijke saus. Waarom zou een mens in deze hitte drie kazen willen serveren?'

Ze had geprobeerd zich de desserts te herinneren die mevrouw Pludd altijd maakte: warme appelkruimeltaart, blanc-manger. Simpele gerechten, maar in de woorden van de samenstellers van *The Complete Indian*

Housekeeper, autoriteiten op elk gebied, van lintwormen bij kinderen tot hagedissenvallen, klonk het allemaal erg ingewikkeld. Om te beginnen moest ze beslissen welke soort zoete gerechten ze wilde serveren: met zetmeelhoudende producten of room, met gelatine of heldere gelei, of taarten en puddingen. De chocolade blanc-manger ging vergezeld van een strenge waarschuwing: 'Indiase koks laten dit gerecht niet lang genoeg doorkoken. Ze gebruiken te veel meel, en bij het serveren smaakt het nog half rauw.' Rose zuchtte. Ze hield toch al niet zo van zoetigheid.

'Memsahib.' Ashish klopte op de deur. 'Het water is er.'

Kijkend naar zijn magere schouders, terwijl hij de olieblikken naar de badkamer sjouwde, had ze er ineens schoon genoeg van. Ze had genoeg van deze man met zijn onoprechte oogopslag; van de bedienden die buiten haar deur stonden te fluisteren; van Jack en zijn chagrijnige humeur; van de dames op de Poona Club, van wie de meesten de volgende dag tegen lunchtijd zouden weten dat ze haar haar had laten knippen.

Toen de grote tinnen badkuip was gevuld, controleerde ze op handen en knieën of zich in de stop of daaronder geen schorpioenen of slangen verstopt hielden.

'Heel goed,' zei ze tegen Ashish. 'Dank je wel.'

En precies een uur nadat ze het besluit had genomen, trok ze haar jurk uit en stapte ze in bad.

Ze huilde geruisloos, zodat de bedienden haar niet zouden horen, en toen ze haar ogen weer opendeed, zei ze tegen zichzelf dat ze zich aanstelde als een klein kind – huilen in bad en zich zo ellendig voelen. Geen wonder dat Jack het te veel moeite vond om tegen haar te praten. Ze pakte haar horloge en veegde de condens van de wijzerplaat. Het was vier uur. Nog vier uur voordat Jack thuiskwam. Ze zette een vastberaden gezicht onder haar badmuts, zei tegen zichzelf dat ze moest ophouden met mokken en dat ze zich moest gedragen als een vrouw van negentien in plaats van als een kind van negen. Nadat ze zich had gewassen, zou ze mammies goede raad opvolgen en doen alsof er niets aan de hand was. Ze zou een mooie jurk aantrekken, een beetje parfum achter haar oren doen en dan zou ze naar de keuken gaan en Jacks lievelingskostje maken: steak and kidney pie. Dat zou vast en zeker niet moeilijk zijn.

Vervuld van nieuw enthousiasme stuurde ze Dinesh naar Yusuf Mehtab, de beste slager in Poona. Het strenge gezicht van Dinesh was zachter geworden toen ze hem had uitgelegd dat ze Jacks lievelingskostje wilde maken; hij had zelfs gelachen toen ze uitbundig had geloeid, met haar vingers als hoorns naast haar hoofd, en met behulp van haar zinnetjes-boek had gezegd: 'Ik wil graag lendebiefstuk alsjeblieft.'

Toen Dinesh weg was, haalde ze een verzameling duidelijk veelge-bruikte bakelieten schalen uit de kast, en ze schroefde de pot met meel open. De inhoud was een beetje vochtig en geklonterd, maar alleszins bruikbaar. Toen bedacht ze dat ze Dinesh was vergeten te zeggen dat hij ook niervet moest kopen. Mevrouw Pludd gebruikte twee lepels van het vet voor de korst, herinnerde ze zich. Nou ja, dan zou ze het met *ghee* moeten doen.

Ze stuurde Shukla naar buiten, op zoek naar groenten die ze kon ge-bruiken. De koolblaadjes waar ze mee terugkwam, waren al wat geel langs de stengels, maar iets anders was er niet – de groente-*wallah* kwam maar twee keer per week.

Bloemen. Met Durgabai en Shukla in haar kielzog liep Rose de tuin in, waar behalve de verdroogde geraniums alleen bougainville bloeide. Durgabai droeg de plukmand, Shukla de schaar.

'Laat maar,' zei Rose. 'Dit kan ik wel alleen.' Ze begon een paar stof-fige stelen af te knippen.

'Alstublieft, memsahib.' Durgabai had haar met haar prachtige ogen smekend aangekeken terwijl ze de mand weer van haar overnam met de twee bloemen erin. Durgabais man was invalide. Hij verdween altijd haastig zijn hut in zodra hij Rose in de gaten kreeg. Het hele gezin leefde in doodsangst dat ze hun baan zouden kwijtraken, en de hut die daarbij hoorde, had Jack haar verteld. Rose begreep het, ze voelde met hen mee, maar toch wilde ze haar eigen bloemen knippen, met haar eigen schaar. Dat was een van de weinige dingen die ze nog mocht doen.

Toen Dinesh met het vlees thuiskwam, kon ze wel huilen. Ze had het al van verre geroken, en toen hij het op de keukentafel legde en probeerde het in stukjes te snijden, zag ze de spieren in zijn armen opzwellen. Bo-vendien had ze om niertjes gevraagd, door op de plek net onder haar rib-ben te wijzen, maar in plaats daarvan had Dinesh een streng worstjes meegebracht die er nogal onheilspellend uitzagen.

'Dank je wel, Dinesh.' Ze stak het wisselgeld in haar zak. De mems op de club hadden gezegd dat ze dit soort misstappen moest bestraffen met boetes, maar ze ging ervan uit dat ze om het verkeerde had gevraagd en dat Dinesh zijn best had gedaan. Misschien had ze wel per ongeluk worstjes gezegd of had hij begrepen dat ze darmen bedoelde. Hoe dan ook, ze had hem ongetwijfeld in de war gemaakt, zoals ze dat onophoudelijk scheen te doen.

Voordat ze met koken begon, probeerde ze zich Jacks werkdag in gedachten te roepen, zodat ze wist hoe laat ze de pastei in de oven moest zetten. Doorgaans werkte hij tot drie uur 's middags. Dan ging hij naar het poloveld om te oefenen met het eerste team van de Third Cavalry, de Mafketels zoals ze zichzelf noemden. Rose, zelf een goed ruiter, vond het leuk om te gaan kijken.

Ze werd er vrolijk van als ze hem over het veld zag denderen op Bula Bula, of Topaz, of Simba, zijn lievelingspaarden. Ze genoot van de band die hij had met zijn paarden; hoe hij luisterde naar hun ademhaling en anticipeerde op hun manoeuvres – want hij had zijn paarden zo goed getraind dat hij slechts vluchtig zijn hoofd hoefde te bewegen om te zorgen dat ze zich omdraaiden. Wanneer ze hem in de weer zag op het poloveld, lachend en smerig als een kleine jongen, had ze meer dan eens gedacht: zo is hij het gelukkigst. En dan had ze gewenst dat zij er ook voor kon zorgen dat hij er zo uitzag.

Na de training gingen ze vaak naar de club, waar ze al een stuk of vijf, zes vrouwen van lage officieren bij de voornaam noemde, en waar mevrouw Atkinson, de kille, neerbuigende vrouw van de kolonel, af en toe naar haar knikte.

Voordat Jack haar meenam naar de club, had hij haar gewaarschuwd met verhalen over mems van lage officieren die te veel dronken of die te vertrouwelijk werden met de vrouwen van hoge officieren. Hij had het half schertsend gezegd, maar ze wist dat hij het heel serieus bedoelde. Verder had hij haar aangemoedigd haar whisky aan te lengen met zoveel mogelijk sodawater. Iets wat haar een verschrikkelijk volwassen gevoel gaf.

'Drinken wordt hier niet als ordinair gezien,' had hij haar verzekerd. 'Het geldt bijna als een medicijn.' Maar hij had haar gewaarschuwd voor het geroddel. 'Alles wordt eindeloos rondverteld, want ze hebben veel te weinig te doen,' zei hij, doelend op de vrouwen.

Dat was zeker waar. De week tevoren had ze tot twee keer toe het verhaal gehoord over de vrouw van een zekere majoor Peabody die te veel had gedronken en erg gewaagd had gedanst met een lage officier. En over het oneetbare diner dat iemand haar gasten had voorgezet, waarop die nog dagen last hadden gehad van diarree.

Jack was al tot twee keer toe in vol ornaat, compleet met sporen en medailles, naar een regimentsdiner in de mess vertrokken, waar de mannen zich, volgens de toegeeflijke praatjes van de mems, gedroegen als jongens. En Rose had ook de verhalen gehoord over een pony die om vier uur 's nachts naar binnen was gehaald om over een bank te springen. Jack zelf had haar verteld dat hij een jaar eerder, tijdens een steeplechase om middernacht, zijn pols had gebroken.

Niet voor het eerst besefte ze dat dit soort verhalen het beeld opriepen van een andere, wildere Jack; een Jack die zij nog niet kende, of van wie ze slechts af en toe een glimp opving wanneer hij onvast op zijn benen thuiskwam uit de mess – half dronken, stinkend naar cognac. Meestal wilde hij dan met haar vrijen. De laatste keer was verschrikkelijk geweest. Hij was vuurrood geworden en erg luidruchtig en had niet eens de moeite genomen om zijn overhemd uit te doen.

'Ontspan je! Ontspan je! Laat me nou gewoon mijn gang gaan,' had hij streng, bijna boos gezegd. Ineens had ze moeten denken aan zijn hartstochtelijke kreten op het poloveld, wanneer hij wilde dat ze hem de bal toespeelden zodat hij kon scoren. Het was afschuwelijk geweest, ze had zich nog nooit zo vernederd gevoeld.

'Hij is laat.' Rose keek op de klok boven de tafel in de eetkamer en probeerde zich geen zorgen te maken over de scherpe geuren die uit de oven kwamen, of over het feit dat de kaars in de glimmend gepoetste kandelaar begon te druipen. Waar is mevrouw Pludd als je haar nodig hebt, vroeg ze zich af in een poging zichzelf op te vrolijken. Want ze had de schotel veel te vroeg in de oven gezet en hem er sinds halfacht al twee keer uitgehaald.

Ze liep naar de zitkamer en liet zich in de stoel het dichtst bij de voordeur vallen. In een poging er zo vrouwelijk mogelijk uit te zien, als compensatie voor haar korte haar, had ze een wijdvallende, perzikkleurige jurk aangetrokken, met daarbij haar mooiste pareloorbellen, een erfstuk van haar grootmoeder, die een beroemde schoonheid was geweest met dezelfde prachtige huid als Rose. Ten slotte had ze een beetje Devonshire Violets achter haar oren gespoten. Daar zat ze nu, en ze voelde zich dwaas en alleen, een actrice zonder publiek. Ze schopte de zijden schoenen uit die ze met mammie in Londen had gekocht. Bij de aanblik ervan voelde ze een steek van pijn. Wat leek het meisje dat ze toen nog was geweest, haar ineens kinderlijk. Inmiddels dronk ze whisky, ze sliep elke nacht met een man en ze kende wel vijf verschillende puddingrecepten.

Toen ze om kwart voor negen het portier van zijn auto hoorde dichtvallen, sprong ze overeind. Even later kwam Jack binnen. Hij rook naar drank. Toen hij naar haar kapsel keek, kromp hij ineen – of verbeeldde ze zich dat maar? – als om haar duidelijk te maken dat hij het nog steeds vreselijk vond en haar nog niet had vergeven.

'Hallo lieverd,' zei ze op dezelfde redelijke toon als waarop haar moeder tegen haar vader praatte wanneer die uit zijn humeur was. 'Wil je nog iets drinken voor het eten? Ik heb steak and kidney pie gemaakt.'

'Nee, dank je. Ik rammel.' Hij keek naar de rookwolken die uit de keuken kwamen.

Rose beefde terwijl ze de gordijnen dichttrok om de duisteris buiten te sluiten en een olielamp aanstak. Ze had geprobeerd de eetkamer wat gezelliger te maken, wat niet meeviel met de biezen matten op de vloer en het allegaartje aan meubels. Ze had Shukla het bestek laten poetsen en de laatste drie bloeiende takjes bougainville in een vaas op de tafel gezet.

'Vind je het erg als ik ze wegzet?' Jack pakte de vaas. 'De geur bederft mijn eten.'

Bougainville had geen geur, dacht ze. Maar vooruit maar.

'Helemaal niet,' zei ze dan ook sereen. 'Zet ze maar op het dressoir.'

Toen kwam Dinesh, trots als een pony op een keuring, de keuken uit met de steak and kidney pie; hij was helemaal opgewonden omdat hij Jack zijn lievelingskostje mocht serveren.

Shukla, die te verlegen was om hen aan te kijken, volgde met de groente. De spinazie was doorgekookt tot een slijmerige substantie.

'Zullen we beginnen?' De kruimels vlogen alle kanten uit toen Rose haar mes in de pastei stak. Terwijl ze de korst doorzaagde, praatte ze opgewekt en vrijblijvend hoe leuk het was geweest om Tor weer te zien, en hoe heerlijk ze het zou vinden wanneer haar vriendin een keertje kwam logeren. Dan konden ze misschien met z'n allen gaan jagen.

'Nou, dan nodig je haar toch uit,' zei Jack weinig enthousiast. Nu wist Rose zeker dat hij Tor niet mocht, en ook al was ze daar op dit moment niet voor in de stemming, de eerlijkheid gebood haar toe te geven dat Tor in zijn bijzijn wel erg nadrukkelijk aanwezig was. Ze plaagde hem en ging daarbij veel te lang door, ze stelde zich aan en ze was veel te luidruchtig. Maar wie haar kende, wist dat ze zo deed wanneer ze verlegen was en zich niet op haar gemak voelde.

'We kunnen vast wel een paard voor haar vinden.' Als het per se moet, hoorde hem ze hem erachteraan denken.

En weer vlogen de kruimels alle kanten uit, nu omdat hij zijn mes in de pastei stak.

Ze aten zwijgend. Rose schaamde zich en voelde zich diep ongelukkig. De pastei smaakte afschuwelijk. Het vlees was op de rand van bedorven, en er zaten witte klonten in de jus omdat het meel niet goed was doorgeroerd.

Jack nam een slok wijn en wendde zijn blik af. De bedienden stonden bij de deur naar de keuken, in afwachting van zijn reactie. Rose legde abrupt haar bestek neer.

'Ik wil niet dat je het eet, Jack! Het smaakt werkelijk afschuwelijk.'

Ze voelde dat er een dikke traan over haar wang biggelde. Jack at onverstoorbaar door.

'Het is te eten,' zei hij. 'Maar daar is dan ook alles mee gezegd.'

'Het smaakt afschuwelijk. Zou je alsjeblieft de bedienden naar bed willen sturen?' Ze staarde naar het tafelkleed, de tranen stroomden over haar wangen. Het besef dat er naar haar werd gekeken, was een marteling.

Jack slaakte een diepe zucht, stond op en liep naar de keukendeur. '*Jao! Jaldi*, Durgabai en Dinesh, de memsahib en ik willen alleen zijn.'

Toen de deur dicht was, ging hij naast haar zitten.

'Het spijt me,' zei ze ten slotte. 'Ik gedraag me als een volmaakte idioot.' Ze slaakte een diepe, wanhopige zucht en droogde haar tranen met haar servet.

'Wat is er in 's hemelsnaam aan de hand, Rose?'

'Je vindt mijn haar afschuwelijk, waar of niet?' riep ze verbitterd uit.

'Ach...' Hij keek haar verbouwereerd aan. 'Ik vind het niet mooi, nee. Maar alsjeblieft, Rose, denk erom dat je nooit meer huilt waar de bedienden bij zijn.'

'Het spijt me.'

Hij stond op en liep naar het raam. Terwijl ze naar zijn rug keek, moest ze zich beheersen om het niet uit te schreeuwen. Natuurlijk ging het niet alleen om dat onnozele haar!

De poten van haar stoel schuurden over de grond toen ze opstond. 'Ik geloof dat ik maar naar bed ga als je het niet erg vindt.'

'Helemaal niet. Dat lijkt me zelfs heel verstandig.'

'Normaal gesproken ben ik niet zo,' zei ze toen ze al bij de deur was.

'Gelukkig maar,' zei hij ernstig, voordat ze de deur achter zich dichttrok.

Huilen, ontdekte ze die nacht, dit troosteloze, volwassen huilen bezorgde je dikke ogen en een razende dorst.

Maar vlak voordat het licht werd, toen ze haar huwelijk al bijna tot een ramp had verklaard, kwam hij de logeerkamer uit waar hij had geslapen. Hij stapte bij haar in bed en sloeg zijn armen om haar heen. 'Arme Rose, niet huilen alsjeblieft,' zei hij zacht.

Dat maakte het alleen maar erger. 'Je moet wel denken dat je met een volslagen idioot getrouwd bent,' zei ze snotterend, half lachend. Ze legde haar gloeiende wang op zijn borst en klampte zich wanhopig aan hem vast.

'Het is allemaal zo anders.' Zijn stem leek van heel diep uit zijn borst te komen. 'En zo moeilijk. Dat vergeet ik steeds.'

Ze wilde dat hij haar zo bleef vasthouden. Dat was het enige wat ze wilde. Maar toen voelde ze dat hij haar nachtjapon omhoog schoof. Hij begon de binnenkant van haar dijen te strelen en deed alle andere dingen die haar nog steeds een gevoel van gêne bezorgden.

'Toe, Rose,' zei hij smekend. 'Laat me alsjeblieft...'

En voor het eerst voelde ze iets. Niet de overweldigende sensatie waarvan ze had gedroomd – en die ze zo had gemist tijdens de huwelijksreis zodat die op een teleurstelling was uitgelopen – maar voor het eerst ervoer ze iets van de dierlijke troost die twee lichamen elkaar konden bieden; een troost die dieper ging dan woorden.

'Nu moet je ermee ophouden, dwaas gansje,' zei hij plagend toen het voorbij was. 'Zo is het meer dan genoeg geweest.'

'Ik huil nooit,' bezwoer ze hem opnieuw. 'Vraag maar aan Tor.'

Hij streelde haar borsten. 'Dat zal ik doen, de volgende keer dat ik haar zie.'

En voor het eerst vielen ze in elkaars armen in slaap.

29

Toen Frank belde dat hij terug was in Bombay en dat hij bij haar langs wilde komen, reageerde Viva niet meteen.

'Frank van de boot,' drong hij aan. 'Ken je me nog?'

'Natuurlijk ken ik je nog.' Ze glimlachte en voelde zich plotseling warm worden.

'Ik wil graag even langskomen. Om met je te praten over Guy Glover.' Frank klonk enigszins op zijn hoede. 'Er is iets gebeurd wat je moet weten. Tenminste, dat denk ik.'

'Hè nee! Niet Guy! Wat heeft hij nu weer gedaan?' Ze meende te horen dat hij een zucht slaakte.

'Dat vertel ik je wel als ik je zie. Maar er is niets om je ongerust over te maken.'

'Dat doe ik ook niet. Sterker nog, ik doe mijn best om helemaal niet meer aan hem te denken.' Er klonk gestommel aan de andere kant van de lijn, alsof hij op het punt stond op te hangen.

'Hoe gaat het met je?' vroeg ze. 'Waar woon je? En is het je gelukt werk te vinden?' Waarom klonk ze zo formeel, bijna alsof ze bezig was met een interview? Terwijl er een brede grijns om haar mond speelde omdat het zo heerlijk was zijn stem weer te horen, ook al klonk hij, net als zij, een beetje onwennig.

'Ik heb wat onderzoek gedaan in het noorden,' antwoordde hij. 'We zijn bezig geweest met het opzetten van consultatiebureaus op het platteland, in de buurt van Lahore. Voornamelijk voor kinderen. Maar het geld is op, dus ik ben voor een paar maanden terug in Bombay. In het Gokuldas Tejpal Hospital.'

'Waar is dat?'

'Niet ver van Cruickshank Road. Hoe is het met jou?' Zijn kordate toon verzachtte iets.

'Heel goed, dank je.' Ze had besloten niemand te vertellen hoe verschrikkelijk die eerste weken waren geweest – voor haar gevoel had ze op de rand van een zenuwinzinking gebalanceerd. 'In het begin viel het niet mee, maar inmiddels werk ik in een kindertehuis. Daarnaast schrijf ik wat. En ik heb een eigen kamer, in Byculla. Heel sober, maar ik hoef hem met niemand te delen. Weet Guy mijn telefoonnummer?' vroeg ze, toen hij niet reageerde. 'Is er iets gebeurd dat ik moet weten?'

'Dat zeg ik liever niet door de telefoon.' Hij praatte nu heel zacht, bijna fluisterend. 'Kan ik bij je langskomen? Hoe laat ben je thuis van je werk?'

Ze dacht razendsnel na. Hoe lang had ze nodig om zich op te frissen, andere kleren aan te trekken, haar haar te doen en zich enigszins toonbaar te maken? Maar toen werd ze ineens boos op zichzelf. Wat deed het er in 's hemelsnaam toe hoe ze eruitzag?

'Ik heb het druk vanavond,' zei ze. 'Kan het ook morgen?'

Dat was prima, zei hij.

Ze gaf hem haar adres, en hij verbrak de verbinding. Toen ze haar hand van de telefoon nam, stond er een vochtige afdruk van haar vingers op de hoorn, als van een zeester in het zand.

Na haar gesprek met Frank liet ze haar blik door de kamer gaan, in een poging die door zijn ogen te zien. Toen ze hier was gekomen, nog geen maand geleden, had ze de kleine kamer verschrikkelijk gevonden, angstaanjagend zelfs, het onomstotelijke bewijs dat ze was gedaald op de maatschappelijke ladder en waarschijnlijk nog dieper zou zinken.

De kamer was gratis, zoals Daisy had beloofd, en de ligging, boven de winkel van meneer Jamshed aan Jasmine Street, centraal. Maar met zijn slordig geschilderde muren, waar na het vallen van de duisternis de hagedissen overheen schoten, en met een enkele kale gloeilamp aan het plafond, dunne biezen matten op de vloer en een gordijn met daarachter een gastank om op te koken, riep de ruimte associaties op met de ergste zitslaapkamers die ze in Londen had gezien. Alleen was het hier heter, benauwder. Op haar eerste avond was ze met een sigaret op het piepkleine balkonnetje gaan zitten, en terwijl ze naar beneden keek, naar de onopvallende, nietszeggende straat, had ze zich afgevraagd hoe ze hier in vredesnaam was terechtgekomen. Ze moest niet goed bij haar hoofd zijn geweest.

Maar de volgende dag had ze de kamer geboend en geschrobd tot hij

smetteloos schoon was. Ze had een stokje wierook gebrand om de verschaalde etensluchten te verdrijven. Op het bed had ze de quilt van haar
ouders gelegd. Wanneer de zon opkwam, lichtten de rode, groene en
paarse vierkanten van zijde op als gekleurd glas en tekenden een patroon
van stralende kleuren op de vloer.

Daisy kwam de tweede avond langs en bracht een geborduurd kussen
voor haar mee, een gedicht, vertaald uit het Perzisch, en een bos hyacinten.

Als have en goed u zijn ontnomen,
En armoede klopt aan uw poort,
Als slechts twee broden u nog resten,
En angst voor honger drijft u voort,
Verkoop dan een van uw twee broden,
En hoe zwaar dat u ook viel,
Koop er hyacinten voor,
Als voedsel voor de ziel.

Viva had het gedicht in een fraaie houten lijst gedaan en boven haar bed
gehangen.

Het weekend daarna was ze met Daisy naar de Chor Bazaar gegaan
– de Dievenmarkt – waar ze bestek had gekocht, en een ketel en een fraai
ogende stoel die ze had bekleed met een kasjmier sjaal. Ze had er ook
een oude, blauw-met-groen geëmailleerde spiegel op de kop getikt, die
ze boven het gootsteentje had gezet. Door dat alles had ze eindelijk het
gevoel gekregen dat de kamer van haar was.

Op haar eerste avond had meneer Jamshed, een ontwikkelde Parsi en
een grote, goedlachse, luidruchtige man, haar ongeduldig naar binnen
gewenkt, alsof ze een verloren dochter was die treuzelde met thuisko-
men. Hij had haar in een stoel bij het raam gezet zodat ze zijn wedstrijd-
duiven kon zien uitvliegen in de perzikkleurige zonsondergang, en hij
had haar een kop chai gebracht. Vervolgens had hij haar voorgesteld aan
zijn dochters, Dolly en Kaniz, prachtige, zelfverzekerde meisjes die hun
haar in een boblijn droegen, lippenstift gebruikten en hun vader maar al
te duidelijk om hun pink wonden. 'Ze doen niets liever dan mij plagen,'
had meneer Jamshed tegen Viva gezegd, met ogen die glansden van trots
en verrukking.

Mevrouw Jamshed, een mollige vrouw die zich aanvankelijk erg verlegen had getoond, had erop gestaan dat ze bleef eten, en Viva had met het hele gezin aan een lange tafel op de binnenplaats gezeten, waar haar bord was volgeschept met gevulde vis, gerold in bladeren, en daarbij rijst en groenten. Het toetje was zoete custardpudding. Na al dat lekkers had Viva het gevoel gehad dat ze geen hap meer door haar keel kon krijgen. Het was mevrouw Jamshed, die haar liet kennismaken met het Indiase begrip *russa*, een manier van eten koken en serveren. En die haar bovendien waarschuwde dat er in een Indiaas huis telkens opnieuw zou worden opgeschept, tenzij ze wat eten op haar bord liet liggen.

Toen ze die avond, stampvol en gelukkig, in haar nieuwe bed lag, had ze naar de sterren gekeken achter haar sjofele gordijnen, en ze had beschaamd teruggedacht aan het gebrek aan gastvrijheid waarmee ze zelf mensen had ontvangen aan Nevern Square – al kwamen ze alleen maar een kopje suiker halen – vooral als ze zat te schrijven. En het vervulde haar met afschuw wanneer ze zich voorstelde hoe ijzig het welkom zou zijn dat de hoffelijke, ontwikkelde Jamsheds in Londen zouden ontvangen. Als ze al welkom waren bij de Engelse hospita's. De vriendelijkheid die het gezin haar had betoond, stemde haar nederig. En deed haar beseffen dat ze nog heel veel moest leren.

Haar werk in de Tamarinde, het kindertehuis in Byculla, begon twee dagen later. Ze had de baan alleen maar aangenomen op grond van de cynische overweging dat ze genoeg geld moest verdienen om te kunnen schrijven. En misschien zou ze zelfs wat bruikbare verhalen te horen krijgen. Zodra ze het geld voor de reis bij elkaar had, ging ze naar Simla om 'die vervloekte hutkoffer' op te halen, zoals ze hem in gedachten was gaan noemen. Het was echter allemaal anders gelopen.

Die eerste ochtend was ze angstig en nerveus uit de bus gestapt. Het huis waarin de Tamarinde was gevestigd en dat van een afstand een donkere, vervallen aanblik bood, was ooit van een rijke bloemenkoopman geweest. Van dichtbij bleken de fraaie ramen, het half vergane houtsnijwerk en de rijk bewerkte, roestige smeedijzeren balustrades de verbleekte schoonheid te bezitten die vergane glorie wordt genoemd.

Viva was rondgeleid door donkere gangen en spartaans ingerichte slaapzalen door Joan, een opgewekte, Schotse vroedvrouw die vertelde dat ze op korte termijn het achterland in zou trekken om onderzoek te doen naar de vroedvrouwen en het overlijdenspercentage bij de bevallingen in de dorpen.

Er was in de Tamarinde ruimte voor zo'n vijftien tot twintig meisjes, vertelde Joan verder. Daarbij ging het voornamelijk om weeskinderen. Sommige waren achtergelaten bij de deur van het tehuis, andere waren gevonden door de vrijwilligers die drie keer per week de straat op gingen, op zoek naar kinderen die tijdelijk een dak boven hun hoofd nodig hadden. Soms werden er ook jongens toegelaten, maar de geslachten werden bij voorkeur apart gehouden. 'Dat maakt het voor iedereen een stuk gemakkelijker,' zei Joan met een vrolijke knipoog.

Het tehuis maakte geen onderscheid tussen moslims en hindoes, en het doel was om de kinderen uiteindelijk terug te plaatsen bij familie of in een geschikt tehuis.

'En denk niet dat we ze daarmee een enorme gunst bewijzen,' zei Joan. 'Als ze honger hebben, zijn ze dankbaar dat ze te eten krijgen. Maar sommige kinderen, vooral de oudere, vinden het afschuwelijk om op liefdadigheid te zijn aangewezen. Er zijn er die liever onder de erbarmelijkste omstandigheden op straat leven dan dat ze hier komen.'

Elke donderdag was er een open consultatiebureau, aldus Joan. Dan kon iedereen binnenkomen en zich laten onderzoeken door een team van uitstekende artsenvrijwilligers, zowel uit Europa als uit Maharashtra. Kinderen die meer specialistische zorg nodig hadden, werden gratis behandeld in het Pestonjee Hormusjee Cama Hospital voor vrouwen en kinderen, een eindje verderop.

De afbladderende muurpleister en het gebrek aan meubilair verrieden dat de hele onderneming draaide op een zeer beperkt budget. Al het geld dat bij elkaar werd gebracht door liefdadigheid, werd besteed aan consultatiebureaus voor zieke kinderen. Terwijl ze over de binnenplaats liepen, werden ze plotseling omstuwd door uitbundig kwetterende kleine meisjes in fleurige sari's, die Joan aanraakten en Viva een stralende glimlach schonken. 'Ze willen een liedje voor je zingen,' vertaalde Joan. Toen de kinderen in gezang uitbarstten, dacht Viva onwillekeurig dat Europese ogen nooit zo straalden en dat ze in Europa nog nooit iemand zo breed had zien glimlachen. Deze kinderen mochten dan arm zijn, ze bruisten van leven.

Tijdens de lunch, die gezamenlijk met de kinderen werd gebruikt aan schragentafels op de binnenplaats, werd Viva voorgesteld aan Clara, een struise, Ierse verpleegster met een gezicht vol sproeten. Ze maakte een enigszins stuurse indruk, terwijl ze *dhal* op de borden kwakte. En toen de kinderen begonnen te eten, vertelde ze Viva in een nors onderonsje dat ze in Bombay eerst in een ander weeshuis had gewerkt. 'Daarbij vergeleken is dit het Ritz. Neem dat maar van me aan.'

Joan vertelde hoe verschrikkelijk de omstandigheden waren in sommige Indiase weeshuizen, waar kinderen ernstig werden mishandeld of de meisjes werden verkocht aan oude mannen. 'Het heeft heel lang geduurd voordat we het vertrouwen hadden van de plaatselijke bevolking. En nog steeds moeten we heel, heel voorzichtig zijn. Waar of niet, Clara?' Maar er kon bij Clara geen lachje af. Ze had Viva merkwaardig aangekeken, alsof ze wilde zeggen: *Je hoort hier niet.* En wanneer Viva in de daaropvolgende dagen bij Clara was ingedeeld, had ze zich telkens erg onzeker gevoeld, een volslagen mislukkeling die het wel nooit zou leren.

Wat dééd ze hier ook? Ze was geen verpleegster, geen liefdadigheidswerker, ze wist niet eens of ze eigenlijk wel van kinderen hield. Die eerste dagen had ze vooral het gevoel dat ze op de vlucht was, voornamelijk voor zichzelf.

Maar geleidelijk aan begonnen er dingen te veranderen. Op haar tweede dag nam Clara haar mee naar een rij kinderen die stonden te wachten om te worden onderzocht door de bezoekende arts. De kinderen stonden achter een gesloten hek, haveloos, op blote voeten. Een enkeling keek Viva aan met een verwilderde, wanhopige blik in de ogen. De kinderen hadden haar op de traditionele manier begroet – met een buiging, hun rechterhand op hun voorhoofd – terwijl ze hun kaken bewogen alsof ze kauwden en probeerden haar door de tralies heen aan te raken. *Help me!* leken ze te willen zeggen.

Een van de meisjes barstte los in een ware spraakwaterval tegen Clara. 'Haar moeder is een paar maanden geleden gestorven,' legde die uit. 'Ze is van een dorp meer dan honderd kilometer hiervandaan naar de stad komen lopen. Haar vader is ook dood. En haar familie wil haar niet.'

Viva had zich hulpeloos en diep beschaamd gevoeld. De roep om hulp was zo overweldigend, en zij had geen enkele ervaring, geen enkele opleiding.

In het begin gaven ze haar gemakkelijke klusjes te doen. Joan zei haar aan een tafel op de binnenplaats te gaan zitten, en als de kinderen binnenkwamen, moest ze – met de hulp van een vrouw uit Maharashtra die als tolk optrad – hun naam in een groot, leren register schrijven. Ze noteerde de datum waarop ze waren binnengekomen, hun adres als ze dat hadden, wie hen behandelde, welke medicijnen ze kregen voorgeschreven en wanneer de dokter wilde dat ze terugkwamen. Dat laatste deden ze bijna nooit.

Er was een eeuwig tekort aan dokters. Joan, Clara en soms Daisy deden wat ze konden met hun beperkte medische voorraden en verwezen echt ernstige gevallen door naar het ziekenhuis.

Op Viva's eerste dag in het tehuis kwam halverwege de ochtend Daisy Barker het hek binnen lopen. Op slag voelde Viva zich iets minder gespannen en onzeker. Daisy was duidelijk volledig thuis in de Tamarinde. Ze werd meteen omstuwd door druk pratende kleine meisjes, die erom vochten haar een glas water te mogen brengen. Vervolgens kwam ze bij Viva zitten. 'En? Red je het een beetje?' vroeg ze.

'Prima,' antwoordde Viva, ook al voelde ze zich tot in het diepst van haar wezen geschokt.

Want die ochtend was wat eerst een menigte behoeftige kinderen was geweest, uiteengevallen in individuen. Ze had bijvoorbeeld Rahim ontmoet, een heel gevoelige moslimjongen met boze ogen, mager en getekend door de pokken. Zijn vader was met benzine overgoten en in brand gestoken bij een afrekening in de onderwereld, meende Clara te hebben gehoord. Hij had zijn zusje van zes in het tehuis willen achterlaten, terwijl hij zelf ging proberen wat geld te verdienen. Ze had griep, en hij durfde haar niet langer bij zich te houden op straat. Toen ze uit elkaar gingen, had Rahim teder zijn hand op de arm van zijn zusje gelegd. En Viva had de kleine, magere jongen nagekeken toen hij de poort uit liep en verdween in de menigte.

'Had hij niet ook kunnen blijven?' had ze aan Joan gevraagd.

'Hij schaamde zich,' luidde het antwoord. 'Zodra hij ook maar enigszins kan, wil hij weer zelf voor haar zorgen.'

En Viva had Sumati leren kennen, een meisje van twaalf. Na de dood van haar moeder, die was gestorven aan tuberculose, had ze geprobeerd voor haar vier jongere broertjes en zusjes te zorgen door vodden te rapen op de vuilnisbelt. Inmiddels was ze aan het eind van haar krachten.

Rond lunchtijd was er een lawaaiig groepje jongens komen binnenstormen, op blote voeten en met alleen een lendedoek om. Want het was bekend dat er in het tehuis tussen de middag soep werd uitgedeeld, voornamelijk door vrouwen uit de wijk. De meeste jongens waren dakloos, vertelde Daisy. Ze sliepen in kartonnen dozen langs de spoorlijn. Elke dag liepen ze vele kilometers voor een klein bakje rijst en dhal en een stukje fruit, en om onder de koude kraan op de binnenplaats hun tanden schoon te wrijven met hun vingers en om zich te wassen, iets wat ze buitengewoon grondig deden, met een sterk besef van fatsoen. Volgens Daisy beschouwden ze zichzelf als enorme geluksvogels omdat ze hiervoor de kans kregen.

'Dat zet je wel aan het denken, waar of niet?' zei ze. En dat deed het zeker.

'Weet je, misschien komt er een dag dat je meer dan alleen hun namen in een boek schrijft,' zei Daisy voordat ze weer vertrok. 'Misschien schrijf je ooit hun levensverhaal op.'

Op de maandag van haar tweede week veranderde er weer van alles. Mollige Joan kwam, buiten adem en vuurrood van het rennen, de binnenplaats op met het nieuws dat 'de hel is losgebarsten' in een achterbuurt vlakbij, achter de katoenspinnerij.

Er was een waterleiding gesprongen, met als gevolg dat er al twintig mensen waren verdronken. Een halfuur later arriveerde er een stroom bewoners uit de getroffen wijk, te voet, in riksja's, in gammele taxi's en karren. Ze zaten onder de modder. Velen huilden en smeekten om hulp.

De volwassenen werden naar een plaatselijk ziekenhuis gebracht waar een noodopvang was gerealiseerd; kinderen zonder begeleidende volwassenen bleven in het tehuis. Er werden teilen de binnenplaats op gezeuld, petroleumstellen werden aangestoken om eten op te warmen.

'Doe dat maar weg en kom ons liever helpen.' Met een boze blik klapte Clara het register dicht waarin Viva zat te schrijven, en ze gaf haar een schort. 'Je zult er nu echt aan moeten geloven.'

Een klein meisje dat Talika heette, werd uit de groep kinderen geplukt die dicht op elkaar bij de ijzeren hekken van het tehuis stonden. Viva schatte haar op een jaar of zeven. Het kind was afschuwelijk mager, ze had reusachtige bruine ogen, haar haren waren een massa klitten, en de gebloemde jurk die ze droeg, was haar veel te groot. Om haar hals droeg ze een kaartje met HARI KITTI erop. 'Help me.'

Toen Talika zich voor Viva op de grond wierp, viel haar kleine lappenpop naast haar in het zand. En toen haar hoofdje vol klitten Viva's schoenen raakte, had die zich overweldigd gevoeld door emoties: verdriet om dit zielige hoopje mens, boosheid om haar wanhopige situatie, weerzin, want het zwaar verkouden kind had een slakkenspoor van snot achtergelaten op haar kousen, en angst, omdat er nu van haar werd verwacht dat ze het kleine meisje hielp.

Op de binnenplaats was haastig een rij provisorische kleedhokjes neergezet. Daisy en Clara renden rond met zinken teilen die ze in de hokjes zetten, en deelden stukken zeep en handdoeken uit.

Viva was met Talika naar een van de hokjes gegaan. Omdat ze geen broers of zusters had, was dit een totaal nieuwe ervaring voor haar, en het was duidelijk dat zowel zij als het kleine meisje zich ernstig in verlegenheid gebracht voelde.

'Trek die maar uit.' Ze wees naar de bemodderde jurk van het kind. Het kleine meisje keek haar met grote, verschrikte ogen aan, legde haar pop op de kurken matten en deed wat Viva zei. Ze huiverde toen ze in het koude water stapte, maar zeepte zich gehoorzaam in. Haar kleine handjes waren druk in de weer, maar ze hield haar ogen neergeslagen. In het hokje naast hen hoorde Viva dat Daisy al stond te zingen en te lachen met haar kind. Maar zij voelde zich als bevroren.

Weerzin vervulde haar toen ze zag hoe vuil het water was dat uit Talika's haar stroomde. Daarop had ze het kleine hoofdje ingewreven met de speciale teerzeep die Daisy haar had gegeven, tegen luizen. Talika had geen kik gegeven, zelfs niet toen ze zeep in haar ogen kreeg. Ze was slechts roerloos en verdoofd door de schok blijven staan. Toen ze droog was, had Joan haar een nieuwe jurk en een nieuwe pop gegeven – de oude pop moest worden ontsmet. Daarna had Viva haar naar de slaapzaal op de eerste verdieping gebracht, die ze met tien andere meisjes zou delen, tot iemand haar kwam halen of tot officieel zou komen vast te staan dat ze niemand meer had. Ze gaven haar een matras, een deken en een potlood.

Toen Viva aan het eind van die dag bij het hek stond, licht in haar hoofd van vermoeidheid en van alle schokkende ervaringen, zag ze Talika terug. Ze hadden haar een bezem gegeven die twee keer zo lang was als zij, en daarmee veegde ze gedisciplineerd en met een ernstig gezichtje de bladeren bij elkaar die van de tamarinde op de binnenplaats waren gevallen. Ze had een taak, en die taak zou ze naar behoren uitvoeren. Als zij zich staande weet te houden, dan kan ik het ook, dacht Viva.

Frank zou die avond komen, en terwijl ze naar haar werk liep, vroeg ze zich af waarom hij door de telefoon zo ernstig, zo anders had geklonken. Het was heel goed mogelijk dat Guy niet het enige was waarvoor hij haar wilde waarschuwen, dacht ze terwijl ze van de gebarsten stoep de straat op liep. Misschien had hij een nieuwe relatie, met een vrouw in Lahore. Niet dat zij ooit iets hadden gehad dat op een relatie leek, hield ze zichzelf voor, en ze wuifde naar de man in de chaiwinkel, die elke ochtend naar haar zwaaide. Door de problemen met Guy waren ze als het ware gedwongen tot een merkwaardig soort openhartigheid tijdens hun wakes in Guys hut, alsof ze waren gestrand op een onbewoond eiland. En dat had vervolgens geleid tot het vreemde, bedrieglijke gevoel dat ze hem kende en dat hij er op zijn beurt in was geslaagd door haar façade heen te kijken.

Het was marktdag, de menigte op straat werd steeds dichter. Ze werd ingehaald door een man met twee levende kippen onder zijn armen. Hij lachte naar haar, en ze lachte terug. 'Hallo!' riep hij. 'Hallo, *missy girl!*' Op de volgende hoek begon een jongen die ze kende uit het tehuis, spontaan aan een soort schokkerige dans toen hij haar zag.

Frank. Ze zou die avond iets met hem gaan drinken, ze zouden misschien samen wat gaan eten, maar meer niet, besloot ze, terwijl ze de straat insloeg naar Tamarind Street. Ze had die week een brief van William ontvangen, waarin hij haar in zijn zorgvuldige handschrift koeltjes en dringend aanraadde naar Engeland terug te komen zodra ze de hutkoffer had opgepikt.

'Ik weet zeker dat je ouders dat ook zouden hebben gewild. Trouwens, ik kan me niet voorstellen dat ze het een prettige gedachte zouden hebben gevonden dat jij in je eentje door India zwerft.'

Bij de herinnering schudde ze zwijgend haar hoofd. Hoe durfde hij namens haar ouders te spreken, terwijl zijn belangstelling voor haar nauwelijks verderging dan het lichamelijke? Er ging een huivering door haar heen toen ze hem in gedachten voor zich zag: zijn zwarte sokken, zijn witte benen, de geforceerde glimlach op zijn gezicht toen hij bij haar in bed was gestapt. Wat had ze er een afschuwelijke puinhoop van gemaakt! Ze legde de schuld niet langer bij hem. De fout lag bij haar. Eenzaamheid was iets anders dan liefde, en ze besefte nu pas hoe verloren en instabiel ze destijds was geweest. 'Dat zal me nooit meer gebeuren,' mompelde ze onder het lopen.

Tegen de tijd dat ze bij het tehuis kwam, sloeg de hitte in walmende teergolven van het plaveisel. Het was donderdag, de dag waarop de Tamarinde zijn deuren opende voor de plaatselijke bevolking, en de patiënten die wachtten op de dokter, stonden al tot op de straat. Een jonge moeder zat op de stoeprand onder een kapotte paraplu, haar baby hing slap op haar schoot. Naast haar waaierde een man zijn vrouw koelte toe terwijl ze tegen de tralies van het hek leunde. Er leek geen eind te komen aan de rij schuifelende mensen die alle ziektes van de armen bij zich droegen: wormen en steenpuisten, tbc, darmkwalen, tyfus, cholera, zelfs lepra – het werd allemaal aan de voeten gelegd van de twee hardwerkende, gekwelde dokters die hun patiënten op de veranda onderzochten, in hokjes met een gordijn ervoor.

Acht uur later, nadat ze kinderen in bad had gedaan, bedden had opgemaakt en op kantoor had geholpen, liep Viva naar huis door de stoffige, roze zonsondergang. Frank. Ze had de hele dag aan hem gedacht, maar terwijl ze met zere voeten en een jurk die aan haar rug plakte, naar huis liep, was ze bang dat hij te vroeg zou komen. Ze had tijd nodig om zich te wassen, om even te slapen, om het gevoel van kwetsbaarheid kwijt te raken.

Vermoeid beklom ze de trap, vurig hopend dat meneer Jamshed haar niet zou aanschieten voor een glaasje en om 'gezellig een boom op te zetten'.

Normaliter ging ze bij thuiskomst in bad, ze at een bescheiden maaltijd, deed de lampen aan en begon te schrijven. Maar die avond ging ze op bed liggen, ze sloot haar ogen en vroeg zich af – tot haar ergernis – wat ze zou aantrekken ter ere van zijn bezoek. De rode jurk? Nee, te feestelijk en alsof ze er heel wat van verwachtte. De blauwe rok dan met een truitje? Nee, te saai. Uiteindelijk zette ze het gepieker nijdig uit haar hoofd. Het maakte niet uit wat Frank leuk vond, was haar laatste gedachte voordat ze in slaap viel.

Toen er werd geklopt, schoot ze overeind en keek naar de deur. Achter het matglas zag ze een donker silhouet op en neer deinen. Ze trok een zijden kimono aan en probeerde tevergeefs de lichten aan te doen.

'Wacht even.' Ze rommelde met een kaars. 'Stroomstoring.' En niet voor het eerst, dacht ze nijdig.

'Viva.' Zijn stem werd gedempt door het glas.

'Frank! Wacht even.'

Toen ze de deur opendeed, stond hij in het gele licht van de olielamp die meneer Jamshed op de trap had gezet. Hij was magerder dan ze zich hem herinnerde, en minder jongensachtig, maar hij had dezelfde dikke bos lichtbruin haar, dezelfde glimlach.

'Ik ben laat,' zei hij. 'We hadden een spoedgeval in het ziekenhuis, en er was niemand die voor me kon waarnemen.'

Hij keek haar aan alsof hij niet kon geloven dat ze het echt was.

'Mag ik binnenkomen?'

'Geef me even de tijd.' Ze trok haar kimono strak om zich heen. 'Ik was in slaap gevallen. En ik...'

Ze vond het afschuwelijk dat hij haar staat van ontkleding misschien als een signaal beschouwde. 'Dus eh... wacht even.'

Ze deed de deur voor zijn neus dicht, vloog haastig de donkere kamer door en stootte zich aan het bed terwijl ze de rode jurk aantrok. Ten slotte deed ze een zilveren kam in haar haren en stak ze nog twee kaarsen aan.

'Ik ben zover.' Ze deed de deur weer open. 'Kom binnen. Ik ben alleen bang dat het hier een verschrikkelijke chaos is.'

Hij bleef in de deuropening staan, alsof hij aarzelde om binnen te komen. Ze voelde dat hij de kamer in zich opnam: de charpoy, de schrijfmachine, de vlieger die Talika voor haar had gemaakt en die boven haar werktafel aan de muur hing.

'Doe je je deur niet op slot?' vroeg hij.

'Soms, niet altijd. Mijn huisbaas heeft een grendel op de voordeur.'

Het ergerde haar toen hij zich niet overtuigd toonde. Haar kamer was niet zijn zaak.

'Heb je vaak last van stroomstoringen?'

'Om de haverklap. Maar meneer Jamshed zegt dat de ratten, die de elektriciteitsdraden doorvreten, niet tegen de hitte kunnen. Dan gaan ze dood, zegt hij. Het klinkt nogal onwaarschijnlijk. Is dat echt zo?'

Ze praatte te veel, te druk.

'Het zou kunnen.' Uit de manier waarop hij zijn lippen tuitte en deed alsof hij nadacht, leidde ze af dat hij zich net zo ongemakkelijk voelde als zij. En om de een of andere reden ergerde dat haar ook. De ontspannen stemming van vroeger was verdwenen, en ze wist niet goed of ze die terug wilde.

De flakkerende lichten zorgden voor een hectische, instabiele sfeer, en toen ze opnieuw doofden, ervoer ze dat als een opluchting. 'Ik kan niet denken in het donker,' zei hij. 'Kom, dan neem ik je mee uit eten.'

Het was een warme avond. Buiten, op Jasmine Street, vielen vierkanten van geel licht uit de wanordelijke huizen aan weerskanten. Het was druk op straat. Mensen in lange, wijdvallende gewaden liepen langzaam naar huis, de bazaars sloten voor de nacht. Op de hoek hingen wat straatmeisjes rond – met reusachtige, zwaar opgemaakte ogen en behangen met opzichtige sieraden.

'Als je het niet erg vindt om tien minuten te lopen, dan gaan we naar Moustafa's,' zei ze. 'Een paar straten hiervandaan. Hij maakt de beste *pani puri* in Bombay.'

'Dat klinkt goed.' Hij glimlachte bijna verlegen. Er leek weinig over te zijn van de brutale zelfverzekerheid die ze zich herinnerde van De Kaiser.

Op de volgende hoek zat een groep mannen in een café te dammen, omhuld door rookwolken. Toen een van hen zich naar haar toe keerde, voelde ze dat Frank zijn greep op haar arm verstrakte.

'Loop je hier ook wel eens alleen?' vroeg hij.

'Ja, maar ik ben niet bang.'

'Misschien zou je dat wel moeten zijn.'

'Wat heeft het voor zin om bang te zijn voor dingen waar je toch niets aan kunt doen?' Bovendien, het ergste was toch al gebeurd. 'Trouwens, het is ongelooflijk hoe aardig de meeste mensen hier zijn. Daar kunnen wij een voorbeeld aan nemen.'

'Je bent alleen,' zei hij. 'Dus ik zou niets als vanzelfsprekend beschouwen als ik jou was.'

Zijn woorden ergerden haar. Hij had niet het recht om zo tegen haar te praten, dacht ze, en ze ging twee stappen voor hem uit lopen. Ze had genoeg van mannen die zogenaamd bezorgd waren – zoals William – terwijl ze alleen maar probeerden gewichtig te doen, of terwijl het ze om iets heel anders ging.

'Hoor eens!' Hij kwam naast haar lopen. 'Ik maak me zorgen, en je zult begrijpen waarom als ik je vertel wat er aan de hand is. Heeft Guy Glover ooit geprobeerd contact met je op te nemen?'

'Nee.' Ze bleef staan onder een straatlantaarn waarvan het licht half werd verduisterd door een zwerm insecten. 'Maar Rose schreef dat Tor en zij hem in de Bombay Yacht Club tegen het lijf waren gelopen. En toen zei hij dat hij me het geld zou terugbetalen dat ik nog van hem te goed heb. Of iets van die strekking.'

Frank keerde zich abrupt naar haar toe.

'Dat moet je niet aannemen,' zei hij gejaagd.

'Waarom niet? Ik heb ervoor gewerkt. Hij is het me schuldig. En het schijnt dat hij het zich kan veroorloven. Volgens Rose werkt hij als fotograaf bij de sprekende film.'

'Je moet het niet aannemen,' waarschuwde hij haar opnieuw. 'Beloof me dat je het niet aanneemt. Als je geld nodig hebt, kan ik het je lenen. Of je kunt het je ouders vragen.'

'Ik heb geen ouders meer. Die zijn al jaren dood.'

'Dat spijt me.'

'Daar kun jij niks aan doen,' zei ze, haar gebruikelijke vlotte antwoord.

'Dat weet ik.' Zijn ogen stonden verdrietig. Hij wilde nog iets zeggen, maar ze kapte hem af. 'We zijn er! Dit is Moustafa's.'

Ze was erg verknocht geraakt aan Moustafa's café met zijn kaal gesleten tafeltjes en oude stoelen, en de opkrullende foto's van de Acropolis. De eigenaar was een ongeschoren Griek, een warme, humoristische man, die vanavond gekleed ging in een lange tuniek uit Kasjmir. Hij keek hen stralend aan, bracht hun een fles wijn en poetste de glazen zorgvuldig voordat hij ze op de tafel zette. Even later verscheen hij opnieuw aan hun tafeltje met bakjes olijven, noten en mezzedes.

'Ik hoop dat je het gevoel hebt dat je me kunt vertrouwen, mocht je ooit de behoefte hebben over je familie te praten,' zei Frank toen ze weer alleen waren.

'Dank je wel.' Het speet haar dat zij de oorzaak was van die behoedzame blik in zijn ogen. 'Maar er valt niets meer te zeggen. Echt niet.' Met een bijna misselijkmakende schok herinnerde ze zich die keer toen ze William alles had verteld, en wat er daarna was gebeurd. Haar kleren op de vloer van zijn slaapkamer, zijn pak keurig over een stoel, de gespeelde oprechtheid.

'Wat is er aan de hand met Guy?' vroeg ze. 'Want daarom zijn we hier tenslotte.'

Frank reageerde niet meteen.

'Akkoord,' zei hij ten slotte. 'Ik zal je vertellen wat ik weet.'

Hij schonk haar een glas wijn in en wachtte terwijl ze een slok nam.

'Guys ouders hebben hem vorige maand de deur uit gezet – ik geloof dat ze bang voor hem begonnen te worden. Zijn moeder heeft me geschreven. Een zielige brief. En in zekere zin een verontschuldiging.

Ze hadden niet geweten hoe hij eraan toe was, schreef ze. Toen hij was vertrokken en ze zijn kamer opruimde, had ze allerlei merkwaardige dingen gevonden: tekeningen, plattegronden, dagboeken... Jouw naam kwam er heel vaak in voor, schreef ze. Iets over een donkere engel der wrake.'

'O nee!' Ze voelde een vermoeid soort weerzin. 'Wat betekent dat? Is hij gek?'

'Dat weet ik niet. Sinds de problemen met Guy heb ik me een beetje verdiept in mentale stoornissen. Want dat zijn dingen die me interesseren. De stemmen die hij beweerde te horen, enzovoort. Er is een nieuwe stoornis onderkend. Schizofrenie. Een zekere Freud heeft erover gepubliceerd. Het betekent letterlijk "gespleten geest". Vroeger ging men er bij de behandeling van mensen met een dergelijke stoornis van uit dat ze hetzij ontaard, hetzij slecht waren, maar inmiddels beginnen ze tot de overtuiging te komen dat het een echte geesteziekte zou kunnen zijn. Het is heel goed mogelijk dat dit voor Guy niet geldt, dat hij simpelweg een soort kameleon is, maar in beide gevallen denk ik dat hij gevaarlijk zou kunnen zijn. De medepassagier die hij in elkaar had geslagen, bood bepaald geen prettige aanblik.'

Even keek ze hem wantrouwend aan, zich afvragend of hij overdreef om indruk op haar te maken.

Daar was William erg goed in geweest: haar zorgzaam naar de binnenkant van het trottoir of de weg duwen, uit angst voor een niet-bestaande kar of een denkbeeldig paard. Of hij waarschuwde haar voor mannen en vertelde haar hoe schofterig die zich konden gedragen – achteraf beschouwd nogal een gotspe.

'Heb je er bezwaar tegen als ik een sigaret opsteek?' Frank keek haar aan.

'Helemaal niet,' zei ze kalm.

'Het kan best zijn dat je nooit meer iets van hem hoort,' zei hij. 'Ik vertel je alleen wat ik weet.'

'Denk je dat zijn ouders wisten dat hij een beetje gek was?' vroeg ze.

'Het is mogelijk. Dat zou verklaren waarom ze wilden dat hij op zijn leeftijd nog met een chaperonne reisde.'

'Akkoord,' zei ze na een korte stilte. 'Maar ik zie nog altijd niet helemaal wat ik hiermee moet.'

'Om te beginnen je deur op slot doen. Wees voorzichtig wie je meevraagt naar je kamer. Op een van de plattegronden die zijn moeder vond, stond het huis aan Tamarind Street. Ze vermoedt dat hij misschien hier vlakbij een kamer heeft genomen. De mogelijkheid bestaat dat hij op een bepaalde manier door je is geobsedeerd.'

'O hemel.' Viva schudde haar hoofd. 'Wat een toestand. Maar ik nodig nooit mensen uit op mijn kamer.' Ze keek hem aan.

'Mooi.'

'Is dat alles?'

'Nee, nog één ding. De politie is bij me geweest. Ik heb geen idee hoe ze me hebben gevonden, maar ze vroegen of ik iets wist van de All-India Muslim League. Dat is een politieke partij die actief campagne voert voor afscheiding van de moslims.'

'Waarom zou Guy daarbij betrokken zijn? Hij heeft het nooit over politiek gehad. Met geen woord.'

'Dat kan best zijn, maar er is hier in India een groep jonge Engelsen die zich voor de beweging inzetten. Sommigen beschouwen zichzelf als radicalen, anderen zien het als een manier om de onafhankelijkheid van India tegen te houden. Sommige van Guys nieuwe kameraden in het wereldje rond de filmindustrie zijn niet wat ze lijken: het zijn revolutionairen, politieke heethoofden. En ze zijn erbij gebaat om te infiltreren in een wereld waar Europanen en Indiërs vrijer met elkaar omgaan. Veel van hen zijn fel gekant tegen Gandhi's politiek van geweldloosheid.'

'Dat begrijp ik niet.'

'Sommigen vinden dat we met een bloedneus zouden moeten vertrekken, wanneer het moment is aangebroken dat de Engelsen het land uit worden geschopt.'

'Ik begrijp nog steeds niet wat ik hiermee te maken heb,' zei Viva.

Frank blies een rookwolk uit. Zijn gezicht stond bezorgd.

'Dat weet ik ook nog niet. En misschien heb ik het helemaal mis.

Maar hij is duidelijk geobsedeerd, en je staat op zijn lijst. Ik ben bang dat hij, als hij je eenmaal heeft gevonden, bij je langs zal blijven komen, en dat de politie dan zal denken dat jij er ook bij betrokken bent.'

Terwijl ze praatten, zag ze vanuit haar ooghoeken dat Moustafa al enige tijd klaar stond met de menukaarten. Nu onderbrak hij hun gesprek en mopperde dat ze veel te ernstig keken. Ze moesten het beste nemen wat er die avond op de kaart stond, zei hij. Pittige vleesballetjes en naanbrood.

'Hij heeft gelijk.' Frank glimlachte. 'Laten we lekker gaan eten en niet meer aan dat ellendige joch denken.'

Dat deden ze, en na het eten namen ze hun koffie mee naar buiten, de straat op, waar het nog altijd warm en drukkend was. 'Ik hoor iemand zingen,' zei hij zacht, en toen hoorde Viva het ook. Het geluid kwam uit het huis aan de overkant van de straat: het onstuimige ritme van Indiase trommels, en dan een vrouwenstem, nasaal en droefgeestig, met een groot bereik van hoog naar laag.

'Ik begin het hier echt heerlijk te vinden,' zei Viva. 'India heeft me weer helemaal te pakken.'

'Mij ook. En ik weet niet waarom.'

Het deed er blijkbaar niet toe wat ze wilde – de ongemakkelijke stemming begon weg te ebben. Toen hij haar tijdens een likeurtje vertelde over Tsjechov, wiens korte verhalen hij net had ontdekt, lichtte zijn gezicht op van vreugde, en niet voor het eerst dacht ze dat ze hem misschien verkeerd had beoordeeld. Hij was intelligent, een gepassioneerd levend mens. Ze vond het heerlijk om te zien hoe hij een gedachte uitwerkte en als een filosoof van alle kanten benaderde, alvorens hem uit te spreken. Bij het zien van de losse knoop op zijn linnen pak, betrapte ze zich op het verlangen die vast te zetten. Het was bijna een gevoel van tederheid, dat ze haastig probeerde de kop in te drukken. Aan boord van De Kaiser waren zoveel meisjes verliefd op hem geweest, dat het haar bijna een kick had gegeven om juist niét van hem onder de indruk te zijn.

Aan dat gevoel wilde ze vasthouden.

En met die gedachte in haar achterhoofd vroeg ze hem hoe hij het vond om in het ziekenhuis te werken.

'Het is te vergelijken met Blakes weergave van hemel en hel. In sommige opzichten is het verschrikkelijk primitief, maar tegelijkertijd is het ook erg interessant. Ik heb daar na twee maanden al meer verantwoordelijkheid dan ik in Engeland na twintig jaar zou hebben.'

En toen deed hij iets wat William bijna nooit had gedaan: hij hield op over zichzelf en vroeg naar haar leven.

'Ben je al in Simla geweest?'

Met een schok besefte ze dat ze hem over de hutkoffer moest hebben verteld, zonder iets over haar ouders te zeggen. Het viel soms niet mee om bij te houden wat ze tegen wie had gezegd – en verzwegen.

'Nee, nog niet.'

'Aha,' zei hij. 'Daar woonden je ouders.' Het was eerder een constatering dan een vraag, en ze voelde weer hoe zijn gedachten hun werk deden achter die intelligente ogen, terwijl hij probeerde de stukjes van de puzzel in elkaar te passen.

'Ja,' zei ze. 'Jaren en nog eens jaren geleden.'

'Hm.' Toen hij haar blik even vasthield, voelde ze zich in het nauw gedreven en overvallen door een licht gevoel van paniek. Dus ze begon hem te vertellen over de kinderen in de Tamarinde. Over hun blijheid, hun ongelooflijke dapperheid, en hoe vastberaden ze waren om te overleven.

'Ga je over ze schrijven?' vroeg hij. Ook dat wist hij nog, en ze kon niet helpen dat ze zich diep vanbinnen warm voelde worden van geluk. 'Want daarvoor was je naar India gekomen, zei je. Om te schrijven.'

'Als ik dat zou kunnen, dan zou het een mogelijkheid zijn,' zei ze.

'Ik weet zeker dat je het gaat doen. Dat voel ik gewoon.'

Dat was alles. En toen hij niet eens probeerde haar te kussen op weg naar huis, was ze niet teleurgesteld.

Hij heeft gelijk, dacht ze. Ik ga het doen.

Toen ze een uur later in bed lag, nadat ze vastberaden de gordijnen had dichtgetrokken om de sterren buiten te sluiten, wist ze het zekerder dan ooit: wat ze nodig had, was een baan, geen man.

30

Bombay, april 1929

April deed zijn intrede als een vuurspuwende draak. Viva en Rose kregen een telefoontje van Tor. De Mallinsons vonden de hitte ondraaglijk en waren voor een verblijf van drie weken vertrokken naar een hotel in Mahabaleshwar, een regeringspost in de heuvels. Dus Tor had het huis voor zich alleen en ze wilde dat haar vriendinnen kwamen logeren. Ze had hen nodig. 'Het is een spoedgeval,' had ze er quasi-lollig aan toegevoegd, in de hoop dat de beschamende onthulling haar bespaard zou blijven als ze maar vaak genoeg in bad ging en emmers gin dronk.

Betrouwbaar als ze was, had Rose meteen teruggebeld. Natuurlijk zou ze het heerlijk vinden om te komen. Voor een week, als dat schikte. Jack vond het een uitstekend idee (Geweldig! Hoera voor Jack, dacht Tor sarcastisch). Want het was in Poona bijna net zo heet als in Bombay, en hij wist dat ze het aanzienlijk comfortabeler zou hebben in het huis van CiCi.

'Als we gaan zwemmen, moeten we dat wel ergens doen waar niemand me kan zien,' waarschuwde ze. 'En denk erom dat je me niet uitlacht. In badpak zie ik eruit als een babywalvis.' Ze was vier maanden zwanger.

Viva had, tot Tors grote verrassing, ook snel gereageerd. Ze werkte in een kindertehuis, vertelde ze, dus ze kon op z'n hoogst twee nachten komen logeren. Overdag ging ze gewoon naar haar werk, maar de avonden konden ze samen doorbrengen. Tor keek vol ongeduld uit naar het weerzien.

Op de dag voordat ze zouden komen, werd Tor, zoals elke ochtend sinds haar maandelijkse periode was uitgebleven, badend in het zweet wakker, en ze smeekte Onze Lieve Heer haar uit haar lijden te verlossen. De rest van de dag liet ze de *bhisti*, de bediende die voor het water zorgde, de trappen op en af rennen om warm water naar haar badkamer te brengen. Ze had al vijf miniflesjes Gordon's gin uit CiCi's drankenkast leeggedronken en onder haar bed verstopt. Na haar tweede bad was ze bijna flauwgevallen en had ze haar teen pijnlijk tegen het bed gestoten, maar er was niets gebeurd. Tussen de baden door had ze in de tuin rondgestrompeld, in de brandende zon en de verzengende hitte.

Terwijl ze onvast over het pad liep, had een van de tuinmannen haar aangeklampt om haar te wijzen op een rij dode beo's. De snavels van de vogels zaten onder het bloed. De tuinman had haar door een beeldend wapperen met zijn armen duidelijk gemaakt hoe de hitte hun longen had doen barsten, en vervolgens had hij gelachen alsof het een geweldige grap was. Totaal van streek was ze in de vijvertuin gaan zitten, maar ook daar had ze geen rust gevonden. Het enige geluid dat de zinderende stilte doorboorde, was de roep van de koekoeken die in deze tijd van het jaar iedereen op de zenuwen werkten met hun monotone kreten. *Het wordt nog heter, het wordt nog heter. Het wordt nog heter! Het wordt nog heter!* leken ze te roepen. Alsof ze dat niet wist!

Goddank dat Rose en Viva kwamen, dacht ze. Want ze geloofde oprecht dat ze hard op weg was om haar verstand te verliezen.

Tegen halfvier die middag, toen het kwik van de thermometer de eenenveertig graden naderde, besloot ze het nog een keer te proberen. Dus ze liet Balbir, de water-man, bij zich komen. Toen ze hem opdracht gaf opnieuw een bad te vullen met zo heet mogelijk water, voelde ze dat de kleine, bruine man, die al glom van het zweet, in gedachten zijn ogen ten hemel sloeg om haar idiotie. Want hoe krankzinnig moest een madam sahib zijn om bij deze temperaturen kokend hete baden te nemen?

Iemand – waarschijnlijk CiCi's ayah, een kleine vrouw met een scherp getekend gezicht die alles zag – had de lege flesjes gevonden en in een keurig rijtje op de kaptafel gezet, alsof ze wilde zeggen: 'Ik weet heus wel wat er aan de hand is.'

Rose zou om vier uur komen. In afwachting daarvan zwierf Tor op blote voeten door het huis. Haar natte voeten maakten afdrukken op de houten vloer, terwijl ze probeerde te besluiten wat de koelste logeerkamer was om Rose in onder te brengen. Uiteindelijk koos ze een kamer met luiken, aan de achterkant van het huis. Er hingen fraaie sits gordijnen en aan het plafond draaide een reusachtige ventilator. Ze zei tegen Dulal, die de matten op de vloer schoonhield, dat hij extra zijn best moest doen om de kamer koel te houden voor madam sahib Wetherby, vanwege haar toestand – met haar handen had ze een dikke buik aangegeven. Dulal, een knappe, jonge, tamelijk onbeschaamde vent, had haar aangekeken en bulderend gelachen, wat voor Tor aanleiding was tot een nieuwe aanval van onzekerheid.

Waarom moest hij zo om haar lachen? Wist iedereen inmiddels van de flesjes gin?

Rose was gearriveerd. Een stuk zwaarder, maar nog altijd bleek en mooi – zelfs met haar half uitgegroeide boblijn. Ze droeg een blauwe positie-jurk, en toen ze haar armen om Tor heensloeg – 'O Torrie, ik heb je zo gemist!'- voelde Tor haar ronde, harde buik tegen de hare drukken, en ze moest op haar onderlip bijten om niet in snikken uit te barsten. Waar-om deed Rose altijd alles goed, en waarom ging het bij haar allemaal ver-keerd?

Rose leek zo gelukkig over het weerzien, en omdat Tor niet meteen de pret wilde bederven, nam ze haar mee naar de veranda voor een kop thee met een stuk cake.

'Goddank!' Rose liet zich met een zucht in een diepe stoel vallen en sloeg haar nog altijd volmaakte benen over elkaar. 'Wat een genot om van die moordende hitte bevrijd te zijn.' Ze babbelden een tijdje over ditjes en datjes, en na de thee viel Rose als een marmot in slaap. Tor moest den-ken aan vroeger, toen haar vriendinnetje na een dag jagen haar gekookte ei at, haar hoofd op de keukentafel legde en was vertrokken.

Tor keek op haar neer. Wat was ze een geweldige vriendin, om met-een langs te komen en te doen alsof ze niets liever wilde. Ze legde een kussen onder haar hoofd en sloop weer naar boven.

Voor het avondeten had ze nog net tijd om haar zoveelste bad te ne-men. Toen hij vertrok om de water-man te gaan halen, die waarschijnlijk al in zijn hut aan zijn avondeten zat, had Pandit niet de moeite genomen zijn ergernis te verbergen en hij was nijdig stampend de trap afgelopen. Tor twijfelde er niet aan of hij zou CiCi alles vertellen wanneer ze terug-kwam.

Een kwartier later zat Tor in bad te huilen. O, God, alsjeblieft! Alsjeblieft! Alsjeblieft! Haal dit kind alsjeblieft weg, God! Ze dronk nog een flinke bel gin uit het glas waarin ze haar tandenborstel bewaarde. 'Bleeeggh. Afschuwelijk!' zei ze vol walging toen de drank door haar keel gleed. Zelfs op haar beste momenten vond ze gin niet te drinken. Na nog even in het hete water te hebben gezeten, ging ze staan, duizelig, misselijk, en ze bekeek zichzelf in de spiegel. Ze was zo rood als een kreeft. Toen ze uit de badkuip was gestapt, wreef ze zich langzaam droog en poetste haar tanden, nog altijd hopend op een wonder. Maar er gebeurde niets. En buiten het raam klonk weer de spottende roep van die vervloekte vogel. Heter, heter, heter...

Tijd om zich aan te kleden. Om zichzelf op te vrolijken trok ze haar favoriete jurk aan, een donkerblauwe creatie, met daarop een van Ci's geborduurde jasjes – te strak nu ze weer begon aan te komen – en een dubbel snoer parels. 'Eén snoer is veel te bescheiden', luidde een van Ci's stelregels. Aldus uitgemonsterd ging ze naar beneden, vastbesloten de pret die avond nog niet te bederven.

'Tor, voel je je wel goed?' vroeg Rose toen ze de woonkamer binnen kwam. 'Je ziet er ellendig uit. Heb je soms iets verkeerds gegeten?'

Op dat moment kwam Chanakya, de bediende die zorgde voor de verlichting, met een brandende kaars binnenlopen om de olielampen op de veranda aan te steken, gevolgd door een bediende met een bord kaasstengels. Tor wierp een veelbetekenende blik op hen. 'We hadden er een, maar daar zijn de wielen afgevallen,' zei ze nonchalant – al zolang als ze zich kon heugen de geheime code waarmee Rose en zij elkaar waarschuwden dat ze niet vrijuit konden spreken.

Pandit kwam in zijn sneeuwwitte avonduniform, met zijn snor zorgvuldig en indrukwekkend geborsteld, informeren hoe laat ze wilden dineren. Hij zette sifons en glazen whisky op tafel, en kleine kommetjes met olijven en kaascanapés.

Tor, die altijd meer at wanneer ze van streek was of zich zorgen maakte, schrokte twee canapés naar binnen. Wat had het voor nut om zich nog aan Ci's belachelijke dieettips te houden?

'Vooruit, Torrie. Vertel op,' zei Rose toen Pandit weg was. 'Er is iets aan de hand.'

Tor haalde diep adem en stond op het punt antwoord te geven, toen er werd gebeld. Viva was gearriveerd, achter op een motor die werd bestuurd door een van haar vrienden uit het kindertehuis. Met verwarde, stoffige haren, haar kleren in een oude schoudertas, kwam ze binnenstormen.

'Het spijt me dat ik zo laat ben,' zei ze. 'Er was een reusachtige demonstratie tegenover het station. De menigte verbrandde Britse vlaggen.'

Er was brandweer en politie... Ik dacht al dat ik het niet ging redden.'

'O, dat gebeurt de laatste tijd voortdurend,' zei Tor. 'Ik heb laatst een vol uur nodig gehad om bij de renbaan te komen. Aanhangers van Gandhi waren bij wijze van protest midden op de weg gaan zitten. Dat mogen ze dan een vreedzame demonstratie noemen, maar het verkeer was urenlang gestremd. Denk je dat er snel een einde aan komt?'

Tor vond het een opluchting over iets concreets te kunnen praten, want ze besefte maar al te goed hoe bezorgd Rose naar haar keek.

'Nee, dat denk ik niet,' antwoordde Viva. 'Heel wat van de kinderen die we in het tehuis krijgen, dwepen met "Gandhiji" zoals ze hem noemen. Ik denk dat hij ervoor gaat zorgen dat alles hier voorgoed verandert.'

'Hè nee, laten we het niet over politiek hebben!' Tor gebaarde afwijzend. 'Geoffrey Mallinson is zo geobsedeerd door de hele toestand dat we hem strafpunten geven zodra hij over Gandhi begint. Wat een saaie man is dat. Luister eens, wil iemand zich nog even opfrissen voor het eten? Viva, jij misschien?'

Tor volgde Viva de trap op naar Ci's elegante, met marmer betegelde badkamer. Ze liet water in de wastafel lopen zodat Viva het stof van haar gezicht kon spoelen. 'Fijn dat je er bent.'

'Ach, het was een spoedgeval, zei je.'

'O dat,' reageerde Tor luchtig. 'Dat was een smoes om jullie hier te krijgen.'

Viva nam haar onderzoekend op. 'Weet je dat zeker?'

'Laten we eerst gaan eten. Dan praten we daarna verder,' zei Tor.

Dankzij de gin voelde ze zich aangenaam wazig en een beetje sentimenteel. Het enige waar ze op dit moment naar verlangde, was al haar problemen vergeten en plezier maken met de meisjes, met haar dierbare vriendinnen.

'Wat jij wilt.' Viva stak haar hoofd onder de kraan.

'O water, water,' mompelde ze. 'Het is gewoon hémels. Het enige wat er bij mij uit de kraan komt, is roest. En dooie vliegen. Denk je dat ik nog even vlug in bad kan voor het eten?'

En Pandit beende opnieuw driftig de trap op en neer met de water-man.

Toen Viva weer beneden kwam, droeg ze een simpele koraalrode jurk die haar slanke middel accentueerde en haar weelderige donkere haren die los op haar schouders dansten. De enige versiering waren lange zilveren oorbellen. Die had ze op de markt gekocht, vertelde ze. Waarom zijn sommige mensen van nature al prachtig, werelds, zonder dat ze er ook maar enige moeite voor leken te doen, vroeg Tor zich af. Vergeleken bij Viva voelde ze zich dik en overdreven opgedirkt, als een kind dat mammies verkleedkist had geplunderd.

Het diner werd vroeg geserveerd in een langwerpig, door kaarsen verlicht vertrek, waar het draaglijk koel was dankzij de traag draaiende ventilatoren boven hun hoofd. De deuren naar de tuin stonden open; de lucht was verzadigd van de geur van mimosa en rode jasmijn. Achter de vervagende omtrekken van de gazons, de terrassen, de bomen en planten, zonk een enorme gele maan in zee.

In het kaarslicht glansde het blonde haar van Rose als dat van een kind. Was het geen verrukkelijke verrassing, zei ze stralend toen Viva en Tor naar de baby vroegen. Ze hadden er niet op gerekend, Jack en zij, maar ze waren in de zevende hemel. Allebei.

'Het is allemaal zo volwassen, Rose.' Er lag een gechoqueerde uitdrukking in Tors reusachtige ogen.

'Ja, dat vind ik zelf ook,' viel Rose haar bij. De enige wolk aan de hemel was het feit dat Jack met zijn regiment misschien op korte termijn zou worden overgeplaatst naar Bannu, aan de noordwestelijke grens. Dat zou een erg gevaarlijke missie zijn, maar daar gingen ze zich pas zorgen over maken wanneer het zover was, zei ze sereen. 'Gossie, moet je die maan eens zien! Is het niet schitterend? Ik heb zelden zoiets moois gezien.'

Ze keken gehoorzaam naar de maan, maar toen legde Tor haar soeplepel neer. 'En wat betekent dat voor jou, Rose? Moet jij daar dan ook heen?'

'Dat weet ik nog niet. Er is nog niet besloten of de vrouwen welkom zijn.'

Rose zei het rustig en opgewekt, maar Tor zag het spiertje trekken in haar wang. Dat had ze als kind al gehad, wanneer ze zich schrap zette voor iets engs.

'Maar heb je dan geen enkele inspraak?' vroeg Viva verontwaardigd. 'Je krijgt nota bene een kind!'

'Nee, ik heb er niets over te zeggen. Ik ben nu eenmaal met een militair getrouwd. Daar kan Jack niets aan doen.'

Tors hart begon plotseling te bonzen.

Wat is ons leven wankel, onzeker, dacht ze. Buiten was het bijna van het ene op het andere moment donker geworden, en ze zag de weerspiegeling van de flakkerende kaarsen in de ramen. Rose was negentien, zwanger, mijlen van huis; Jack moest weg, op een gevaarlijke missie. Viva woonde in een verschrikkelijk appartement – althans, zo klonk het – waar dode vliegen uit de kraan kwamen. En zijzelf... Daar wilde ze nog niet aan denken. Eerst het toetje.

'Pandit.' Ze luidde de kleine bel die naast haar bord stond. 'Is er nog iets over van dat verrukkelijke ijs? En misschien wat bladerdeeggebak?' Waarom zouden ze niet genieten zolang het nog kon?

'Viva.' Rose legde haar ijslepel neer. 'Hoe is het met jou? En hoe zit het met je baan? Je bent altijd zo mysterieus.' Ze porde haar zacht tegen haar arm.

'Is dat zo?' vroeg Viva. 'Dat is anders niet mijn bedoeling.'

'Ach...' Rose zocht naar de juiste woorden. 'Je bent zo anders dan de meeste meisjes die we ontmoeten, en zo onvoorspelbaar. Dat bedoel ik positief,' voegde ze er haastig aan toe.

'Dat klopt,' viel Tor haar bij. Al vanaf het moment dat Viva die avond was binnengestapt, probeerde Tor de vinger te leggen op het gevoel dat Viva in haar wakker riep: een soort combinatie van verlangen en wanhoop.

'Je gaat je eigen gang,' zei Rose. 'Je verdient je eigen geld. Voel je je daar soms niet door... in verlegenheid gebracht?'

'In verlegenheid gebracht,' herhaalde Viva glimlachend. 'Wat een grappige formulering. Zo heb ik er nooit tegen aan gekeken.'

'Ben je nog altijd van plan schrijfster te worden?' vroeg Tor.

'Dat ben ik al. Of tenminste, dat hoop ik. Ik heb net mijn eerste echte verhaal verkocht, aan *Blackwood's* magazine. Het gaat over het kindertehuis.' Opwinding gaf haar stem een bijna elektrische lading, ook al hield ze haar gezicht zorgvuldig in de plooi.

'*Blackwood's!* Viva, wat geweldig!' riep Rose uit. 'Waarom heb je dat niet meteen verteld?'

'Omdat ik het zelf nog niet helemaal kan geloven. De eerste paar weken hier waren zo verschrikkelijk. Ik kon zelfs de YWCA amper betalen, maar toen vond ik werk in het kindertehuis. En 's avonds schrijf ik.'

'Gossie, wat mieters.' Tor hoorde zelf hoe vlak het klonk. Ze probeerde te glimlachen. 'En nu?' Ze nam een slok van haar drankje.

'Tja...' Viva aarzelde. 'Ik ga proberen om de kinderen in het tehuis zover te krijgen dat ze me hun verhaal vertellen, in hun eigen woorden.'

'Lieve hemel, dat klinkt interessant,' zei Tor.

'Maar het moet toch ook soms vreselijk deprimerend zijn,' zei Rose. 'Die arme kleine weesjes.'

'Dat is het nu juist.' Viva's ogen begonnen te schitteren. 'En dat is precies de reden waarom ik zo blij ben dat ik daar werk. Want het is heel anders dan ik had verwacht. Er bestaan zoveel clichés, zoveel misverstanden. De kinderen daar zijn arm, maar ook vol leven, vol hoop. Ze lachen meer dan wij. Meer dan Engelse kinderen.

En natuurlijk, ik ben blank en ik word geacht ze te helpen, maar soms haat ik ze ook bijna – hun armoede, hun behoeftigheid, hun volslagen gebrek aan alles. En dat is iets waarover ik duidelijkheid probeer te krijgen: alle leugens, alle manieren waarop we proberen het leven simpel te maken door mensen in een hokje te stoppen – zwart of wit, goed of slecht – terwijl we in wezen allemaal het slachtoffer zijn van onze eigen vooroordelen. Ik zal jullie een voorbeeld geven: er werken daar twee vrouwen, afkomstig uit een hoge kaste, die niet samen met me willen eten. In hun ogen ben ik de bezoedelde, de onaanraakbare. Een ander voorbeeld: er is op dit moment een klein islamitisch meisje in het tehuis dat volkomen wordt genegeerd vanwege haar geloof. En er is niets wat we daartegen kunnen doen. Zo diep zit het.'

'Gossie.' Rose vouwde haar servet op en schoof de zilveren ring er zorgvuldig omheen. 'Ik vind het bewonderenswaardig. Ik geloof niet dat ik het zou kunnen.'

'Vast wel,' zei Viva bijna bot. 'Mijn leven is waarschijnlijk een stuk gemakkelijker dan het jouwe. Het is gewoon een kwestie van keuzes.'

Ach, keuzes, dacht Tor. Ze was afgeleid geweest, waardoor ze niet het hele betoog van Viva had gevolgd. Maar wat ze had gehoord, riep opnieuw dat moedeloze, verslagen gevoel bij haar op. Wat had zij eigenlijk gedaan, echt gedaan, de afgelopen drie maanden? Niets anders dan mager worden en weer aankomen, haar maagdelijkheid verliezen en naar een heleboel feestjes gaan, en als klap op de vuurpijl had ze zich ook nog eens afschuwelijk in de problemen gewerkt.

'En jij, Tor? Hoe heb jij het hier tot dusverre gehad?' Viva keek haar aan over de rand van haar wijnglas.

'O, ik heb geweldig veel plezier gehad,' antwoordde Tor verstrooid. 'Echt geweldig. Ik heb me uitstekend vermaakt.'

Ze kon er nog niet over praten. Al helemaal niet na wat Viva had verteld.

Ze dronken koffie op de veranda, met een glaasje crème de menthe als herinnering aan hun tijd op de boot, ook al werd Tor daar nog extra aangeschoten van. Terwijl ze zaten te eten, had een van de bedienden de lampjes aangestoken in de tuin, zodat de flakkerende vlammetjes het pad aangaven dat helemaal tot aan de zee liep. Vanuit hun stoel konden ze het zachte geklots horen van de golven in de baai die zijdezacht fluisterend op het strand spoelden.

'Tor, wat ben jij toch een geluksvogel dat je hier woont,' zei Rose. 'Dit is echt het fijnste, het mooiste huis waar ik ooit ben geweest.'

Op dat moment barstte Tor in snikken uit, en ze haalde een stukje papier uit de zak van haar jurk.

'"Empress of India,"' las Rose hardop. '"Juffrouw Victoria Sowerby, 25 mei. Alleenreizend."' Rose bekeek het ticket aandachtig, draaide het om en om. 'O, Tor!' zei ze toen. 'Wat vreselijk voor je. En je bent de hele avond zo dapper geweest.'

Tors moeder had haar vaak gewaarschuwd dat huilen in het openbaar tot niets leidde. Integendeel. Maar Tor snikte door – hijgend, snotterend – en biechtte op dat ze er een verschrikkelijke puinhoop van had gemaakt.

Viva en Rose, die aan weerskanten naast haar zaten, hielden haar hand vast. 'Het spijt me,' zei Tor ten slotte. 'Ik ben een afschuwelijke huilebalk en ik bederf de hele avond. Natuurlijk wist ik dat ik uiteindelijk weer naar huis zou moeten, maar ik had zo gehoopt dat mijn moeder me was vergeten. Tenslotte had ik al in maart terug zullen gaan.' Ze snotterde nog even gesmoord en veegde over haar ogen.

Rose zei dat ze beter naar boven konden gaan, naar Tors kamer, want de avondbediende stond in de schaduw naar hen te kijken. Ze konden het wit van zijn ogen zien. Het was duidelijk dat hij geïnteresseerd luisterde. En dit was privé.

'Goedenacht, Pandit. Goedenacht, Arun,' riep Tor op weg naar boven, vrolijk, alsof ze niets had om zich zorgen over te maken.

In haar slaapkamer was het te heet, dus ze gingen in de rotan stoelen op het balkon zitten, met Tor in het midden. Ze trokken hun kousen uit en genoten van de bries uit zee die langs hun blote benen streek.

'Hoe is het afgelopen met Ollie?' vroeg Rose. 'Ik weet zeker dat hij helemaal gek van haar was,' vertelde ze Viva.

Tor was haar innig dankbaar.

'Ik was bijna verloofd,' legde Tor uit aan Viva. 'Met Oliver. Hij werkt hier voor een effectenmakelaar. We hebben elkaar leren kennen op een feestje in het Taj en we waren eigenlijk meteen smoorverliefd.'

Dat laatste was enigszins overdreven, maar ze kon maar een beperkte hoeveelheid pijn tegelijk aan.

'Ik had heel streng gelijnd, dus ik was enorm afgevallen,' vertelde Tor, alsof ze haar anders niet zouden geloven. 'We hadden een heerlijke tijd samen. Je kent dat wel, picknicks, feestjes, zwemmen bij maanlicht. Hij bracht cadeautjes voor me mee: bloemen, sieraden, een blikje rode schoensmeer.'

'Rode schoensmeer?' herhaalden Viva en Rose in koor.

'Ach, je weet toch hoe dol ik ben op rode schoenen?' zei Tor. 'En goede schoenpoets is hier niet te krijgen. Maar Ollie had een adresje. Ach, hij was echt leuk,' besloot ze spijtig.

Ze zuchtte en snoot haar neus. Natuurlijk had ze diep in haar hart altijd wel geweten dat Ollie, met zijn warrige haren, zijn smokingjasjes vol met sigaretten en gokbriefjes, een stouterd was, maar dat maakte deel uit van de pret. Welk meisje wilde er nu een saaie ambtenaar met witte benen en rood haar op zijn knieën? Het probleem met Ollie was echter dat de pret nooit ophield. Of, zoals Ci het formuleerde, dat het smokingjasje nooit de kast in ging – dat was een nogal vermakelijk punt van kritiek uit de mond van Ci, die haar leven lang nog nooit een dag had gewerkt.

'En toen?' vroeg Rose. Een trosje groene insecten kwam sissend aan zijn eind op de bol van de lamp naast Tors stoel. Rose pakte ze op en deponeerde ze keurig over de balustrade van het balkon.

'Nou, we gingen naar een geweldige party in het Taj Mahal, echt een heerlijke avond. Een feestje bij volle maan. Het terras was verlicht met kaarsen. De maan was reusachtig. Hij zei dat ik het mooiste meisje was van het feest en dat hij van me hield.' Tor keek hen uitdagend aan. Dit was haar verhaal. Ze kon het vertellen zoals zij wilde. Bovendien, er kwam nog genoeg vernederends.

'Ci ging eerder weg. Ze zei dat Ollie me wel thuis kon brengen. Trouwens, volgens mij heeft ze een verhouding. Ze vertrok in elk geval met een andere man. Hoe dan ook, Ollie en ik stapten in een tonga. Het was zo romantisch om met klepperende paardenhoeven door de donkere straten te rijden. Toen we langs zee kwamen, konden we de verlichte schepen zien liggen. Eenmaal op de boulevard keerde hij zich naar me toe en vroeg hij me ten huwelijk.'

Wat hij werkelijk had gezegd – of eigenlijk gemompeld, want hij had te veel gedronken – was dat ze het soort meisje was met wie hij zou moeten trouwen als hij ook maar een greintje gezond verstand had. Maar terwijl ze daar zat, tussen Viva en Rose in, voelde Tor zich even heel trots en verdrietig en ook heel erg onheus behandeld – een echte heldin.

'Ik neem aan dat jullie niet geschokt zijn als ik vertel dat ik die nacht met hem meeging naar zijn appartement.'

Waar hij vervolgens had overgegeven op de trap. Toen ze hem een zijden pyjama had aangetrokken, was hij op de grond in elkaar gezakt, maar uiteindelijk had ze hem in bed weten te krijgen.

'Ik was van plan alleen maar een kop koffie bij hem te drinken,' vervolgde Tor. 'Maar hij smeekte me te blijven en toen... Nou ja, ik schaam me er niet voor dat ik met hem naar bed ben geweest – meer dan eens zelfs – omdat hij zei dat hij van me hield.'

Zelfs nu nog herinnerde Tor zich de vluchtige, uitbundige triomf van dat moment – iets wat meisjes zoals Rose en Viva nooit zouden begrijpen. Hij had gezegd dat hij van haar hield – althans, min of meer. Maar niet voor het eerst waren haar gedachten de volgende morgen vooruit gevlogen, toen hij nog sliep en ze op hem neerkeek. Ze had al namen voor hun kinderen bedacht, brieven geschreven naar haar moeder. *Zie je nou wel! Het is me gelukt! Ik ga trouwen! Ik ga trouwen! En ik kom nooit meer terug naar huis!*

'En toen?' Rose en Viva keken haar vol verwachting aan.

'O.' Het verhaal van Tor klapte dicht als een kapotte parachute. 'Tja...' Ze slaakte een diepe zucht. 'Toen ik de volgende morgen bij het opstaan naar de badkamer ging, vond ik een paar potjes gezichtscrème en een halve fles White Shoulders in zijn medicijnkastje. Ik had er nooit in moeten kijken, maar ik had hoofdpijn.

Toen ik vroeg of hij een ander had, kreeg hij een verschrikkelijke woedeaanval.'

In werkelijkheid was het nog erger geweest. 'God, wat ben jij onnozel,' had hij gezegd. Wat had je dan gedacht?' Alsof het allemaal haar schuld was.

'Wat een rát!' zei Rose. 'Wat een schoft! En toen? Wat gebeurde er toen?'

'Niets.' Tor had niet meer de kracht om het mooier te maken dan het was.

Bovendien was 'niets' de juiste omschrijving. Er kwamen geen verontschuldigingen, geen tranen, geen telefoontjes 's avonds laat waarin hij haar zijn eeuwige liefde verklaarde. Helemaal niets.

'Maar misschien was de White Shoulders van een tante die bij hem had gelogeerd,' opperde Rose.

'Nee,' zei Tor.

Drie dagen later had ze met een gespeeld Schots accent zijn kantoor gebeld. 'Spreek ik met mevrouw Sandsdown?' had de vrouw aan de andere kant van de lijn gevraagd. 'Nee, met Victoria Sowerby,' had Tor geantwoord.

'O hemeltje! Neemt u me niet kwalijk!'

Toen Tor ophing, hoorde ze dat er aan de andere kant van de lijn werd gelachen.

'Hij was getrouwd!' concludeerde Rose geschokt.

'Ja,' zei Tor vlak. 'Hij had een vrouw in Engeland. Ik neem aan dat iedereen het wist. Behalve ik. En hij was niet alleen getrouwd, hij had ook nog een heleboel andere meisjes. Echt weer iets voor mij om zo'n man uit te kiezen.'

'Maar er moeten ook een heleboel mensen zijn geweest die het niet wisten,' zei Rose. 'Anders zou Ci je wel voor hem hebben gewaarschuwd.'

'Ach, het doet er niet meer toe.' Tor pakte nog een dood insect van de lamp en gooide het in de prullenmand. 'Terug naar Middle Wallop en mijn moeder. Bedorven waar,' zei ze bitter.

'O Tor, dat mag je niet zeggen. Dat is afschuwelijk,' zei Rose.

'Zo noemen die oude wijven op de club meisjes zoals ik,' zei Tor. 'En reken maar dat CiCi het vuurtje nog eens lekker opstookt als ik eenmaal weg ben. Ze is eigenlijk helemaal niet aardig.'

'O wat afschuwelijk! Wat onverteerbaar!' Viva was opgestaan. Haar ogen schitterden in het maanlicht. 'Dat mag je je niet laten overkomen. Je kunt toch gaan werken? Je zou ergens anders heen kunnen gaan en een baan kunnen nemen als gouvernante. Of je zou les kunnen gaan geven, hier in Bombay. Dit is belachelijk.'

'Nee, dat zal allemaal niet gaan.' Tor hief haar hand op om haar het zwijgen op te leggen. 'Want jullie weten nog niet alles. Het is nog veel erger. Mijn opoe is al drie weken te laat, als je begrijpt wat ik bedoel. Ik ben zwanger.'

31

Poona

In kamp Poona, op oefenveld nummer twee, had Jack een reeks polo-ballen op een rij gelegd, die hij wegsloeg met een kracht alsof hij het hele universum aan gort wilde meppen. Bula Bula, zijn lievelingspony, een gewillig dier dat alles voor hem deed, hijgde, de flanken schuimend van het zweet, en Jacks hele lijf stond in brand van de hitte. Maar hij zwoegde door, als door de duivel bezeten.

Hoog opgericht in de stijgbeugels en volmaakt in evenwicht galoppeerde hij naar de rij ballen op ongeveer vijftig meter van het doel.

Tok! Hij bukte zich, en onder Bula's hals door plaatste hij een vloeiend schot dat de bal als een kogel tussen de kaalgesleten palen joeg.

'Bravo, sahib! Dat was een goeie!' riep Amit, zijn *ghora wallah*, die een verse pony aan de teugel hield.

Was het in het echte leven maar zo gemakkelijk om te winnen, dacht Jack. Hij vond het afschuwelijk om chagrijnig in het zadel te zitten.

Met zijn dijen en zijn bekken instrueerde hij Bula Bula zodanig dat het dier stuiterend als een rubber bal in een korte galop aansloeg. Het volgende schot was weer snoeihard.

Tok! Die was voor zijn nieuwe bevelvoerend officier, kolonel Dewsbury, een kille, bekrompen hufter die plotseling had aangekondigd dat de verloven van alle lagere officieren voor onbepaalde tijd waren ingetrokken. En dat terwijl Rose vijf maanden zwanger was! Na maanden van gehannes en onzekerheid was besloten dat een deel van het regiment definitief zou worden overgeplaatst naar Bannu, een van de gevaarlijkste plekken ter wereld. En pats! Die was voor die ellendeling in de mess die zich ineens een maanden oude barrekening had herinnerd, nog van zijn vrijgezellenfeest. In dezelfde maand – tok! – dat hij de meubels had moeten betalen die hij in paniek had gehuurd voordat Rose kwam, om nog maar te zwijgen over de rekening van zijn *darzi* voor dat ellendige pak dat hij had laten maken voor het huwelijk, en dat hij ongetwijfeld nooit meer zou dragen.

Hij galoppeerde over de volle lengte van het poloveld, richtte zich op in de stijgbeugels en haalde links en rechts uit met zijn polohamer, tot de flanken van zijn pony hijgend op en neer gingen en de aderen zwollen in zijn hals.

Rustig aan, zei hij tegen zichzelf terwijl hij terugliep naar de stallen. Bula kan er niets aan doen.

En Rose ook niet. Toen hij zijn hoofd hief, zag hij dat ze naar hem keek. Ze zat op een bank, een meter of zeventig van het veld, een onschuldig vlekje blauw tegen een weidse horizon. Haar aanblik bezorgde hem een gevoel van schaamte en – vluchtig, maar toch stemde het hem dankbaar – een gevoel van tederheid.

Het was niet haar schuld dat hij de kosten die trouwen en het onderhouden van een vrouw met zich meebrachten, had onderschat. Net zomin als het haar schuld was dat hij naar het noorden werd gestuurd. Waarschijnlijk zou hij een van de paarden moeten verkopen om zijn rekeningen te kunnen betalen. En Rose kon er ook niets aan doen dat Sunita hem de week tevoren ineens had geschreven, om hem te vertellen dat ze getrouwd was. Ze was heel erg gelukkig, schreef ze. Met meer rust en regelmaat in haar leven. 'Ik hoop dat jij ook gelukkig bent,' had ze er onschuldig aan toegevoegd. Hij had gehuild toen hij dat had gelezen.

Nu galoppeerde hij naar waar Rose zat. Toen hij stilstond, liet Bula zijn hoofd hangen. Zijn flanken gingen nog altijd zwoegend op en neer.

'Arme Bula.' Rose klopte de pony op de hals. 'Wat is het heet, hè? Veel te heet. Voor iedereen.'

Ze schonk Jack een ongelukkige glimlach. Ze begreep hem net zomin als hij zichzelf begreep. Normaliter legde hij zijn dieren in de watten, en komende zaterdag was de wedstrijd tegen het Calcutta Light.

'Lieveling, ik heb wat limonade voor je meegebracht,' zei ze. 'Want ik was bang dat je een zonnesteek zou oplopen.'

'Je bent lief.' Toen hij van zijn paard sprong, voelde hij het zweet klotsen in zijn laarzen. De temperatuur was opnieuw tot veertig graden opgelopen, en ze sliepen al nachten onrustig, vooral de arme Rose, die de hele nacht lag te woelen en te draaien en geen gemakkelijke houding kon vinden.

Hoewel ze niet overdreven zwaar was en haar buikje onder haar blauwe jak nauwelijks te zien was, had hij de indruk dat ze waggelde terwijl ze terugliepen naar de stallen. Haar gezicht zag vuurrood, vochtige blonde lokken ontsnapten aan haar hoed.

'Ga je vandaag nog naar Patterson?' vroeg hij.

'Misschien.' Ze keek hem enigszins angstig aan.

Patterson was de legerarts, een man met een rood gezicht, die haar over vier maanden zou helpen de baby ter wereld te brengen. Rose leek het afschuwelijk te vinden over hem te praten, bijna net zo afschuwelijk als hij de gedachte vond dat die man met zijn dikke, harige vingers zelfs maar in de buurt kwam van zijn vrouw. Toen ze elkaar enkele avonden eerder op de club tegen het lijf waren gelopen – in deze mierenkolonie was het onmogelijk de kerel uit de weg te gaan – had Patterson, enigszins aangeschoten, gezegd: 'En hoe voelt ons mooie meisje zich vandaag?' Daarbij had hij wellustig, bijna bezitterig naar haar gekeken. Jack schaamde zich bij het besef dat de woede die hij op dat moment had gevoeld – het vurige verlangen om de dokter op zijn gezicht te timmeren – tot dusverre zijn heftigste emotie was geweest als het ging om de baby. Daarvoor had hij niets anders ervaren dan een vaag gevoel van verrassing. Hij had het allemaal erg onwezenlijk gevonden. Want de baby was een vergissing, en zoals zijn nieuwe bevelvoerend officier hem had duidelijk gemaakt, niet met zoveel woorden, maar daar kwam het op neer: het was al erg genoeg om jong te trouwen, maar een 'koter' krijgen zoals hij het noemde 'gaat echt te ver'.

Ja, die avond in de club was verschrikkelijk geweest. Eerder die dag was Sunita's brief gekomen. 'Ik hoop dat jij ook gelukkig bent.' Hij dronk meer whisky dan gebruikelijk, en telkens weer hoorde hij in gedachten haar woorden. Als evenzovele pijnscheuten. Net zo pijnlijk als wanneer hij een bot had gebroken of kiespijn had gehad.

En al die tijd zat Rose tegenover hem. Mollige Rose – haar gezicht was onmiskenbaar ronder geworden – in haar blauwe positiejurk met bloemetjes; zo hartelijk, zo lief, zozeer de goede vrouw voor hem, en ook zo mooi. Terwijl hij werd bestookt door gedachten aan Sunita, als een kind dat midden in een zorgvuldig gerepeteerd concert begint te schreeuwen. Sunita, ik mis je. Ik verlang nog steeds naar je. De jaren met jou waren de beste jaren van mijn leven.

'Voor mij alleen sodawater met citroensap, alstublieft.'

Rose glimlachte naar de ober, die haar glimlach vertederd, liefdevol beantwoordde. Jack wenste dat hij ook zo naar haar kon lachen. Een van de vele dingen die hij in Rose respecteerde, was dat ze zo oprecht vriendelijk was tegen iedereen. Ze was eerlijk. Ze mocht andere mensen graag. Sunita, Sunita, doe je lange haar los... Rose zou nooit zo'n monsterlijke mem worden, zo'n vrouw die haar bedienden neerbuigend of onbeleefd behandelde. Rose wist altijd de juiste toon te treffen, gebaseerd op sympathie en respect, en het personeel aanbad haar nu al. Durgabai was uitgelatener over de baby dan hij.

En Rose was op haar eigen, rustige manier onbevreesd. Jack was de angsthaas. De begraafplaats van Poona lag vol met Engelse kindertjes die waren bezweken aan tyfus of hondenbeten, aan malaria of aan de hitte. Kinderen, maar ook hun moeders. Patterson, die gevoelloze lomperd, had een hele reeks 'grappige verhalen' die hij jonge moeders vertelde.

Op dat moment vertelde hij net een van zijn favorieten.

'Een schattig klein ventje...' zei hij met bulderende stem '... zat innig tevreden bij zijn moeder op schoot, aan een flesje, en toen kwam er ineens een reusáchtige troep apen. Een van de apen griste de baby weg, en toen gingen ze ervandoor, zwaaiend van tak naar tak. Hahaha. Ik hoop dat jij voorzichtiger bent.'

Rose lachte beleefd, ook al had ze het verhaal eerder gehoord. Haal me hier weg, zei de blik waarmee ze Jack aankeek.

Hij schoof dichter naar haar toe. 'Hoe was het met Tor?'

Hij schermde haar af door een arm om haar schouder te slaan. Ze keek hem verrast aan. Het gebeurde maar zelden dat hij haar aanraakte in het openbaar, en het was nog zeldzamer dat hij naar Tor informeerde. 'Daar heb je me nog helemaal iets over verteld.'

'Omdat ik dacht dat het je niet interesseerde,' zei ze. En hij schaamde zich toen hij zag dat haar kin begon te trillen. Hij keek op, in de richting van de bar, en zag dat Patterson nog steeds naar haar zat te kijken. En hoe! Verlekkerd. Onderzoekend. Het kwam ongetwijfeld door haar toestand, dacht hij. In de eerste drie maanden van hun huwelijk waren er nog wel eens tranen gevloeid, maar nu huilde ze eigenlijk nooit meer.

'Ik zal een riksja bestellen,' zei hij haastig. 'Dan kun je het me onderweg naar huis vertellen.'

'Natuurlijk ben ik geïnteresseerd. Zulke dingen moet je niet voor je houden. Die moet je me vertellen.'

Het klonk als een verwijt, en dat speet hem, want hij probeerde juist aardig te zijn.

Ze had hem net verteld dat Tor op 25 mei vertrok. Vermoeid leunde ze tegen het smoezelige canvas van de riksja. 'Ja, ik had het je eerder moeten vertellen, maar het is allemaal zo...'

'Zo wat?'

'Zo plotseling.'

'Je zult haar wel missen.' In het donker hoorde hij dat ze slikte.

'Ja.'

Hij legde vluchtig zijn hand op de hare, maar afgeschrikt door de dreigende tranen betrapte hij zich erop dat hij hem niet wilde vasthouden.

Ze reden zwijgend door de verlaten straten van de legerplaats. Bij hekken waar bewakers op wacht stonden, brandden lantaarns, en achter de poelen van licht zagen ze de rook van vuren in de inheemsenkwartieren. Jack keek over de schouder van Rose en wenste dat hij Tor aardiger vond. Maar het lukte hem niet. Hun gesprekken hadden altijd een zekere rivaliteit, die hij niet begreep, maar die verband leek te houden met Rose.

Bovendien ergerde hij zich aan Tor omdat ze de regels van het spel tussen mannen en vrouwen in India niet begreep. Bot gezegd was ze gewoon niet aantrekkelijk genoeg om zo luidruchtig te zijn en zo'n uitgesproken mening te verkondigen. Ze zou wat bescheidener moeten zijn, wat meer moeten luisteren, en meer dankbaarheid moeten tonen voor de aandacht die ze kreeg. Het was een wreed oordeel, besefte hij, maar andere mannen dachten er net zo over, en knappe vrouwen zoals Rose zouden het natuurlijk nooit begrijpen.

'Het verbaast me dat niemand haar heeft gevraagd.' Hij had besloten tactvol te zijn, vooral omdat Rose van streek was. 'Ze is beslist niet onaantrekkelijk om te zien.'

Hij hoorde dat ze geschokt haar adem inhield, en toen nog eens, terwijl ze hoofdschuddend uit het raam keek.

'Is dat het enige wat er voor mannen toe doet?' Haar stem klonk zacht en bitter. 'Tor is grappig en trouw. Ze heeft een groot, warm hart. En ik vind haar bovendien prachtig. Heb je ooit wel eens naar haar ogen gekeken?' Ze maakte een geluid van afschuw, toen zweeg ze gefrustreerd.

'Rose, ik zei alleen maar dat ze niet onaantrekkelijk is.' Hij zei het zacht, maar hoorde de woede in zijn eigen stem, de onmiskenbare dreiging dat er niet veel voor nodig was of hij ontplofte. Het beviel hem niet wat hij hoorde, maar het beviel hem ook niet dat ze haar stem tegen hem verhief. 'Trouwens, nog even en we kunnen allemaal vertrekken.'

Dat was ook iets wat vrouwen niet begrepen; hoe wankel de hele situatie begon te worden. Het was voortdurend hommeles in het Congres, iets waarvan de bevelvoerend officier hun bijna dagelijks verslag uitbracht. In de witte hoek stond Gandhi die hamerde op vrede; in de rode stonden degenen die opriepen tot bloedvergieten.

'Hoe dan ook...' Rose hield vol. 'Ik ben vast van plan om naar Bombay te gaan en haar uit te zwaaien als het schip vertrekt. Daar moet ik bij zijn.'

'En de baby dan? Ik denk niet dat het goed voor je is om zo te worden gezien.'

'Hij gaat gewoon mee. Als het een hij is.'

'Dat klinkt alsof je besluit vaststaat.'

'Dat staat het ook.'

Hij deed zijn best zijn zelfbeheersing niet te verliezen. Het was niet aan haar om te bepalen waar ze heen ging en wanneer. En toen voelde hij zich ineens opgelucht. Want hij had eerder die dag besloten om – tegen beter weten in – Sunita nog één keer te gaan zien.

'Ik hoop dat jij ook gelukkig bent.' Zulke banale woorden. En ze hadden hem zoveel pijn gedaan. Hij wilde haar geluk niet bederven, zei hij tegen zichzelf. Hij wilde haar alleen nog een laatste keer zien. In het lange weekend van het polotoernooi waren ze in Bombay, en hoezeer hij zich er ook tegen verzette, zijn lichaam reageerde onmiddellijk als hij aan Sunita dacht. Dus als Rose vond dat ze kon doen wat ze wilde, dan kon hij dat ook.

Toen hij die nacht niet kon slapen, stond hij op en liep hij naar de keuken voor een glas water. Op de veranda was de *punkah wallah*, die de ventilator bediende, in slaap gevallen, met het touw van de ventilator nog aan zijn teen. Jack maakte hem wakker en stuurde hem naar bed.

Het was kwart over drie, de lucht voelde dik en stroperig, de muren van het kleine huis leken op hem af te komen. Hij had het gevoel alsof hij geen lucht kreeg. In de woonkamer liet hij zich in een stoel vallen, en hij was opnieuw verdiept in Sunita's brief toen Rose binnenkwam.

Door het dunne katoen van haar nachtjapon kon hij de omtrekken zien van haar buik, haar dijen, haar gezwollen borsten. Half versuft van de slaap ging ze in de stoel tegenover hem zitten. Ze tilde haar haar uit haar nek en blies puffend haar adem uit.

'Ik kan niet slapen,' zei ze. 'Het is te heet.'

Toen hij opkeek, zag hij achter haar hoofd gekleurde hagedissen over de muur schieten, en hij had het gevoel dat zijn hele leven instortte voor zijn ogen.

'Jack? Wat is er? Huil je?'

Hij had het zelf niet eens in de gaten.

'Huil ik?'

'Ja.'

Hij wilde niet dat ze naar hem toe liep – wat oneerlijk om zelfs op een moment als dit aan het woord waggelen te denken – en dat ze op de armleuning van zijn stoel kwam zitten; dat ze hem over zijn wang streek. Als ze dat niet had gedaan, zou hij het misschien allemaal vóór zich hebben gehouden. Maar hij had het gevoel alsof hij inwendig op het punt stond te exploderen van verdriet over de chaos die hij van zijn leven had gemaakt. En dit lieve meisje deed haar best hem te begrijpen.

Hij zat als bevroren toen ze probeerde hem te omhelzen.

'Het komt door mij, hè?' vroeg ze zacht, bijna alsof ze dit van meet af aan had verwacht. 'Het is mijn schuld. Ik maak je ongelukkig. Dat voel ik.'

Hij probeerde het te ontkennen en sloeg zijn handen voor zijn gezicht, opdat ze niet zou zien hoezeer hij zijn eigen lafheid haatte. Het zou zo gemakkelijk zijn om haar de schuld te geven.

'Nee, het komt niet door jou,' wist hij uit te brengen. Achter haar hoofd was een van de kleurige hagedissen boven op een andere geklommen voor de paringsdaad.

'Is het de baby? Je leek niet echt blij toen ik het je vertelde.' Haar stem klonk teder, zonder een zweem van verwijt.

Blij! Nee, dat was niet het juiste woord. Als hij die avond eerlijk was geweest over zijn gevoelens, dan had hij gezegd: *Ik ben boos op je omdat je me hiermee mijn leven uit handen neemt, omdat je me het gevoel geeft dat ik de controle kwijt ben, omdat je zo'n sufferd bent met die spons van je. Ik wil niet op deze manier worden gekortwiekt. Dat kan ik me niet veroorloven. Ik weet niet genoeg over je. Ik weet nog niet eens zeker of ik wel van je hou.*

Maar hij had zichzelf gedwongen haar stijfjes te feliciteren en was naar de mess gegaan, waar hij zich had ondergedompeld in het gezelschap

278

van mannen, bijna wanhopig bij de gedachte dat hij weer naar huis zou moeten en de rol van gelukkige aanstaande vader zou moeten spelen, terwijl hij het verafschuwde om te liegen.

'Wat is dat?' Rose boog zich plotseling naar voren en raapte de brief op die op de grond was gevallen toen hij naar een sigaret reikte.

Ik wil niet dat je hem leest, had hij bijna geroepen. *Hij is van mij.*

'Wat is het?'

Hij zag angst oplaaien in haar ogen.

'Jack, wat is het? Ik moet het weten. Wat is het?'

Hij keek haar aan en dacht: Dit kan ik haar niet aandoen. Ik wil niet zijn zoals mijn vader. Dat verdient ze niet.

'Lees hem maar.' Hij bleef zitten, in elkaar gedoken als een bange hond, terwijl ze zich weer in haar stoel liet vallen en begon te lezen.

'Wie is het?' vroeg Rose, haar stem beefde. 'Ik begrijp het niet.'

Hij had het gevoel alsof hij van een hoge rots sprong, een donkere plek tegemoet waarvan hij niet wist of de zee er wel diep genoeg was.

'Ze heet Sunita. Ze woont in Bombay. En ze was mijn minnares.'

'Je minnares?' Haar stem was luider geworden. Er lag een verwilderde blik in haar ogen. 'Was? Of is?'

'Ik weet het niet. Ik weet het echt niet.'

'Is ze Indiase?'

'Ja.'

'Een inheemse.'

'Ja, maar ze is erg ontwikkeld. Haar vader is advocaat.'

'Hou je van haar?'

'Dat weet ik niet.'

'Dan hou je van haar. Als je niet van haar hield, zou je gewoon nee zeggen.'

Ze stond op. De hagedissen schoten weg. Haar blonde haar, verward van de slaap, zag er bijna kinderlijk uit. Maar de blik in haar ogen was zo vreemd, dat hij heel even, gedurende een beneveld moment, dacht dat ze hem zou slaan. In sommige opzichten zou hij daaraan de voorkeur hebben gegeven. Maar ze sloeg hem niet. Ze keek hem aan met een blik waarin hij zoveel pijn, zoveel verwarring las, dat hij wel kon huilen, janken als een hond. Wat was hij een schoft! Wat was hij een waardeloze ellendeling!

'Hou je van haar?' vroeg ze nogmaals.

279

'Sahib.' Ze hadden geen van beiden gemerkt dat er zacht op de deur was geklopt. 'Is alles in orde?' Durgabai keek haar meesteres welbewust niet aan, die geschokt, in haar nachtgoed en met een verwilderde blik in haar ogen voor haar echtgenoot stond.

'*Haan*, Durgabai,' zei Jack. 'De memsahib *sir me dard hai*.' (De memsahib heeft hoofdpijn.) 'Maar alles is in orde, *dhanyavad*.' (Dank je wel.)

'Ik haat je,' zei Rose toen de deur weer dicht was. 'Ik haat je omdat je geheimen voor me hebt. Omdat je me dit niet hebt verteld. Omdat je me hebt laten denken dat ik alles verkeerd deed. Waarom heb je me in 's hemelsnaam hierheen laten komen?'

Ze legde haar hand beschermend op haar buik, alsof ze de oortjes van de ongeboren baby wilde dichthouden.

'Het spijt me, Rose.'

Ze maakte een afwerend gebaar. 'Zie je haar nog?'

'Nee. Trouwens, het regiment is nog altijd in staat van paraatheid om naar Bannu te gaan.'

'Is dat de enige reden?' Hij had haar nog nooit zo gezien en schrok terug voor haar woede.

'Nee.'

'Dat mag ik hopen.'

Voorzover hij niet was verstijfd en verdoofd van de schok, bewonderde hij de gratie waarmee ze de kamer uit liep. Er school waardigheid in die rechte, jonge rug, in haar weigering om in te storten.

Pas later hoorde hij door de dunne muren van de logeerkamer dat ze overgaf, gevolgd door een gesmoord gekreun van pijn. De weerzin die hij voelde jegens zichzelf, was met niets te vergelijken.

32

Het liep tegen het eind van de ochtend. Viva zat onder de tamarinde op de binnenplaats van het tehuis stukjes vloeipapier te knippen voor de vliegers die ze met de kinderen maakte, omringd door het gekwetter van hun stemmetjes, in een verbijsterende variëteit van talen: Hindi, Marathi, Engels, sommigen gooiden er flarden Tamil en Gujarati doorheen, dat alles vermengd met het gekoer van de duiven die onder de dakbalken woonden.

Dwars door het geroezemoes klonk de hoge, zangerige stem van Daisy. 'Is het niet grappig?' vroeg ze de kinderen. 'Is het niet grappig dat maar zo weinig grote mensen wel eens een moment rust nemen en omhoogkijken, naar de hemel?' vroeg ze. 'We jagen maar door, helemaal in beslag genomen door onze zorgen. De enigen die wel eens naar de hemel kijken, zijn gekken, of kinderen, of... Kun jij die zin afmaken, Neeta?'

'Ik weet het niet,' fluisterde die, een verlegen meisje met angstige ogen.

'Vliegeraars.' Suday, de dikke jongen, wilde dat iedereen wist dat hij al eerder een vlieger had gehad.

'En wat leren we als we omhoogkijken?'

'Dat de hemel blauw is.' Dat antwoord liet Neeta zich niet ontnemen.

'Heel goed, Neeta. Bovendien, als we omhoogkijken, verbreden we onze horizon. We zien dat we maar een klein, onbeduidend stipje zijn in het universum. En toch nemen we onszelf zo serieus. Maar in de hemel bestaan geen grenzen, geen kasteverschillen – voorzichtig met die lijm, Suday – en verschillen van godsdienst of ras. Door omhoog te kijken leren we wat een man die Shakespeare heette, ooit heeft geschreven: "Er is meer tussen aarde en hemel, Horatio, dan waar jij in je wereldbeeld van droomt."'

Viva voelde een merkwaardige pijn terwijl ze keek naar de aandachtig luisterende kinderen. Wat voor hemel en aarde zouden er voor hen in het verschiet liggen?

Vervolgens vertelde Daisy wat de plannen waren voor die dag: wanneer de vliegers klaar waren, zou Viva met hen naar Chowpatty Beach gaan om ze op te laten. Bij dit nieuws keerden sommige kinderen zich met grote ogen van verwondering naar Viva; ze hadden nog nooit de zee gezien. En ze maakten dat Viva zich een tovenaar voelde, een goochelaar.

Ze keek naar Talika. Het meisje zat op het puntje van de bank en ging volledig op in haar werk. Haar kleine handjes waren druk bezig met de schaar, haar donkere wimpers rustten bijna op haar wangen, haar dunne beentjes bengelden boven de grond. Niemand zou in haar het zielige hoopje mens hebben herkend dat Viva een paar maanden eerder in bad had gedaan. Maar ze leek nog steeds breekbaar en ze was nog altijd veel te mager.

'Kijk! Kijk, Wiwaji,' zei Talu, een lange dunne jongen die ernstig mank liep. Geen van de kinderen kon haar naam goed uitspreken. Ze noemden haar 'madam sahib', hun versie van memsahib, of juffrouw Wiwa, of soms – als koosnaam – Wiwaji. Een enkeling zei Mabap ('jij bent mijn moeder en mijn vader'), een eretitel die ze altijd weer hartverscheurend vond.

'Ik maak een pauwenstaart,' zei Talu.

'Het lijkt meer op de staart van een dode rat,' zei Suday, de grappenmaker. Hij pakte de vlieger en wervelde hem boven zijn hoofd. Talika lachte haar hoge, jubelende kinderlach. Met haar half voltooide vlieger stond ze op van de tafel. 'De mijne is een vogel.' Ze liet het touwtje los. 'Kijk!'

Ze schopte haar sandalen uit en begon te dansen, met haar voeten op de grond stampend in een nauwgezet, ingewikkeld ritme. Boven haar hoofd draaide de vlieger in het rond, als een werveling van kleur. Al draaiend, huppelend sloot ze haar ogen en begon ze te zingen met een ijle kinderstem, een trilling in haar keel. Even was ze heel machtig, betoverd en betoverend, verloren in haar dans; iedereen keek geboeid toe. Viva merkte nauwelijks dat Daisy naast haar kwam zitten.

'Nou, het is wel duidelijk dat het stukken beter gaat,' zei ze terwijl Talika's sari in het rond wervelde.

'Ja, dat was prachtig! Waar heeft ze zo leren zingen?'

'Ik had het over jou, Viva. Je ziet er heel wat gelukkiger uit dan toen je hier kwam.'

De staart van Talika's vlieger was verstrikt geraakt in de takken van de tamarinde. Viva sprong op om hem los te maken.

'Ik vind het hier heerlijk, Daisy,' zei ze toen ze weer ging zitten. 'En dat terwijl ik niet eens zo dol ben op kinderen. Of tenminste, dat dacht ik.'

'Hm, dat weet je dan goed te verbergen,' zei Daisy plagend. 'Maar mag ik je waarschuwen? Het is heerlijk als een kind zo vrij is, zo totaal niet verlegen, maar zelfs hier moeten we voorzichtig zijn. Er zijn overal spionnen, en als die zoiets zien, zeggen ze tegen de inheemse bevolking dat we de meisjes opleiden tot tempelprostituees.'

'Je maakt zeker een grapje?'

'Was het maar waar. Het is vorig jaar gebeurd. De mensen begrijpen niet altijd wat we doen. En hoe zouden ze dat ook kunnen begrijpen?'

'Lieve hemel.' Viva had dit soort verhalen eerder gehoord, maar er geen geloof aan gehecht. Het leek zo laf om overal gevaar te zien. 'Dat was volmaakt onschuldig. Ik zou het afschuwelijk vinden om het te verbieden. Dat begrijp ik. Het is afschuwelijk als dingen zo worden verdraaid, maar we leven nu eenmaal niet in een volmaakte wereld.

'Een paar maanden geleden is een van de grotere jongens meegenomen door de plaatselijke *havildar* – politieagent – en ondervraagd omdat hij vrouwen zou hebben lastig gevallen...' Daisy keek gegeneerd. 'Je weet wel, hij zou hebben geprobeerd jonge meisjes aan te raken zonder dat ze het wilden, of hen in hun... hun borsten hebben geknepen. Het was een verzonnen aanklacht, maar we konden er niets tegen doen, omdat we anders het risico liepen dat we het tehuis moesten sluiten. En dan nog een goede raad.' Daisy legde liefdevol een hand op Viva's arm. 'Overdrijf het niet. Vorig jaar is de helft van ons personeel ingestort. Dus dit jaar staan we erop dat iedereen voldoende tijd vrij neemt. Toen je hier begon, zei je toen niet dat je naar het noorden wilde? Naar het huis waar je ouders hebben gewoond?'

'Heb ik dat gezegd?' Viva voelde dat ze verkrampte. 'Daar kan ik me niets van herinneren.'

'O. Sorry.' Daisy knipperde met haar ogen achter haar brillenglazen. 'Ik dacht dat ik je dat had horen zeggen.' Ze wisselden een ongemakkelijke blik uit. 'Dan heb ik een andere suggestie. De hitte drijft ons allemaal tot waanzin in de aanloop naar de regentijd. Dus als je zin hebt in een weekje vrij, twee vriendinnen van me hebben een heerlijk pension in Ootcamund. Het is niet duur, en er heerst volmaakte rust, dus je zou er prima kunnen schrijven. Als je krap bij kas zit, wil ik het je wel voorschieten.'

'Wat lief van je,' zei Viva. 'Het is grappig, maar ik heb bijna het gevoel dat ik op dit moment niet weg kan.'

'Dat is heel begrijpelijk. Zo gaat het als je hier net bent,' zei Daisy. 'Omdat je voor het eerst van je leven niet met je eigen problemen bezig bent. Dat is zo'n opluchting, vind je ook niet?'

Toen Viva opkeek, prikte Daisy met een onschuldig gezicht de staart aan een vlieger en ontweek haar blik.

'Wist je dat de eerste vliegers werden gemaakt in Griekenland, in de veertiende eeuw?' vroeg ze. 'Om het gezichtsvermogen van een blinde prins te testen? Ik heb een uitstekend boek over vliegers. Als je dat wilt lenen, je zegt het maar. De religieuze symboliek is fascinerend.'

'O, dat wil ik graag van je lenen.' Viva aarzelde even. 'Vind je mij erg egocentrisch?' vroeg ze toen.

Daisy keek haar aan door haar dikke brillenglazen en zei ten slotte, na een lange stilte: 'Egocentrisch zou ik het niet willen noemen. Je hebt je ogen altijd wijd open en je bent nieuwsgierig. Dat vind ik leuk van je. Misschien kan ik beter zeggen dat je erg beschermend bent ten aanzien van jezelf. Je bent erg gereserveerd, maar misschien bewaar je je ontboezemingen voor je schrijven,' besloot ze plagend.

'Misschien.' Viva wilde zich niet gekwetst voelen, maar zo voelde ze zich wel. Soms had ze er schoon genoeg dat haar werd verweten geheimen achter te houden die ze zelf niet eens begreep.

Tijdens de lunch vroeg ze zich af waarom ze nog altijd zo krampachtig terughoudend was over haar verleden en over haar ouders. Het was geen schande zoals ze waren overleden.

De dood was in India nu eenmaal vlakbij. Zo was het leven. De begraafplaatsen lagen vol met mensen die onverwacht waren gestorven. Door zo geheimzinnig te doen over de dood van haar ouders, gedroeg ze zich als kinderen die geloofden dat ze de geheime, onwettige erfgenamen waren van koningen of prinsessen, simpelweg omdat ze de gedachte niet konden verdragen dat ze maar heel gewoon waren.

Als ze over weinig nadere bijzonderheden beschikte – vader omgekomen langs de spoorweg, bij een overval door bandieten, moeder een paar maanden daarna gestorven (aan een gebroken hart, hadden de nonnen haar verteld) – dan kwam dat waarschijnlijk doordat niemand in Engeland haar ouders echt goed had gekend. Ze hadden jarenlang als het ware als ballingen geleefd en het contact met familie en vrienden verloren. Toen de eerste schok over het verdriet was weggeëbd, had Viva het verleden naar de achtergrond gedrongen, een bekend verschijnsel bij mensen die een nieuw leven moesten opbouwen, ver van huis. Dat was de prijs die je betaalde.

Toen ze op haar achttiende weer belangstelling voor haar ouders had gekregen, was ze wanhopig op zoek gegaan naar iemand die haar – oprecht, zonder ergernis of onbegrip – over hen kon vertellen. Zo was ze bij William terechtgekomen. Aanvankelijk had hij haar een geschenk uit de hemel geleken. Niet alleen was hij de executeur van het testament van haar ouders, maar hij was ook zo knap, zo welbespraakt – hij was tenslotte een vooraanstaand advocaat – en zo vol compassie. Hij had alle tijd voor haar genomen. Etentjes, lange wandelingen, avonden met een fles wijn in zijn vrijgezellenappartement in de Inner Temple.

Hij had haar ouders heel goed gekend, had hij haar bij hun eerste ontmoeting verteld. In Cambridge had hij met haar vader en nog twee anderen een kamer gedeeld, en voor haar geboorte had hij bij haar ouders gelogeerd, in Kasjmir.

Hij herinnerde zich Josie, een vuurrode, grappige baby – ze hadden haar de 'Nawab' genoemd, vanwege de gebiedende manier waarop ze met haar fles op haar charpoy lag. De avond dat hij haar over Josie vertelde, was ook de avond dat hij heel teder en liefkozend haar tranen had gedroogd, haar een slokje wijn had gegeven en haar naar zijn bed had gedragen.

Veel later had ze de grote vergissing begaan hem naar haar moeder te vragen.

Ze stonden in de lift, op weg naar zijn appartement in de Inner Temple. 'Had mammie een zwak hart voorzover jij weet?' had ze gevraagd. Dat was het verhaal dat haar door een van haar tantes was verteld.

Hij draaide zich om – ze herinnerde het zich nog als de dag van gisteren – en zei koud: 'Ik ben haar executeur-testamentair, niet haar arts.' En terwijl de lift naar boven ratelde, naar de keurige slaapkamer – waar hij later zijn pak zou opvouwen en zijn boordenknoopjes in een doosje zou doen voordat hij haar koel, maar ervaren kuste – zei hij: 'Trouwens, waarom zou je dat willen weten?' Alsof ze naar een vluchtige bekende had geïnformeerd.

Zelfs nu nog kromp ze ineen bij de geachte hoe gedwee ze zijn berisping had geslikt. Hij had een onaangenaam scherpe tong en die wist hij te gebruiken. Achteraf gezien was ze zo op haar hoede geraakt, zo waakzaam geworden en tegelijkertijd zo plooibaar, dat ze haar mondigheid had ingeleverd, en haar gezonde verstand overboord had gezet.

Toen ze opstond om de kruimels van haar schoot te vegen, kwam Talika naar haar toe rennen. Ze stak haar kinnetje naar voren en deed alsof ze huilde en lachte tegelijk, daarmee de spot drijvend met Viva's ernstige gezicht.

'Wiwaji,' zei ze in het Marathi. 'Kijk niet zo verdrietig. De zon schijnt en we gaan naar de zee.'

Chowpatty Beach lag er verrassend verlaten bij toen Talika, Suday, Neeta en Viva later die middag uit de bus stapten. Op de muur langs het strand zat een groepje oude mannen naar de zee te staren. In de verte liepen wat gezinnen langzaam het strand op en neer, kinderen maakten ritjes op een erbarmelijk magere pony, en onder een schriele, misvormde boom zat een stokoude, gerimpelde yogi, slechts gehuld in een lendedoek, zijn lichaam in de vreemdste bochten te wringen om de aandacht te trekken van voorbijgangers.

Talika en Neeta waren aanvankelijk nog wat schuchter, hielden 'juffrouw Wiwa' krampachtig bij de hand en keken met ogen zo groot als schoteltjes om zich heen. '*Ram Ram*, hallo! Hallo!' groette Talika met een van ontzag vervuld stemmetje, alsof ze verwachtte dat de oceaan antwoord zou geven. 'Denk je dat hij me pijn doet?' vroeg ze aan Viva. Een paar minuten later hadden ze hun schoenen uitgetrokken en holden ze over het zand, gillend van verrukking. Suday, de dikke jongen, paradeerde met trots opgezette borst – hij had de zee al eens gezien, voor hem was het allemaal niet nieuw – over het strand. Ten slotte legde hij zijn vlieger zorgvuldig onder een steen en moedigde hij de anderen aan tot pootjebaden. Terwijl de meisjes de zoom van hun sari optilden en voorzichtig, angstig hun grote teen in zee doopten, scheen de zon door de kleurige stof, waardoor ze eruitzagen als stralende bloemen. Wat waren ze lief, zo vol jeugdige verwondering. Ze deden Viva denken aan jonge herten die naar het water gingen om te drinken.

Alle kinderen hadden er aanvankelijk moeite mee hun vliegers de lucht in te krijgen. Het was warm en drukkend, en er stond simpelweg niet genoeg wind. Talika's vlieger plofte onmiddellijk in het water en moest worden gered en gedroogd. Maar ten slotte wierp Suday zich op als instructeur. Hij zei Neeta een flink eind windafwaarts te lopen met zijn lijn, terwijl hij, Suday, de vlieger vasthield. Toen hij de vlieger uiteindelijk met een luide schreeuw losliet, schoot het ding de lucht in en bleef hangen op de wind, dansend, klimmend, draaiend aan zijn touw. Alle kinderen barstten los in gejuich en schreeuwden het uit toen de vlieger begon te dalen, maar onmiddellijk ook weer opsteeg, de uitgestrekte blauwe hemel tegemoet. 'Ik vlieg!' schreeuwde de kleine dikke Suday terwijl hij op zijn blote platvoeten over het strand rende. 'Ik vlieg!'

Na een uur kreeg iedereen honger, dus ze spreidden katoenen lakens uit onder een strandparasol. De jongens werden eropuit gestuurd om gepofte rijst en *chana bhatura's* te halen, de plaatselijke lekkernij, bij een klein kraampje op het strand. Toen ze terugkwamen hadden ze ook nog wat versgemaakte aardappel- en erwten-*samosa's* gekocht, gloeiend heet in papieren puntzakken, en wat kleverig ogende *barfi*. Het eten werd uitgestald op de lakens, en ze lieten zich er in een kring omheen vallen, zo opgewonden dat ze nauwelijks stil konden zitten.

Ooit zou deze bescheiden picknick alles hebben vertegenwoordigd wat Viva in India met angst vervulde: er waren zoveel ziekten – tyfus, geelzucht, dysenterie – die zich verborgen konden houden in de onschuldig ogende traktatie. Maar vandaag, omringd door kleine handen die gretig toetastten, vergat ze haar angst.

Terwijl ze aten klampte Talika zich als een klit aan haar vast. Ze at met kleine hapjes en kauwde er langdurig op. Haar pop zat naast haar.

'Neem wat meer.' Viva bood haar een van de kleverige koekjes aan waarvan ze wist dat Talika ze heerlijk vond.

Het meisje schudde haar hoofd.

'Ben je ziek?'

Talika schudde haar hoofd, maar toen Viva na het eten het katoenen laken uitschudde en weer op het zand uitspreidde, ging het kleine meisje er onmiddellijk op liggen, met haar pop in haar armpjes, en sloot haar ogen.

Terwijl Talika sliep, renden de andere kinderen het strand weer op, lachend, met hun vliegers achter zich aan. Hoger en hoger stegen de kleurige maaksels, glanzend, duikend. *Kaaayyypoooche!'* klonk het. 'Wij zijn de besten! Wij zijn de besten!'

Viva rende met hen mee. Sinds haar terugkeer in Bombay waren er dagen geweest dat ze de stad had gehaat – te heet, te druk, te hard, te stinkerig – maar vandaag vroeg ze zich af hoe iemand er níét van zou kunnen houden. Het prachtige strand, de zon die stralend aan de hemel stond, de doldwaze onverschrokkenheid van de kinderen die zo moeiteloos leken te vergeten dat ze arme weesjes waren in een van de wreedste steden ter wereld.

Een gevlekte hond voegde zich bij hen en sprong naar de vliegers van Suday en Neeta, wat de kinderen deed dansen en gillen van plezier.

'Voorzichtig, jongens!' riep Viva. Bij zwerfhonden, die in troepen door de steden zwierven, bestond altijd het risico van hondsdolheid.

Talika werd wakker en keek met verbaasd knipperende ogen naar het strand, de hemel, de spelende kinderen. Toen legde ze haar handje in Viva's hand en ze viel weer in slaap.

Met Talika's kleverige handje in de hare ging Viva in gedachten terug naar vroeger. Hoe vaak had ze, als kind, op Chowpatty Beach gezwommen? Vijf keer, zes keer?

Chowpatty was een familietraditie geweest. Ze gingen er altijd naartoe op de laatste dag van hun vakantie, voordat ze Bombay verruilden voor het kloosterinternaat. Dagen van rouw, vermomd als dagen van pret. Of misschien ook niet. Kinderen waren zoveel beter in het combineren van plezier met verdriet dan volwassenen, dacht ze, terwijl ze naar Suday keek in de verte, die helemaal opging in het schieten van steentjes over de golven. Het was heel goed mogelijk dat zij destijds ook over de golven was gesprongen en alleen maar plezier had gevoeld in het glinsterende water – misschien verklaarde dat de verdoving, de leegte die ze voelde wanneer ze nu aan die tijd terugdacht. Ze had zichzelf te goed afgeschermd.

Ze was bijna ingedommeld toen er een andere herinnering naar boven kwam. De herinnering aan haar moeder op ditzelfde strand. Ze droeg een donkere zonnebril en had een sjaal om haar gezicht gewikkeld, alsof ze al haar tanden in één keer had laten trekken. Dikke tranen biggelden vanonder haar zonnebril over haar wangen. Haar moeder was boos – het was niet de bedoeling dat Viva haar tranen zag. En Viva was ook boos – moeders hoorden niet te huilen.

Viva schoot zo haastig overeind dat Talika abrupt haar ogen opendeed. Ja, dát was de laatste keer geweest, niet die keer waarvan ze altijd had gedacht dat het de laatste was. Josie was er niet bij. Die was er al niet meer. En pappie was er ook niet bij, dat wist ze bijna zeker. Ze was alleen geweest met haar moeder. Samen hadden ze op een strand gezeten aan het randje van India, voordat ze terugging naar school. En ze was bang en boos, heel erg boos; zo boos dat ze haar moeder het liefst zou slaan, en dat was verkeerd. *Twee kleine negertjes, die waren zo alleen. Eentje ging van heimwee dood, toen was er nog maar één.* Dat liedje maakte haar nog altijd bang.

Tot haar opluchting zag ze dat de kinderen weer naar haar toe kwamen rennen. Ze lieten zich op het strand vallen, ieder kind met zijn vlieger op zijn knie. 'Het touw vertegenwoordigt de vlucht van de ziel naar de hemel,' had Daisy haar verteld. 'Degene die het touw vasthoudt, is de Almachtige.' Neeta keek woedend naar Suday die trots verkondigde dat hij had gewonnen.

'Was het leuk?' vroeg Talika aan Suday. Het kleine meisje was net opnieuw wakker geworden.

'*Burra* leuk, *missie Queen*,' zei Suday die jaloers was op Talika omdat ze naast juffrouw Wiwa mocht liggen.

Om vijf uur, toen de bus kwam, wilde nog niemand naar huis, behalve Viva, die doodmoe was en hoopte die avond nog wat te kunnen schrijven. Een groepje vissers was bezig de zoute vissen van de rekken te halen waarop ze te drogen hadden gelegen. De kinderen keken er ademloos naar. Ze reden terug naar Tamarind Street door straten die de ondergaande zon rood kleurde. Tegen de tijd dat ze bij het hek van het tehuis arriveerden, sliepen alle kinderen, met hun vlieger naast zich.

Viva was blij ze te kunnen overdragen aan mevrouw Bowden, een mollige, nuchtere soldatenvrouw uit Yorkshire, die twee dagen per week als vrijwilliger in het tehuis werkte. Mevrouw Bowden had twee van haar eigen kinderen verloren in India en ze deed dit werk omdat ze zich daardoor beter voelde, had ze Viva verteld.

'Nee maar, wat hebben jullie je vies gemaakt,' zei ze tegen de kinderen. 'Maar ik ben bang dat jullie niet in bad kunnen. Die dekselse waterleiding is weer kapot.' Dat laatste tegen Viva.

'En wat is er met jou aan de hand, lieverd?' Mevrouw Bowden keerde zich naar Talika, die nog altijd bleek zag. 'Je ziet eruit alsof je niet lekker bent. Je hebt vast en zeker te veel gegeten.'

Mevrouw Bowden geloofde niet in vertroetelen. Ze waren in het tehuis gewend aan kinderen die zich niet lekker voelden.

Een halfuur later was Viva op weg naar huis, vervuld van zon en frisse lucht. Ze was te moe om honger te hebben, dus ze had bij een kraampje een mango gekocht. Die zou ze aan haar bureau opeten, terwijl ze haar aantekeningen uitwerkte.

Op avonden als deze, wanneer haar voeten pijn deden en haar hoofd door de hitte gevuld leek met watten, was schrijven een zware opgave, maar het was ook een noodzaak voor haar geworden, net als tanden poetsen of 's morgens opstaan. Iets wat ze moest doen om zich compleet te voelen en in contact te blijven met zichzelf.

De duisternis viel met zijn gebruikelijke abruptheid, tere snoeren sprookjeslichten verschenen rond de straatkramen die fruit en goedkope kleding, palmsap en goden van papier-maché verkochten. Toen alle lichtjes plotseling uitgingen, hoorde ze een van de kraamhouders zachtjes lachen – elektriciteit was in Byculla nog altijd een grote verrassing, maar meer wanneer die beschikbaar was dan wanneer die uitviel.

Toen ze de voordeur opendeed, zag ze dat meneer Jamshed een brandende olielamp op de trap had gezet. Terwijl ze naar boven liep, danste haar schaduw als een levend wezen over de muren.

Haar geborduurde tas was zwaar, want hij zat vol boeken. Ze bleef staan om hem even neer te zetten. Het was nog vier treden naar haar kamer, en toen ze opkeek, zag ze achter het matglas in haar deur een schaduw bewegen.

'Meneer Jamshed, bent u dat?'

Hij had die ochtend gezegd dat hij misschien even langskwam om naar haar kapotte kraan te kijken. Beneden hoorde ze het geluid van stromend water, gevolgd door het sissen van olie en de geur van kruiden.

'Meneer Jamshed? Ik ben het, Viva,' riep ze, nu iets zachter.

Ze pakte haar tas op, beklom de resterende treden en deed de deur open.

In de halfdonkere kamer zag ze de vage omtrekken van een gedaante die op haar bed lag.

Er kwam leven in het halfdonker toen de gedaante opstond. Het was Guy Glover, gehuld in zijn lange, zwarte jas. Hij had op haar gewacht.

'Rustig maar. Niet schrikken,' mopperde hij zacht, bijna vriendelijk toen ze het uitgilde. 'Ik ben het maar.'

In de schemering kon ze alleen de omtrek van haar raam zien dat groenachtig oplichtte, en een berg kleren op haar stoel – ze was die ochtend gehaast vertrokken. Vanbuiten klonken flarden muziek, een onbeheerst geluid dat haar deed denken aan kattengejank.

'Guy! Wat doe jij hier? Wie heeft je binnengelaten?'

Haar ogen waren inmiddels gewend aan het schemerdonker. Ze kon zien dat hij onder zijn jas geen overhemd droeg. Zijn benige borstkas glom van het zweet.

'Niemand. Ik heb tegen je hospita gezegd dat je mijn grote zus bent – in hun ogen lijken we allemaal op elkaar.'

Toen hij glimlachte, herinnerde ze zich weer alles wat ze van hem verafschuwde: de ijle, puberale stem die eeuwig aarzelde tussen baby en bullebak, de zwakke glimlach. Zelfs zijn geur, zoetig en verschaald.

Ze stak een kaars aan en keek snel de kamer rond, om te zien of hij ergens aan had gezeten. Er zat een kuil in haar sprei. Hij had op de sprei van haar ouders gelegen.

'Luister eens, Guy...' Het leek haar belangrijk niet te laten merken dat ze het liefst tegen hem zou schreeuwen. 'Ik weet niet wat je komt doen, maar we hebben elkaar niets meer te zeggen. Dus ik wil dat je weggaat. Anders bel ik de politie.'

'Rustig maar, Viva. Ik kom je je geld terugbrengen. Dat is alles.'

Hij klonk diep gekwetst, en ze herinnerde zich hoe hij er telkens weer in was geslaagd haar op het verkeerde been te zetten.

Toen de lichten weer aangingen, leken ze feller te branden dan gebruikelijk. Ze zag dat een van zijn acneplekken was gaan bloeden.

'Heb je het niet snikheet in die jas?'

'Inderdaad. Snikheet.' Hij glimlachte schaapachtig. 'Maar ik kan hem niet uittrekken. Echt niet.'

Ze nam hem onderzoekend op, niet wetend wat ze van hem moest denken. Was dit een van zijn puberale pogingen om interessant te lijken, of was hij volslagen stapelgek?

'Waarom niet?'

'Omdat mijn cadeau voor jou erin zit.'

Hij rommelde in de jas en haalde een vuurrood-met-gele lappenpop tevoorschijn met starende ogen en tanden als een roofdier – een opzichtig, goedkoop ding, zoals ze bij elke marktkraam werden verkocht.

Waarom krijg ik bij hem altijd het gevoel alsof ik in een slecht toneelstuk speel? Haar stemming was omgeslagen naar pure woede. Waarom is hij nooit zichzelf? Ze had hem kunnen slaan.

'Ze heet Durga.' Hij drukte de pop in haar handen. 'De godin van de oorlog. En ze gaat voor je zorgen.'

'Ik kan voor mezelf zorgen.' Ze legde de pop op tafel.

'Ik wil dat je haar bij je houdt,' hield hij vol.

'Luister eens, Guy.' Het was ineens gedaan met haar geduld. 'Ik ben niet in de stemming om spelletjes te spelen. Sterker nog, ik begrijp niet waar je het lef vandaan haalt om langs te komen en te doen alsof er niks aan de hand is. Je hebt je ouders allerlei leugens over me verteld. Ik...'

'Ik heb een baan,' viel hij haar in de rede. 'Ik ben...'

'Het kan me niet schelen, Guy. Ik zat zonder geld toen ik hier kwam. En dat is jouw schuld...'

'Je mag blij zijn dat je ouders zijn overleden,' onderbrak hij haar opnieuw. 'Ik heb met de mijne niets gemeen.'

'Hoor eens, ik heb aan boord een hoop onzin uitgekraamd.' Ze was plotseling vervuld van weerzin jegens zichzelf. Waarom had ze haar mond niet gehouden? 'En ik ben moe. Dus neem je pop mee en vertrek.'

'Wil je niet weten waar ik woon?'

'Nee, dat wil ik niet weten. Het kan me niets, maar dan ook helemaal niets schelen. Mijn verantwoordelijkheid voor jou hield op toen het schip aanmeerde in Bombay.'

Het was even stil in de kamer. Viva kon haar eigen horloge horen tikken. Toen klonk van beneden het geluid van water dat door de afvoer van meneer Jamshed stroomde.

'Daar denkt de politie anders over.' Hij zei het zo zacht dat ze hem bijna niet kon verstaan. 'Het zijn ellendelingen, maar je zou in grote problemen kunnen komen als je niet al je schulden afbetaalt.'

'Hou in godsnaam op met toneelspelen!' riep ze uit.

'Dat doe ik niet. Ik ben bang. Ze zitten achter me aan.' Hij ging op het bed zitten en sloeg zijn handen voor zijn gezicht. Tussen zijn vingers door keek hij naar haar op. Toen slikte hij en sloeg zijn ogen neer. 'Iemand die zegt dat ik op het schip zijn broer heb mishandeld, maar zijn broer begon.'

'Wat zegt hij dat je met zijn broer hebt gedaan?'

Guys stem werd zacht, hij klonk ineens als een zielig klein kind. 'Hij zegt dat ik het oor van zijn broer heb beschadigd en dat die nu niet meer kan horen. Maar hij sloeg mij eerst. Daarom denk ik dat je dit nodig hebt.'

Hij legde de pop over zijn knie en begon zorgvuldig een rij drukknoopjes los te maken op de achterkant van het geborduurde lijf. Toen stak hij zijn vingers erin.

'Alsjeblieft.' Hij gaf haar een stapeltje smoezelige roepies, bij elkaar gebonden met een elastiekje. 'Als ze komen, zou je dit wel eens nodig kunnen hebben. Je kunt hier op straat niet voorzichtig genoeg zijn.'

'Als wie komen?'

'De politie. Want voor de wet ben ik je kind.'

Ze draaide het stapeltje bankbiljetten om en om in haar handen, koortsachtig nadenkend.

Was dit waarvoor Frank haar had gewaarschuwd? De verschrikkelijke, onvoorstelbare mogelijkheid dat Guy, voor de wet, onder haar verantwoordelijkheid viel?

Ze liet het elastiekje knappen. Zonder tellen voelde ze dat het honderd, misschien zelfs tweehonderd roepie was: genoeg om de politie althans iets te kunnen geven wanneer ze om smeergeld kwamen. Maar ze vermoedde dat het niet genoeg was om het verlies te compenseren dat ze had geleden door Guy naar India te chaperonneren.

'Ik zou denken dat je je excuus moet maken, omdat je zo onbeleefd tegen me bent geweest,' zei hij nuffig. 'Want ik neem aan dat je inmiddels begrijpt dat ik alleen maar probeer je te helpen.'

'Ik vind helemaal niet dat ik mijn excuus hoef te maken voor iets wat van mij is.'

Hij schonk haar een stralende glimlach.

'Dus... ik ben toch van jou?'

'Nee, nee, nee... Dat bedoel ik niet. Ik bedoel dit.' Ze hield het stapeltje bankbiljetten omhoog. 'Het geld waar ik recht op heb.'

Ze zag de glans doven in zijn ogen, maar dat kon haar niet schelen.

'Trouwens, hoe wist je dat ik hier woon?' vroeg ze.

'Het heeft me eeuwen gekost om je te vinden.' Hij klonk weer als een mokkende schooljongen. 'Dus ik heb Tor gebeld, en die heeft het me verteld.'

'Aha.'

Hij tikte ritmisch met zijn voet op de grond.

'Zei je niet net dat je een baan hebt? Waar werk je?' vroeg ze zo nonchalant mogelijk.

'Nergens,' mompelde hij. 'Ik ben mijn baan alweer kwijt. Ik werkte als fotograaf bij de film. Maar de lui die het bedrijf leiden... Idioten, dat zijn het.'

'Dus je gaat naar huis?' Alleen al bij de gedachte voelde ze iets van opluchting.

'Nee.' Hij schudde zijn hoofd. 'Ik woon inmiddels hier. Aan Main Street, achter de fruitmarkt.' Hij staakte het getik met zijn voet en keek haar aan. 'O, en dan nog iets. Ik wil niet dat je tegen iedereen zegt dat ik zestien ben. Ik ben negentien.'

'Daar ga ik geen ruzie over maken, Guy. Wat maakt het uit hoe oud je bent, als je niet de verantwoordelijkheid neemt voor je eigen leven?'

'Dat doe ik wel.'

'Nee, dat doe je niet. Je hebt geen ruggengraat.' Ze keek hem dreigend aan, nog altijd woedend over het feit dat hij haar privéwereld was binnengedrongen, en dat ze door hem haar avond kwijt was. 'En je vertelt leugens om uit de problemen te komen.'

Hij deed een stap naar achteren. 'Dat is echt heel lelijk wat je nu zegt. Ik ben van meet af aan van plan geweest je alles terug te betalen. Ik heb alleen gewacht op het juiste moment.'

'O ja?' Ze probeerde niet eens te doen alsof ze hem geloofde. 'Nou, als je je nog eens geroepen voelt om langs te komen, doe het dan zoals het hoort: bel gewoon aan en wacht tot ik je binnenlaat.'

Terwijl ze hem naar de deur bracht, voelde ze dat de blaar op haar hiel barstte, zodat de kleverige inhoud in haar schoen liep.

'Ik wil je hier niet meer zien, Guy.'

'Rustig maar. Het komt allemaal goed,' zei hij alsof ze om geruststelling had gevraagd. 'Ik heb beloofd dat ik je terugbetaal, dus dan doe ik dat ook.'

33

De volgende morgen belde ze Tor. Woedend.

'Hoe kon je dat nou doen? Begrijp je dan niet hoe stom dat was? Nu kom ik nooit meer van hem af.'

'Wacht even.' Tor klonk slaperig, alsof ze net wakker was. 'Over wie hebben we het?'

'Over Guy, sufferd! Je hebt hem mijn adres gegeven.'

'Hij zei dat hij geld voor je had. Dus ik dacht dat je blij zou zijn.'

'Blij! Hij heeft me de stuipen op het lijf gejaagd. Toen ik thuiskwam, lag hij in het donker op me te wachten. En hij beweert dat de politie achter hem aan zit.'

Ze hoorde dat Tor haar adem inhield. 'O Viva, wat erg! Het spijt me zo. Maar hij zei dat hij werk had en geld, en ik dacht dat je...'

'Tor, je dacht helemaal niet.'

Tor snoot haar neus en was zo onverstandig om van tactiek te veranderen.

'Weet je zeker dat je dit niet buiten proporties opblaast? Ik heb altijd gedacht dat je het eigenlijk best redelijk met hem kon vinden.'

'Tor, doe me een lol!' Viva ontplofte. 'Die jongen is gek! Dat vond zelfs die lieve Frank van je.'

'Dat is gemeen,' zei Tor. 'Hij is nooit mijn lieve Frank geweest. Als hij van iemand was, dan was hij van jou.'

Viva smeet de hoorn op de haak, maar pakte hem onmiddellijk weer op en draaide opnieuw Tors nummer.

'Het spijt me, dat was gemeen van me,' zei ze.

'Ja, dat was het zeker.' Tor huilde. 'Ik doe alles verkeerd, en bovendien zit ik ook nog altijd in de rats over... nou ja, je weet wel.' Er klonk gestommel toen ze de hoorn neerlegde en haar neus snoot. 'Waarom is het leven ook zo ingewikkeld?' jammerde ze, maar ze klonk heel ver weg.

'Tor, ben je daar nog?' Viva hoorde het getik van hoge hakken op een houten vloer, gevolgd door de scherpe stem van Ci die een van de bedienden commandeerde. Toen klonk er geritsel aan de andere kant van de lijn, en Tor was er weer.

'Ik kan nu niet praten,' fluisterde ze. 'Kunnen we niet ergens afspreken? In het Tay of het Wyndham, of bij jou thuis?'

Viva aarzelde. Ze werkte die dag van tien tot vijf en ze was van plan geweest die avond te gaan schrijven. *Eve* magazine in Engeland wilde twee van haar impressies van India, elk duizend woorden. Binnen een week.

'Ik weet niet of je me hier wel kunt vinden, Tor. Het ligt nogal buiten de route.'

'Natuurlijk kan ik je vinden.' Tor klonk opgelucht. 'Ik zou het enig vinden om te zien waar je woont. En ik zou mijn grammofoon mee kunnen brengen. Dank je wel dat je me hebt vergeven... van Guy,' voegde ze er bijna luchtig aan toe, en voordat Viva had kunnen reageren vervolgde ze opgewekt: 'Je hebt nu tenminste wat geld. Ik ben echt volslagen, totaal platzak.'

Er waren momenten waarop Viva haar met liefde de nek om zou draaien.

Toen Viva had opgehangen, haalde ze het stapeltje smoezelige bankbiljetten uit de lade van haar nachtkastje waarin ze het de vorige avond had opgeborgen. Ze telde het geld opnieuw: driehonderdtwintig roepie, precies de helft van het bedrag dat haar was beloofd voor de overtocht. Ze deed het geld in een blikje, pakte een stukje touw en bond het blikje stevig aan de onderkant van haar bed.

Toen ze de kamer rondkeek, zag ze in gedachten Guy weer op het bed liggen; zag ze de vreemde lege uitdrukking waarmee hij haar aankeek, de afdruk van zijn lichaam op de sprei van haar ouders. Nadat hij de vorige avond was vertrokken had ze haar bed verschoond, als een soort uitdrijvingsritueel. Desondanks had ze bijna geen oog dichtgedaan.

De kamer die haar zo vertrouwd en dierbaar was geworden, ook dankzij de troostende aanwezigheid van de Jamsheds beneden, voelde opnieuw kwetsbaar en tijdelijk. De muren leken haar te dun, de deur met de ruit van matglas leek ineens te gemakkelijk te forceren.

Op momenten als deze verlangde ze naar een grote broer of een ouder die haar eerlijk advies zou geven, en die zou zeggen dat ze niet bang hoefde te zijn voor een onnozel joch dat nog niet droog was achter zijn oren; of die zou aanbieden Guy stevig af te drogen als hij haar serieus het leven begon zuur te maken.

Maar ze had alleen Frank, en hem om hulp vragen zou haar het gevoel geven dat ze terugviel in een oude rol die ze tegenover William had moeten spelen, een rol die ze inmiddels voorbij was: die van de deerne in nood, van het onnozele gansje dat behoefte had aan de bescherming van een man, waar deze keer ook nog de beschamende factor bijkwam dat Frank gelijk had gehad met zijn vermoeden dat Guy misschien niet alleen het zoveelste opstandige slachtoffer was van het Britse Imperium maar iemand met ernstige psychische problemen. Een vermoeden dat zij had genegeerd. Bovendien had ze geld van Guy aangenomen.

Bleek en uitgeput keek ze op haar horloge. Tien voor negen. Het leek haar belangrijk om voordat ze naar haar werk ging, te besluiten wat haar te doen stond. Met haar armen om haar schouders liep ze de kamer door, ze ging op het bed zitten, stond weer op, keek opnieuw op haar horloge, en liep ten slotte de straat op, naar een telefooncel, waar ze het nummer draaide van het ziekenhuis dat ze van Frank had gekregen.

'Gokuldas Tejpal Hospital,' klonk de zangerige stem van de receptioniste. 'Wat kan ik voor u doen?'

'Ik moet dokter Frank Steadman spreken.'

Ze hoorde geritsel van papier. 'Ik weet niet waar ik hem op dit moment kan bereiken. Wilt u wachten?'

Dat wilde ze. Vijf minuten later had ze Frank aan de lijn.

'Frank, met mij, Viva. Ik heb niet veel tijd, want ik moet naar mijn werk. Maar ik vroeg me af of ik je professionele advies zou kunnen vragen over een paar kinderen in het tehuis waar het niet zo goed mee gaat.'

'Dat zal dan na de lunch moeten.' Door het gekraak op de lijn klonk zijn stem onpersoonlijk. 'Zal ik naar de Tamarinde komen?'

'Graag.'

'Akkoord. Is halfdrie een goede tijd?'

'Halfdrie is prima. Tot dan.'

Om twee uur die middag zat Viva met een groepje van zes kinderen onder de tamarinde: Talika, Neeta, Suday en drie verschrikte kleine meisjes die twee dagen eerder bij het hek waren achtergelaten.

Tot dusverre had alleen het oudste – een meisje met felle ogen en een bos haar vol klitten – iets gezegd, de andere twee keken alleen maar dof en ongelukkig voor zich uit en leken geen idee te hebben wie ze waren of wat ze in het tehuis deden.

Het was belangrijk om deze nieuwe kinderen een soort routine aan te leren, aldus mevrouw Bowden. Om hen af te leiden van wat hun was overkomen. Vandaar dat Viva het afgelopen halfuur had besteed aan wat in het tehuis 'sociale vaardigheden' werd genoemd – wat neerkwam op een lijst met verboden activiteiten: rommel op straat gooien, spuwen in het openbaar, poepen in een open riool. 'Madam Wiwa, leer je me nu alsjeblieft om te knipogen?' had Suday gevraagd. 'Dat is ook een sociale vaardigheid.' Viva had het de kinderen voorgedaan, ook al wist ze dat mevrouw Bowden het niet zou goedkeuren.

Toen Frank verscheen, gewapend met zijn dokterstas, hadden de kinderen net de grootste pret. Het stemde Viva bezorgd te merken hoe blij ze was hem te zien.

'Zo, kinderen, nu even rustig,' zei ze in het Marathi. 'We hebben bezoek.'

'Allemachtig!' Hij was op de stoel naast haar gaan zitten. 'Ik wou dat ik zo'n talenknobbel had.' De kinderen giechelden en stootten elkaar aan toen Viva bloosde en vuurrood werd.

'Dat heb ik van Daisy Barker geleerd,' zei ze. 'En het lijkt meer dan het is. Het enige wat ik kan zeggen is "rustig aan", en "eet op", en "bedtijd", dat soort dingen. Ken je Daisy? Ze heeft de leiding van het tehuis. Ze werkt hier in Bombay ook voor The Settlement. Ik dacht dat je misschien wel eens bij haar op een feestje was geweest.'

Ze besefte dat ze maar doorratelde. De kinderen luisterden gretig, hun ogen gingen van de een naar de ander, alsof ze naar een tenniswedstrijd zaten te kijken.

Viva wierp een blik op haar horloge. 'Jongens en meisjes, we gaan nu even een halfuurtje zelf spelen. Dus zeg maar dag tegen dokter Frank.'

'Dag, dokter Frank,' zeiden ze in koor en daarop renden ze weg om te gaan spelen. Even later kwam Talika terug met twee glazen limonade op een oud tinnen blad. Hevig geconcentreerd zette ze elk glas met twee handjes op de tafel.

'Blijf maar even, Talika,' zei Viva. 'Dit is een van de meisjes van wie ik graag wil dat je haar onderzoekt,' zei ze tegen Frank. 'Ze heet Talika.' Viva drukte de hand van het kind, verdrietig toen ze zag hoe angstig en gespannen het kleine meisje er ineens uitzag. Ze zou Frank graag wat meer over haar hebben verteld, maar ze was bang dat Talika het zou begrijpen – haar Engels werd in snel tempo beter – en zich vernederd zou voelen. 'Het gaat eigenlijk wel goed met haar. Sterker nog, we zijn erg trots op haar, waar of niet, Talika? Maar je ziet, ze is erg mager.'

'Mag ik misschien even haar longen beluisteren?'

Viva pakte een van de katoenen schermen die ze gebruikten voor consulten op de binnenplaats.

'Je hoeft niet bang te zijn, Talika,' zei ze. Het scherm stond om hen heen, en het groenachtige patroon ervan tekende zich af op het gezichtje van het kind. 'De dokter doet je geen pijn.'

Frank haalde zijn stethoscoop tevoorschijn. Terwijl hij de uiteinden in zijn oren stopte en met een ernstig gezicht haar longen beluisterde, bleef het kleine meisje Viva doodsbang en met grote ogen aankijken.

'Je hartje is helemaal gezond, en er is niets mis met je longen.' Hij glimlachte tegen het kind, maar Talika bleef op haar hoede. 'De dokter van het ziekenhuis heeft haar ongetwijfeld gecontroleerd op de gebruikelijke kwalen,' voegde hij eraan toe. 'Tbc, wormen... en zo te zien heeft ze ook geen rachitis.'

Zodra hij Talika losliet, zette die het op een rennen, als een bang hertenkalfje, wanhopig om zich weer bij de kudde te voegen.

'Arm ding,' zei Frank. 'Ze lijkt zo angstig.'

Hij keek op en hield even Viva's blik vast. 'Heb je enig idee waarom?'

'Niet echt. Haar moeder is gestorven aan tbc. Tenminste, dat denken we. Ze hoopt zelf dat haar moeder nog leeft. De achterbuurt waar ze woonde, is ondergelopen, en Talika is hier bij het hek achtergelaten. Inmiddels kan ze soms heel vrolijk zijn. Gisteren stond ze zelfs te dansen. Maar dan gebeurt er iets en dan is ze bijna onbereikbaar. Ik weet niet waarom.'

'Misschien heeft ze heimwee.' Hij zat zo dicht bij haar dat ze de lichtjes in zijn groene ogen kon zien.

'Het leven in de achterbuurten is niet alleen maar kommer en kwel. De mensen zijn er soms heel gelukkig. De meeste Europeanen begrijpen dat niet.

En hoe gaat het met jou?' Hij keek haar opnieuw in de ogen. 'Waarom doe je dit werk?'

Ze schrok van zijn directheid.

'Ik vind het hier prettig,' antwoordde ze. 'Echt waar. En ik schrijf ook nog steeds. Sterker nog, ik heb al wat gepubliceerd.'

'Wat geweldig! Gefeliciteerd.' Hij schonk haar een oogverblindende glimlach. De glimlach die dreigde haar te overweldigen. Wanneer hij haar zo aankeek, voelde ze diep vanbinnen een bijna onweerstaanbaar verlangen.

'Ja, dus met mij gaat alles uitstekend.' Ze stond haastig op.

'Dat zie ik,' zei hij vriendelijk. 'En daar ben ik blij om.'

Hij wond zijn stethoscoop op en borg hem weg.

'Alleen...' Ze besefte dat hij op het punt stond te vertrekken. 'Ik heb gisteravond iets gedaan wat misschien niet zo verstandig was. Toen ik thuiskwam zat Guy Glover op me te wachten. Ik schrok me dood. Hij kwam me mijn geld brengen.'

'Heb je het aangenomen?' Zijn gezicht stond verontrust.

'Ja. Tenminste, het was maar een deel van wat hij me schuldig is.'

'Ik dacht dat we hadden afgesproken dat je dat niet zou doen.' Frank liet zijn knokkels knappen en fronste zijn wenkbrauwen.

'Ik dacht ineens dat ik het misschien wel eens nodig zou kunnen hebben.' Want ik wilde het op mijn manier doen, besefte ze plotseling.

'Dat was niet zo slim.'

'Nee, dat besef ik, maar...' Ik wist me geen raad, had ze willen zeggen, maar ze slikte het in. 'Ik heb me laten overtuigen dat de politie wel eens bij me langs zou kunnen komen en dat ik dan smeergeld nodig heb. En dat klinkt niet zo onwaarschijnlijk, Frank. Dat moet je toch toegeven.' Nu was het haar beurt om dreigend haar wenkbrauwen te fronsen.

Zijn gezicht stond grimmig. 'Waar het hem om gaat, is dat hij je kan blijven lastigvallen. Hij is geobsedeerd, en jij staat op zijn lijstje. Waarom heb je hem in 's hemelsnaam binnengelaten?'

'Dat heb ik niet gedaan. Hij was al binnen toen ik thuiskwam. Hij lag op mijn bed.'

Frank kreunde, dacht even na en zei toen: 'Luister eens, Viva, ik wil niet dat je je al te veel zorgen maakt, maar dit zou wel eens heel vervelend kunnen worden. Is er iemand hier in het tehuis die je kunt vertrouwen?'

'Daisy Barker. Die vertrouw ik onvoorwaardelijk.'

'Dan moet je het haar meteen vertellen. Zodat ze is gewaarschuwd, voor het geval dat de politie langskomt.'

'Denk je echt dat ze hier komen?' Viva werd bijna misselijk van angst.
'Het zou kunnen. Waarschijnlijk houden ze jullie toch al in de gaten. Een groep Europese vrouwen die in een onzekere tijd als deze dit soort werk doen... Dat trekt de aandacht.'

'O wat verschrikkelijk.'

'Het was niet mijn bedoeling je bang te maken,' zei hij in een poging haar een beetje gerust te stellen. 'De politie heeft het druk genoeg met andere dingen. Dus maak je niet te veel zorgen. Maar wees in de toekomst alsjeblieft wat voorzichtiger.'

Ze vonden Daisy in het 'privékantoor', zoals het groots werd aangeduid, een donkere, vochtige ruimte helemaal achter in het gebouw met een ingewikkeld betegelde vloer en een grote ventilator aan het plafond. Er stond een bureau, een stoel, een oude archiefkast en aan de muur hing een kalender waarop een vrouw in sari de Ganges af zakte in een bootje en de loftrompet stak van het drinken van Ovomaltine.

'Daisy, dit is Frank,' stelde Viva hem voor. 'Hij werkt als waarnemend arts in het Gokuldas Tejpal. We hebben elkaar aan boord leren kennen.'

'O, welkom!' Daisy sprong op en schudde hem enthousiast de hand. 'Nou, we zijn hier altijd blij met een gratis dokter. Dus mocht je ooit tijd over hebben...' Ze nam haar bril af en schonk hem een innemende glimlach. 'Gisteravond hadden we hier nog twee straatjongens met weliswaar lichte brandwonden, maar met deze hitte is dat toch een reden tot bezorgdheid. Zou je misschien even naar ze willen kijken? Ja? Zou dat lukken? O, dat is echt erg aardig van je.'

De jongens – mager en met een nerveuze blik in hun ogen – werden gehaald en Daisy verschafte beknopte bijzonderheden over hun achtergrond. Ze waren afkomstig uit een van de plaatselijke weeshuizen waar ze zo werden geslagen dat ze waren weggelopen. Ruim drie kilometer van Victoria Terminal Station hadden ze een schuilplaats weten te vinden in een schuur langs de spoorlijn, samen met zes andere jongens. Er was ruzie ontstaan over een pan met kokende rijst, en daarbij hadden ze brandwonden opgelopen.

Terwijl Frank de jongens onderzocht, werd Viva's aandacht getrokken door zijn handen. Het waren mooie handen, bruin, met lange vingers, waarmee hij voorzichtig de wond op het been van een van de jongens inspecteerde.

'Het geneest heel goed,' luidde zijn conclusie. 'Wat heb je erop gedaan?' vroeg hij de jongen in het Hindi.

De jongen, Savit, antwoordde dat hij eroverheen had geplast en er daarna tot pasta gewreven as van het vuur op had gesmeerd.

'Nou, dan is Onze Lieve Heer je goedgezind geweest,' zei Frank ernstig.

Toen de twee jongens waren onderzocht en hun wonden waren behandeld met ontsmettende zalf, vertrokken ze grijnzend, alsof ze alle aandacht als een geweldige buitenkans beschouwden. Frank keerde zich naar Viva. 'Ik denk dat je Daisy nu moet vertellen wat de andere reden is dat ik hier ben.'

'Dat wilde ik net doen.' Viva haalde diep adem. 'Daisy, weet je nog dat ik je vertelde over die jongen op het schip? Dat afschuwelijke joch dat ik moest chaperonneren? Er zijn inmiddels wat vervelende nieuwe ontwikkelingen. Aan boord had hij een van zijn medepassagiers in het gezicht gestompt, de zoon van een vooraanstaande Indiase zakenman. Er is destijds geen aanklacht ingediend, maar het schijnt dat de familie van het slachtoffer alsnog uit is op wraak, en het zou kunnen dat ik daar ook in word betrokken.'

'O? Hoe dat zo?' Achter haar brillenglazen drukten Daisy's intelligente ogen verbazing uit.

'Omdat we ons strikt juridisch en technisch gesproken op dat moment in vreemde wateren bevonden en hij dus onder mijn verantwoordelijkheid viel.'

'Wat een onzin! Weet je dat zeker?'

'Nee, ik weet het niet zeker. Maar het joch is dol op drama. Hij beweert de vreemdste dingen om de aandacht te trekken, en dat zou in dit geval ook heel goed het probleem kunnen zijn. Maar hij is gisteravond bij me langs geweest. En hij beweert dat hij de politie heeft omgekocht. Dus als hij weer langskomt, of als de politie ineens aan de deur staat... Nou ja, Frank vond dat ik je moest waarschuwen; dat je moest weten wat er aan de hand is.'

'Ach, de politie omkopen, dat is in Bombay niks bijzonders.' Daisy leek het nogal heldhaftig op te nemen, precies zoals Viva had gehoopt. 'Maar het bevalt me helemaal niet dat hij bij je thuis is geweest. Dat moet je tegen meneer Jamshed zeggen. En je moet eisen dat hij een ander slot op je deur zet. Verder denk ik...' Daisy sloot even haar ogen. 'Ik denk dat je er goed aan doet even de stad uit te gaan, om de jongeman in kwestie te ontmoedigen. Ik heb een paar weken geleden al geprobeerd haar zover te krijgen,' zei ze tegen Frank. 'Want ik vind dat ze er moe uitziet.'

Frank nam haar keurend, maar onpersoonlijk op, en ze besefte dat ze op dat moment simpelweg de zoveelste patiënt voor hem was.

'Maar ik ben helemaal niet moe,' protesteerde ze.

'Nog even en het wordt hier nog veel heter,' zei Daisy. 'Het is echt absoluut noodzakelijk om af en toe even rust te nemen. Dat vind jij toch ook, Frank?' Viva constateerde verrast dat haar werkgeefster bijna met hem flirtte en dat ze haar allebei behandelden alsof ze een soort publiek bezit was.

'Dat ben ik helemaal met je eens. Ik vind het van wezenlijk belang.' Hij stond op, pakte zijn tas en keek op zijn horloge. 'Maar nu moeten jullie me verontschuldigen. Mijn dienst begint om vier uur. Mochten jullie me weer nodig hebben, dan kunnen jullie me bereiken via het ziekenhuis.'

'Gossie,' zei Daisy toen hij weg was. 'Wat een knappe man.' Iets professioneler voegde ze eraan toe: 'En wat fijn voor ons dat hij in het Gokuldas werkt.'

'Inderdaad,' zei Viva, zich bewust van de lichte schok die zijn abrupte vertrek haar bezorgde. Ze had het gevoel dat ze nog veel meer had willen zeggen.

Door de openstaande deur zag ze hem met grote passen over de binnenplaats lopen, het hek openmaken en ferm achter zich sluiten.

'Volgens mij heeft hij groot gelijk en moet je echt een paar dagen vrij nemen. Ga nou naar Ooty,' drong Daisy aan. 'Het is er prachtig, en heerlijk koel, en dat pension waar ik je over vertelde, is echt erg charmant. Heb je niet een vriendin die je zou kunnen meenemen?'

'Misschien.' Ze bedacht enigszins schuldbewust hoe ze die ochtend tekeer was gegaan tegen Tor.

'Het zal je zoveel goed doen.' Daisy straalde. 'Heuvels, een koel briesje, een klein chalet, bergvogels.' Terwijl ze haar bevlogen beschrijving van het landschap benadrukte door beeldend met haar grote werkhanden te gebaren, voelde Viva angst in zich opkomen. Het had te maken met het woord 'chalet'. Regen, een vrouw die huilde.

'Voel je je wel goed, kindje?' Toen ze opkeek, werd ze zich bewust van het geratel van de ventilator boven haar hoofd, van het feit dat Daisy haar iets vroeg.

'Ik voel me prima. Uitstekend,' zei ze.

'Gelukkig.' Daisy produceerde haar schallende lach, die bij Viva altijd associaties opriep met de aanvoerster van een hockeyteam. 'Je keek even alsof je spoken zag.'

34

Viva was Guy wel een *un peu* zwaar gevallen, ook op het schip. Althans, zo dacht Tor erover, diep in haar hart. Natuurlijk, Guy deed rare dingen en hij stelde zich nogal aan, en misschien zoog hij wel eens wat uit zijn duim, maar gold dat niet voor alle zestienjarigen?

Zelf had ze het grootste deel van haar zeventiende levensjaar gedacht dat Nigel Thorn Davies, de rentmeester van haar vader met zijn altijd hoogrode gezicht, heimelijk en pijnlijk verliefd op haar was. Sterker nog, ze was er voortdurend op voorbereid geweest dat hij zich aan haar zou vergrijpen – bij avondschemering in het prieel, of tijdens een wandeling, op een eenzaam en lommerrijk plekje. Soms leek het wel dat ze zich haar hele leven van alles had verbeeld, allemaal dingen die nooit werkelijkheid waren geworden.

Ze glimlachte nog steeds als ze eraan dacht dat ze destijds op het schip de plaat van Jelly Roll Morton voor Guy had gedraaid. Hoe bevredigend hij had gereageerd door mee te janken met de muziek en door zijn hoofd op zijn magere nek heen en weer te laten deinen als een bal aan een stuk elastiek. Hij 'swingde de pan uit', zouden de zwarte jazzmuzikanten in het Taj zeggen. Ongeremdheid was iets wat een bijna jaloers verlangen in haar wekte.

Toch was ze geweldig opgelucht toen Viva haar dinsdagochtend belde om zich nogmaals te verontschuldigen voor haar uitbarsting. En op Viva's voorstel van een korte vakantie in Ooty ging ze gretig in.

'Je had op geen beter moment kunnen bellen,' voegde ze er veelbetekenend aan toe. 'Want...' Ze dempte haar stem. 'Ik ben het geworden.'

'Wat ben je geworden?'

'Nou, je weet wel, hét. Waar ik me zoveel zorgen over maakte. Mijn ópoe.'

'Je opoe?' herhaalde Viva verbijsterd.

'De rode vlág.' Voor een intelligente vrouw kon Viva soms erg traag van begrip zijn. 'Ik heb zoveel hete baden genomen dat ik bijna ben opgelost. Maar o, wat een opluchting! Het waren de ergste twee weken van mijn leven. Ik dacht echt dat ik van de boot rechtstreeks door zou kunnen naar een tehuis voor gevallen vrouwen.'

'Nou, dat is dan goddank opgelost. Inderdaad. Wat een opluchting.'

'Zeg dat wel. Ik denk dat ik daarom ook zo stom ben geweest met Guy. Ik kon niet slapen, ik kon zelfs niet eten. Stel je dat eens voor. Bovendien...' Tor keek om zich heen om te zien of er niemand van de bedienden in de buurt was. 'Ik heb een verschrikkelijke ruzie gehad met Ci. Dat vertel ik je allemaal wel als we elkaar zien. Ik begin haar echt te haten,' fluisterde ze. 'Volgens mij telt ze de dagen af tot ik vertrek. En ik denk oprecht dat ze haar verstand heeft verloren door de hitte. Dus ik verlang naar de dag dat ik hier wegkan,' zei Tor voordat ze de verbinding verbrak.

Hoewel ze tegen Viva erg luchtig had gedaan over haar ruzie met Ci, voelde ze zich er ernstig door bezeerd. Terwijl ze de hoorn op de haak legde, vroeg ze zich af wat ze zou vertellen, en wat te kwetsend was en voorgoed verborgen moest blijven in haar reusachtige archief van vernederingen.

Zelfs Ci moest hebben geweten dat ze te ver was gegaan. Ze had later geprobeerd haar gedrag toe te schrijven aan de hitte en aan het feit dat Geoffreys katoenspinnerij met steeds grotere verliezen draaide. En misschien was dat deels ook wel waar. Voordat de bom barstte, was de sfeer in huis uiterst geladen geweest.

De spanning was al ontstaan bij Ci's terugkeer van haar vakantie in Mussoree en was sindsdien alleen maar erger geworden. Ci zag er vermoeider en afgetobder uit dan voor haar vertrek. Ze staarde voortdurend op een rare manier naar de telefoon, ze rookte meer dan gebruikelijk, en Tor was diep geschokt toen ze Pandit recht in zijn gezicht sloeg omdat hij haar een gin bracht zonder ijs. Pandit had zich glimlachend verontschuldigd, maar Tor had hem dreigend horen mompelen terwijl hij zich terughaastte naar de keuken met een vurige plek op zijn wang.

Tor wist bijna zeker dat Ci een minnaar had. Met zijn typerende gebrek aan tact had Ollie haar eens verteld dat de meest mems er een minnaar opna hielden.

'Ik zou om twee uur op een doordeweekse middag door Malabar Hill kunnen lopen en de liefde kunnen bedrijven met iedere vrouw die ik wil,' had hij opgeschept. 'Want ze vervelen zich dood. Ze snakken naar een beetje vertier.'

Hij had haar ook verteld – en aanvankelijk had Tor genoten van dit soort opwindende roddels – over een hotel in Meerut, een favoriete locatie voor afspraakjes, dat uit voorzorg een blinde portier in dienst had genomen die om twee uur de klok luidde bij wijze van waarschuwing aan alle minnaars, zodat ze weer op een fatsoenlijk tijdstip in het echtelijk bed lagen.

Hoe dan ook, de geheimzinnige gever die Ci bloemen had gestuurd, deed dat niet meer. Ci koerde niet langer als een duif 'Lieieieveling!' in de telefoon, en er lag een bijna woeste blik in haar ogen wanneer ze met haar vuurrode nagels de ochtendpost doornam en de brieven vervolgens op tafel smeet. Ze was in een moordlustige stemming, en Tor was het meest voor de hand liggende slachtoffer.

De ruzie begon laat op een avond. Tor was al half uitgekleed en klaar om naar bed te gaan. Ze zat aan haar kaptafel toen Ci de kamer binnen kwam.

'Lieverd, toen je hier net was heb ik je een stapel kleren geleend... Die wil ik graag terug.'

Tor zou het willen uitschreeuwen van verontwaardiging, want Ci had destijds gezegd dat ze de kleren mocht houden. Bovendien had ze zich er zo chic in gevoeld en was ze er dankzij die kleren zo van overtuigd geweest dat haar leven een wending ten goede zou nemen.

'Wil je ze nu meteen terug?' Tor vroeg zich af of ze nog tijd zou hebben om een aantal van de jurken mee te geven aan de dhobi die ze soms 's morgens vroeg met Ci's avondjurken naar de stad zag fietsen. Nog dezelfde avond bracht hij dan de hele partij keurig gereinigd en gestreken weer terug. Bij een paar jurken hing de zoom los, en het jasje van Chinese zijde had nog altijd teer op de elleboog, van die avond dat Ollie haar had meegenomen naar Juhu Beach. Ze had het jasje helemaal achter in de klerenkast gepropt, met de bedoeling het probleem later op te lossen.

'Stel niet uit tot morgen wat je vandaag doen kunt.' Ci glimlachte geforceerd. 'Geoffrey kwam me net vertellen dat ik gekort ga worden op mijn kleedgeld, en volgens mij kun jij dat maatje toch niet meer aan.'

Tor voelde zich dik en log in haar mouwloze nachtjapon, terwijl ze gedwongen was onder de toeziende blikken van Ci alle kleren op het bed te leggen.

'Lieve hemel!' Ci pakte haar rijjasje van Wolhausmenson en stak haar nagels door de scheuren onder de armen. 'Wat is hier in godsnaam mee gebeurd?'

'Ik heb het maar één keer gedragen,' stamelde Tor, en dat was waar. Ollie had haar meegenomen op een stelletje 'knollen' die hij bij de racebaan had geleend. 'Het zat nogal strak.' Sterker nog, het jasje was belachelijk strak, volstrekt ongeschikt om erin paard te rijden. Maar voor Ci was modieus nu eenmaal belangrijker dan praktisch. 'We sprongen over een oxer en... Ik was van plan het te laten repareren.'

'Van plan het te laten repareren?' Er verscheen een bizarre trek rond Ci's mond. 'En waarom is het daar nog niet van gekomen? Echt druk heb je het hier niet gehad.'

Even keken ze elkaar dreigend aan.

'Lieverd, ik vind dat ik iets tegen je moet zeggen.' Ci klonk ineens anders, met haar ik-ben-niet-boos-maar-verdrietig-stem. 'In dit leven bereik je nu eenmaal niets zonder zelfdiscipline. Hoeveel weeg je op het moment?'

Haar blik gleed over Tors mollige armen, over haar volslanke middel. Ik haat je, had Tor gedacht. Ik haat de manier waarop je praat, waarop je rookt. Ik haat de grappen die je over me maakt tegen je vriendinnen. Want ze wist precies wat Ci over haar zei op de club. Lieverd, ze is werkelijk reusachtig! Weer zo vet als een varken. Die gaat leeg terug. Maar ik ben bang dat ze toch extra vrachtkosten moet betalen.

En op dat moment was het bijna verleidelijk om de meewarige, neerbuigende glimlach van Ci's gezicht te doen verdwijnen door haar te vertellen dat ze niet alleen dik was, maar ook zwanger. En dat sommige dingen op dit moment belangrijker waren dan die vervloekte kleren.

'Zesenzestig kilo,' had Tor gezegd. Dat was een leugen. Ze durfde niet eens in de buurt van de weegschaal te komen. Van streek als ze was, kon Tor zich bijna voorstellen dat Ci op diezelfde vlakke toon zou zeggen: *Je hebt de laatste tijd erg veel gehuild, Tor. Ben je soms zwanger?* En daarom haatte ze haar zelfs nog meer. Maar in plaats daarvan hield Ci, met nagels als klauwen, het groene zijden jasje omhoog.

'Wat heb je hiermee gedaan?' riep ze uit. 'Dit jasje is met de hand geborduurd. Het komt uit Parijs!' Haar stem zwol aan tot een vulgair gekrijs. 'Het is helemaal, volslagen bedorven!'

'Ik heb het aangehad op het strand.' Even vroeg Tor zich af wie het was die zo hard schreeuwde, en toen ze haar eigen stem herkende, bezorgde dat haar een merkwaardig gevoel van opwinding.

'Er is teer op de mouw gekomen,' brulde ze uit alle macht. 'Een halsmisdrijf. Dus sla me in de boeien!'

'Dat is helemaal mooi!' brulde Ci terug, met uitpuilende ogen. 'Een beetje dankbaarheid is er niet bij. Terwijl ik me de afgelopen zes maanden heb uitgesloofd om je mooi aan te kleden en je leuk bezig te houden, onnozele, vette gans dat je bent!'

Ze had het nog niet gezegd, of ze klapte abrupt haar mond dicht. Zelfs zij wist dat ze te ver was gegaan.

Pas later kon Tor de ironie waarderen van wat er vervolgens gebeurde. Terwijl Ci en zij tegenover elkaar stonden – hijgend, met rood aangelopen gezichten – had Tor plotseling het gevoel dat er iets knapte tussen haar benen, gevolgd door het onmiskenbare, kleverige gevoel van bloed dat langs de binnenkant van haar dijbeen sijpelde. Haar woedeuitval had bewerkstelligd wat emmers gin en hete baden niet hadden kunnen bereiken. Ze keek Ci stralend aan, die ongetwijfeld dacht dat ze haar verstand had verloren. 'Alles is goed met me!' zei ze. 'Het kon niet beter!'

En op dat moment begreep ze dat het niét krijgen van een baby onder bepaalde omstandigheden net zo magisch kon zijn als het krijgen van een kindje.

Nadat ze met Viva had gesproken belde Tor naar Poona, om te zien of Rose als door een wonder misschien ook naar Ooty kon komen. Het zou leuk zijn als ze compleet waren, had Viva gezegd.

'Het moet er prachtig zijn,' zei ze om haar vriendin over te halen. 'Probeer of je kunt komen. Zeg maar tegen Jack dat ik op het punt sta om te vertrekken. Dat ik je verschrikkelijk, wanhopig nodig heb, en dat je me waarschijnlijk nooit meer zult zien.'

'Dat zal niet nodig zijn,' zei Rose kordaat. 'Ik heb Jack al gezegd dat ik zelf bepaal wat ik doe.'

Sorry, ik wou je alleen maar helpen, dacht Tor. Rose klonk ineens zo vastbesloten wanneer ze het over Jack had, alsof ze zich niets meer door hem liet zeggen.

Op woensdag was er een feestje bij Daisy, dus ze hadden afgesproken dat Tor die nacht bij Viva zou blijven slapen. Dan zouden ze de volgende morgen samen op de trein naar Ooty stappen. Rose zou daar op eigen gelegenheid naartoe komen. Dat gaf Ollie – Tor rekende het uit op haar vingers – vier dagen de tijd om haar te bellen en te zeggen dat hij een verschrikkelijke fout had gemaakt; dat hij wilde scheiden van zijn vrouw in Engeland en met haar wilde trouwen. En mocht het daar niet van komen, dan zou ze in Ooty misschien een geweldige man ontmoeten. Wat zou dat een geweldig verhaal zijn op hun trouwreceptie. 'Ja, het is allemaal zo wonderbaarlijk gelopen. Ik ging al bijna terug naar Engeland, maar toen stond ik in een klein hotelletje waar ik logeerde, ineens oog in oog met...'

O, wat ben je toch een idioot, mopperde Tor op zichzelf en ze verdrong de dagdroom.

Dromen deed alleen maar pijn. Het was beter de feiten onder ogen te zien. Ze was dik en ze schoot over, en tenzij er een wonder gebeurde, zou dat ook wel zo blijven.

Omdat ze elkaar nauwelijks hadden gesproken sinds hun ruzie, was Tor verrast toen Ci erop stond haar de daaropvolgende woensdagmiddag naar Viva te brengen. Ze vroeg zich af of Ci, die soms verrassend gevoelig was voor de mening van anderen, dat deed om een positieve laatste indruk achter te laten. Of misschien was het een poging de ruzie bij te leggen.

'Byculla is absoluut de smerigste buurt van heel Bombay, lieverd,' was alles wat Ci zei. 'Ik pieker er niet over om je daar in een taxi naartoe te laten gaan.'

De rit begon slecht. Nadat ze Tor had opgedragen een Abdullah voor haar op te steken, had Ci de auto blauw gezet met rook, en vervolgens was ze weer over het heikele onderwerp begonnen.

'Dit is het laatste wat ik over die kleren ga zeggen,' zei ze terwijl ze tussen een reeks ossenkarren beladen met suikerriet door laveerde. 'Maar weet je heel zeker dat ik je mijn Lanvin-jasje niet ook heb geleend? Daar zijn er maar heel weinig van gemaakt.'

'Ik weet het heel zeker.' Tor staarde naar de kont van een os en vroeg zich af hoe zo'n mager schepsel zo'n enorme last kon trekken. 'Ik heb het gepast,' vervolgde ze. 'En het was me veel en veel te klein.' Ci haalde wel vaker dat soort valse streken met haar uit.

'Ook toen je zo was afgevallen? Maanden geleden?'

'Zelfs toen.'

'Hoeveel pond was je uiteindelijk kwijt?'

'Twee.' Ci was echt net zo geobsedeerd als haar moeder, dacht Tor.

'Had je het idee dat die haltertjes hielpen?'

'Niet echt. Hoor eens, Ci, ik vind mezelf niet dik. Ik ben gewoon stevig gebouwd. Maar ik heb geen speklaag en ik heb een heel slanke taille.' Dat was zo. 'Een figuurtje als een zandloper,' had Ollie gezegd, in een zeldzaam compliment. Rijzig, was het woord dat een paar andere vriendjes hadden gebruikt. Soms voelde het ineens belangrijk om terug te vechten.

'O, kijk toch eens! Wat een afschuwelijk gezicht!' riep Ci plotseling uit. Midden tussen het verkeer liep een naakte man bedekt met as, die zijn benige vuist hief naar de auto. 'Twee pond. Ach...' Ci had al geen oog meer voor de wereld buiten de auto. 'Ik neem aan dat die twee pond er in Hampshire niet veel toe doen.' Wat dat ook mocht betekenen.

Toen zorgde Tor ervoor dat ze verdwaalden. Ze was nooit een ster geweest in het geven van aanwijzingen, en dat bleek ook nu weer.

Op de een of andere manier kwamen ze terecht aan de rand van de Bora Bazaar, de uitgestrekte, chaotische markt waar half Bombay zich leek te verzamelen om rommel te verkopen.

'Je bent echt hopeloos, Tor,' zei Ci terwijl ze met haar magere kleine voet het gaspedaal dieper intrapte. 'Geef me nog maar een sigaret.

En nu? Welke kant moeten we uit?' Ci's glimlach was veranderd in een grauw tegen de tijd dat ze aan het eind kwamen van een weg die nergens heen bleek te leiden. 'Dit is voor mij allemaal *terra incognita*.'

Stop maar, zou Tor willen schreeuwen. *Ik heb er genoeg van om altijd maar dank je wel te moeten zeggen. Ik ben het zat om jouw probleem te zijn, om het voortdurend bij het verkeerde eind te hebben.* Maar ze bleef beleefd en voelde zich een gevangene in de auto, in de rook van Ci's geparfumeerde sigaret. Ze voelde zich verdrietig, onwaardig, en ze durfde amper adem te halen uit angst dat ze weer iets verkeerds deed.

Toen ze eindelijk in Byculla kwamen en Jasmine Street hadden gevonden, weigerde Ci, die twintig minuten lang mokkend had gezwegen, de auto te parkeren en mee naar binnen te gaan. Het was veel te gevaarlijk, en het was te laat. Ze ging rechtstreeks terug naar huis.

'Het spijt me,' waren Tors laatste woorden, en de neerbuigende, vluchtige manier waarop Ci haar schouders ophaalde, deed meer pijn dan al haar boze woorden hadden gedaan.

35

Toen Viva de deur opendeed, was ze verbaasd te zien hoe stralend Tor eruitzag. Tenslotte had ze aan de telefoon erg somber geklonken.

'Welkom in mijn nederige stulp,' zei Viva verontschuldigend terwijl ze Tor voorging naar boven. Mevrouw Jamshed had die ochtend haar favoriete garnalenragout gemaakt, en er hing in het trappenhuis zo'n sterke geur van knoflook en komijn dat je de ragout bijna kon proeven.

'Hoezo, nederig! Ik ben zo blij dat ik hier ben dat ik me geen raad weet van geluk. O Viva, wat woon je hier heerlijk!' riep ze uit toen Viva de deur opendeed naar haar kamer. 'Het is zo bohémien! Ik vind het echt geweldig!' Ze keek naar het plafond, bedekt met vliegers gemaakt door de kinderen, streek over de zijden sprei en liet zich op het bed vallen.

'Het is wel een beetje proppen,' zei Viva. 'Maar ik heb een veldbed geleend. Ik vind het niet erg om op de grond te slapen. Vanavond zijn we bij Daisy, en morgenochtend vertrekken we al vroeg. Dus wat maakt het uit?'

Viva schonk hun een glas limonade in, en daarmee gingen ze op het balkon zitten, waar Viva het uitschaterde om Tors beeldende verslag van haar ruzie met CiCi.

'Ik ben alleen erg blij dat ik haar nooit iets heb verteld over... Nou ja, je weet wel, eventuele problemen op het gebied van baby's.' Tor had ogen als schoteltjes bij de schokkende gedachte. 'Dat zou echt de laatste druppel zijn geweest. Stel je voor hoe ze dat nieuwtje op de club had verteld! Ze zou dat stelletje zeurkousen er maandenlang mee hebben beziggehouden.'

'Waarom vind je het zo belangrijk wat mensen van je denken?' vroeg Viva. 'Je kunt het nu eenmaal niet iedereen naar de zin maken.'

'Ik vind het gewoon belangrijk,' zei Tor. 'Ik wil dat iedereen van me houdt en helaas is dat niet zo. Dus ik wou dat ik net zo was als jij.'

'Hoe bedoel je?' Viva schoof een bord met koekjes naar haar toe. 'Hier, neem wat.'

'Jij bent zo heerlijk zelfstandig. Moet je zien hoe je hier zit.' Tor gebaarde naar de kamer. 'Dat zou ik nooit kunnen. Helemaal in mijn eentje.'

'Blut zijn en wonen in een huis waar het naar eten ruikt? Arme Tor.'

'Ik meen het serieus. Zoals jij leeft, dat heb je helemaal op eigen kracht bereikt.'

Viva wilde Tors stemming niet bederven door te vertellen hoe eenzaam en wanhopig ze zich soms had gevoeld. Of hoe bang ze was geweest na het onverwachte bezoek van Guy. Ze nam een slok van haar limonade.

'Volgens mij is het niet meer zo moeilijk als vroeger om je eigen kostje te verdienen,' zei ze. 'Als je echt onafhankelijk wilt zijn.'

Tor slaakte een diepe zucht. 'Ik geloof eigenlijk niet dat ik dat wil.'

'Wat wil je dan?'

'Een man.' Tors grote, blauwe ogen stonden bij wijze van uitzondering volmaakt ernstig. 'Een eigen huis, kinderen. Al het andere zou voor mij alleen maar een kwestie van dapperheid zijn.'

Normaliter zou Viva misschien met stimulerende bezwaren zijn gekomen, zou ze Tor hebben aangemoedigd een opleiding te gaan volgen, zou ze haar hebben aangeboden haar in contact te brengen met het brede scala aan vrouwen dat Daisy kende – leraressen, archeologen, taalkundigen, sociaal werkers – die zich in India met zoveel andere dingen bezighielden dan het jagen op een man. Maar die avond had ze merkwaardig genoeg niet de neiging Tor aan te sporen tot serieuzere doelen.

Frank zou ook op het feestje komen.

Daisy had het zich eerder die dag nonchalant laten ontvallen.

'Het leek me leuk om die aardige dokter ook uit te nodigen, die vriend van je,' had ze gezegd. 'En als hij in de stad is en geen dienst heeft, komt hij.'

Viva had geen idee waarom die informatie haar zo'n ergerlijk nerveus gevoel bezorgde. Ze had willen schrijven tot een uur voor Tors komst, maar in plaats daarvan had ze een stoel voor de enige spiegel in de kamer geschoven – in het halfdonker boven de ladekast die tegenover haar bed stond – en zich in de onmogelijkste bochten gewrongen om zichzelf te bekijken.

Balancerend op de stoel had ze keurend haar beste jurk aangetrokken – vlammende zijde met lange figuurnaden die haar smalle taille accentueerden, en een strikje op haar rug dat ze zelf erg leuk vond. Vervolgens had ze een blauw geborduurd jasje aangetrokken, een van haar favoriete kledingstukken. Ook dat ging weer uit en werd verruild voor de enige andere toonbare uitmonstering die ze bezat: een katoenen bloes van wit, tuleachtig materiaal. De bloes combineerde mooi met haar zilveren oorbellen met bloedkoralen, dacht ze blij.

Maar ineens maakte de aanblik van haar gretige, gelukkige gezicht in de spiegel haar bang. Hij komt niet, had ze zichzelf gewaarschuwd. En zelfs al komt hij, je wilt helemaal geen man.

'Wat vind je?' vroeg ze nonchalant aan Tor, alsof ze de jurk van vlammende zijde nu pas voor het eerst aantrok. 'Ik zou deze erbij kunnen dragen.' Ze deed de zilveren oorbellen met bloedkoralen in die ze van haar moeder had geërfd.

Bij de aanblik van haar gezicht in de spiegel besefte ze dat haar bemoedigende woorden niets hadden geholpen. Ze zag er nog altijd afschuwelijk opgewonden uit.

'Volgens mij zie jij er altijd prachtig uit, al draag je een suspensoir en een bril met jampotbodems,' zei Tor. 'En dat is heel oneerlijk, want volgens mij geef je er helemaal niets om.'

Daisy's feestje was al in volle gang toen ze arriveerden. Vanaf de straat beneden konden ze gelach horen en flarden jazzmuziek – de clowneske soort met veel gefluit en gegil. Het balkon was versierd met een snoer glinsterende lampjes.

'Kom binnen! Kom binnen!' Daisy zag er stralend uit in een fleurige roze jurk. Toen ze de deur opendeed, sloeg Viva en Tor een golf van geroezemoes tegemoet. Ook al moest Daisy leven op een heel mager budget, ze vond het heerlijk om feestjes te geven en ontving haar gasten met een soort roekeloze, aristocratische zelfverzekerdheid waar Viva haar om bewonderde. Daisy deed niet aan het zorgvuldig combineren van mensen uit dezelfde kringen, ze hield geen rekening met stand en status, met voor- of afkeuren. In plaats daarvan nodigde ze gewoon iedereen uit die ze aardig vond – jong en oud, academici, plaatselijke muzikanten, buren. Ze zorgde voor een hoop lekkers, ze draaide de grammofoon en liet de avond zijn eigen loop nemen. Een levensles van het zuiverste water.

'Kom mee!' Ze loodste hen naar het balkon, waar muziek en gelach klonken. 'Ik wil jullie aan iedereen voorstellen.'

'Iedereen' was het gebruikelijke, rijk gevarieerde gezelschap: meneer Jamshed en zijn twee beeldschone dochters, Dolly en Kaniz – een van de twee danste de charleston. Verder was er een rijzige, statige Zweedse beeldhouwster in een kaftan, die een studie ging maken van de beelden in de grotten op Elephanta Island. Er waren sociaal werkers, academici, schrijvers, een dikke man die muziek doceerde en voor opnamen in Bombay was. Sommige gasten zaten op de banken op het balkon, onder de met sterren bezaaide hemel, andere dansten.

Tor werd onmiddellijk door Daisy meegetroond naar meneer Bhide, een advocaat uit Bombay, die zo moedig was geweest de conventies te tarten door te trouwen met een hindoeweduwe. (De weduwe bleek een schuwe, intelligente vrouw te zijn van vijfentwintig.) Viva stond even alleen aan de rand van het luidruchtige gezelschap. Ze nipte van Daisy's moorddadige punch, in de hoop haar zenuwen te kalmeren.

Het daaropvolgende halfuur zwierf ze tussen de gasten door, lachend, pratend, maar ondertussen voortdurend alert op de voordeur. Dus hij was niet gekomen. Ach, dat was eigenlijk maar goed ook. Het maakte het allemaal een stuk minder ingewikkeld.

Halverwege de avond presenteerden Daisy's bedienden schalen met dampende rijst, chutneys, papadams en drie verschillende curry's. Ze zetten ze informeel op het balkon, op lage tafels met kussens eromheen. Iemand had 'Lady Be Good' opgezet, en flarden van de muziek dansten over het balkon naar de straat beneden.

'Kom bij ons zitten.' Meneer Jamshed keek Viva en Tor stralend aan. Hij zat in kleermakerszit aan een lage koperen tafel achter een rijk gevuld bord met eten, met naast zich zijn meisjes. '*Chalo jumva avoji.* Tast toe. Mijn meisjes plagen me dat ik ouderwets ben, dus ik heb jullie nodig om ze met de stok te geven,' zei hij in zijn prachtige Engels.

'We hadden het over onderwijs.' Dolly deed een beroep op Tor, die met grote ogen van de een naar de ander keek. 'Wat mijn arme vader maar niet wil begrijpen, is dat wij een generatie hebben overgeslagen. Mijn moeder gedraagt zich als jouw grootmoeder, maar ik ben net zo modern als jij.'

'Nee, dat is niet waar,' zei Tor met die merkwaardige ernst en gedrevenheid die Viva zo in haar waardeerde. 'Viva vertelde me dat je rechten studeert, dus je ligt mijlen op me voor. Ik ben op mijn zestiende van school gegaan en ik kan amper rekenen.'

'Ik weet zeker dat je heel slim bent,' zei Dolly tactvol.

'Nee, dat ben ik niet. Sterker nog, ik ben behoorlijk onnozel. Trouwens, bij mij op school ging geen van de meisjes naar de universiteit. In plaats daarvan kregen we naailes, en we deden Franse conversatie – met belabberd resultaat. Maar ik kan jullie wel de jitterbug leren, als je dat leuk vindt.'

'Reken maar!' zeiden Dolly en Kaniz in koor. Hun witte tanden glansden in het maanlicht. Ze waren duidelijk onder de indruk van hun nieuwe vriendin.

'Komt voor de bakker!' Tor stond op. 'Maar eerst ga ik nog even mijn neus poederen en een drankje voor ons halen. Ga je mee, Viva?'

Terwijl ze naast elkaar in de badkamer stonden, zag Viva dat Tor licht aangeschoten was, maar ook dat ze genoot. Ze bedankte Viva tot twee maal toe omdat ze haar had meegenomen naar het feestje en liep – zorgvuldig om niet te struikelen – door Daisy's zitkamer terug naar het balkon.

'Wat een heerlijke zachte, zwoele avond, en wat een geweldig feestje. Echt geweldig,' zei ze onderweg. 'En weet je wat zo vreemd is? Ik heb de hele avond amper aan Ollie gedacht. Dat is zo'n opluchting.'

'Daar ben ik blij om.' Viva, die de hele avond naar de deur had gekeken, voelde zich een volslagen hypocriet. Onopvallend keek ze voor de zoveelste keer op haar horloge. Vijf over half twaalf – Frank kwam niet meer. Misschien had hij het toch te druk gehad, of misschien zat hij een brief te schrijven aan een meisje in Engeland van wier bestaan zij niet op de hoogte was, of was hij op een ander feestje. Er waren altijd zoveel redenen waarom de dingen niet gingen zoals ze had verwacht.

Meneer Jamshed kwam weer naar haar toe. Boven het gelach en het gepraat en de rookwolken uit vertelde hij haar met stemverheffing over een concert, met muziek van een geweldige, nieuwe componist die qua symmetrie erg aan Bach deed denken. Viva deed haar best te glimlachen en te knikken, maar ze kon zich nauwelijks concentreren. Ze was ineens doodmoe.

Haar jurk plakte aan haar rug, haar voeten deden pijn, en ze dacht verlangend aan haar bed, aan het gewone leven. En toen ineens, toen ze haar ogen opsloeg, stond Frank bij de deur. Hij keek naar haar.

'Wilt u me even verontschuldigen?' zei ze tegen meneer Jamshed. 'Ik...' En weg was ze.

Zonder een woord te zeggen pakte hij haar bij de arm en trok haar naar zich toe.

'Ik ben laat.' Hij zag er verfomfaaid uit, zijn ogen stonden een beetje verwilderd, alsof de afgelopen uren voor hem ook een beproeving waren geweest. 'En ik rammel van de honger.'

'O ja?' Ze verafschuwde zichzelf om het bonzen van haar hart.

Nadat ze iets te eten voor hem had gehaald en hij zijn honger had gestild, vroeg hij haar ten dans. En daarna nog eens.

Om ongeveer halfvier die nacht zaten Frank, Viva en Tor samen op het balkon.

'Net als vroeger,' zei Tor. 'Het is alsof we terugzijn op De Kaiser.'

Toen Viva naar Frank keek, zag ze dat hij vluchtig, bijna ongelovig zijn hoofd schudde.

In de verte bloosde de hemel lichtroze. Nog even, en de zon kwam op. De rommelige verzameling daken begon geleidelijk aan contouren te krijgen.

'Ik heb te veel gedronken.' Tor zat aan haar vierde of vijfde gin fizz en lag op een charpoy met een kussen onder haar hoofd. 'Maar mag ik wel even zeggen dat dit een van de beste feestjes was van mijn hele leven? Geweldig, echt geweldig. Fantastische mensen. Wat een plezier. Ik denk oprecht dat Byculla een van de meest mieterse plekken ter wereld is.'

'Ik ben het helemaal met je eens,' zei Frank. 'Het was een geweldig feest.'

Wat hield ze van zijn glimlach, dacht Viva. Zo charmant, zo onverwacht. Ze werd er helemaal gelukkig van. Er was weinig wat ze daartegen kon doen, ook al was ze nog altijd vastberaden op haar hoede te blijven.

'Hoe moet ik haar morgenochtend uit bed krijgen?' vroeg ze plotseling. 'De trein naar Ooty vertrekt om halfelf.'

'Dat weet ik,' zei hij. 'Tor heeft me net uitgenodigd om ook mee te gaan.'

Hij boog zich naar Viva toe en stopte een lok van haar vochtige haar achter haar oor.

'Hoe zou je dat vinden?'

Viva aarzelde. 'Dat weet ik eigenlijk niet.' Zijn vluchtige aanraking kalmeerde haar, maar tegelijkertijd waren haar zintuigen weer tot het uiterste gespannen. Ze had het gevoel dat ze geen controle had over de situatie, en dat vond ze niet prettig.

'Ik heb wat vrije dagen in het ziekenhuis,' zei hij nonchalant. 'En misschien ben je op dit moment beter af met een man in de buurt.'

'Vanwege Guy?' vroeg ze snel.

'Gedeeltelijk. Ik kreeg twee dagen geleden een brief van de politie. Zo te horen is er weer iets gebeurd. Ze willen met me praten. Over Guy.'

'Wanneer zou dat moeten gebeuren?'

'Volgende week.'

'Waarom heb je me dat niet eerder verteld?'

'Omdat je er zo gelukkig uitzag.'

Even keken ze elkaar aan, toen kwam Tor overeind.

'Moe,' mompelde ze. 'Heel erg moe, en heel erg heet. "Up the wooden hills to Bedforshire",' zong ze zacht.

De betovering was voor Viva verbroken.

'Tegen die tijd ben ik allang weer terug,' zei ze luchtig, bijna wreed. 'En het spijt me, maar Ooty is alleen voor meisjes.'

36

Toen Viva vertelde dat ze derdeklaskaartjes had gereserveerd voor de trein naar Ooty, vond Tor dat prima. Ze zat ook krap bij kas, zei ze, en als ze werden ontvoerd door handelaars in blanke slavinnen zou dat haar ongetwijfeld meer plezier opleveren dan Kerstmis in Middle Wallop.

Maar terwijl ze die hete meiochtend – de hitte was zelfs vroeg op de dag al moordend – op Victoria Terminus Station aan boord van de trein gingen, vroeg Viva zich angstig af of ze misschien toch een verkeerd besluit had genomen.

Om de drukte voor te zijn, waren ze ruim van tevoren in het schitterende gebouw met zijn luchtbogen en glas-in-loodramen gearriveerd, maar hun rijtuig zat al stampvol – een krioelende, luidruchtige mensenzee: picnickende gezinnen, ronddartelende schoolkinderen, oma's in sari's, een man met een katoenen matras die onder de vlekken zat en die hij opgerold op zijn schoot hield.

Tor ging naast het smerige raam zitten, Viva belandde in het midden, tegenover een mollige jonge moeder met een schoot vol vettige pakketjes. Het was een opluchting toen de stroperige lucht althans enigszins in beweging kwam op het moment dat de trein langzaam het station uit pufte, een van hitte trillende mist tegemoet.

Het eerste uur genoot Viva ervan te zien hoe Tors grote blauwe ogen bijna uit hun kassen puilden bij de aanblik van een naakte sadhoe die bij het eerstvolgende station aan boord sprong. Zijn lichaam was een en al rimpels, zijn billen werden amper bedekt door een dunne reep stof. Daarna kwamen de chai wallahs en venters met eten, die zich door de trein haastten alsof hun broek in brand stond, en die thee, omeletten, koekjes, soep, dahl en chapati's verkochten.

Maar inmiddels waren ze drie uur verder. De hitte had de geuren van zweet, haarolie, kruidige etenswaren en winderigheid gaar gestoofd, en het glas van het raam was zo heet dat je je bijna brandde als je hoofd ertegen liet rusten. Tor, die toch al niet helder was door de gin fizz van de vorige avond, begon te kreunen en te klagen over misselijkheid.

Viva leek het nauwelijks te merken. Het was voor het eerst sinds haar aankomst dat ze de stad verliet, en een merkwaardige uitgelatenheid nam bezit van haar terwijl ze uit het raam keek, naar het dorre landschap, de kleine stations, naar vrouwen met waterkruiken op hun hoofd. Aan de rand van een kale vlakte met slechts hier en daar wat struikgewas verscheen ineens een kleine stoet kamelen. Heel even maar, want het volgende moment was het tafereel door opwaaiend stof weer aan het oog onttrokken.

Daisy had gelijk. Het was heerlijk om op reis te zijn. Precies wat ze nodig had.

De trein ratelde door smalle ravijnen, over dorre vlakten, en behalve het ritmisch bonken van de wielen hoorde ze overal om zich heen het geroezemoes van Indiase stemmen. Viva sloot haar ogen en droomde wazig dat ze niet met Tor, maar met William op reis was.

Dat hadden ze nooit goed gekund samen. Hij had haar twee keer meegenomen op vakantie. De eerste keer – een rondreis door Zwitserland – hadden ze verbleven in een reeks voorspelbare, onberispelijke hotels waar hij al eerder was geweest. Tijdens een overnachting aan een meer bij Bern was hij verschrikkelijk gaan mokken toen bleek dat een van hun reserveringen per abuis was geannuleerd.

Ze had alleen op het balkon gezeten, en op dat moment had ze beseft dat William, ondanks zijn intelligentie en zijn striemend scherpe tong, eigenlijk een bange man was die op reis zo min mogelijk voor verrassingen wilde komen te staan. Sterker nog, hij gaf er de voorkeur aan dat alles zoveel mogelijk hetzelfde was als thuis. Dat had ze hem niet kwalijk genomen, maar ze had wel beseft dat iets in haar snakte naar lucht, naar licht.

Half in slaap stelde ze zich voor dat hij tegenover haar zat; dat de elleboog van zijn chique pak in de vettige pakketjes rustte van haar overbuurvrouw. Hij was boos op haar omdat ze hem dit had aangedaan, en hij ergerde zich aan haar enthousiasme. *Wat heeft dit voor zin?* Ze hóórde het hem zeggen. *Terwijl we ons gemakkelijk kunnen veroorloven eersteklas te reizen? Wat probeer je te bewijzen?* En zo zou het plezier in de onderneming geleidelijk aan zijn weggesijpeld.

Frank was heel anders. Die vond kleine, onverwachte ontdekkingen juist leuk. Hij had Moustafa's sjofele eethuis geweldig gevonden, en hij had haar enthousiast verteld over sommige van de onverwachte plekjes die hij had ontdekt in Bombay, zoals de Dievenmarkt en – o hemel! Ze was inmiddels weer klaarwakker en keek naar de schriele, stekelige bomen langs de spoorlijn. Ze moest ophouden zo over hem te denken. Toen ze de vorige avond met hem had gedanst, had ze zich heerlijk gevoeld, zo licht, omhuld door zijn geur, houtachtig en friszuur als citroenbomen, en ze was zich ervan bewust geweest hoezeer ze zich tot hem aangetrokken voelde, een aantrekkingskracht die berustte op iets wat heel intens was, iets wat heel diep zat.

Plotseling schudde ze haar hoofd. Op de een of andere manier had haar lichaam de herinnering aan die dans bewaard: zijn hand op het kuiltje van haar rug, de gloed die van zijn huid leek af te stralen. De manier waarop hij even zijn ogen had gesloten, bijna alsof hij pijn had, toen ze haar gezicht dichter naar het zijne had bewogen.

Ter correctie dwong ze zichzelf weer aan William te denken. Nadat hij haar in de steek had gelaten, had ze zich nog maanden bezoedeld en gebroken gevoeld; vermorzeld, alsof ze was overreden door een vrachtwagen. Doordat haar ouders dood waren, was er niemand geweest om haar weer overeind te helpen, en dat had het allemaal nog veel erger gemaakt. Ze had haar trots verloren en als een geslagen dier rondgezworven, in afwachting van het moment waarop hij zich weer over haar zou ontfermen; het moment waarop hij zou zeggen dat het allemaal een dwaze grap was geweest. Zonder haar werk – want in die periode was ze begonnen als assistente van mevrouw Driver en zelf ook gaan schrijven – zou ze gek zijn geworden. Dat wist ze zeker.

Hou dat altijd goed voor ogen!

De trein verdween in de duisternis toen hij een primitieve tunnel in dook, die met dynamiet door de rotsen was aangelegd. Als Frank naar Ooty kwam (Tor was de vorige avond wakker geworden en had slaperig geprotesteerd toen ze haar hoorde zeggen dat het uitje alleen voor meisjes was), moest ze ervan doordrongen zijn dat zijn belangstelling voor haar strikt broederlijk was; dat hij haar wilde beschermen. Of dat hij voor Rose en Tor kwam – waar haalde ze de arrogantie vandaan om altijd maar te denken dat zij de hoofdattractie was? Wat er ook gebeurde, ze zou zichzelf in de hand houden en zich niet zo verachtelijk laten gaan als met William. Dat beloofde ze zichzelf.

Het rijtuig schoot de tunnel uit, de zon tegemoet, de kleine trein gilde en Viva deed haar ogen open. De kleine, mollige vrouw die tegenover haar zat, tikte vriendelijk maar aanhoudend op haar knie. Ze was bezig de pakketjes open te maken: noten en gebakken kikkererwten, kleine, ongezond maar aantrekkelijk ogende beignets die vette kringen achterlieten op het bruine papier waarin ze waren verpakt.

'Eet met ons mee,' zei de vrouw in het Marathi. Ze droeg goedkope kleren en sandalen. Maar ze glimlachte stralend bij de gedachte haar eten te delen met volslagen vreemden.

'Dat is erg aardig van u,' zei Viva. 'Waar gaat u heen?'

'We komen uit de omgeving van Bombay en we gaan naar Coonor, bij Madras,' zei de vrouw, verrukt toen bleek dat Viva een beetje Marathi sprak. Ze gingen op familiebezoek, vertelde ze, en ze hoopten Ghandhiji te zien tijdens een van zijn bijeenkomsten. 'Ik ben vanmorgen vroeg opgestaan om dit allemaal klaar te maken.' Ze zag geen ongerijmdheid in het aanbieden van eten aan een Engelse. 'Echte Bombayse lekkernijen. Proeft u ze alstublieft.' Ze haalde nog wat meer *bhelpuri* uit de verpakking – gepofte rijst op smaak gemaakt met uien en koriander – en ze gaf Viva een broodje met gekruide aardappelen.

Tor was ook wakker geworden en deed een oog open. 'Als je denkt dat ik dat eet, moet ik je teleurstellen, Viva,' zei ze met een welwillende glimlach naar de Indiase vrouw.

Viva pakte een beignet aan en stopte die in haar mond. 'Heerlijk,' zei ze tegen de gulle geefster. 'Mijn vriendin voelt zich helaas niet zo lekker. Wilt u misschien een sandwich?'

Ze haalde het lunchpakket tevoorschijn dat ze die ochtend in alle haast hadden klaargemaakt – sandwiches met kaas en augurken, op brood van een dag oud. De vrouw wendde zich af, duidelijk in verlegenheid gebracht. Misschien was het in strijd met haar geloof om voedsel van onaanraakbaren aan te nemen. Je kon het op zoveel manieren verkeerd doen, dacht Viva.

Toe ze klaar waren met eten, veegde de vrouw Viva's hand schoon met een vochtige flanellen lap die ze uit haar tas had gehaald. Daarop wees ze naar het dikke meisje van een jaar of vijftien dat naast haar zat en stug doorat. Haar dochter wilde graag voor Viva zingen, zei ze. Ze had een prachtige stem, en ze kon het vier uur volhouden, bijna zonder adempauze te nemen. Om duidelijk te maken wat ze bedoelde, legde de vrouw haar hand op haar borst en haalde diep adem.

'Ik wil dat je kijkt alsof je aangenaam verrast bent,' zei Viva tegen Tor. 'Het meisje gaat voor ons zingen, en dat is een grote eer.'

Daarop richtte het meisje haar reusachtige fluwelen ogen op Viva, ze haalde diep adem en begon te zingen. Haar hoge, heldere stem had een droefgeestige klank.

Viva herkende slechts hier en daar een woord: Ik aanbid u... gruwelijke wanhoop... ik bemin u... ik wil... 'Het is de liefdeszang van Sita en Ram,' legde haar trotse moeder uit. 'Dat is haar geschenk voor u.'

Het meisje ging helemaal op in haar lied, zonder een zweem van verlegenheid. Ze ging dichter bij Viva staan, zodat die de gravering op haar neusring kon zien, en zelfs haar trillende amandelen. Wat zijn we toch anders, dacht Viva. Al woonde je hier honderd jaar, dan nog zou je dit land nooit helemaal begrijpen.

Het lied van het meisje was klaaglijk geworden, als een lijkzang, waardoor Viva opnieuw moest denken aan het ongeluk en aan William. Twee weken voordat ze uit elkaar waren gegaan, had hij haar meegenomen naar een hotelletje dat hij kende, in de buurt van Edinburgh. Daar had hij haar verteld, eerder verdrietig dan boos, dat hij moeite had met wat hij haar 'obsessie' met haar werk noemde.

(Pas veel later kwam ze erachter dat haar werk er niets mee te maken had. Dat was op de avond dat ze werd gebeld door een vrouw uit Bath, die haar hysterisch vertelde dat William haar ook een trouwbelofte had gedaan.)

Maar die avond in het Buchan Hotel had hij haar liefdevol maar vastberaden de les gelezen: natuurlijk, ze was jong, en ze had geen ouders meer, maar het leven ging door, en ze zou het geluk nooit vinden als ze niet leerde minder met zichzelf bezig te zijn. Hij was blij dat ze plezier vond in het schrijven, maar als hij eerlijk was – het klonk misschien bot – dan moest hij bekennen dat een blauwkous die het alleen maar druk had met zichzelf, voor een man niet aantrekkelijk was.

Ze had gehuild, geen tranen van berouw, eerder van boosheid en verwarring. Hij zei het alleen maar voor haar eigen bestwil, drukte hij haar op het hart, en later in bed hadden ze gevrijd, en ze had hem toegelaten. Alles liever dan de confrontatie aan te gaan met het gapende gat van de eenzaamheid dat op haar wachtte buiten dat kille hotel.

Drie weken later was hij bij de jonge weduwe in de buurt van Bath ingetrokken, die erg rijk bleek te zijn en erg saai. Tenminste, dat schreef hij haar een halfjaar later, niet om haar te vragen bij hem terug te komen (daar was hij te slim voor), maar met de mededeling dat hij haar niet-officiële voogd was en dat ze dus vrienden moesten blijven, contact moesten houden. Dat waren ze aan haar ouders verplicht.

Daarop had ze hem ingelicht over haar plannen om naar India te gaan, en pas toen had hij haar nonchalant verteld wat hij al eerder had willen zeggen, namelijk dat er in Simla nog wat meubels en koffers van haar ouders stonden. Hij had de indruk gekregen dat het allemaal 'niet veel waard' was, maar misschien wilde ze de spullen ooit gaan halen. De vrouw die ze in bewaring had, heette Mabel Waghorn. Als ze dat wilde, kon hij haar het adres geven.

'Waarom heb je me dat niet eerder verteld?' vroeg ze.

'Omdat de emoties nog te vers waren,' zei hij op die zorgvuldige, nauwkeurige manier waarmee hij alles kon laten klinken als de waarheid.

En in zekere zin had hij gelijk gehad. Want waarom aarzelde ze nog altijd om terug te gaan naar Simla? Waarom had ze nog steeds het gevoel dat het levensgevaarlijk zou zijn om dat te doen?

Uiteindelijk hield het meisje op met zingen. 'Dat was prachtig,' zei Viva. 'Dank je wel.' En de moeder, die naar Viva's gezicht had gekeken, klopte haar vriendelijk en met trillende lippen op de arm. Het was duidelijk dat ze diepe bewondering had voor haar dochter, die zich inmiddels te goed deed aan een handvol kikkererwten.

Tor tilde een hoek op van de vochtige flanellen doek die ze over haar gezicht had gedrapeerd.

'Is de kust veilig? Ik dacht serieus dat ze de volle vier uur zou blijven zingen.'

'Prachtig,' zei Viva nogmaals tegen de vrouw. 'Dank u wel. Werkelijk betoverend mooi.'

'Ik heb niet geslapen,' zei Tor toen ze terug waren in hun eigen wereld. 'Ik heb zitten denken. Aan dat ik naar huis moet en aan Ollie. En dat ik hem vanuit het hotel een telegram zou kunnen sturen. Misschien is het waar dat zijn vrouw hem niet meer begrijpt. Als ze echt van hem hield, zou ze hem toch niet steeds weg laten gaan? Of misschien wacht hij tot ik zeg dat ik het hem vergeef. Ik heb tenslotte niets te verliezen.'

Ja, dat heb je wel, dacht Viva, overweldigd door medelijden. Je trots. Sterker nog, je leven!

'Is Ollie de man die je wilt? De man die je echt wilt?' vroeg ze in plaats daarvan. Tors gezicht leek zo blozend, zo vol hoop.

'Je hebt gelijk. Natuurlijk. Je hebt gelijk.' Ze trok de lap weer over haar gezicht.

Enkele ogenblikken later verschenen de grote blauwe ogen opnieuw boven de lap. De blik daarin drukte inmiddels grote verwarring uit. 'Ik begrijp niet hoe mensen zeker weten dat ze verliefd zijn. In boeken en films komt het inzicht als een soort blikseminslag. Dan rennen ze naar een boot of een trein, de muziek zwelt aan en de aftiteling rolt over het scherm. Waarom is het echte leven toch zoveel ingewikkelder?'

'Ik weet het niet,' zei Viva, en ze meende het.

37

Ootcamund

De nacht voor hun aankomst had het gestortregend, en terwijl Tor en Viva in de tonga de steile helling beklommen naar het Woodbriar Hotel, zagen ze dat de grond was bedekt met vermorzelde, roze bloemblaadjes, en overal rook het naar rozen en nat gras. Ze ademden diep de geuren in. Na vierentwintig uur in de trein waren ze helemaal verstijfd, en het was heerlijk om het voor de verandering weer eens bijna koud te hebben. Daar waren ze het over eens.

Aan het eind van een laan met dennen verhief zich een huis op palen dat door de mist leek te zweven op de rand van een heuvel. Op de veranda stond een schimmige figuur die uitzinnig begon te wuiven. 'Rose!' riep Tor. Ze sprong uit de tonga, wist het paard maar amper te ontwijken en rende de oprijlaan af, de trap op, en viel haar vriendin om de hals. 'Lieverd!' Ze knuffelde haar uitbundig. 'Laat eens zien hoe je eruitziet! Je bent reusachtig!'

Dat was enigszins overdreven, want Rose had een keurig, klein buikje, nauwelijks zichtbaar onder haar blauwe jak.

'O Tor.' Rose kneep haar ogen dicht en knuffelde haar opnieuw. 'Ik heb je zo gemist.'

'Viva is afschuwelijk tegen me geweest,' klaagde Tor terwijl ze gearmd naar binnen liepen. 'We moesten niet alleen derdeklas reizen, maar bovendien heeft ze me gedwongen drie uur lang te luisteren naar een meisje met een stem als een reuzenmuskiet! Ik zweer het je. En het was zo heet in de trein. Iedereen smolt.'

'Hoe durf je zo lelijk te zijn tegen mijn vriendinnetje?' Rose viel Viva om de hals. 'En hou op met dat afschuwelijke geluid,' zei ze tegen Tor die haar best deed het gezoem van een muskiet te imiteren. 'Kom binnen en neem een kop thee. Ik weet zeker dat jullie het hier heerlijk gaan vinden.'

En dat was ook zo. De eigenaressen van het hotel, mevrouw Jane Stephenson en haar vriendin, Bunty Jackson, waren twee vrolijke weduwen van legerofficieren. Slanke, sterke vrouwen. Ze fokten Welsh pony's, ze waren dol op hun tuin en ze serveerden het soort maaltijden – filosoof met aardappelpuree, rabarbermousse – waarvan de voornamelijk Britse gasten een dromerige, nostalgische blik in hun ogen kregen. In de zitkamer stonden comfortabele, enigszins doorgezakte, met sits beklede banken om een laaiend haardvuur. Op de antieke tafels lagen oude, ietwat vochtige exemplaren van *Country Life*, en aan de muren hingen prenten van Stubbs, foto's van de lievelingshonden van de eigenaressen, en van 'de meisjes' op kampioenspony's.

Tijdens de koffie op de veranda vertelde Rose dat ze een lift naar Ooty had gekregen van een vriend van Jack, een zekere kolonel Carstairs, met zijn vrouw. Zowel de kolonel als zijn vrouw had haar afkeurend de les gelezen wegens het feit dat ze had besloten te reizen in haar conditie. '"Je ziet verschrikkelijk pips, kindje,"' imiteerde ze hen, maar ze glimlachte er toegeeflijk bij, want Rose praatte nooit gemeen over anderen.

'Wat een bemoeizieke ouwe taart,' mopperde Tor.

Maar Viva vond ook dat Rose wat bleekjes zag. Er lagen donkere kringen onder haar vroeger zo stralende, blauwe ogen. Bovendien leek ze ouder, op een manier die Viva niet goed onder woorden zou kunnen brengen. Het leek wel alsof ze wantrouwender was geworden, meer op haar hoede.

'Vond Jack het vervelend dat je wegging?' vroeg ze. Het was in India tenslotte niet echt gebruikelijk dat een man zijn vrouw in deze conditie alleen liet reizen. Dat was waarschijnlijk ook de reden dat de Carstairs hun wenkbrauwen hadden opgetrokken.

'Ik geloof het niet.' Rose knoeide met haar koekje. 'De hitte in Poona was werkelijk verschrikkelijk, en Jack heeft het zo druk. Bovendien is dit de laatste keer dat ik het nog kan doen... Ach, en het is zo heerlijk om hier te zijn.'

Het bleef even stil. De rieten stoel van Rose kraakte toen ze ging verzitten. 'O, trouwens, iets heel anders. Ik moet jullie een verschrikkelijk verhaal vertellen dat ik gisteravond van Jane heb gehoord. Over honden,' vervolgde ze bijna opgewekt.

Het verhaal ging over een plaatselijke maharadja, een schatrijke, verwende man, die elk jaar naar Engeland ging om de honden te kopen die op de Crufts, de jaarlijkse hondenshow, tot kampioen werden uitgeroepen. Eenmaal terug in zijn paleis in het gruwelijk hete Madras stopte de maharadja de dieren als afgedankte teddyberen in een smerige, ondergrondse kerker. Toen een vriendin van Jane een paar weken daarvoor op het paleis kwam lunchen, werden de honden tevoorschijn gehaald. Ze knipperden met hun ogen tegen het zonlicht, en hun vacht was helemaal smerig en zat vol klitten. Toen een van de dieren was gedwongen te 'sterven voor de koningin', had ze wel kunnen huilen.

Viva en Tor gaven uiting aan hun geschoktheid, en net op dat moment kwam Bunty binnen, in een tweed rijjasje. Ze kwam bij hen staan in een soort militaire houding, met haar benen licht gespreid. 'Het is echt waar,' zei ze. 'Als het maar duur is, dan willen ze het hebben. Maar ze hebben geen enkele ervaring met dieren.'

'Er zijn er ongetwijfeld die dat wel hebben,' protesteerde Viva.

'Nou, dat komt zelden voor,' zei Bunty met grote stelligheid. 'Ze hebben een heel andere houding jegens dieren dan wij, ben ik bang.'

Daarop kwam Jane vragen of ze het vervelend vonden om van tevoren op te geven wat ze die avond wilden eten – Bunty en zij repeteerden mee voor *She Stoops to Conquer*, dus ze moesten om zeven uur op de club zijn. Het diner voor de drie vriendinnen zou in een privékamer worden geserveerd, zodat ze in alle rust konden praten. Wat dachten ze van mulligatawnysoep, forel uit de plaatselijke wateren, pommes à la dauphinoise en appels met schuim uit de oven?

'Dat klinkt allemaal heerlijk,' zei Rose beleefd. 'Maar waar zijn de andere gasten?'

'O, dat zijn er deze week maar vier, en ze zijn allemaal op pad, om te vissen of te rijden,' vertelde Jane. 'Het is hier maar klein, jullie zullen weinig van ze merken. Trouwens, daar schiet me iets te binnen. Dat wilde ik jullie nog laten zien.' Ze verdween naar de rookkamer en kwam even later terug met een gastenboek, gebonden in groen leer.

'Een van onze gasten zei dat hij een vriend van jullie was. Kijk.' Ze wees naar een kinderlijk ronde handtekening, halverwege de bladzijde. 'O, ik moet ervandoor...' Een van de bedienden kwam waarschuwen dat haar paard klaar stond. 'Als ik nu niet vertrek, ben ik te laat. Willen jullie me verontschuldigen?'

'Lieve hemel.' Een van de blonde lokken van Rose viel over het boek. 'Merkwaardig.'

Prachtig uitzicht, verrukkelijk eten. Ik kom zeker terug. Guy Glover, had hij in de ruimte voor opmerkingen geschreven, voorzien van een slordige vlek.

Viva had plotseling het gevoel alsof haar maag veranderde in een ijsklomp.

'Wat had hij hier in 's hemelsnaam te zoeken?' mompelde ze, en ze keek Tor aan.

'Daar moet je mij niet op aankijken,' zei die, alsof ze zich in de verdediging gedrongen voelde. 'Trouwens, zo merkwaardig is het toch niet? Er zijn heel veel mensen die hierheen gaan wanneer het erg heet is. CiCi vertelde me dat ze hier ook wel eens is geweest.'

'Ik kijk jou er ook niet op aan,' zei Viva, maar ze was duidelijk geïrriteerd.

'Heeft hij opnieuw geprobeerd contact met je te zoeken?' vroeg Tor.

'Nee,' antwoordde Viva kortaf.

Ze hoorde dat Rose om nog een scone vroeg, boven werden de gordijnen dichtgeschoven. Nog even, en het was donker buiten.

'Ik neem aan dat hij hier foto's heeft gemaakt,' zei ze nonchalant.

Ondertussen probeerde ze zich te herinneren hoeveel ze hun had verteld over het incident op het schip en over de bemoeienis van de politie. Net als destijds had ze ook nu de neiging hen af te schermen.

'Hij is hier maar drie dagen geweest,' zei Tor. 'Maar wat zou het voor verschil hebben gemaakt als hij langer was gebleven?'

'Geen enkel.' Viva dwong zichzelf te glimlachen. Tor had gelijk. Niet alles hoefde iets te betekenen.

Na het avondeten werd besloten dat Viva in de hut zou slapen – een aantrekkelijk gemeubileerde kamer die losstond van het hoofdgebouw – en dat Tor en Rose een kamer zouden delen op de eerste verdieping. Nadat Viva was vertrokken, beklommen Tor en Rose de trap naar hun kamer. Toen ze zich hadden gewassen en hun nachtjapon hadden aangetrokken, liep Rose naar het raam en deed de luiken open.

'Kijk!' zei ze.

Het regende niet meer, achter de mousseline gordijnen was een bleke maan zichtbaar, omhuld door een sluier van mist.

'Weet je nog dat we vroeger zeker wisten dat er een mannetje in de maan woonde?'

'Ach ja, wat een sukkels waren we.' Tor gaf haar een por in de ribben. Ze was niet in de stemming voor nostalgie.

Het bed van Rose stond bij het raam en was gedekt met prachtige, frisse, linnen lakens. Ze kropen er samen in en zetten de luiken wijd open, zodat ze de paarse contouren van de heuvels in de verte konden zien. Het begon weer te regenen, een teder, bijna sussend geluid, en ze roken de zwakke geur van citroen en honing, afkomstig van de ouderwetse rozen op het nachtkastje.

Rose sloot haar ogen en trok het donzen dekbed over haar buik.

'Doe je ogen dicht, Tor,' mompelde ze. 'En vertel me dat we thuis zijn. Dat mevrouw Pludd elk moment kan binnenkomen met chocolademelk. Dat Bonny buiten in de wei hooi staat te knabbelen.'

Tor sloot braaf haar ogen, maar het spelletje kon haar niet bekoren.

'Ja, dat was nog eens een leventje, Rose. Zie je ons nog lopen, tot onze enkels in de modder? Met winterhanden? En elke morgen ijs in het wasbekken?'

Maar toen voelde ze zich gemeen. Rose had recht op heimwee. Ze kreeg een kindje, en bovendien had ze tijdens het avondeten verteld over de laatste brief van haar moeder. Haar vader had een borstinfectie en voelde zich 'niet honderd procent', wat er bij de Wetherby's op neerkwam dat hij op sterven na dood was. Het lag in de lijn der verwachting dat Rose hem nooit meer zou zien.

'Mis je het allemaal heel erg, Rose?' In het licht van de lamp zag ze de zachte donshaartjes op de slapen van Rose, haar onberispelijke huid. Ze leek nog veel te jong om een kind te krijgen.

'Soms.' Toen Rose haar ogen dicht deed, wezen de goudblonde haartjes van haar wimpers naar beneden. 'Maar ach, ik denk dat iedereen het hier wel eens afschuwelijk vindt: de hitte, de stank, de club.'

En dat uit de mond van Rose die nooit klaagde!

Tor prutste aan de bedeltjes aan de armband van Rose: het gouden visje, het gelukspaardje, de kleine Sint Christoffel.

'Weet je nog dat je deze droeg op de avond dat we Queen Mary in slaap hebben zien vallen?'

In hun taaltje betekende dat de avond waarop ze aan het hof waren gepresenteerd.

Rose glimlachte. 'Ik was zó zenuwachtig. Weet je nog dat mammie ons voor het eerst champagne gaf, en dat ik toen de bedeltjes kreeg in een rood leren kistje? Om de een of andere reden vond ik dat het spannendst. "Dit was van oma, en nu is het van jou," zei ze. Ik had het gevoel alsof ik de sleutels van het koninkrijk had gekregen.'

'Alsof het leven toen pas echt begon.' Tor maakte het kleine gouden slotje los en de armband viel rinkelend in de schaal op het nachtkastje. 'Weet je nog hoe volwassen we ons voelden toen we in onze eigen taxi naar Buckingham Palace reden? En dat we uren nodig hadden om ons aan te kleden? En toen kregen we oude vleespasteien en we moesten twee uur in de stromende regen staan! Wat een mop! En toen eindelijk, de koningin! Het arme mens vond het allemaal zo verschrikkelijk saai dat ze praktisch in coma raakte.'

'Heb jij je jurk ooit nog gedragen?' vroeg Rose.

'Nee. Ik leek wel een kermistent, met dat afschuwelijke satijn en die tuttige tiara. Het lijkt nu allemaal zo onnozel, zo onbelangrijk. Mijn ouders zijn er bijna failliet aan gegaan. Mijn moeder heeft er wel voor gezorgd dat ik dat niet vergat. En waar was het allemaal goed voor, Rose?'

'Nergens voor,' zei Rose, en ze liet er diplomatiek op volgen: 'Maar het was lief van onze ouders om het te proberen.'

'Nou, wacht even.' Tor keerde zich naar Rose. 'Heb je op een van die feestjes Jack niet leren kennen?'

'O ja, natuurlijk.' Rose schoof het dekbed van haar buik. 'Daar heb ik Jack ontmoet.'

Toen ze zich omdraaide, was er beweging te zien in de bolling van haar buik.

'Is alles in orde, Rose?'

'Prima.'

'Het moet wel dol zijn om een kindje te krijgen,' opperde Tor behulpzaam.

'Dat is het soms ook.' Tor hoorde dat Rose een zakdoek tevoorschijn haalde. 'Het is... raar wanneer je het voelt bewegen.'

'Is dat opwindend?'

'Ja.'

Tor sloeg in gedachten haar ogen ten hemel. Waarom wilde Rose toch nooit iets zeggen als ze ergens door van streek was?

Buiten klonk een geluid, een bijna menselijke kreet. Tor huiverde. 'Wat was dat in 's hemelsnaam?'

'Dat zijn apen.' Rose pakte haar hand. 'Volgens Jane zit er een hele familie in de bomen bij de tennisbanen. Reusachtige, grijze beesten. Ze zien eruit als mensen.'

'Rose,' probeerde Tor opnieuw. 'Ik weet dat we het er niet over zouden hebben, maar ik ga al heel snel naar huis. Als ik je moeder zie, wat wil je dan dat ik zeg?'

'Alleen maar positieve dingen,' klonk de stem van Rose aarzelend in het donker. 'Zeg maar dat ik het geweldig naar mijn zin heb. Dat alles goed is met de baby. En dat Jack... dat Jack een uitstekende echtgenoot is. Maar probeer erachter te komen wat pappie nou precies mankeert. Volgens mij is het veel ernstiger dan ze willen toegeven.'

'Waarom draaien mensen in brieven naar huis toch altijd zo om de waarheid heen?'

'Dat weet ik niet,' zei Rose. 'Sterker nog, ik weet niet eens wat de waarheid is.'

'Wat is er aan de hand, Rose? Vertel het me, alsjeblieft.'

'Dat kan niet.'

'Waarom niet?'

'Omdat ik getrouwd ben, en dan kun je niet zomaar alles zeggen. Dat is niet eerlijk.' Haar stem was luider geworden. 'Het is niet eerlijk tegenover degene met wie je getrouwd bent. Je hoort maar één kant van het verhaal.'

Tor liet zich weer op het kussen vallen. Dit was om doodmoe van te worden. Rose was haar liefste, haar allerliefste vriendin. Toen ze een arm om haar heen sloeg, pakte Rose haar hand en hield die stijf vast.

'Het spijt me als ik bemoeiziek ben.'

'Dat ben je niet,' zei Rose gesmoord. Ze lag met haar rug naar Tor toe. 'Je bent de beste vriendin die een mens zich maar zou kunnen wensen.'

Tor wachtte opnieuw, maar er kwam niets meer, en uiteindelijk viel Rose in slaap.

Tor lag nog uren wakker. Met haar ogen wijd open luisterde ze naar de wind, naar de geluiden van de apen, naar de kalme, regelmatige ademhaling van Rose.

Ze had een vreemd gevoel diep vanbinnen, zoals wanneer je tijdens het zwemmen even wilt gaan staan, maar het water is dieper dan je had gedacht en je voelt alleen maar leegte onder je voeten.

38

De volgende morgen, na het ontbijt kwam Jane Stephenson binnenwandelen met een pekinees onder haar arm. Ze stelde voor dat de meisjes die dag gingen picknicken bij Lake Pykeva. Als ze dat wilden, konden ze met alle plezier haar tonga lenen.

'Is de pony wel rustig?' vroeg Rose een beetje angstig.

'Maak je geen zorgen. Die laat zich door niets of niemand uit zijn evenwicht brengen,' antwoordde hun gastvrouw.

'Maar ik moet wel zeggen dat ik het erg dapper vind van je man dat hij je zomaar heeft laten gaan,' kon ze niet nalaten eraan toe te voegen.

Tor, die achter Jane zat en smulde van haar toast, rolde met haar reusachtige ogen en zakte onderuit op haar stoel.

'Ja, hè?' zei Rose allervriendelijkst.

Toen ze buiten kwamen, stond de zon stralend aan de hemel en zag alles er oogverblindend uit: elk blad, elke bloem leek te zijn schoongewassen door de regen van die nacht, en overal klonk het gezang van vogels.

'Houden julie net zo van vogels als wij?' Bunty was met hen meegelopen, gewapend met een groot, beduimeld boek. 'Zo ja, dan kunnen jullie hier je hart ophalen. Er zit van alles. De kasjmirvliegenvanger, de blauwe nachtegaal, de roodstaartlijstergaai. Die laatste is een erg luidruchtig baasje. Je kunt hem horen grinniken. Neem dit maar mee.'

Rose kreeg het vogelboek en een verrekijker in handen gedrukt, toen de tonga kwam voorrijden met een fraaie Welsh pony ervoor die Bunty met de fles had grootgebracht nadat zijn moeder was doodgegaan, zoals ze vertelde.

De koetsier, een knappe man met een vuurrode tulband en witte beenkappen, bracht de traditionele groet toen ze in het rijtuigje stapten. Eén tik met de zweep op de dikke billen van de kleine pony, en ze vlogen een kronkelende weg af met uitzicht op blauwe heuvels en meren en daarboven de uitgestrekte, blauwe hemelkoepel.

Tor deed gek met de verrekijker. 'Zeg, is dat niet de leigerugde vork-staart?' zei ze, met de stem van Bunty. 'Deksels, ja dat is hem!' Toen hij hen hoorde lachen, draaide de koetsier zich om en begon onvast aan het eerste van een stel liedjes die de memsahibs wel mooi zouden vinden, zei hij. Uiteindelijk zongen ze allemaal mee. Viva kende van sommige lied-jes zelfs de woorden – ze had ze met haar kinderen gezongen – tot blijde verrassing van de voerman.

Tegen lunchtijd bracht hij hen naar een prachtig plekje onder een groep banyans, vanwaar ze uitkeken over de heuvels. Zodra ze gingen zitten, verscheen er een groep grote grijze apen, gespierde beesten met priemende ogen, die hangend aan boomtakken aandachtig op hen neer-keken.

Tor stond op en keek terug.

'Je zult je wel afvragen waarom ik jullie heb laten komen,' zei ze met de stem van juffrouw Iris Wykham-Jones, de directrice van hun kost-school. 'Dat zal ik jullie vertellen. Er worden van nu af aan geen – ik her-haal geen – vlooien meer uit oksels gegeten tijdens de samenkomsten. Is dat duidelijk?'

De aap trok zijn lip op en krijste.

'En geen gestaar! En er worden geen billen meer gewassen in het open-baar!'

'Maak hem alsjeblieft niet van streek,' smeekte Rose. 'Het is echt niet grappig, Tor. Ik vind ze afschuwelijk.'

'Rustig maar, Rose,' zei Tor. 'Ze zijn banger voor ons dan wij voor hen.'

'Hoe weet je dat?'

'Dat weet ik niet,' moest Tor toegeven. 'Dat zegt iedereen altijd.'

De koetsier was overeind gesprongen bij de kreet van de aap. Hij lach-te zijn witte tanden bloot tegen de meisjes, sloeg met zijn stok tegen de boom en begon hartelijk te lachen toen de apen op de vlucht sloegen.

'Hanuman, de apengod, schijnt erg goed te zijn in het verhoren van gebeden,' vertelde Viva.

Maar Rose zag nog altijd doodsbleek. 'Ze zijn afschuwelijk,' zei ze. 'Ik heb echt een hekel aan ze.'

'Ze zijn weg. Allemaal.' Tor rolde een geruite plaid uit en maakte de picknickmand open. 'Kom, dan gaan we eten. Ik rammel, zoals gebrui-kelijk.'

Er kwamen vers gemaakte broodjes tevoorschijn gewikkeld in blauw-met-wit geruite servetten, dunne plakken gebraden vlees, eieren met kerrie, verse mango's, een grote zachte vruchtencake, zelfgemaakte limonade in een fles, zorgvuldig gewikkeld in de *Ootacamund Times*, tegen het lekken.

'Dit is de beste picknick die ik ooit heb gehad,' zei Tor met haar mond vol. 'Trouwens, Viva, waarom liet onze koetsier je die angstaanjagende dolk zien aan zijn riem?'

'Die heeft hij om ons te beschermen tegen de *badmash*, de schurken. Maar we zijn hier volmaakt veilig. Tenminste, dat zegt hij. Dit is tenslotte Snooty Ooty. De inheemse bevolking hier is dol op de Engelsen.'

'Dat dachten ze in Amritsar ook,' grapte Tor. 'Tot hun hoofd eraf werd gehakt.'

'Hun hoofd is er niet afgehakt,' protesteerde Viva. 'Ze...'

'Laten we het alsjeblieft over iets anders hebben,' kapte Rose haar af. 'Ik heb er zo genoeg van. In Poona gaat het al tijden lang over niets anders.'

'Je hebt gelijk, Rose.' Tor schonk limonade in. 'Op een dag als vandaag praten we niet over akelige dingen. Dus ook niet over mijn moeder en de boot naar huis. Laten we drinken op ons. En op onze bishi.'

Toen hun glazen tegen elkaar tikten, hing er plotseling weer een reusachtige, grijze aap aan een van de onderste takken van de boom. Door het gebladerte heen keek hij hen bijna flirtend aan. Toen zwaaide hij naar een andere tak, waar hij zijn lip optrok en geluidloos naar hen lachte.

'Vreselijke beesten!' Rose verstijfde. 'Mijn dokter vertelde dat ze baby's stelen.'

Ze zag eruit alsof ze elk moment in snikken kon uitbarsten, besefte Tor bezorgd. Ze had Rose nog nooit zo nerveus gezien en ze wilde dat ze wist hoe dat kwam.

Na het eten haalde Viva haar dagboek tevoorschijn en begon te schrijven.

'Alsjeblieft, Viva,' zei Tor plagend. 'Leg dat boek weg en gedraag je voor één keer als een normaal mens.'

Viva hoorde haar amper. In de tonga had ze aan Talika gedacht. Bang dat Viva voorgoed wegging, was het nog altijd magere kleine meisje op de avond voor haar vertrek met een smoesje het kantoor komen binnen stormen. Daar was ze op een stoel geploft, en ze had gevraagd of ze na haar terugkeer de stad in konden gaan om haar moeder te zoeken.

'We zullen het proberen,' had Viva gezegd, overvallen door een diepe moedeloosheid. Daisy had al diverse pogingen ondernomen, zonder succes.

Talika had over haar moeder verteld, 'omdat ik haar begin te vergeten', had ze had gezegd, en ze had Viva met haar koolzwarte ogen indringend aangekeken.

Ze liet haar een tekening zien van een schuur, omringd door regen als pijpenstelen.

'Mijn huis,' zei ze in het Engels. Naast het huis stonden drie kinderlijk getekende poppetjes met potten op hun hoofd. 'Hier maakte mijn mamji chapati.' Ze wees naar een klein vuur op de grond. 'En dit ben ik. Ik help haar. En dat is mijn oma.' Ze wees naar een liggende figuur op een charpoy. 'Ik ben bezig dhal voor haar te maken.'

Haar ogen waren overschaduwd door verdriet. 'Ze zijn mijn *bhoot kal.*' Ze vouwde de tekening op en stopte hem in de zak van haar jurk.

'Wat is bhoot kal?' vroeg Viva later aan Daisy.

'Het betekent letterlijk "geesten-tijd",' antwoordde die.

Viva hield even op met schrijven. De heuvels in de verte, de smaak van limonade in haar mond, dat alles riep een reeks vage herinneringen in haar wakker, ongrijpbaar, beklemmend, als een opening in de mist, en ze zag voor haar geestesoog een andere boom met apen, een vrouw die bang voor ze was, er klonken luide, Engelse stemmen, de ene lachend, de andere bang.

Als door een sloopkogel werd ze plotseling getroffen door het beeld van haar moeder, die huilde tijdens een picknick met het gezin. Waarom loodste haar vader haar mee naar de rand van het bos? Om haar de mantel uit te vegen? Om haar te troosten? Waarom deed de herinnering zo'n pijn?

'Viva.' Tor griste haar potlood weg. 'Wat kijk je ernstig. Hier!' Ze stopte haar een stuk cake in de hand.

Viva nam een hap. De cake was heerlijk – veerkrachtig, boterig van smaak en met een fris laagje limoenglazuur.

'Goddelijk, waar of niet?' Tor keek haar lachend aan. 'Om opnieuw in zingen uit te barsten.'

'Verrukkelijk.' Viva glimlachte. Een van de vele redenen waarom ze zo op Tor gesteld was en waarom ze haar zou missen, was haar enthousiasme voor kleine dingen – citroencakes, Jelly Roll Morton, honden, de zonsondergang.

Enthousiasme. Viva keek met een half oog naar een stoet loodgrijze wolken die boven haar hoofd langs de hemel trok. Wat een ironie dat William, de minst enthousiaste persoon die ze ooit had gekend, haar ooit had verteld wat het woord betekende. In het Grieks, natuurlijk.

'Het betekent dat je bezeten bent door een god,' had hij gezegd, zorgvuldig formulerend met zijn heldere stem.

Diezelfde avond – ze zaten in Wheeler's Restaurant in Soho en genoten van een heerlijke chocolademousse – had William verkondigd dat lijden de kern vormde van het menselijk leven. Dat was een van de weinige dingen waarover boeddhisten en christenen het eens waren, beweerde hij.

Toen ze had gezegd dat er een heleboel dingen in haar leven waren waarvan ze genoot, en dat ze soms vol ongeduld en verlangen uitzag naar het moment van ontwaken de volgende dag, had hij bijna gehuiverd van zoveel banaliteit.

'Ik heb het niet over... eh... poppen en pony's en de geur van verse koffie,' had hij ongeduldig gezegd. 'Al die dingen waar iedereen het over heeft bij dit soort gesprekken. Ik heb het over echt, duurzaam geluk. Als dat al bestaat, wordt het bereikt door zelfdiscipline en door niet méér te verwachten van mensen dan ze in staat zijn te geven, want anders stellen ze je toch maar teleur.'

Nu vroeg ze zich af waarom ze zo gehoorzaam naar zijn zure preken had geluisterd, terwijl ze er diep vanbinnen toen al voor was teruggedeinsd en ook toen al had geweten dat hij slechts ten dele gelijk had. Natuurlijk was het geweldig om werk te doen dat je leuk vond. Maar het was slechts een deel van het grote geheel. Ze dacht aan Talika die op Chowpatty Beach op blote voeten danste met haar vlieger, ondanks alles wat ze was kwijtgeraakt. Soms was geluk zo simpel.

Ze strekte zich uit op het kleed, sloot haar ogen en liet de gedachten aan William los. Wat was het heerlijk om na de drukte en de hitte van Bombay weg te doezelen in de vrije natuur, met je vriendinnen vlakbij. Om de paarsige patronen van het zonlicht achter je oogleden te zien, om de wind te horen fluisteren door de dennenbomen, als een tedere golfslag op de kust. Terwijl ze in slaap dommelde, proefde ze nog steeds de smaak van limoen, en voordat ze besefte wat er gebeurde, was het alsof Franks lippen zacht over de hare streken.

'O god!'

Ze schoot overeind en stootte per ongeluk Tor aan die naast haar lag. 'Wat is er?' vroeg die slaperig. 'Ben je gestoken door een bij?'

'Nee, niks aan de hand.' Viva omklemde haar eigen schouders. 'Niks aan de hand. Ik was bijna in slaap gevallen.'

Maar haar hart bonsde, alsof ze op het nippertje was ontsnapt aan een ongeluk, of een val.

Ze moest ophouden zo aan hem te denken, dacht ze terwijl ze weer ging liggen en begon te inventariseren wat ze allemaal niet leuk aan hem vond. Om te beginnen was hij te aantrekkelijk om te zien. De puritein in haar zag daarin de kiem voor arrogantie, zorgeloosheid, luiheid, want het was iets waarvoor hij niets had hoeven doen. Het was alsof je elke dag een winnende hand kaarten kreeg uitgedeeld, in elk geval tot de jaren hun tol eisten en het uiterlijk ruïneerden. Ze erkende dat ze misschien een beetje oneerlijk was geweest door geen oog te hebben voor het verdriet in zijn leven, noch voor het feit dat hij zijn werk als arts serieuzer nam dan hij liet blijken... O, en hij kleedde zich tamelijk sjofel, en zijn haar zag er altijd uit alsof het nodig moest worden geknipt. Maar die glimlach, die verrukkelijke onverwachte glimlach... Op het schip had ze gezien hoe hij daarmee talloze harten had gebroken, en dat had haar doen beseffen dat ze op haar hoede moest zijn. Ja, dat was het. Ze was nog altijd niet helemaal zeker van hem. Charme. Ook van dat woord had William haar de oorsprong geleerd. Charme was niet iets oppervlakkigs, had hij haar verteld. Het stond niet voor innemendheid, voor schone schijn. Het betekende: het vermogen om anderen een bezwering op te leggen. Dus misschien was dat het wat ze had gevoeld in Franks armen toen ze met hem had gedanst – een beetje licht in haar hoofd, een beetje in de war, maar niets wat ze niet weer kon herstellen. Hij moest zijn bezweringen maar bewaren voor zwakkere schepsels, dacht ze, opnieuw op het punt van inslapen. Om te overleven zou ze haar hoofd er volledig bij moeten houden.

Het begon weer te regenen. Toen ze opstond, kwam hun koetsier naar hen toe. Hij wees naar de andere kant van de vallei, waar zich dichte wolken samenpakten.

'Stik!' zei Tor. 'We worden drijfnat.'

De grijze pony legde de hele weg naar huis in galop af, maar toch waren ze doorweekt tegen de tijd dat ze bij het hotel arriveerden.

Onder de beschutting van een stel paraplu's renden ze naar de veranda, maar toen bleef Rose ineens zo abrupt staan dat Viva tegen haar op botste en pijnlijk haar neus tegen haar achterhoofd stootte.

In de deuropening stond een lachende Frank, in zijn gebruikelijke gekreukte linnen pak, met zijn hoed in zijn hand.

Viva voelde dat haar hart een radslag maakte, maar het volgende moment haatte ze hem bijna. Wat een brutaliteit om zomaar midden in hun vakantie op het toneel te verschijnen, alsof hij dacht dat hij hun daar een geweldig plezier mee deed!

'Madam.' Hij boog zich schertsend over de hand van Rose en beroerde die vluchtig met zijn lippen. 'Er zijn wat problemen in Bombay, dus het leek me verstandig jullie op de terugreis te escorteren.'

'O Frank, schei uit!' Tor was drijfnat, haar gezicht zag vuurrood. 'Mij hou je niet voor de gek! Ik weet precies waarom je hier bent.'

Viva pakte woedend haar hand en omklemde die als een bankschroef.

'Frank.' Ze schudde hem koel de hand. 'Vertel! Wat is er gebeurd?'

'Ik heb thee besteld,' zei hij. 'Laten we naar de zitkamer gaan. Dan praten we daar verder.'

Ze haastten zich naar boven om droge kleren aan te trekken. Toen ze de zitkamer binnen kwamen, waren de rode gordijnen nog open. Buiten viel de regen als een grijs gordijn uit de hemel. Frank ging op de rand van de haard zitten, met zijn rug naar het vuur, zijn benen ontspannen gestrekt.

Het duurde niet lang of Bunty verscheen met thee en scones. Ze had zich verkleed in een gebloemde jurk – het was voor het eerst dat ze haar in een jurk zagen – en had een beetje poeder op haar tanige wangen gedaan. Opnieuw voelde Viva een vlaag van boosheid. Hoe durfde een man zo zelfverzekerd te zijn, zo vol vertrouwen in eigen kunnen? Want het kon niet anders of hij voelde dat alle harten sneller klopten sinds zijn komst.

Bunty schok hem als eerste thee in en voorzag hem royaal van scones en jam. Viva hoorde het tikken van het staand horloge naast het raam en besefte toen dat hij naar haar zat te kijken over de rand van zijn theekop. In verlegenheid gebracht wendde ze zich af, en ze begon Bunty enthousiast te vertellen dat ze zo'n heerlijke dag hadden gehad. Ze vroeg naar de blauwe nachtegaal, waarover ze had gelezen in het vogelboek. Was hij echt blauw? En klopte het dat hij net zo brutaal was als het Engelse roodborstje, waarvan hij familie zou zijn?

Wat klonk ze onoprecht, dacht ze. Zelfs in haar eigen oren. Als een vrijgezelle tante.

'Ja, ze zijn schitterend, echt prachtig!' Bunty had dit – of woorden van gelijke strekking – ongetwijfeld al talloze malen gehoord van eerdere gasten, en ze was er duidelijk op gebrand haar gesprek met Frank, over zijn 'gedokter' zoals ze het een beetje schalks noemde, voort te zetten. 'Dus begrijp ik het goed? Je hebt echt een serieuze baan in een ziekenhuis in Bómbay!' vroeg ze, alsof hij was afgedaald naar de laatste cirkel van de hel. 'Wat ontzettend dapper van je! Ben je wat ze hier in India een *niswarthi* noemen?'

'Wat betekent dat?' vroeg Tor zonder omwegen. Ze had naar Frank zitten staren terwijl hij aan het woord was.

'Dat is Hindi voor een onzelfzuchtig iemand,' antwoordde Bunty met een stralende blik op Frank.

'O hemel, nee!' Hij strekte zijn benen en produceerde zijn kenmerkende glimlach. 'Ik doe het alleen voor het bier en de sigaretten.'

Daar was hij weer, dacht Viva. Een prachtig jong mannetjesdier, omringd door een keur van bewonderende wijfjes. Dit was de Frank van het schip, de Frank die ze had gewantrouwd. Het was een opluchting dat ze daar in elk geval duidelijkheid over had.

Na de thee trok Bunty zich terug, om toezicht te houden op het schoonmaken van de goten en om te controleren of het niet lekte in de onderkomens van de dieren. Ze kregen in mei wel vaker een voorproefje van de regentijd, vertelde ze, waarbij ze alleen Frank aankeek. Dat kon soms erg angstaanjagend zijn. Het vorige jaar was er bij abnormaal zware regenval in vierentwintig uur ruim een halve meter gevallen, met als gevolg dat een groot stuk van de oprijlaan, vlak bij het hotel, was weggespoeld.

'Lieve hemel,' zei Rose zwakjes. 'Ik hoor het al. Er is hier altijd wel wat te beleven.'

Toen Bunty weg was, kwam er een bediende om de gordijnen dicht te trekken, de lampen aan te steken en de lonten bij te knippen.

'Zo Frank,' zei Rose plagend toen de bediende weer weg was en de deur achter zich dicht had getrokken. 'Vertel ons dan nu eens over die problemen in Bombay. Of was dat gewoon een list om mee te kunnen met het uitje van onze zangvereniging?'

'Helaas niet.' Frank was in een oorfauteuil bij het raam gaan zitten. Er was niets meer over van zijn luchtige, speelse toon. 'Er zijn al twee dagen rellen in de straten. Ongeregeldheden tussen moslims en hindoes. Dat is op zich niet ongebruikelijk, maar het gaat er nu wel erg hard aan toe. Ik heb gezien dat de relschoppers een man overgoten met benzine en in brand staken. Hij stond in een oogwenk in lichterlaaie, als een pop op Guy Fawkes Day.'

'O god!' Viva dacht aan thuis, aan Suday en Talika, aan Daisy en meneer Jamshed.

'Maak je nog maar geen zorgen,' zei Frank. 'Het is allemaal vrij plaatselijk, in de barakkenwijken rond Mandvi. In Byculla is alles rustig gebleven, en hetzelfde geldt voor Malabar Hill. Uiteindelijk zal het wel weer ophouden, net zo plotseling als het is begonnen. Maar ik vond het geen prettig idee dat jullie helemaal alleen zouden reizen, en ik had toch twee dagen vrij.'

Hij keek Viva aan, alsof zijn uitleg vooral voor haar was bedoeld.

'Jullie zouden er verstandig aan doen om vóór dinsdag terug te zijn in de stad. Dan is er een belangrijke vergadering van het Congres, en het zou kunnen zijn dat zich ongeregeldheden voordoen bij het station. In het ziekenhuis worden extra bedden in gereedheid gebracht. Je man heeft mevrouw Mallinson gebeld,' zei hij tegen Rose. 'Hij wilde op de trein stappen om je te komen halen, maar dat zal niet gaan. Alle verloven zijn ingetrokken.'

Het gezicht van Rose bleef onbewogen.

'In het vrouwenrijtuig naar Poona zit je veilig,' stelde Frank haar gerust. 'Dit heeft tenslotte niets met ons te maken. Ze hebben het met elkaar aan de stok. Maar het is logisch dat hij zich zorgen maakt.'

'Natuurlijk,' zei Rose onverschillig. 'Het is erg aardig van jullie allebei om je zorgen te maken, maar daar is ongetwijfeld geen reden voor.'

Toen ze opstond raakte haar blonde haar bijna de vlam van de lamp. Ze was erg moe, zei ze, dus ze ging naar bed. Bij de deur keerde ze zich om. Het was een heerlijke dag geweest, zei ze. Een dag om nooit te vergeten.

'En er is vast geen enkele reden om ons zorgen te maken,' zei ze nogmaals.

'Wie zegt dat we ons zorgen maken?' Tor stond ook op. 'Alles wat vertraging oplevert waardoor ik nog niet naar huis kan, is welkom.' Iedereen lachte, alsof ze een grapje maakte, maar ze was volkomen serieus.

De regen sloeg inmiddels met een geluid als van scherpe kiezels tegen het raam.

'Ik ga ook naar bed.' Viva stond op.

'Blijf nog even,' zei Frank. 'Er is nog iets wat ik je moet vertellen.' Hij pakte haar hand.

'Ik weet niet goed hoe ik het moet zeggen, dus ik val maar meteen met de deur in huis. Het gerucht gaat dat Guy is vermoord. Het spijt me. Ik vind het afschuwelijk.'

'Wat?' Ze staarde hem wezenloos aan. 'Waar heb je het over?'

'Het is maar een gerucht. Dus misschien is het niet waar. Maar volgens de politie is hij niet in zijn pension, en toen ze contact zochten met zijn ouders, zeiden die dat ze hem in geen weken hadden gezien. Op straat, vlak bij je huis is een verbrande jas gevonden waar zijn naam in stond. Het schijnt dat hij een maand geleden bij jou in de buurt is komen wonen.'

'Hij is een paar weken geleden ook hier geweest.' Viva voelde dat haar maag verkrampte. 'Ik weet niet waarom.'

'Dat weet ik ook niet.'

'Waarom zei je dat er in Byculla niets gebeurd is?'

'Dat is er ook niet. Behalve dit.'

'Weet meneer Jamshed ervan?'

'Nee. Tenminste, ik geloof het niet. En het is misschien ook allemaal niet zo erg als het lijkt. Maar ik vond dat je het moest weten. Dat je tenminste gewaarschuwd moest zijn.'

'Van wie heb je het gehoord?'

'Van een politieman. Een van de inheemse agenten in Byculla. Hij is degene die Guy in de gaten hield.'

'O nee!' Haar mond vulde zich plotseling met speeksel, alsof ze op het punt stond over te geven. 'Denk je dat ze hem in brand hebben gestoken?'

Frank loodste haar naar een stoel.

'Ik weet het niet,' zei hij nogmaals.

Ze wreef hoofdschuddend in haar ogen. 'Wat is er precies gebeurd?'

'Dat is nog niet duidelijk. De broer van de man die Guy op De Kaiser in elkaar heeft geslagen, is een zekere Anwar Azim, hoorde ik van de politie. Een machtig man. Hij heeft in de politiek een dikke vinger in de pap. En hij is lid van de All-India Muslim League, waar Guy zich om nog onduidelijke redenen ook bij had aangesloten. Azim heeft zelf inlichtingen ingewonnen over het incident op het schip – daarvoor hoefde hij waarschijnlijk alleen maar een paar Brits-Indische matrozen om te kopen – en vervolgens heeft hij het recht in eigen hand genomen.'

'Maar daar zal de politie toch wel iets tegen ondernemen?'

'Dat hoeft niet. Eerlijk gezegd denk ik van niet. De situatie is erg chaotisch. Dit had op geen slechter moment kunnen gebeuren.'

'Is het zo erg?'

Haar stem trilde. Hij sloeg zijn arm om haar heen, maar ze weerde hem af.

'Er is niemand die het precies weet.' Hij probeerde haar te ontzien, besefte ze.

'Ik wil niet dat je dingen voor me achterhoudt,' zei ze verontwaardigd. 'Vertel op! Wat is er écht gebeurd? Het hele verhaal! O, Guy!' In gedachten zag ze hem voor zich, als een brandende lappenpop.

'Dat kan ik je nog niet vertellen. Alleen wat willekeurige feiten.'

'Zoals?'

'Nou...' Hij nam haar bezorgd op. 'Het zou kunnen zijn dat er een scheuring optreedt in de partij. En dan kan er van alles gebeuren. Of niets. Er is niemand die het met zekerheid kan zeggen.'

'Van wie weet je dit allemaal? Over Guy, bedoel ik?' Het leek wel alsof haar gedachten alle kanten tegelijk uit gingen.

'Van de politie. Ze hebben me dit gegeven.' Hij gaf haar een dunne portefeuille en een pakje foto's. 'Die hebben ze in zijn jaszakken gevonden, zei de politie. En ze vroegen of ik ze wilde teruggeven aan zijn ouders.'

'Misschien moeten we ze eerst zelf bekijken.'

'Dat heb ik al gedaan. Er zitten ook foto's van jou bij. Kijk.' Hij hield haar een close-up voor, gemaakt in de straat vlak bij het kindertehuis. Ze droeg een zomerjurk en glimlachte naar Parthiban, bij wie ze op weg naar haar werk altijd een mango kocht. Eronder stond met zwarte inkt in kinderlijke letters: MATAJI – mijn moeder.

Op de tweede foto zat ze op Chowpatty Beach, met de slapende Talika naast zich in het zand. Achter hen was de hemel gevuld met vliegers. Langs de onderrand van de foto had hij haar naam geschreven, met een fout in de spelling: JUFFROUW VIVA HALLAWAY, en daar weer onder IS ZE KAÏN OF ABEL?

'Hij heeft me gevolgd!'

'Ja, maar als jij het niet was geweest, had hij wel iemand anders uitgezocht. Hij zoekt gewoon wanhopig naar iemand om van te houden, iemand die hij de schuld kan geven.'

'Wat verschrikkelijk.' Ze begon te trillen. 'Ik mocht hem helemaal niet. Sterker nog, ik haatte hem bijna. Ik had hem nooit onder mijn hoede moeten nemen.'

Ze voelde dat hij een arm om haar schouders legde. 'Je moet jezelf geen verwijten maken,' zei hij zorgzaam. 'Hij is moederziel alleen, als jongetje van drie, naar Engeland gestuurd. Vanaf dat moment was hij al verknipt. Dat wist hij zelf als geen ander. Ik raak er hoe langer hoe meer van overtuigd dat hij kampt met ernstige psychische problemen.'

Een vlam laaide op in het vuur, en ze zag Guy in de gloed – met starende ogen, grijnzend, zijn tanden ontbloot.

'Ik denk dat we nog maar niets tegen Rose en Tor moeten zeggen,' zei ze. 'Wat heeft het voor zin om ze bang te maken? We moeten eerst volledige zekerheid hebben.'

Frank vertrok zijn gezicht. 'Daar heb ik de hele weg over nagedacht. Maar ik vind het wel erg zwaar voor je om hier helemaal alleen mee rond te lopen.'

'Weet Daisy het?'

'Nog niet.'

Ze stond op met de vage gedachte dat ze naar bed moest, maar ze was duizelig, en opnieuw voelde ze zijn arm om haar schouders.

'Laat me je helpen,' zei hij bezorgd.

'Ik slaap in het huisje aan de andere kant van het grasveld,' zei ze.

Terwijl ze door het drijfnatte gras liepen rukte een windvlaag aan haar jas, en aan de overkant van de vallei deed een zwakke lichtflits de heuvels baden in een groenachtig licht.

'Er is noodweer op komst,' zei hij.

'O wat verschrikkelijk. Echt verschrikkelijk.' Ze huilde, denkend aan Guys haar dat in brand stond, aan zijn brandende kleren. 'Dat had hij niet verdiend.'

Frank sloeg zijn arm weer om haar heen.

'We weten het nog niet zeker. Daar moet je je aan vasthouden. Het wemelt hier nu eenmaal altijd van de geruchten.'

In de verte klonk gebulder, gevolgd door weer een lichtflits. De regen

viel plotseling met bakken uit de lucht, en in een oogwenk waren ze allebei doorweekt.

Haar handen trilden zo dat het een eeuwigheid leek te duren voordat
ze haar sleutel uit haar tas had gevist. Toen ze hem aan Frank gaf, zag ze
dat zijn ribben zich aftekenden onder zijn natte overhemd, en haar oog
werd getrokken naar de holten van zijn schouders, de welving van zijn
slanke middel.

'Je bent nat tot op je huid, Viva.' Toen hij haar aanraakte, begon ze nog
harder te huilen, maar hij deed het opnieuw, heel teder, en streek over
haar schouders, haar buik, haar armen. Ze gaf zich over en sloot haar
ogen, terwijl ze haar hoofd op zijn schouder liet zakken.

Het kleine lampje naast het bed brandde nog. Ze had haar natte jurk van
eerder die dag op de grond laten liggen, op het bureau lagen haar pennen, haar dagboeken, en er stond een karaf met water.

Hij nam een handdoek van het rek naast het bed en begon haar gezicht droog te wrijven. Ze kon geen woorden uitbrengen terwijl de tranen over haar wangen stroomden en ze rilde over haar hele lichaam. Hij
wreef zorgzaam haar haren droog, hielp haar uit haar doorweekte jas,
haar vest, en liet de kleren op de grond vallen. Toen wikkelde hij haar in
een droge handdoek.

'Blijf alsjeblieft nog even,' zei ze toen ze besefte dat hij op het punt
stond om weg te gaan. Ze klappertandde.

Toen hij ging liggen, viel ze hem als een kind om de hals, met haar
ogen stijf dicht. Op de achtergrond hoorde ze vaag het scherpe getik van
de regen op een tinnen dak, begeleid door het kreunen van de wind. Het
was ineens allemaal zo simpel toen hij hem boven op zich trok: haar verlangen, zijn lichaam op het hare, dat de schaduw van de dood verdreef.

Toen het voorbij was, keek hij haar aan. Hij schudde zijn hoofd en ze
lazen zowel angst als verwondering in elkaars ogen. Toen nam hij haar
in zijn armen, trok haar dicht tegen zich aan en kreunde, schudde opnieuw zijn hoofd.

'Zeg niet dat je van me houdt,' zei ze.

39

Uit veiligheidsoverwegingen drong Frank erop aan dat ze eersteklas reisden, maar zelfs onder die omstandigheden stond Tor het huilen nader dan het lachen – iedereen leek zo uit zijn doen. Frank en Viva zaten aan de andere kant van het gangpad, zo ver mogelijk bij elkaar vandaan. Rose zat bij het raam, zwijgend en ineengedoken, en zonder iemand om mee te praten voelde Tor dat haar vertrouwen, haar optimisme begon weg te ebben.

Ze piekerde een tijdje over haar toegenomen gewicht. De vorige avond na het eten had ze zich op de grote zitweegschaal laten neerploffen die Jane op de overloop had staan, onder een foto van het poloteam van Ooty, een ploeg mannen die stuk voor stuk slank en fit oogden.

Jane had trots verteld dat de rijk versierde weegschaal een exacte replica was van de weegschaal in de Bombay Yacht Club en het gewicht tot op een ons nauwkeurig aangaf. Dus de moed was Tor in de schoenen gezonken toen de naald naar zeventig kilo was geschoten. Dat had ze zelfs in Engeland op haar zwaarst nooit gewogen. Dus ze hoorde in gedachten het commentaar van haar moeder al.

'Ik ben gigantisch,' had ze even later tegen Rose geklaagd terwijl ze voor de grote spiegel stond, knijpend in haar speklaag. 'Een soort babyolifant. En weet je wat pas echt verontrustend is? Dat ik daar alleen maar meer honger van krijg.'

'Je bent niet dik.' De arme Rose had het al talloze malen gehoord, maar het lukte haar nog altijd verontwaardigd te klinken. 'Je wilt er toch ook niet uitzien als een aangeklede kapstok? Bovendien, je hebt je prachtige grote blauwe ogen, en ooit komt de dag dat een man daarin verdrinkt,' had ze eraan toegevoegd met haar beste waarzegstersstem.

'Reken daar maar niet op,' had Tor somber gezegd. 'Ik ben mismaakt. Afstotelijk. En moet je die vlekken eens zien op mijn rug.'

'Je denkt toch niet dat ik mijn bed uit kom om naar jouw vlekken te kijken?' Rose zat rechtop tussen de lakens, met haar rug tegen twee kussens. 'Maar wil je een echte baby-olifant zien?' liet ze er fluisterend op volgen.

En toen had ze tot Tors grote schrik het beddengoed van zich af geschoven en haar nachtjapon omhoog getrokken – dat zou ze voor haar huwelijk nooit hebben gedaan – om haar enorme, harde buik te laten zien. De navel lag er als een soort eikel bovenop.

'Leg je hand er eens op,' zei ze. 'Kun je je voorstellen hoe enorm ik zal zijn tegen de tijd dat ik uitgeteld ben?'

Tor legde haar vlakke hand op de dikke buik en liet haar handen toen aan weerskanten naar beneden glijden.

'O god, Rose... is dat niet...' Afschuwelijk, had ze bijna gezegd. 'Is dat niet...' Voorzichtig tastend streek ze met haar vingertoppen over de welving. 'Is dat niet heel raar? Je lijkt nog helemaal niet dik, maar het voelt zo anders. En het is zo'n gek idee dat er in je buik een baby ligt te slapen. Heeft Jack het al gezien?'

'Ja.'

'Wat zei hij? Heeft hij er een kus op gedrukt? Moest hij huilen?'

Rose keek haar aan.

'Je bent zo romantisch, Tor,' zei ze vlak. 'Volgens mij zei hij helemaal niets.'

En weer had Tor het gevoel alsof ze op een muur stuitte, een soort streep die Rose in haar leven had getrokken, met daarachter een wereld vol volwassen zorgen – zorgen waarvan Rose dacht dat zij er te onnozel voor was, of te onervaren, om haar er deelgenoot van te maken.

De trein pufte verder. Tor zat met haar wang tegen het raam en piekerde over India. Over tien dagen zou dit alles – de reusachtige blauwe hemel, de lemen hutten waar ze aan voorbijschoten, de ezel, de vrouw in roze sari die wuifde naar de trein – ver weg zijn, en het zou niet lang duren of het was verbleekt in haar herinnering, als foto's in een album. Wat afschuwelijk, want ondanks alles wat er was misgegaan, was ze hier toch ook zo stralend, zo verrukkelijk gelukkig geweest.

Haar zucht veroorzaakte een grote, ronde condensvlek op het raam, en terwijl de trein langs velden met suikerriet suisde, kwam er ineens een opwekkender gedachte bij haar op: misschien werden de rellen in Bombay zo erg dat niemand de stad meer in of uit mocht. In dat geval zou de bootreis worden geannuleerd en zou ze misschien een tijdje bij Rose kunnen gaan wonen, in elk geval tot de baby er was. Want ze verwachtte niet dat CiCi haar nog veel langer onderdak zou willen verlenen.

Of misschien zou Ollie zich op het laatste moment een weg door de menigte vechten om haar te redden. Hij zou het P&O-kaartje uit haar hand grissen en verscheuren op de loopplank. De wind zou de snippers meenemen, en dan gingen ze weer samen dansen, net zoals ze dat op die avond in het Taj hadden gedaan. Met tranen in zijn ogen zou hij tegen haar zeggen hoe gelukkig hij was dat ze hem een tweede kans gaf.

Ach, schei toch uit met dat idiote gedoe! Een pijnscheut in haar nek maakte een eind aan de dagdroom. Toen ze haar ogen opendeed, zag ze dat Rose naar haar zat te kijken.

'Is alles goed met je?' vroeg ze. 'Je sliep zo onrustig.'

'Ik wil niet naar huis!' Ze had er meteen spijt van dat ze het eruit had geflapt, want ze hadden de stilzwijgende afspraak dat ze het tijdens deze vakantie niet over het onvoorstelbare zouden hebben: over twee dagen stapte Rose op de trein naar Poona, en dan? Jack werd geacht elke drie of vier jaar met verlof te mogen. Maar het viel niet te voorspellen of hij dat ook zou nemen, en waar ze dan heen zouden gaan. Misschien zagen ze elkaar wel nooit meer.

'Ik vind het ook erg,' zei Rose voorzichtig. Ze keek uit het raam. 'Na die fijne tijd met jullie is het vast en zeker heel raar om weer terug te zijn in Poona.'

Tor keek haar aan.

'Rose... als ik ooit terug zou komen naar India, of als het me zou lukken nog een poosje te blijven, zou ik dan een tijdje bij jou kunnen wonen?'

'Gossie.' Rose was duidelijk ernstig in verwarring gebracht. 'Bedoel je, als de baby er eenmaal is?'

'Ja.'

'Tja, eh... misschien wel.' Ze reageerde niet echt enthousiast. 'Ik zou het natuurlijk heerlijk vinden. Maar ik zou het aan Jack moeten vragen. En wat zou je moeten doen? Ik bedoel, waar zou je van leven? Denk je dat je ouders je zouden onderhouden?'

'Ach, ik weet het niet.' Tor liet zich tegen de rugleuning van de bank zakken. 'Ik weet het niet... Het was zomaar een dwaas idee. Laten we het maar vergeten. Ik kan jou tenslotte niet met mijn gezelschap opzadelen.'

'Dat is het niet, Tor,' zei Rose na een lange stilte. 'Alleen, er gebeurt op dit moment zoveel.' Tot Tors afschuw werd ze rood, en haar stem haperde.

'Rose, ik doe echt heel erg mijn best om mijn neus niet in jouw zaken te steken. Maar alles is toch wel goed met je?'

'Nee,' zei Rose toen ze haar stem weer onder controle had. 'Of eigenlijk, jawel. Alleen, het kan zijn dat Jack op korte termijn naar Bannu wordt gestuurd. De meesten van het regiment zijn inmiddels weer thuis, maar het dreigt al maanden, en... Nou ja, ik ben geen baas meer over mijn eigen leven.'

'Dat besef ik.' Arme Rose. Ze leek zo van streek, zo in verlegenheid gebracht. Om het over iets anders te hebben keek Tor naar Frank en Viva, aan de andere kant van het gangpad.

'Wat is daar in 's hemelsnaam aan de hand?' vroeg ze fluisterend. 'Volgens mij zit er iets helemaal niet goed. Ze zitten erbij als een stel zoutpilaren.'

'Ja, ik vind het ook vreemd,' fluisterde Rose terug. 'Niet om te roddelen... Hoewel, ik neem aan dat het roddelen is, maar ik heb ze vanmorgen uit haar kamer zien komen. Ik kon niet slapen en keek naar de zonsondergang. Maar moet je ze nu eens zien. Ze hebben bijna de hele reis nog geen woord tegen elkaar gezegd. Wat zou er gebeurd zijn?'

Tor haalde haar schouders op. 'Ik weet het niet,' zei ze geluidloos. 'Zullen we het erop wagen en het haar vragen?'

Terwijl Rose geluidloos 'Nee!' zei, deed Viva half haar ogen open, keek in hun richting en deed haar ogen weer dicht. Het ging haar niet erg goed af om te doen alsof ze sliep.

Het regende toen de trein Victoria Terminus Station binnen liep. Geoffrey Mallinson baande zich geagiteerd, met een rood hoofd en gewapend met een paraplu door de krioelende mensenmassa een weg naar hen toe. Boven het stationslawaai uit vertelde hij met bulderende stem dat hij zelf de Daimler had bestuurd, want de muren hadden oren en hij vertrouwde zelfs zijn eigen bedienden niet meer. Frank stapte achterin met Viva en Rose. Tor ging op de plek naast de bestuurder zitten.

Modder spatte op van de wielen van de Daimler, en de verregende straten lagen bezaaid met strooibiljetten, achtergebleven na de demonstraties.

'Jullie hebben wel het goede moment uitgekozen om de stad uit te gaan.' Geoffrey draaide zich half om naar Frank. 'Het was echt verschrikkelijk. Eerst de regen – bijna twintig centimeter in een uur – en toen de rellen. Ik ben gisteren twee uur onderweg geweest om op mijn werk te komen.'

Tor deed alsof ze huiverde. 'Denk je dat de onlusten nog lang gaan duren?' vroeg ze hoopvol.

Geoffrey leek haar niet te horen. Hij was het soort man dat vrouwen negeerde wanneer er andere mannen bij waren.

'Ik hoop dat jullie allemaal komen lunchen,' bulderde hij. 'Ci heeft een waar feestmaal aangericht.'

Tor zag dat Frank en Viva elkaar aarzelend aankeken. Ze hadden nog altijd niets tegen elkaar gezegd.

'Kom alsjeblieft.' Geoffrey nam hen in het achteruitkijkspiegeltje ongerust op. 'De memsahib heeft door alle problemen vijf dagen in huis opgesloten gezeten. En wie weet, misschien is dit wel de laatste keer dat we jullie in de Tambourine kunnen ontvangen.'

'Wat bedoel je?' vroeg Tor.

'Nou...' Geoffreys ogen zochten die van Frank.

'Londen krijgt het hoe langer hoe benauwder door de demonstraties, en bovendien zijn de winsten al sinds de oorlog enorm gekelderd. Dus ik denk niet dat we het hier nog lang volhouden.'

Tor hield geschokt haar adem in. 'Wat?'

'Hoeveel spinnerijen zijn er al dicht?' vroeg Frank.

'In de afgelopen maanden zijn er zeker een stuk of vijf, zes stilgelegd – voornamelijk jute en katoen – en wij slagen er nog maar net in het hoofd boven water te houden. Het is een drama als je bedenkt hoe hard we hebben gewerkt en hoeveel jaar het heeft gekost om de boel op te bouwen.'

De auto maakte een onverhoedse beweging toen Geoffrey plotseling luid toeterend een ossenkar ontweek. 'Schiet op, idioot!' riep hij uit het raampje. 'Opzij! Vooruit, opzij! Maar denk erom, geen woord tegen Ci,' zei hij toen de auto weer rustig en kalm zijn weg vervolgde. 'Ze is meer van streek door de hele toestand dan ze laat blijken.'

Zweet parelde op zijn voorhoofd, als een rij blaren. Hij veegde de druppels weg met zijn zakdoek.

'En het is natuurlijk heel goed mogelijk dat het allemaal een storm in een glas water blijkt te zijn,' troostte hij zichzelf, terwijl hij moeizaam ging verzitten op de te kleine autostoel. 'We hebben het tenslotte al vaker meegemaakt.'

'Lieverds!' Ci kwam op hen afstormen zodra ze de hal betraden. De oranje zijden jurk die ze droeg, was meer iets voor een feest dan voor een lunch. Ze had haar lippen uitbundig rood gestift en plantte daarmee haar merkteken op de wang van Tor.

'Heerlijk, heerlijk, echt héérlijk om jullie te zien! En bij wie hoort deze goddelijke jongeman?' Ze fleurde zichtbaar op toen ze haar hand op Franks arm legde. 'Pandit! Ik denk dat we allemaal wel een dubbele gin kunnen gebruiken. In de salon.' Ze knipte met haar vingers.

'Hoe vind je dat ik eruitzie?' vroeg ze plotseling aan Tor, terwijl ze door de marmeren hal liepen.

'Geweldig,' zei Tor. 'Echt geweldig, CiCi, en wat aardig dat je voor ons bent thuisgebleven.'

Ineens begreep ze de uitzinnige onrust onder het ogenschijnlijk spiegelgladde oppervlak van Ci's bestaan – de sessies met halters, het dagelijkse epileren van de wenkbrauwen, het gejubel over kleren.

'Dat ik voor jullie ben thuisgebleven?' Ci keerde zich naar haar toe. Er lag een verwilderde blik in haar ogen – de ogen van een vogel, dacht Tor onwillekeurig. 'Ik heb víér dagen lang geen stap buiten de deur gezet! Sterker nog, ik heb het gevoel dat ik dood en begraven ben. Toen ik vanmorgen wakker werd, zat er geen kleur meer op mijn wangen.'

'Nou, dan is het helemaal aardig dat je ons voor de lunch hebt uitgenodigd.' Rose schoot Tor te hulp. 'Waren de rellen erg angstaanjagend?'

'Helemaal niet,' zei CiCi uit de hoogte. 'Een stelletje sukkels zijn het, met twee petten.'

'Cecilia verwijst naar het feit dat hindoes vaak ook de islamitische hoofdbedekking bij zich dragen, voor het geval ze in de verkeerde buurt terechtkomen,' vertelde Geoffrey bereidwillig, altijd blij als hij uitleg kon geven.

'En omgekeerd,' voegde Ci eraan toe. 'De hele zaak is totaal verrot. Dus laten we allemaal een driedubbele gin nemen en ons niet verder bekreunen om het hele zooitje. Pandit! Waar zit je?'

'Het spijt me, maar ik ben bang dat ik niet kan blijven.' Frank keek met gefronste wenkbrauwen op zijn horloge. 'Mijn dienst begint om zes uur.'

Hij keek Viva aan, alsof zij de enige in de kamer was, maar ze schudde haar hoofd en wendde zich af.

'Hè, ga nou nog niet weg. Eén klein drankje kan toch geen kwaad?' Ci klonk bijna smekend. 'Ik heb het eigenlijk allemaal voor jou gedaan, om je te bedanken dat je de meisjes bent gaan redden.

En het eten staat al op tafel. Onze chauffeur brengt jullie straks terug. Want je hoeft hier niet op een taxi te rekenen. Tenminste, niet op dit moment.'

Frank en Viva keken elkaar weer aan, en opnieuw viel er een ongemakkelijke stilte.

'Dat is erg aardig van jullie,' zei Frank. 'Maar ik moet om uiterlijk vier uur weg.' Wat zag hij er merkwaardig uit, dacht Tor, en het viel haar op dat Viva zich opnieuw afwendde toen hij haar aankeek.

Zes bedienden in livrei, een achter elke stoel, sprongen in de houding toen ze de eetkamer betraden. Ze maakten een diepe buiging, met hun rechterhand op hun voorhoofd.

Het lichte, fraai geproportioneerde vertrek keek uit op een terras met grote plantenbakken waarin blauwe zonnewende en witte aronskelken bloeiden. De enorme kristallen luchter, die volstrekt ten overvloede brandde, toverde belletjes van licht op de tafel die was gedekt met wit damast, Venetiaanse glas en kleine kommetjes met witte bloemen.

CiCi ging onvast aan het hoofd van de tafel zitten. 'Pandit, laat die gin maar zitten en verwissel de glazen voor champagneflûtes. We hebben wat te vieren.'

'Ik ben het even vergeten, lieve. Wat vieren we ook alweer?' vroeg Geoffrey nerveus.

'Het leven, Geoffrey.' Ze keek hem doordringend aan. 'Het leven. Hij heeft geen gevoel voor dat soort dingen,' zei ze tegen Frank. 'Nooit gehad ook. Vooruit, schiet op. *Jaldi!*' zei ze tegen de bedienden die borden met zalmmousse en toast op tafel zetten. Er klonk een knal toen Pandit met een ervaren handbeweging de Moët & Chandon opende.

'Zo,' zei Ci toen iedereen had gedronken. 'Ik heb dagen in huis opgesloten gezeten – God, wat verschrikkelijk! – samen met Geoffrey, dus ik heb dringend behoefte aan een goede roddel. Vertel me eens iets wat ik nog niet weet. Iets leuks, iets spannends!' Ze vertrok haar gezicht in een merkwaardige grimas.

Tor, Rose en Viva keken elkaar enigszins wanhopig aan. Ci nam nog een slok champagne.

'Nou, ze zeiden dat ze een mieterse tijd hebben gehad in Ooty, lieve,' opperde Geoffrey behulpzaam.

'O ja?' Ci keerde zich naar Frank. 'Zijn er nog amusante gasten in deze tijd van het jaar?'

Rose haakte hier moedig op in. 'Ach, het was er erg rustig. Maar het was zo heerlijk om elkaar weer te zien, CiCi. En je had niets te veel gezegd over The Woodbriar. Jane heeft ons erg verwend. Ze had de heerlijkste picknicks voor ons klaargemaakt, en we hebben schitterende bloemen gezien. En na al die hitte was de koelte werkelijk verrukkelijk.'

Ze zweeg abrupt en nam een slok water. Boven de rand van haar glas waren Ci's ogen volkomen uitdrukkingsloos geworden, als de ogen van een goudvis die naar het wateroppervlak is gezwommen en daar niets te eten vindt.

'En Tor, hoe heb jij het gehad?' CiCi keerde zich naar haar toe. 'Waren er nog leuke mannen? Of heb je alleen maar gepicknickt met de meisjes?'

'Er waren helemaal geen mannen.' Tor verafschuwde de licht wellustige toon waarop de vraag werd gesteld, en ze voegde er tegendraads aan toe: 'Maar wel een heleboel heerlijke citroentaart.'

'O ja, die héérlijke taart. Die herinner ik me nog maar al te goed.' De arme Geoffrey deed reuze zijn best, maar hij deed denken aan een man die een halfwilde tijger mee naar binnen had genomen om zijn gasten te onderhouden.

'Dus Tor is weer aan het eten geslagen. Dát noem ik nog eens een verrassing!' zei CiCi.

'Lieve!' Geoffrey sprong zo haastig op dat er een kristallen vingerkom op de grond viel. Scherven en waterspetters vlogen alle kanten uit over het Perzische tapijt. Ci keek ernaar, en even had haar gezicht elke uitdrukking verloren.

'Wat ben je toch een sukkel, Geoffrey,' zei ze ten slotte. 'Een onhandige ezel.' Er zat een draadje vlees tussen haar tanden. 'Hoe krijg je het voor elkaar!'

'Hahaha!' Geoffrey begon te lachen, alsof het een geweldige grap was. 'Ik moet bekennen dat ze voor één keer gelijk heeft. Vivash ruimt het wel op.'

'Nog wel, Geoffrey, maar niet lang meer,' zei ze zacht.

Voordat Ci naar boven ging voor haar siësta, schoot haar ineens te binnen dat er voor Tor was gebeld. Door een man.

'O hemel, wie?' Tor probeerde onbekommerd te klinken. Ollie! Alsjeblieft, laat het Ollie zijn.

'Ja, wie was het nou ook alweer?' Ci legde haar sigarettenpijpje neer. 'O, ik weet het, ik weet het! Hij heette... Toby Williamson! We hadden elkaar ontmoet bij de Huntingtons, zei hij, maar daar kan ik me niets van herinneren. Hoe dan ook, hij wilde weten of je de rellen had overleefd. En hij heeft een telefoonnummer achtergelaten.'

De moed zakte Tor in de schoenen. 'Wat aardig van hem.'

'Was hij die man van die insectenverzameling? En van die gedichten?' Er kwam een spottende blik in Ci's ogen. 'Om te gieren,' zei ze tegen de anderen. 'Ze heeft me er iets van voorgelezen. "Mijn hijgend hart, vervuld van smart..."' declameerde ze, opgewekt fantaserend.

Tor voelde dat haar wangen gloeiden van schaamte.

Wat afschuwelijk wreed van haar dat ze zijn aardige gedicht (iets over vogels en eieren, als ze zich goed herinnerde) aan Ci had voorgelezen. Die had er ongetwijfeld haar hele kring op de club mee vermaakt. Ze had Toby ontmoet tijdens een ontvangst in het Gouverneurshuis. Een lieve man, herinnerde ze zich. Hij deed iets in het onderwijs, ergens op een jongensschool, en hij had haar verteld over vogels, en over vrouwenkleren. Maar zij was zo totaal in de ban geweest van Ollie dat ze hem amper had gehoord. Het enige wat ze zich duidelijk herinnerde, was dat hij een vriendelijke glimlach had. En o ja, ze hadden een – voor haar – ongemakkelijke discussie gevoerd over moderne poëzie, tot ze hem had moeten bekennen dat ze niets van het onderwerp wist; dat hij daarvoor bij haar vriendin Viva moest zijn. In plaats van neerbuigend te reageren, had hij haar peinzend aangekeken.

'Ik ben jaloers op je,' had hij gezegd. 'Omdat je het nog allemaal te goed hebt.'

Hij had gebeld om te informeren of alles goed met haar was. Dat was aardig, maar toen ze probeerde zich zijn stem voor de geest te halen, lukte dat niet.

'Ga je hem terugbellen?' vroeg Rose toen Ci naar boven was verdwenen.

'Dat weet ik nog niet.' Tor voelde zich plotseling doodmoe. 'Het was een beetje een boekenwurm.'

'Wat heb je te verliezen?' vroeg Rose luchtig. 'Behalve je ticket naar huis.'

'Dat is waar.'

'Zullen we erom tossen?' Rose haalde een muntje van drie roepie tevoorschijn. 'Kop: je belt niet, munt: je belt.'

Ze gooide de munt in de lucht, ving hem op en drukte hem op de rug van haar andere hand.

'Munt.'

40

Toen Viva en Frank na de lunch in de auto van de Mallinsons stapten, trok Viva de armleuning in het midden van de achterbank naar beneden. 'Ik kan dat mens niet uitstaan!' barstte ze los zodra de auto zich in beweging zette. 'Hoe durft ze Tor zo te behandelen?'

'Pas op,' waarschuwde Frank met een blik op de chauffeur, die zijn hoofd schuin naar achteren hield. 'Misschien drinkt ze zoveel omdat ze bang is,' vervolgde hij zacht. 'Tenslotte is het straks voor haar ook allemaal afgelopen.'

'Nou, ik vind haar echt afschuwelijk,' mompelde Viva. 'Wat een naar mens!'

Ze voelde zijn hand op de hare.

'Viva, ik vind het geen prettig idee dat je alleen teruggaat naar Byculla. Laat me bij je blijven. In elk geval voorlopig.'

'Nee! Nee, dat wil ik niet.'

'Wil je dan alsjeblieft weer gewoon tegen me praten?' vroeg hij. 'We hebben niet veel tijd meer.'

'Ik praat tegen je,' zei ze kinderachtig, en ze trok haar hand weg.

'We kunnen niet doen alsof er niks is gebeurd.'

Natuurlijk wel, dacht ze. Dat had ze al eerder gedaan, en dat kon ze weer doen.

Het meest verontrustende was het effect dat zijn nabijheid op haar had. Dan had ze zo intens het gevoel dat ze leefde! Ze was zich zo scherp bewust van zijn gespierde dijen onder de vouwen in zijn broek, van zijn hand die nonchalant op de armleuning rustte die zij zo nadrukkelijk naar beneden had gedaan. Haar hele lichaam gloeide, tintelde op een manier zoals ze dat nooit eerder had ervaren, en het voelde helemaal verkeerd, pervers bijna, want Guy was misschien wel dood en mensen die aardiger, beter waren dan zij zouden in de rouw zijn in plaats van vervuld van wellust.

'Ik heb een hoop werk in te halen en ik ben niet alleen. Mevrouw Jamshed is er ook. Trouwens...' Toen ze Queen's Road in sloegen, wees ze naar buiten, naar de kalme straten, de palmbomen, de zee daarachter. 'Het ziet er allemaal volstrekt normaal uit. Alsof er nooit rellen zijn geweest.'

Ze hoorde dat hij scherp, ongeduldig inademde en voelde dat hij zich naar haar toe keerde, maar zich meteen weer afwendde.

'Ik wil je weer zien,' zei hij toen. 'Ik moet je terugzien. Wat er is gebeurd, heeft niets met de rellen te maken, en ook niet met Guy. Je weet dat ik gelijk heb.'

Ze zei niets. Dat voelde veiliger.

Ze probeerde vast te houden aan het idee dat ze de avond tevoren het slachtoffer was geweest van een vlaag van waanzin, van een kortstondig vieren van de teugels. Niets deed zoveel pijn als de liefde. Dat moest ze goed voor ogen houden.

'Ik wil het nog niet,' zei ze. 'Het is allemaal veel te snel gegaan, en...'

Zodra ze het had gezegd, voelde ze zich opnieuw licht onpasselijk worden. Ze snakte ernaar zich te kunnen wassen, en dan te gaan slapen, zodat ze even, al was het maar een uur, niet hoefde na te denken.

'Ben je bang dat ik met je meega naar je kamer?'

Toen hij zich naar haar toe boog, rook ze zijn haar, de geur van zijn huid.

'Ja.'

'Ik dacht dat het je niet kon schelen wat andere mensen van je denken. Dat vind ik juist zo leuk van je.'

Ze beefde bij het zien van zijn glimlach.

'Nou, het kan me wél schelen.' De auto hield stil bij de verkeerslichten in Churchgate. Op de stoep, nog geen tien meter bij hen vandaan, stonden twee mannen zich in te zepen en met een oude emmer water over hun hoofd te gieten. 'Uiteindelijk kan het iedereen schelen. Of je moet gek zijn, of ziek.'

Een zwerm bedelende kinderen verzamelde zich rond de auto, vechtend om de glimmende carrosserie te mogen poetsen. Toen Frank het raampje opendeed om ze een handvol anna's te geven, streek zijn arm langs de hare, en haar lichaam begon te zingen alsof het een eigen leven leidde.

'Wanneer denk je dat we het weten?' vroeg ze toen de auto zich weer in beweging zette, langs de Flora Fountain en in de richting van het ziekenhuis. 'Van Guy, bedoel ik. Heeft de politie het al aan zijn ouders verteld?'

'Dat weet ik niet. Ik verwacht in het ziekenhuis wel iets te horen. Zal ik je bericht sturen of bij je langskomen?'

'Het eerste. Ik wil niet dat je naar me toe komt.'

Hij keek haar aan maar zei niets.

'Ik ben afschuwelijk tegen hem geweest,' zei ze. 'Als hij ziek was – ik bedoel echt ziek in zijn hoofd – had ik voor hulp moeten zorgen.'

'Viva, je bent niet afschuwelijk tegen hem geweest,' probeerde hij haar opnieuw gerust te stellen. 'Ik was er ook bij. Vergeet dat niet. En het is niet jouw schuld wat er is gebeurd.'

'Hoe ver is het van hier naar het ziekenhuis?' Zijn nabijheid bracht haar in de war, en ze wilde plotseling niets liever dan van hem bevrijd te zijn.

'Nog twee straten.'

'Als Tor en de Mallinsons teruggaan... Het is net dat rijmpje, "Tien kleine negertjes".'

'En jij? Ga jij ook weg?' Ze besefte dat hij probeerde luchtig te klinken, om haar op haar gemak te stellen.

'Nog niet. Jij?'

'Er is me een baan aangeboden in Lahore. Die baan als onderzoeker. Daar heb ik je over verteld.'

'En? Doe je het?' Ze keek strak voor zich uit.

'Ik heb nog geen besluit genomen.'

Ze keek afwezig naar de straatverkopers die hun kraampjes opzetten, naar de lichten die aangingen rond de Flora Fountain, naar de wolkenslierten aan de regenboogkleurige hemel, en tegelijkertijd vroeg ze zich af of ze er de rest van haar leven spijt van zou hebben als ze hem nu door haar vingers liet glippen. Terwijl de chauffeur stilhield voor de hoofdingang van het ziekenhuis, keerde Viva zich eindelijk naar Frank.

'Ik denk dat ik je moet bedanken omdat je naar Ooty bent gekomen,' zei ze. 'Maar ik weet niet meer wat ik moet zeggen. Volgens mij is het nog niet echt tot me doorgedrongen wat er is gebeurd.'

Hij legde zijn hand op de knop van het portier.

'Heb je het dan over ons, of over Guy? Het is maar een gerucht. Vergeet dat niet.'

'Over allebei.'

Hij was hem aan te zien dat hij doodmoe was, besefte ze. Zijn gezicht zag bleek, terwijl hij haar onderzoekend opnam. 'Je moet geen dingen zeggen die je niet meent,' zei hij toen. 'Maar beloof me dat je je niet zult schamen.'

'Ik schaam me niet. Ik heb alleen het gevoel dat ik een aardbeving heb meegemaakt.'

Hij keek haar recht aan. 'Dat begrijp ik.'

Hij wilde nog iets zeggen, maar ze legde haar hand op zijn mond. 'Niet doen,' zei ze. 'Alsjeblieft. Nog niet.'

Toen de chauffeur Byculla binnen reed, wees niets erop dat zich daar on-geregeldheden hadden voorgedaan. Alles zag er nog hetzelfde uit – het wegdek vol gaten, de vervallen huizen, de straatmarkten, de bloemen-stalletjes.

Ze deed de voordeur open. Ook hier leek niets veranderd: fietsen in de gang, de geur van mevrouw Jamsheds curry's.

Meneer Jamshed was in de voorkamer, verdiept in zijn middaggebed. Hij had zich naar de zon gekeerd en droeg zijn *sudreh*, het hemd waar-in hij zijn gebeden zei, driemaal omwikkeld met de *kusti*, het koord dat hij droeg, zoals hij haar had uitgelegd, om hem te herinneren aan de drie pijlers van zijn geloof: 'Goede woorden, goede gedachten, goede daden.'

Ze bleef bij de deur staan wachten. In gebed verzonken leek zijn an-ders zo joviale gezicht waakzaam, bijna dreigend, als dat van een profeet uit het Oude Testament.

Toen de deur piepte deed hij zijn ogen open. 'Juffrouw Viva.'

'Neemt u me niet kwalijk dat ik u stoor, maar is alles in orde hier?' vroeg ze. 'Ik ben zo ongerust geweest.'

'Hier gaat het redelijk.' Zijn uitdrukking was beleefd, zij het afstan-delijk. 'We hebben in de buurt goddank geen rellen gehad. En over de school, het tehuis, of hoe u het ook wilt noemen, heb ik geen negatieve berichten gehoord.'

'O gelukkig. Wat een opluchting.'

'Ach, dat zou ik niet willen zeggen.' Er lag nog altijd een vreemde uit-drukking op zijn gezicht.

'Er zijn wel andere dingen gebeurd waar ik bepaald niet gelukkig mee ben. Komt u maar.' Hij gebaarde naar de deur. 'Het lijkt me beter als ik met u meeloop.'

Hij trok zijn sjofele sandalen aan en deed zijn deur dicht met een hangslot. Iets wat ze hem nooit eerder had zien doen.

'Terwijl u weg was, is er ingebroken,' vertelde hij toen ze de trap op liepen. 'Ongetwijfeld door opstandige elementen. Ze zijn flink tekeergegaan in uw kamer, en dat niet alleen. Eerst dacht ik dat het relschoppers waren, maar inmiddels geloof ik dat het misschien een vriend van u is geweest.'

'Een vriend van mij?'

'Wacht even.' Hij hief zijn hand toen ze voor haar deur stonden. 'Ik zal het u straks allemaal uitleggen.'

Toen hij de deur opendeed, slaakte ze een kreet van schrik. De gordijnen waren dicht, maar zelfs in de halve duisternis kon ze zien dat haar schrijfmachine van de tafel was gegooid. Haar jurken, haar ondergoed, haar blouses, haar foto's... alles lag in willekeurige hopen op de grond. Een jarretelgordel hing om een lege schilderijhaak aan de muur.

'O nee!' Ze haastte zich naar de kleine grenenhouten kast naast haar bed, waarin ze de ruwe versie van haar boek bewaarde. Die was er nog.

Meneer Jamshed trok met een schurend geluid de gordijnen open.

'Dat is nog niet alles. Kijk.' Hij wees naar de muur. In de schemerige nis boven de wastafel ontdekte ze een foto van haarzelf, geleund tegen de reling van De Kaiser-i-Hind. Naast haar stond Nigel, de jonge ambtenaar. De wind blies door haar haren. Nigel, fatterig in een gestreepte blazer, porde haar in de ribben. Aan de muur ertegenover hing een foto van haar bij het verlaten van Daisy's feestje. Ze hield haar schoenen in de hand en zag er dronken en gelukkig uit. In de hoek van de foto stond met grote, onvaste letters HOER geschreven. Op de derde foto stond ze samen met Frank, op het moment dat ze uit Moustafa's kwamen. Op het bed lag naast een hamer en een stel spijkers een onscherpe foto die Tor had gemaakt, van Guy en haar, naast elkaar in dekstoelen.

Toen ze ernaartoe liep, knarsten er glasscherven onder haar schoen. Ze had op een kleine votiefpot getrapt, met een uitgebrande kaars erin.

'Toen ik de chaos hier aantrof, brandden er kaarsen onder alle foto's,' vertelde meneer Jamshed. 'Mijn hele huis had wel kunnen afbranden.'

'Ik weet wie dit heeft gedaan,' zei ze. 'Maar het kan zijn dat hij inmiddels dood is. Dat weet ik nog niet zeker.'

Zodra ze het had gezegd, besefte ze hoe merkwaardig het klonk. 'U moet wel denken dat ik gek ben.'

'Madam...' Hij klonk ineens heel formeel. 'Ik denk niet dat u gek bent, maar ik kan niet toestaan dat u dit huis in gevaar brengt en onheil over ons afroept.'

'Wat wilt u daarmee zeggen?'

Hij snoof verachtelijk. 'Dat weet u heel goed. Ik begrijp niet dat uw vader u toestaat te leven zoals u dat doet. Of anders uw broers.'

'Ik heb geen vader, en ook geen broers.'

'Ik weet helemaal niets van u.' Hij stond vlak bij een foto waarop ze stond te lachen en te dollen met Tor en Frank. 'Ik heb nooit echt met u over mijn geloof gesproken, maar ik zal u wat vertellen. De god tot wie ik bad toen u binnenkwam, is Ahura Mazda. Er gebeurt in mijn leven niets zonder dat hij daar de hand in heeft. En wanneer ik dit zie...' Hij gebaarde naar de foto's, het ondergoed. 'Dan weet ik dat ik hem teleur heb gesteld. Ik ben als een kind dat een gevaarlijk stuk speelgoed in huis heeft gehaald. Nee! Nee!' Hij hief afwerend zijn handen toen ze wilde protesteren. 'Laat me uitspreken. Dit is voor een deel mijn schuld, omdat mijn meisjes zo graag modern willen zijn, net als u. En omdat ik wil dat ze scholing ontvangen. Dit is het gevaar. In ons geloof is zuiverheid de kern, de basis van alles wat we doen, en dit is...' Woorden schoten te kort, en hij gooide met een verslagen gezicht zijn handen in de lucht. 'Hierdoor krijg ik het gevoel dat mijn huis onrein is.'

'Dit zijn mijn vrienden.' Ze voelde zich machteloos, alsof de grond onder haar voeten begon te wankelen. 'U hebt ons op het feestje gezien. Toen vond u ze aardig.'

Hij haalde zijn schouders op. 'Ik ken ze niet. En hem...' Meneer Jamshed wees naar de foto van Nigel. 'Wie is dat? En wie is hij?' Hij wees op Guy. 'Is hij ook een man die u hier ontvangt?'

'Hij is nog maar een jongen. Ik was zijn chaperonne op het schip. Daar werd ik voor betaald. Vóór de reis kende ik hem helemaal niet.'

'U kende hem niet,' herhaalde meneer Jamshed. 'En u, als jong meisje, kreeg ervoor betaald om hem onder uw hoede te nemen? Dat geloof ik niet. Zoiets zouden ze zelfs in Engeland niet laten gebeuren.'

Zijn ogen waren peilloze meren van smart. Er was een diepe, zorgelijke rimpel op zijn voorhoofd verschenen.

'Madam, ik ben een Parsi. We belijden een ruimdenkend geloof, maar ik heb ook flessen met alcohol in uw kamer gevonden, en nu dit. Bovendien maak ik me grote zorgen over mijn gezin. Ik heb het hier in de buurt al met sommige mensen aan de stok omdat ik mijn meisjes naar de universiteit laat gaan. Dit maakt het allemaal nog veel erger. En hoe zit het met de kinderen die u wordt geacht te helpen?' Hij sloeg met zijn vlakke hand tegen de zijkant van zijn hoofd, om aan te duiden hoe hij daarover dacht.

'Meneer Jamshed, ik begrijp uw bezorgdheid, maar ik moet u iets vragen. En dat is echt heel belangrijk. Heeft iemand deze jongen gezien? Hier in huis?' Ze wees op de foto van Guy.

'Deze jongen?' Meneer Jamshed bekeek de foto aandachtig. 'De buurman, meneer Bizwaz, had het over iemand die er wel ongeveer zo uitzag. Een Engelsman, zei hij. Volgens meneer Bizwaz trok hij, eenmaal op straat, zijn jas en zijn schoenen uit en stak die in brand. Meneer Bizwaz riep hem nog na, maar hij rende weg.'

'Alleen zijn jas en zijn schoenen?'

'Alleen zijn jas en zijn schoenen.'

Ze had even tijd nodig om het tot zich te laten doordringen.

'Weet u dat zeker?'

'Meneer Bizwaz spreekt altijd de waarheid.' Hij keek haar dreigend aan.

'O god! Maar dat zou wel eens goed nieuws kunnen zijn. Want we dachten dat hij dood was.'

'U dacht dat hij dood was?' Meneer Jamshed krabde op zijn hoofd, alsof hij werd bestookt door slechte gedachten die als kakkerlakken om hem heen zwermden. 'Mevrouw Daisy Barker zei dat u een respectabele jonge vrouw was!' Hij hield op met krabben en keek haar aan. 'Dit betekent een grote crisis voor mij, juffrouw Viva. Ik kan u hier niet laten blijven. Vanavond wil ik u niet meer de deur uit zetten, want het is inmiddels donker. Maar morgen moet u weg. U kunt hier niet blijven.'

'Meneer Jamshed, ik kan het allemaal uitleggen!' protesteerde Viva. 'Geef me de kans om mevrouw Barker mee hierheen te nemen. Dan kunt u met haar praten. Ik doe het meteen morgen...'

'Madam, het spijt me.' Hij hief zijn handen, als een schild. 'U bent allebei buitenlanders, dus u weet niet alles. Ik blijf het zeggen: er wonen hier mannen die erg fanatiek zijn. Mannen die vinden dat vrouwen zoals u...' Hij zweeg, want hij kreeg het woord niet over zijn lippen. 'Dat vrouwen zoals u onrein zijn,' zei hij ten slotte. 'Ik heb u tegenover hen altijd de hand boven het hoofd gehouden. Maar dat kan ik nu niet meer blijven volhouden. Het is te gevaarlijk.'

'Dat begrijp ik.' Ze voelde een vurige blos opkomen in haar hals. 'Ik ben niet gek.'

'Nee, u bent niet gek,' zei meneer Jamshed, en ineens was hij niet meer te stuiten. 'Ik vind het afschuwelijk zulke harde woorden tegen u te moeten gebruiken, maar ik maak me grote zorgen. Niet alleen om u, maar ook om het kindertehuis. U hebt geen idee hoe de mensen hier tegen u aankijken. In uw gezicht doen ze aardig, maar ze weten niet wat ze met u aan moeten. U hebt geen familie, geen man, geen kinderen, geen juwelen. Wat bent u? Wie bent u? Geloof me, madam, ik vind het afschuwelijk om zulke dingen te zeggen tegen iemand die een vreemde is in mijn land. Maar ik heb geen keus.' Hij knikte stijfjes en liep naar de deur.

'Mag ik nog wel afscheid nemen van mevrouw Jamshed en Dolly en Kaniz? U bent allemaal zo aardig voor me geweest.'

'Nee, het spijt me. Mijn dochters zijn thuis, maar ik wil niet dat ze u nog zien.'

41

Viva was bekend met het feit dat er mensen waren – zwakken van geest, had ze altijd aangenomen – die, zodra ze ook maar ergens van werden beschuldigd, zich op slag daadwerkelijk schuldig voelden.

Toen ze de volgende dag de poort van het kindertehuis binnen liep, begreep ze het: ze had het gevoel dat ze een bom bij zich droeg.

Na het vertrek van meneer Jamshed en nadat ze de huiveringwekkende foto's van de muur had gehaald, was ze meer dan twee uur bezig geweest om haar spullen te pakken.

Die nacht had ze amper een oog dichtgedaan, gekweld door gedachten aan Guy, en Frank – ze kon het idee niet van zich afzetten dat ze onmiddellijk was gestraft voor hun wilde nacht in Ooty – en aan Daisy, en aan het tehuis, en ze vroeg zich af of meneer Jamshed misschien alsnog met de hand over het hart zou strijken en haar liet blijven.

Als ze eerlijk was, betwijfelde ze dat, maar ze had geen idee waar ze heen moest. Onder andere omstandigheden zou Daisy haar wel een slaapplaats hebben aangeboden, maar die zou niet het risico willen nemen Dolly en Kaniz te verliezen, twee van haar beste studenten. En dan was er ook nog de mogelijkheid dat Daisy geloof zou hechten aan de geruchten over haar immorele gedrag. Wat moest ze dan beginnen? Wat moest ze doen als Daisy niet meer met haar wilde praten? Dan had ze geen andere keus dan terug te gaan naar de YWCA, hoe verschrikkelijk dat vooruitzicht ook was.

Ze duwde de rijk bewerkte poort van het tehuis open. Het was een opluchting te zien dat daar nog alles hetzelfde was – de schemerige, geluikte vertrekken die haar altijd deden denken aan een grote, sjofele duiventil, de vogels in de tamarinde, en op de binnenplaats mevrouw Bowdon die haar naaiklasje met haar vertrouwde Yorkshire accent voorlas uit een boek dat Viva herkende: *Engelse poëzie voor Indiase meisjes*.

'Kleine waterdruppels,' zeiden de kinderen haar na met hun zangerige stemmen.

Kleine korrels zand,
vormen saam de trotse zee
en het mooie land.

Kleine liefdedaden
woordjes teer en zacht
hebben vaak in 't kleinste huis
't grootste geluk gebracht.

Terwijl Viva, met haar onzichtbare bom, de binnenplaats overstak, schoof de tuinman, die de platte islamitische hoofdbedekking droeg, met zijn bezem een bergje natte bladeren voor zich uit. Op de banken zat al een rij patiënten geduldig te wachten tot om kwart over tien de deur van het consultatiebureau openging.

In de schemerige gang naar Daisy's kantoor voelde Viva zich bijna licht in haar hoofd van nervositeit. Wat moest ze doen als Daisy haar niet geloofde? Het hele verhaal over Guy en de foto's, over de zogenaamde zelfmoord, en over de reden waarom Frank onverwacht naar Ooty was gekomen klonk zelfs in haar eigen oren al erg onwaarschijnlijk.

Daisy zat op kantoor. Een kleine, eenzame figuur achter een stapel brieven, druk schrijvend, volledig geconcentreerd. Toen ze Viva zag, schrok ze even, maar het volgende moment stond ze met een stralend gezicht op van haar stoel.

'Hé, hallo! Wat fijn dat je er weer bent. En, hoe heb je het gehad? Lekker? Heerlijk?' Ze stak afwezig haar potlood door haar knot.

'Ja, ik heb het echt heerlijk gehad.' Viva had besloten de koe meteen bij de hoorns te vatten. 'Maar ik ben bang dat ik heel slecht nieuws heb.'

Daisy luisterde aandachtig terwijl Viva haar verhaal deed. 'O hemeltje,' en 'Grote genade,' was het enige wat ze zei.

'Het zou verschrikkelijk jammer zijn als hij Dolly en Kaniz verbiedt om nog langer naar de universiteit te gaan,' was haar eerste reactie toen Viva was uitgesproken. 'Ze zijn allebei briljant en ze genieten van hun studie. Maar hoe zit het met Guy?' Ook al bleef de uitdrukking op haar gezicht kalm en sereen, de rode vlekken in haar hals verrieden dat ze nerveus was. 'Denk je dat hij doorgaat met het verspreiden van dit soort geruchten over ons? Want dat zou heel ernstige gevolgen kunnen hebben.'

'O Daisy.' Ze schrokken allebei toen het potlood uit Daisy's knot op de grond viel. 'Ik vind het zo afschuwelijk,' zei Viva. 'Dat meen ik echt. Dit zou allemaal niet zijn gebeurd als ik hier niet was komen werken.'

'Onzin,' zei Daisy kordaat. 'Meneer Jamshed heeft gelijk. Er zijn overal spionnen, en de mensen hier weten niet wat ze van ons moeten denken. En neem het ze eens kwalijk. Vrouwen zoals wij... die hebben ze simpelweg nog nooit gezien.

Bovendien, meneer Gandhi mag dan geweldloosheid prediken, maar daarnaast heeft hij de ogen geopend van de armen en de vrouwen. Die beginnen eindelijk te beseffen hoe vreselijk ze altijd zijn onderdrukt, en dat ze daartegen in opstand kunnen komen. Dus er heerst grote woede jegens de Britten. Woede vanwege de armoede, maar ook woede omdat wij de vrouwen hier scholing aanbieden. In zekere zin zitten we gevangen tussen twee revoluties. Vroeg of laat bereikt de situatie een kookpunt en explodeert. En als mensen zoals die Guy van jou geruchten gaan verspreiden, maakt dat de situatie er niet beter op. Maar het is onzin om te denken dat hij de oorzaak is van alle problemen.'

'Hoe kunnen we zorgen dat hij daarmee ophoudt?' vroeg Viva.

'Dat is een goede vraag. Je kunt iemand niet arresteren omdat hij zijn jas in brand heeft gestoken.'

'Maar hij heeft bij me ingebroken.'

'Dus wat vind jij dat we moeten doen?'

'Ik denk dat we de politie moeten inschakelen.'

'Misschien.' Daisy aarzelde. 'Maar als we dat doen, zou dat wel eens kunnen betekenen dat we ons in een wespennest begeven. Want de politie is door bepaalde heethoofden in het nieuwe Congres al onder druk gezet om het tehuis te sluiten. Iets waartegen we ons tot dusverre nog steeds met succes hebben verzet.'

'En hoe zit het met onze mensen? Wat vinden zij?'

Daisy rommelde met haar papieren.

'De laatste keer dat hier iemand kwam van de overheid, moest hij toegeven dat we schitterend werk deden, maar hij vond toch dat we moesten sluiten. Omdat ze onze veiligheid niet langer konden garanderen. Dat was voordat jij kwam. Misschien had ik het je moeten vertellen.'

De twee vrouwen keken elkaar aan.

'Toen ik het aan het personeel en de kinderen vertelde, begonnen ze allemaal te huilen, en ze smeekten ons te blijven. Het was vreselijk, hartverscheurend. Deze kinderen hebben helemaal niets, Viva. Ik zeg niet dat ze hier allemaal van harte zijn, want dat is niet zo. Maar als we ze in de steek laten, dan wordt dat hun dood, of ze komen op straat terecht. Er moet toch iemand zijn die dat begrijpt?'

Daisy had haar bril afgezet. Het bleef geruime tijd stil.

'O Daisy, wat verschrikkelijk allemaal,' zei Viva ten slotte. 'Je hebt er zo hard voor gewerkt.'

Zonder bril leken Daisy's ogen ineens oud. En angstig.

'Ik heb de kinderen net zo hard nodig als zij mij,' zei ze zacht. 'Dat is echt zo. Maar daar gaat het nu niet om.' Ze zette haar bril weer op. 'Terug naar het acute probleem. Denk je dat Guy Glover opnieuw zal toeslaan? Of was dit gewoon een soort kwajongensstreek?'

'Ik weet het niet,' antwoordde Viva. 'Ik wou dat ik het wist. Maar ik zou het afschuwelijk vinden als ik de aanleiding was waardoor het tehuis moet worden gesloten.'

In reactie op de naam van Guy spookten er ineens allerlei tegenstrijdige gedachten door haar hoofd. Natuurlijk, ze was bang voor hem, en als hij inderdaad krankzinnig was, zou ze medelijden met hem moeten hebben. Maar de overheersende emotie die ze voelde, was woede, pure, onversneden woede. Hoe durfde een labiele aansteller als hij zoveel schade aan te richten? Toegegeven, hij had een ellendige tijd achter de rug op kostschool in Engeland, maar hij had nooit honger gekend, zoals de kinderen in het tehuis. En hij had zich nooit afgebeuld, zoals Daisy, om te zorgen dat de kinderen te eten hadden en naar school konden. Er waren echter ook andere emoties, die aanzienlijk moeilijker waren om mee in het reine te komen. Door zijn toedoen was er als het ware een bom in haar ontploft. Met als gevolg dat ze zich op die avond in Ooty wanhopig, redeloos aan Frank had vastgeklampt. Erop terugkijkend vroeg ze zich af wat hij in 's hemelsnaam van haar moest denken.

Ze staarde zwijgend voor zich uit. Buiten hoorde ze dat er op een steelpan werd getikt, en toen klonk vanaf de binnenplaats een koor van stemmetjes: 'Groen is gras, groen is gras, onder mijne voeten...'

'Ik denk dat we niet naar de politie moeten stappen,' zei ze ten slotte. 'We hebben te veel te verliezen.'

'Weet je dat zeker?' De nerveuze uitslag had zich uitgebreid naar Daisy's kin. 'Ik wil niet dat jij gevaar loopt.'

'Ik weet het zeker. Volgens mij heeft hij laten zien wat hij wilde en laat hij me nu verder met rust.'

'Denk je dat echt?'

'Absoluut.' Ze keken elkaar glimlachend aan, alsof ze het erover eens waren dat sommige leugens door de beugel konden.

Acht dagen na dit gesprek betrok Viva een kamer op de eerste verdieping van het kindertehuis. Een kale ruimte, als de cel van een non. Er stond een ijzeren bed, een kaal gesleten klerenkast en een provisorisch bureau – een brede plank op twee pakkisten. Dat was al het meubilair. Een werkplek, ja zelfs een plek om boete te doen, en Viva ervoer het als opnieuw een stap terug. Maar wanneer ze opstond van haar bureau en de haveloze luiken opendeed, kon ze de kroon van de tamarinde zien met zijn veervormige bladeren. In het noorden van India werd de schaduw van deze boom beschouwd als gewijd aan Krishna, de god van de geïdealiseerde liefde, aldus Daisy. Krishna zou onder een tamarinde hebben gezeten toen hij werd gescheiden van Radha, zijn geliefde, en een intense verrukking hebben ervaren toen haar geest bij hem intrad.

Maar Talika had een veel naargeestiger verhaal. Ze had Viva verteld dat de boom was betoverd. En dat de blaadjes zich 's avonds sloten rond de geesten die erin woonden. Dat wist iedereen, zei ze.

In haar nieuwe onderkomen hoorde Viva elke morgen het klaaglijke geluid van de tritonshoorn op de binnenplaats, het gemompel van kinderstemmen vanuit de slaapzaal, en af en toe het gedempte luiden van een bel voor de *pooja*, het ochtendritueel dat door een deel van de kinderen in acht werd genomen.

Na haar gesprek met Daisy waren ze een nieuw werkrooster overeengekomen.

's Ochtends gaf ze vier uur les, tot de lunch, de middag gebruikte ze om de verhalen van de kinderen op schrift stellen. Een dodelijk vermoeiend karwei, zoals haar al meteen duidelijk was geworden. De vorige dag had ze twee uur gesproken met Prem, een klein meisje uit Gujarat met verdrietige ogen. Prem had haar verteld over de aardbeving in Surat, haar geboortestad. Daarbij was haar hele familie omgekomen, en zij was gered door een vriendelijke dame die zei dat ze haar 'tante' mocht noemen. Deze tante had haar met de trein meegenomen naar Bombay en haar gedwongen als prostituee te gaan werken. 'Meisje van plezier,' zei Prem, met een verdrietige glimlach. Ze vertelde dat ze was geslagen en op alle mogelijke manieren door mannen was misbruikt, totdat ze eindelijk had weten te ontsnappen en in het kindertehuis terecht was gekomen.

Het kostte Prem twee uur om haar verhaal te doen. Toen ze alles had verteld, bood Viva aan haar in het boek met een andere naam aan te duiden.

'Nee,' had het meisje gezegd. 'Het is voor het eerst dat ik dit verhaal aan iemand heb verteld. Ik wil dat je mijn naam eronder zet.'

De volgende dag zouden de twee zusjes die te voet helemaal van Dhulia naar Bombay waren gekomen, hun verhaal doen. Ze waren weggelopen omdat ze als kindbruid waren beloofd aan twee wrede, oude mannen in hun dorp. Toen ze hadden geweigerd, waren ze door hun ouders geslagen.

'We komen uit een dorp en we weten nog niets van de wereld, maar we leren elke dag nieuwe dingen,' zei de oudste van de twee, een trots ogend meisje met een wilskrachtige neus. 'En we verdienen het niet om als een koe of een paard te worden weggegeven.'

Toen Viva enkele dagen later vol overgave aan haar bureau zat te tikken, vastberaden om het verhaal van Prem nog voor het avondeten uit te werken, werd er zacht op de deur geklopt.

'Er is een dame voor u.' Een klein weesje dat Seema heette, stak haar hoofd om de hoek. 'Ze heet Victoria, zegt ze.'

Tor kwam de kamer binnen stormen en viel Viva om de hals.

'Viva! Ik moet met je praten. Nu meteen. Ik ben helemaal hoteldebotel. Echt, ik ben bang dat ik gek word.'

'Lieve hemel!' Viva keek met enige tegenzin op van haar werk. 'Wat is er in vredesnaam aan de hand?'

Tor gooide haar hoed van zich af, ging op een stoel zitten en slaakte een diepe zucht. 'Heb je iets te drinken? Ik weet niet waar ik moet beginnen.'

Viva stond op en schonk haar een glas water in.

'Begin maar bij het begin, zou ik zeggen.'

'Goed. Weet je nog die verschrikkelijke lunch bij de Mallinsons?'

begon Tor. 'Toen Geoffrey vertelde dat ze misschien weggingen? Ik dacht dat hij een grapje maakte, maar het bleek serieus te zijn. Toen jullie weg waren, heeft Ci de hele fles champagne verder alleen opgedronken, en daarna nog de nodige borrels, en eigenlijk is ze sindsdien niet meer nuchter geweest. Het was echt verschrikkelijk, Viva. Ze is al maanden afschuwelijk tegen me, maar nu hebben we toch wel zo'n ontzettende ruzie gehad.'

Tor dronk haastig het glas water half leeg.

'Waarover?'

'Ci was 's morgens naar de club geweest, en daar had ze ruzie gehad met mevrouw Percy Booth, een van haar valse vriendinnen. Ci had mevrouw Booth een jas geleend, en die wilde ze terug. Typisch iets voor Ci. Hoe dan ook, Ci was in alle staten en stormde weg. Toen mevrouw Booth de volgende morgen belde, smeet Ci de telefoon erop. En toen die meteen weer ging, kreeg Pandit de opdracht om de boodschap aan te nemen. "Wat zei ze?" krijste Ci. "Ik wil dat je me precíes vertelt wat ze zei. Wees maar niet bang. Ik doe je niks." Dus de arme Pandit dacht even na, werd vervolgens groen – je weet wel, zoals inlanders groen kunnen worden als ze bang zijn – en zei: "Mevrouw Booth zei dat u stapelgek bent. Het spijt me, madam." Een halfuur later werd hij tussen gewapende bewakers afgevoerd. Huilend. Het was afschuwelijk oneerlijk. "Wat ben jij gemeen!" zei ik tegen Ci. "Je had beloofd dat je hem niets zou doen."

Ze keek me aan met die wantrouwende haviksogen. "Maak je toch niet zo druk!" zei ze toen nijdig. "Er zijn belangrijker dingen. Trouwens, ik heb hem een week loon meegeven." Alsof dat het goedmaakte.

Het scheelde niet veel of ik was haar aangevlogen. Mijn handen jeukten. Afijn, Ci stormde de kamer uit en heeft dagen niks tegen me gezegd. Ze liet haar maaltijden boven op haar kamer brengen. Zelfs Geoffrey kon haar niet overhalen om beneden te komen. Het was echt vreselijk.'

'En je vertrekt volgende week! Hoe kon ze zo gemeen zijn?' zei Viva.

'Nee!' zei Tor stralend. 'Maar je hebt gelijk, het was erg gemeen. En nu het ongelooflijke. Herinner je je Toby Williamson nog? Hij had voor me gebeld. Toen we in Ooty waren. Om te informeren of alles goed met me was. Ik kon me de hele Toby nauwelijks herinneren, behalve dat hij nogal slecht en excentriek gekleed was – het bleek dat hij op de avond dat we elkaar leerden kennen, de smoking van zijn vader had geleend, dus hij zag eruit alsof hij zwanger was. Lach niet! Ik ben bloedserieus.

Afijn, toen de boycot van Ci eenmaal een paar dagen duurde, snakte ik zo naar een beetje vertier dat ik hem heb gebeld in de Willoughby Club. Ik had toch niets te verliezen, en mammie had me een lijstje gestuurd van spullen die ik voor haar moest meebrengen. Bovendien moest ik een cadeautje voor haar kopen. Maar zonder Pandit en met Ci op haar slaapkamer had ik niemand die me kon rijden.

Hij kwam meteen. Zijn auto zag er erg sjofel uit – stampvol met kleren en boeken. Ci, die naar beneden was gekomen in de hoop dat er leuke visite was, keek hem aan alsof hij van top tot teen onder de paardenpoep zat.

Hij stond even met zijn mond vol tanden en ik had al de pé in. Je weet hoe ik ben. Echt, zo onnozel! Ik heb de neiging mezelf op één lijn te stellen met die mensen over wie je leest in de *Tatler* – eigenlijk zijn het gewoon idioten, met hun dure kleren en hun poenige auto's – en dit leek allemaal zo gewoontjes.

Hij wilde eerst met me naar Bangangla. Het klonk me dodelijk saai in de oren – een begraafplaats aan het een of andere meer. Dus ik hield voet bij stuk en zei dat ik moest winkelen. Dat mammie me een hele waslijst had gestuurd met spullen die ik moest meebrengen, en dat ik een cadeau voor haar moest kopen. En waarom ik moest zorgen dat ik haar te vriend hield.

Nou ja, om een lang verhaal kort te maken, hij reed met me naar de Army and Navy Store. "Wat is je moeder voor iemand?" vroeg hij toen we op de hoedenafdeling liepen. "Ik ben goed in het bedenken van cadeaus." "Je zult het niet geloven," zei ik, "maar mijn moeder is heel tenger, een soort vogeltje."

En toen zette hij een van die verschrikkelijk tropenhelmen versierd met struisveren op zijn hoofd, en hij kraste als een vogel. We keken elkaar aan en kregen de slappe lach. Dat is me nog nooit gebeurd met iemand die ik niet ken, maar het was hemels. We snikten werkelijk van de lach. Waarschijnlijk puur een kwestie van zenuwen, of misschien was ik gewoon opgelucht om weg te zijn bij de Mallinsons. En om eindelijk weer iemand van mijn eigen leeftijd om me heen te hebben.'

'En toen?' Viva begon van het verhaal te genieten.

'Uiteindelijk hebben we een teakhouten olifant voor mijn moeder gekocht. Toby vertelde dat de kop van een olifant altijd naar de deur moet wijzen. Dan brengt hij geluk. Tenminste, ik geloof dat het de kop was. Of misschien ook wel het achterwerk. Zodra hij was ingepakt, wist ik dat ze hem niet mooi zou vinden – ze heeft nog nooit een cadeau mooi gevonden dat ik haar heb gegeven. Sterker nog, het lijkt bijna wel alsof mijn cadeaus haar boos maken. Maar daar gaat het niet om. Na het winkelen gingen we alsnog naar Bangangla. Het is gekke plek, een soort geheim meer midden in Bombay met rondom treden. En het was er zo heerlijk rustig.

We hebben geluncht in een klein restaurant daar vlakbij, en toen zijn we op de treden gaan zitten en we hebben gepraat, en gepraat, en gepraat. Eerst over zijn werk – hij is bioloog, of vogelaar of zoiets, maar hij werkt op een jongensinternaat ergens in het noorden om geld te verdienen. En daarna hebben we het eigenlijk overal over gehad: over onze jeugd, onze ouders, al die gewone dingen waar ik nooit over wil praten met mannen zoals Frank en Ollie, omdat ze zo knap zijn en omdat ik dan in mijn achterhoofd altijd de stem van Ci of mijn moeder hoor: "Hou je hersens erbij," als ik te openhartig word, of als ik denk dat ik niet goed genoeg ben voor ze. Trouwens, heb je iets tegen hoofdpijn? Sorry, ik weet dat ik te veel praat, maar ik ben bijna aan het eind van mijn verhaal.'

Viva loste een hoofdpijnpoeder op in water. Tor ging even liggen met een vochtige lap op haar voorhoofd, maar ze schoot al snel weer overeind.

'En nu komt het fijnste. Terwijl we zaten te praten, bedacht ik dat hij zo'n leuke mond had en dat hij bijna knap zou zijn als hij zijn haar fatsoenlijk liet knippen. En toen begon hij dichtregels te citeren, en ik zei "Hoor eens, ik moet je waarschuwen. Ik ben erg onnozel in dit soort dingen. Ik ken maar één gedicht. Het heet "Ithaka", en ik vind het volslagen onzin."'

Viva begon te lachen. 'Wat zei hij toen?'

'Hij vroeg waarom ik het volslagen onzin vond, en ik zei: "Omdat het niet waar is. Het gedicht gaat over alle diamanten en parels die je vindt op je reizen, zodat je terugkomt als een rijker mens. Maar als India me iets heeft opgeleverd, dan is het dat ik me juist armer voel. Want als ik hier nooit naartoe was gegaan, zou ik niet hebben geweten hoe heerlijk het leven kan zijn."

Hij zei een hele tijd niets. En ik ook niet. Er was een kleine rouwstoet naar het meer gekomen, en we keken toe terwijl een man zich uitkleedde tot op zijn *dhoti*, zich waste en de as van zijn vader uitstrooide over het meer. Dat was heel verdrietig, en Toby legde me uit hoe die man afscheid nam. Dat was interessant, en toen vertelde ik hem het hele verhaal over Pandit. Hij vond het ook afschuwelijk.

In de auto op weg naar huis zei hij dat hij het niet met me eens was dat "Ithaka" alleen maar ging over de leuke dingen wanneer je het onbekende tegemoet ging. Volgens hem ging het erover dat je jezelf vond door op reis te gaan, of zoiets.

Hij stopte bij Chowpatty Beach. De zon ging onder, en toen kuste hij me. O Viva, heb ik dan toch eindelijk mijn verstand verloren?' Tors prachtige blauwe ogen begonnen te stralen.

'Ga door! Ga door!' Nu was het Viva die op de rand van haar stoel zat, terwijl Tor in een soort droomtoestand verkeerde.

'Hij zei: "Ik heb een belachelijk voorstel. Jij wilt niet naar huis en ik wil trouwen. Dus laten we trouwen. Beschouw het als een avontuur. Ik weet al dat ik met je kan lachen."'

'Het is niet waar!' Viva sloeg haar handen voor haar oren. 'Dit kan gewoon niet waar zijn!'

'Het is waar.' Tor vouwde haar handen in haar schoot en sloeg haar ogen neer.

'Tor, je bent één middag met hem op stap geweest. Dat kun je niet doen! Dat kan gewoon niet.'

'Jawel, het kan wel.' Tor legde de lap weer op haar voorhoofd. 'Dat is het grappige. Soms weet je het gewoon als iets goed is. Dat weet jij ook.'

'Nee, dat weet ik niet,' zei Viva. 'Niet als het om zoiets gaat.'

'Toby zegt dat het een soort Indiaas huwelijk is. Alleen hebben wij het zelf geregeld.'

'Maar dat is het niet,' protesteerde Viva. 'Je weet niets van hem, of van zijn ouders. En zij weten niets van jou.'

'Ik weet dat zijn ouders in Hampstead wonen. Zijn vader is architect, zijn moeder schrijft gedichten, en ze gaat elke ochtend zwemmen in een vijver in het park. En dan neemt ze een ketel mee.'

'O natuurlijk,' zei Viva. 'Daarmee is alles duidelijk.'

'Dat is om het water warmer te maken,' voegde Tor er behulpzaam aan toe.

'Klinkt geweldig.'

'O Viva.' Tor klemde als een kind haar handen in elkaar. 'Probeer het te begrijpen. Op die manier hoef ik niet terug naar Middle Wallop. Ik krijg een eigen huis. Ons leven samen wordt een ontdekkingsreis, zegt hij. Net als bij die boeddhistische monniken die het woud in gaan om hun aard-man te vinden of zoiets.'

'Hun *atman*,' zei Viva. 'Dat betekent hun ware zelf, en wat jij me allemaal vertelt klinkt niet alsof het ook maar iets met monniken te maken heeft.'

'O Viva, die hoofdpijn is echt hardnekkig. Heb je nog een poeder voor me?'

Viva loste nog wat bitterzout op in water.

'Hoe oud is hij?' vroeg ze iets vriendelijker. Ze was verrast door haar eigen reactie. Het was alsof de ongerustheid haar keel dichtsnoerde.

'Zevenentwintigenhalf, en hij verdient vijftienhonderd pond per jaar met lesgeven aan een school voor Indiase jongens in Amritsar. De school heet St.-Bart's of zoiets. We hebben daar ons eigen huis.'

'Ik dacht dat je zei dat hij veel ouder was dan jij.'

'Dat heb ik je toch verteld? Hij had de smoking van zijn vader aan. Daardoor leek hij ontzettend dik. Maar in werkelijkheid is hij heel slank.'

'En heeft hij je al met zoveel woorden ten huwelijk gevraagd?'

Tor trok een geheimzinnig gezicht.

'Nou...'

'Vooruit, Tor. Vertel op.'

Na een nerveuze stilte zei Tor: 'Ik ben al getrouwd.' Ze schoof de manchet van haar jurk omhoog om Viva een zilveren armband te laten zien. 'Dit heb ik van hem gekregen. Het betekent "geliefde" bij de hindoes.'

'Maar je bent geen hindoe.'

'Dat weet ik ook wel, maar dat kan me hoegenaamd niets schelen. We zijn naar de burgerlijke stand geweest, en daar heeft hij me dit gegeven.' Ze haalde een gouden ring tevoorschijn die ze aan een ketting onder haar jurk droeg. 'Vanavond lopen we samen weg. Ik zal een briefje neerleggen voor CiCi, en ik heb mijn moeder al een telegram gestuurd. En weet je wat het fijnste is...' Haar ogen schitterden van opwinding. 'Niemand kan er nog iets tegen doen. Daarvoor is het te laat.'

42

Toen Tor weer was vertrokken, met dezelfde vaart als waarmee ze was gekomen, liet Viva zich op haar bed vallen, lamgeslagen door wat ze zojuist had gehoord. De roekeloosheid en de impulsiviteit waarmee Tor zichzelf aan deze Toby had gegeven, grensden in Viva's beleving aan waanzin, en de gedachte dat ze al over een paar uur in zijn stokoude auto met hem naar het noorden zou rijden, deed haar huiveren van angst. Haar vriendin was in een bootje van papier op weg naar een stroomversnelling. Het enige positieve aan de situatie was dat Tor zo in beslag werd genomen door haar eigen nieuws, dat ze niet naar Frank had gevraagd.

Want Viva wilde niet over hem praten. Het was voorbij.

Ze had hem een week eerder een brief gestuurd om hem te vertellen dat Guy nog leefde; dat het er alle schijn van had dat zijn 'dood' een zieke grap was geweest waarmee hij hen allebei voor de gek had gehouden, en dat ze als gevolg van die 'grap' haar kamer bij meneer Jamshed had moeten opgeven.

'Het was aardig dat je ons als redder in de nood bent komen ontzetten,' had ze geschreven. Maar dat klonk misschien sarcastisch, besloot ze, dus ze had het veranderd in: 'Dat je ons naar huis hebt geëscorteerd. Maar het lijkt me beter als we elkaar niet meer zien.' In de eerste versie had ze er nog 'althans, op de afzienbare termijn' aan toegevoegd, maar dat had ze doorgestreept. Een snelle amputatie was beter dan langzaam afsterven.

'Meneer Jamshed en Daisy hebben me duidelijk gemaakt hoe belangrijk het is, zeker op een moment als dit, om niets te doen wat de reputatie van het tehuis zou kunnen schaden,' had ze vervolgd. Hier had haar pen gehaperd – als ze niet met hem naar bed was geweest, zou ze hem misschien hebben geschreven over de ontwijding van haar kamer en over meneer Jamsheds pijnlijke beschuldigingen, maar nu leek het alsof hij deel uitmaakte van die schande.

'Ik wil mijn boek afmaken, en wanneer ik daarmee klaar ben, ga ik naar

Simla om de hutkoffer van mijn ouders te halen,' had ze haar brief besloten. 'Ik wens je veel geluk in de toekomst. Met vriendelijke groeten, Viva.'

Dat laatste stukje, dat ze op reis ging om de hutkoffer te halen, was een beetje bravoure geweest en misschien – dat had ze op het moment zelf niet zo gezien – een manier om zichzelf te troosten. Want het had haar meer dan een uur gekost om de brief te schrijven, en toen het karwei erop zat, transpireerde ze over haar hele lichaam, en in haar hoofd heerste totale chaos. Ze had de envelop dichtgeplakt en haar aantekeningenboeken gepakt, vastbesloten om aan het werk te gaan. Toen dat onmogelijk bleek, had ze met haar armen om haar schouders door de kamer lopen ijsberen, zo van streek dat ze het gevoel had geen lucht te krijgen.

Later in bed had ze de slaap niet kunnen vatten, en ze had gedacht aan die nacht in dat kleine gastenverblijf in Ooty, terwijl buiten de regen met bakken uit de lucht viel, en haar pijn was veranderd in boosheid. Boosheid op zichzelf. Het was haar verdiende loon wat er was gebeurd. De gedachte aan haar tranen, aan hoe ze had gekreund, hoe ze zich aan hem had vastgeklampt, vervulde haar met ontzetting, met weerzin, en ze wenste vurig dat ze afstand was blijven bewaren. Dat afstand bewaren was iets wat ze heel letterlijk opvatte. Na de dood van Josie en haar ouders had ze geleerd – en dat had ze tot het fiasco met William ook volgehouden – om niemand volledig te vertrouwen, om geen verwachtingen te koesteren en – dat was het allerbelangrijkste – om zich niet bloot te geven. Op die manier kon ze het leven beter aan.

Twee dagen later ontving ze antwoord van Frank.

Beste Viva,

Dank je wel voor je berichtje over Guy. Het is een geweldige opluchting te horen dat hij niet dood is. Je zult er ongetwijfeld in slagen eventuele problemen het hoofd te bieden zoals jij dat gepast vindt, en daarbij heb je mijn waarschuwingen niet meer nodig. Ik heb definitief besloten om de baan in Lahore te nemen. Ik vertrek volgende week. Dat zul je waarschijnlijk ook niet doen, maar ik zou je willen verzoeken om voor mijn vertrek geen contact met me op te nemen.

Met vriendelijke groet,
Frank

Ze zat op haar bed terwijl ze de brief las. Toen ze hem uit had, verfrommelde ze hem tot een prop en gooide hem in de prullenbak. Daarop pakte ze een bezem en begon ze rusteloos en koortsachtig de vloer te vegen. Toen die stofvrij was, schrobde ze de grote klerenkast met carbolzeep, ze bekleedde de planken met schoon papier en legde met de grootste zorg haar weinige kleren erop. Ze ruimde haar bureau op, legde haar schrijfpapier en haar pennen netjes recht, zette haar schrijfmachine op zijn plaats, ordende haar aantekeningenboeken in chronologische volgorde en legde ze op een plank, en ten slotte prikte ze een rooster op de muur boven haar bureau. Ziezo, ze had weer enige orde in haar leven geschapen. Ze kon aan het werk.

Later die avond lag ze doodmoe en half verdoofd in haar ijzeren bed bij het raam. Terwijl ze indommelde, met haar armen krampachtig om haar schouders geslagen, was het laatste wat ze hoorde de kreet van een baby-uil die met zijn moeder nestelde in de tamarinde. Talika had haar verteld dat de kreet van een uil een voorbode was van rampspoed. Gelukkig geloofde ze niet in zulke dingen.

43

Het telegram dat Tor naar haar ouders in Middle Wallop stuurde – SORRY STOP KOM NIET NAAR HUIS STOP GISTEREN GETROUWD STOP SCHRIJF SPOEDIG STOP ERG GELUKKIG STOP VEEL LIEFS STOP VICTORIA – leidde tot een spervuur van brieven en telegrammen tussen CiCi Mallinson en Jonti, Tors moeder. Beide vrouwen waren ervan overtuigd dat de schuld aan het hele gebeuren bij de ander lag.

Jonti Sowerby vuurde het openingsschot af door te vragen hoe het mogelijk was dat een meisje zo weinig werd gecontroleerd dat ze simpelweg had kunnen verdwijnen in het achterland van India. Had CiCi ooit van deze Toby gehoord? Wist ze wat zijn vader deed? En wat stelde CiCi voor dat ze deed met het ticket dat ze voor Victoria had gekocht, op een moment dat ze zich die uitgave nauwelijks kon veroorloven. De kosten bedroegen zestig pond, 'mocht je het toevallig willen weten'.

CiCi – zonder Pandit en midden in de verhuisdrukte omdat ze India gingen verlaten – schreef per kerende post terug met de vraag of Jonti vertrouwd was met het oude gezegde 'ondank is 's werelds loon'.

'Mag ik je eraan herinneren dat je oorspronkelijke verzoek luidde of Victoria gedurende het uitgaansseizoen in Bombay bij ons kon logeren? Het uitgaansseizoen loopt hier van november tot februari. Op z'n laatst! Victoria is die afspraak "gemakkelijkheidshalve vergeten". Als ze dat niet had gedaan, zou dit allemaal niet gebeurd zijn.'

Omdat Jonti zo platvloers was geweest om over geld te beginnen, wilde Ci haar erop wijzen dat ze een hoop geld hadden uitgespaard doordat ze hun dochter zo lang niet thuis hadden gehad. 'Misschien ben je dat vergeten, maar ze is erg dol op baden en eten,' had Ci er hatelijk aan toegevoegd.

Ze had het weer enigszins goedgemaakt door toe te zeggen dat ze plaatselijk wat inlichtingen zou inwinnen over 'deze Toby'. Wat ze op de club te horen kreeg, leek erop te wijzen dat de situatie misschien niet zo ernstig was als die leek. Toby's ouders stonden weliswaar bekend als intellectuelen, maar ze waren een jaar eerder naar India gekomen en hadden verbleven bij de Maharadja van Baroda, die naar Ci's overtuiging anti-Brits was.

Ze sloot een aan Tor gerichte rekening bij van het naaiatelier, en verder schreef ze dat ze een 'vrij oud twinset' van Tor achter in haar klerenkast had aangetroffen. Als Jonti haar een postwissel stuurde voor de porto, zou ze het terugsturen.

Daarop schreef Jonti een brief aan de moeder van Rose, met de vraag of zij licht kon werpen op dit overhaaste huwelijk dat 'het hart van deze toegewijde moeder heeft gebroken. Alleen een vrouw die ook moeder is, kan begrijpen hoe ik uitkeek naar het moment waarop we onze lieve Victoria weer in onze armen zouden sluiten,' had ze haar brief aangrijpend geëindigd.

Mevrouw Wetherby, die Tor ontelbare schoolvakanties te logeren had gehad, nam dit laatste met een korrel zout, maar ze beloofde Rose te schrijven.

'Ze is recent verhuisd naar Bannu, de grenspost in het noorden,' schreef ze. 'We hebben geprobeerd haar over te halen in Poona te blijven, omdat we hebben begrepen dat het daar aanzienlijk veiliger is. Maar dat weigerde ze pertinent. Zoals je waarschijnlijk wel weet is ze in de laatste maand van haar zwangerschap. Dus het kan zijn dat je niet meteen antwoord krijgt!

We hebben, en dat is heel ongebruikelijk, al enkele weken niets van haar gehoord. In sommige opzichten is dat een zegen, want mijn man heeft een ernstige hartaanval gehad, en we hebben nog niet de moed gehad dat aan Rose te vertellen. Ze heeft tenslotte al genoeg aan haar hoofd. Hoe dan ook, dit is haar nieuwe adres: Gezinsbarakken, nummer 312, p/a Bannu Kazerne, Noordwestelijke Grens, India.'

Jonti's brief deed drie weken over de reis naar Bannu, het grimmige, kleine stadje waar Rose en Jack waren ondergebracht in wat door het leger de 'gezinsbarakken voor spoedeisende gevallen' werden genoemd. Na maanden van speculatie waren Jack en twintig andere leden van het Third Cavalry Regiment hierheen gestuurd om wat gaten te dichten aan de noordwestelijke grens, na een overval waarbij vijf leden van een infanteriecolonne waren gedood. Jack had tot taak om tijdens twee- of driedaagse verkenningsexpedities de heuvels in, te bepalen welke gebieden geschikt waren voor toekomstige operaties. Op zijn eerste ochtendrit had hij al ontdekt dat de heuvels zo steil waren dat er met Bannu alleen communicatie mogelijk was per postduif.

Hij had Rose gesmeekt niet mee te gaan. Met zijn steile bergen, verraderlijke ravijnen en woeste, schietgrage bendes stond het gebied bekend als een van de gevaarlijkste plekken ter wereld. Enkele jaren eerder was een zekere Mollie Ellis in Kohad ontvoerd, en sindsdien stond er een grote haag van prikkeldraad rond het kamp en mochten Engelse vrouwen zonder toestemming geen stap buiten het terrein zetten.

Maar Rose had erop gestaan mee te gaan. Ze hadden verwacht dat ze in de legerplaats van Peshawar zouden worden ondergebracht, waar een redelijk legerziekenhuis was. Maar door een overstroming, een week of twee vóór hun vertrek, waren de ongeveer vijftig huizen in Peshawar onbewoonbaar geworden. Het enige alternatief – tenminste, volgens de officier van dienst – was dat Jack zijn intrek nam in de officiersmess en dat Rose terugging naar Poona.

'Ze blijft hier,' had Jack onbuigzaam gezegd. 'Dus ik verzoek u een ander onderkomen voor ons te zoeken.' Hij wist dat het zinloos was verder met Rose in discussie te gaan.

Op een snikhete dag eind augustus hadden ze de sleutels gekregen van een bungalow die, omringd door rood stof en dor struikgewas, een verlaten aanblik bood. Rose had het gevoel alsof de hitte als een moker op haar viel toen ze uit de auto stapte, en terwijl ze naar de trillende horizon keek, leek de hitte zelfs door haar schoenzolen te dringen. Ze voelde het zweet tussen haar borsten sijpelen, die inmiddels zo groot leken als rijpe meloenen.

Terwijl ze – half in shock – met Jack om het huis heen liep, moest ze zich inspannen om alles helder te zien, want de hitte straalde van de muren. In het vertrek dat hun slaapkamer zou worden, zat de met stro gevulde matras op het ijzeren bed onder de vogelpoep; de muren in de stoffige zitkamer waren bedekt met groen mos, een overblijfsel van de regentijd. De vorige huurder – een dronkaard, hadden ze begrepen van de officier van dienst – had een half geleegd blik pekelvlees op de keukentafel achtergelaten, de kapotte wc in de badkamer stond vol met donkerbruine urine.

Buiten het keukenraam bevond zich een door houtworm aangevreten veranda. Daarachter liep een pad van rode aarde dat naar Bannu leidde, ruim zes kilometer verderop. Aan de andere kant van het pad stroomde de Kurran naar de vallei. Het zachte gebulder van het water was dag en nacht hoorbaar. Boven de rivier verhieven zich hoge bergen. Aan de andere kant daarvan stonden de enorme borden die de grens van het Britse Imperium markeerden. Rose stelde zich de chaos voor die daar heerste: bloed, oorlog, een heksenketel. Ze had nooit met Jack mee moeten gaan. Het was haar eigen schuld. Jack kon er niets aan doen. Sterker nog, hij had haar keer op keer gewaarschuwd.

Jack was bij hun aankomst buitengewoon slecht gehumeurd. Balu Balu, die hij in de trein had meegebracht voor zijn verkenningsexpedities en om polo te spelen, had gierstuitslag en zag er ellendig uit. Bovendien kreeg Jack de schrik van zijn leven toen hij dacht zijn geweer kwijt te zijn – het verlies van een geweer betekende een enorme schande en was een overtreding die voor de krijgsraad kwam. Gelukkig werd het wapen gevonden onder een berg kleren in hun kamer in het vervallen hotel waar ze hun eerste zwijgzame nacht samen doorbrachten.

Toen hij het huis zag, was hij ontploft. 'Godallemachtig! Wat een bouwval!' Het was voor het eerst dat Rose hem hoorde vloeken, ook al hadden ze inmiddels de nodige ruzies gehad sinds hij haar over zijn relatie met Sunita had verteld. Ze probeerde een grapje te maken en zei dat ze niet verwachtte dat hij haar opnieuw over de drempel droeg, maar hij ging er niet op in. Als zij niet zo nodig mee had gemoeten had hij kunnen doen wat hij van meet af aan had gewild en met zijn vrienden in de mess kunnen gaan wonen, las ze in zijn woedende blik.

Tien minuten later werd er geklopt. Er stond een lange Pathaanse vrouw voor de deur, een indrukwekkende verschijning met haar schitterende ogen en haar gebiedende houding. Ze droeg een donkerblauwe *shalwar kameez* en had een gouden ring door haar neus. In het Pashto vertelde ze Jack dat ze Laila heette en dat ze in het naburige dorp woonde. Ze kwam hen helpen met de huishouding. Het was eerder een verklaring dan een vraag. Achter haar stond Hasan, haar echtgenoot. Hij was net zo knap als zij en had doordringende, groene ogen. Hasan zou zich verdienstelijk maken als chauffeur en tuinman, kondigde hij aan, ook al vertoonde het rotsachtige terrein om de bungalow geen enkele gelijkenis met een tuin. Toen Jack vroeg of ze kinderen hadden, vertelde Laila dat drie van hun zes kinderen waren gestorven.

Het was de wil van God, zei ze, in reactie op Jacks woorden van medeleven.

Rose en Laila hadden vier dagen nodig om het huis enigszins bewoonbaar te maken. Vier dagen waarin ze het van onder tot boven schrobden met carbolzeep en ontelbare pannen water kookten op de houtkachel.

Toen het huis schoon was, kwamen Baz en Imad, Laila's twee zonen die in een timmerwerkplaats in Bannu werkten, om planken aan de muren te maken, het bed te repareren en scharnieren te zetten op het deksel van de houten kist die Jack en Rose hadden gekocht voor de kleertjes van de baby.

Inmiddels, met nog twee weken te gaan voordat de baby kon worden verwacht, was Rose in de toekomstige kinderkamer bezig de kleertjes uit te zoeken. Ze was de hele week alleen geweest. Jack was op patrouille in de buurt van Mamash, een gebied waar een van de soldaten was gedood door leden van een plaatselijke stam. Hij hoopte ergens in de komende dagen terug te zijn, maar je wist het bij hem nooit zeker.

In haar kiel, op blote voeten en met haar haren naar achteren gebonden, droop Rose van het zweet. Haar enkels waren gezwollen als de enkels van een oude vrouw. Terwijl ze de kleine truitjes, de belachelijk kleine broekjes, de flanellen hemdjes en de luiers opvouwde, moest ze zichzelf eraan herinneren dat dit een van de momenten was waarnaar ze zo had uitgekeken. Want door de hitte en het afschuwelijke huis waarin ze woonde, voelde het volslagen onwezenlijk. Alsof de voorbereidingen die ze trof waren bedoeld voor een kindje dat nooit zou komen.

Op de ochtend dat Jonti's brief kwam, tegelijk met een brief van haar moeder, met de vrachtauto die behalve de post ook de wekelijkse kranten bracht, zat Rose in de zitkamer met een kleverig, zwart tapijt van stinktorren rond haar stoel. Ze waren de vorige nacht ineens, als uit het niets, verschenen. Toen ze de deur naar de veranda had opengedaan, waren er twee reusachtige kikkers naar binnen gesprongen, die een deel van de torren hadden opgeslokt. Ze besteedde er verder geen aandacht aan, smeerde een boterham met jam voor zichzelf en nam de verfomfaaide envelop met de langverwachte brief van haar moeder mee naar bed. Ze las hem gretig, maar er stonden erg veel vragen in waarop ze geen antwoord had. Van Tor had ze amper meer iets gehoord, behalve dat ze krankzinnig verliefd was en nooit meer naar huis terugging. Maar in brieven verzonnen mensen van alles. Werd ze geacht al die informatie door te geven?

Sinds Jack haar over Sunita had verteld, had ze haar ouders niets dan leugens geschreven, en ze was ziek van de persoon die ze was geworden: traag en log, maar vanbinnen kwetsbaar, onoprecht, in alles onzeker.

Ze stapte uit bed om schrijfpapier te pakken, want ze zou de brief moeten beantwoorden. Op de plank boven haar bureau stond de kist die haar vervulde met schaamte: de houten kist met brieven van familie en vrienden, die haar bewonderden omdat ze een kindje kreeg, en die schreven dat Jack en zij wel in de zevende hemel moesten zijn. Ze had nog bijna geen van die brieven beantwoord. Sinds Jacks onthulling had ze zich zo bezeerd gevoeld, zo gedesoriënteerd en was ze tegelijkertijd zo kwaad op zichzelf geweest. Jack had althans de moed gehad haar de waarheid te vertellen. En hij had gezworen dat hij Sunita niet meer zou zien. Daar zou ze toch zeker dankbaar voor moeten zijn?

Maar dat was ze niet. De sfeer tussen hen was zo gespannen dat Rose een fysieke opluchting voelde zodra hij het huis verliet; het was het gevoel als van een te strakke hoed die werd afgezet. Op de avonden dat hij thuis was, verliep het gesprek zo moeizaam dat ze hen in gedachten soms zag als twee kleine bootjes, bij nacht op een grote, donkere zee, terwijl ze steeds verder uit elkaar dreven.

Ze gaf hem niet van alles de schuld. Er waren ook nog zoveel andere dingen die haar dwarszaten, en ze was nijdig op zichzelf omdat ze zo sentimenteel was.

Andere vrouwen maakten niet zo'n drukte over het krijgen van een kind. Het was tenslotte iets heel natuurlijks. Dus waar haalde ze het recht vandaan om zich zo wazig te voelen in haar hoofd? Om zo lui en labiel te zijn? De avond voor zijn vertrek, toen Jack haar op de vingers had getikt omdat ze een schaal met gebraden geitenvlees op het dressoir had laten staan die onmiddellijk was bestormd door mieren, had ze zelfs sympathie voor hem gevoeld. De arme man was met een onnozele gans getrouwd.

Rose had zich voor die ochtend een taak gesteld. Ze zou aan haar bureau blijven zitten en er niet vandaan komen tot ze vier van de brieven had beantwoord. Dan had ze in elk geval een begin gemaakt.

Lieve mammie,

Ik heb je goede raad nodig! Jonti Sowerby heeft me geschreven over Tor, en ik begrijp dat ze bezorgd is. Maar het probleem is dat ik sinds haar verhuizing amper meer iets van Tor heb gehoord.

Ze heeft me geschreven over haar huwelijksreis in Kashmir, en dat ze met Toby is verhuisd naar een bungalow in de buurt van Amritsar, en dat ze binnenkort vogels gaan kijken in de heuvels. Ze klinkt dolgelukkig, maar ik weet niet wat Tor aan haar moeder heeft geschreven en ik wil haar vertrouwen niet beschamen. Ik ben nog een beetje confuus van onze verhuizing, lieve mammie. Dus neem me alsjeblieft niet kwalijk dat ik het kort houd. Binnenkort schrijf ik je uitvoeriger. Wanneer je terugschrijft, vergeet dan alsjeblieft niet te vertellen hoe het met pappie gaat. Daar heb je in je laatste brief helemaal niets over geschreven. En omdat ik zo ver weg zit, heb ik soms de verschrikkelijkste visioenen!!!

Ik mis je, lieve mammie, maar je hoeft je over mij geen zorgen meer te maken. We hebben de mieren verslagen en we zitten er erg chic bij nu we vorige week een nieuw dressoir hebben laten maken. Jack stuurt je ook heel veel liefs. Ik ben zo dik als een nijlpaard, maar volgens de dokter maken moeder en kind het uitstekend. Dus geen zorgen!

Ik schrijf je binnenkort uitvoeriger.
Heel veel liefs,
Rose

Terwijl ze de envelop dichtplakte was de omtrek van het voetje van de baby duidelijk zichtbaar, dwars door de stof van haar kiel heen. Ze klapte bijna dubbel van de pijn en maakte zich op slag de grootste zorgen. Ze was zo slecht voorbereid en ze wilde zich niet belachelijk maken door te vroeg naar het buitengewoon sobere legerziekenhuis in Peshawar te gaan. Ze had uitgekeken naar het consult bij de garnizoensarts eerder die week, en een hele lijst met vragen meegenomen. Was het normaal dat het kindje 's nachts zo schopte? Ze had de week daarvoor amper een oog dichtgedaan. En was het normaal dat ze soms zo duizelig was? Twee dagen eerder was ze zelfs flauwgevallen in de keuken. Ze stond tegen Laila te praten, en toen ze bijkwam lag ze op de bank.

Misschien was de garnizoensarts ook moe, maar hij had haar over de rand van zijn bril aangekeken en haar het gevoel gegeven dat ze een totale hysterica was – terwijl ze over dat flauwvallen met geen woord had gerept. 'Wat kunt u een hoop dingen bedenken om u zorgen over te maken, mevrouw Chandler,' had hij gezegd, en het was duidelijk dat hij zich moest beheersen om niet ongeduldig tegen haar uit te vallen. 'Het was misschien voor iedereen beter geweest als u in de buurt van een groter ziekenhuis was gebleven, zoals dat in Poona.'

Ze had geglimlacht en geprobeerd een kalme, verstandige indruk te maken, maar ze was gewoon bang; bang om zo ver van de bewoonde wereld te zitten, bang dat ze de baby zou laten vallen als die er eenmaal was, bang dat ze hem zou vergeten, bang dat hij zou worden opgegeten door wilde dieren, of dat hij malaria of bloedvergiftiging zou krijgen.

Terwijl ze zijn kantoor verliet had de dokter op scherpe toon gezegd dat hij die ochtend de slachtoffers had moeten behandelen van een dodelijke steekpartij tussen twee rivaliserende stammen, alsof hij wilde zeggen: *dat is het echte leven en dat is heel wat serieuzer dan de vraag of uw baby te veel schopt.* In het oude rijtuigje op weg naar huis had ze plotseling zo'n allesoverheersende woede gevoeld dat ze het liefst rechtsomkeert had gemaakt om de ellendeling mee te slepen naar al die kleine hoopjes aarde, al die tijdelijke grafstenen. Dat was ook het echte leven. Hij had niet het recht zo'n toon tegen haar aan te slaan!

Nog drie brieven te schrijven. Drie, meer niet. Dan kon ze gaan liggen. Maar het schoppen was weer begonnen, zo regelmatig alsof er op een trom werd geslagen. Ze werd er een beetje misselijk van. Strompelend liep ze naar de thermometer, om te zien of het klopte dat ze droop van het zweet.

Toen het schoppen ophield, haalde Rose diep adem en liep terug naar haar bureau, opgelucht dat alles weer normaal was – of tenminste, wat tegenwoordig doorging voor normaal. Ze pakte haar pen op, doopte hem in de inkt en ritste de rood leren schrijfcassette open die ze ter ere van haar dertiende verjaardag van haar vader had gekregen. Destijds hadden de vakjes gemerkt met 'correspondentie', 'postzegels', 'rekeningen' haar vervuld van opwinding en haar een gewichtig, volwassen gevoel gegeven alsof ze haar leven volledig op orde had.

In het vakje 'postzegels' had haar vader een veer gestopt, inmiddels verbleekt tot een doffe tint beige, van de groene specht die in hun wilde appelboom woonde, samen met twee volmaakte kleine schelpen die hij had gevonden op het strand bij Lymington waar ze hun zomervakanties doorbrachten.

Ze rolde de veer tussen haar vingers. Het was echt iets voor haar vader om zoiets kleins maar volmaakts op te merken en met haar te willen delen. Wanneer ze haar ogen sloot, kon ze zijn geur bijna ruiken – hout, wol, zijn vest van Engels leer, de kruiden van zijn tabak. Hij was ziek. Dat proefde ze uit de stiltes van haar moeder. Misschien was hij wel dood. Ze stopte de veer terug in de schrijfmap. Dat was het. Hij was dood, en haar moeder wilde het haar niet vertellen, omdat ze ziek was geweest en omdat ze duizenden en nog eens duizenden kilometers van huis was.

Hou op! Hou op! Hou op! Dat was ook iets waarmee ze moest stoppen: dat praten tegen zichzelf alsof ze een oude dame was.

De bovenste twee vellen van haar schrijfpapier waren vochtig en roken naar schimmel. Ze scheurde ze af en gooide ze in de prullenmand.

Beste mevrouw Sowersby, Beste mevrouw Sowersby, Beste mevrouw Sowersby, hartelijk dank voor uw brief. Ik ben... Als ze dit bleef herhalen kwamen de volgende woorden misschien vanzelf.

Ze legde haar pen neer en luisterde; door de dunne muren van het huis heen kon ze de zachte voetstappen van Laila horen. Ze was bezig de wieg op te maken. Er klonk gepiep toen ze het kleine bedje liet schommelen, en Rose wist dat ze elk moment kon binnenkomen om te vragen of ze kwam kijken. Kijken naar de lege wieg voor een kind dat nog geboren moest worden.

Ze had een paar keer akelig gedroomd over de baby. In een van die dromen had ze het kindje op een toonbank in Londen laten liggen terwijl ze hoeden paste; in een andere droom was ze zo onoplettend geweest het met zijn billetjes op een fornuis te zetten. Die droom was zo levendig geweest dat ze een brandlucht had geroken, als van het vetrandje wanneer je varkensvlees braadde. Een week eerder had ze het kind in haar droom dagen aan de voet van een berg laten liggen terwijl ze zelf was gaan klimmen. Toen ze weer beneden kwam, werd ze opgewacht door een krijsende ayah en had de baby stil en helemaal blauw in zijn mandwiegje gelegen.

Beste mevrouw Sowersby,

Wat heerlijk om een brief van u te krijgen. Ik heb de laatste tijd erg weinig van Tor gehoord, maar ze klinkt erg gelukkig, en ik krijg de indruk dat alles goed met haar gaat. Ook al besef ik natuurlijk dat het nieuws een schok voor u moet zijn geweest, toch geloof ik niet dat u zich al te veel zorgen hoeft te maken.

Dank u wel voor uw vriendelijke woorden over mijn zwangerschap. De dokter zegt dat we de baby over twee weken kunnen verwachten. Ik ga bevallen in het legerziekenhuis in Peshawar. Dat is hier niet ver vandaan, en de faciliteiten daar zijn beter dan in ons plaatselijke ziekenhuis. Ik voel me uitstekend.

Ons nieuwe huis was nogal een avontuur. Als ik uit het raam kijk zie ik...

Rose keek op en legde haar pen neer. De horizon trilde en danste, er parelde opnieuw zweet op haar voorhoofd. Het was zo smoorheet dat ze, als Jack gewoon thuis geweest, op de veranda zou hebben geslapen. Maar ze had het niet gedurfd, bang dat ze bij het wakker worden bedekt zou zijn met stinktorren, of met kikvorsslijm.

'Memsahib.' Laila kwam haar een glas limonade brengen.

'Dank je wel, Laila. Ik denk dat we vandaag het theeservies maar moeten uitpakken.' Ze wees naar een verhuiskist in de hoek van de veranda. 'Wanneer ik klaar ben met mijn brief kom ik je helpen.'

Laila, die er geen woord van verstond, glimlachte hoffelijk. Toen Rose even later op handen en knieën de onderdelen van het servies uit kranten wikkelde, had ze ineens een merkwaardige gewaarwording alsof er een kurk losschoot tussen haar benen.

Water spetterde op haar schoenen. Wat afschuwelijk vernederend! Ze plaste in haar broek waar Laila bij was. Terwijl ze haastig probeerde het vocht op te dweilen, was ze dankbaar en opgelucht dat Jack niet thuis was.

Maar Laila scheen precies te weten wat haar te doen stond. Ze glimlachte stralend en hief haar hand op.

'Baby komt,' zei ze in haar gebroken Engels. 'Is goed.' Ze klopte Rose zacht op haar rug.

Die hield geschokt haar adem in toen de eerste wee kwam. 'Laila, ga alsjeblieft de dokter halen. *Daktar. Daktar.*'

Enkele minuten later zag ze Hasan zijn magere paard met de zweep geven en weggalopperen, naar de stad.

'Memsahib, zitten.' Laila had een nest van kussens gemaakt op de rieten ligstoel in de hoek van de veranda, naast de verhuiskisten.

'Het is vals alarm, ik weet het zeker.' Rose glimlachte weer. 'Ik ben pas over twee weken uitgerekend.' Ze wees naar het half uitgepakte servies. 'Ga maar door. Ga maar door,' zei ze in de weinige woordjes Pashto die ze kende. 'Ik voel me prima.'

Toen Laila het hele servies had uitgepakt, bracht ze het naar de keuken. Rose lag alleen op de veranda, aan de voet van de bergen. Ze luisterde naar het geraas van de rivier, naar het getjilp van vogels waarvan ze de naam niet kende. Ze trok het laken dat Laila haar had gebracht, op tot aan haar kin en verbood zichzelf in paniek te raken, zelfs toen ze het bijna uitschreeuwde van de pijn omdat ze opnieuw het gevoel had dat ze door een ezel in haar buik werd getrapt. Het was misschien niet zo erg als het kind te vroeg werd geboren. Dan kon ze Jack verrassen met een blozende baby wanneer hij thuiskwam.

O, wat zou dat heerlijk zijn. Licht hijgend leunde ze achterover in de kussens. Ze hadden zoveel ruzie gemaakt over het feit dat ze niet in Poona wilde achterblijven. Wekenlang hadden ze verhitte discussies gevoerd in de afzondering van hun slaapkamer, voordat hij eindelijk was gezwicht. Het noordwesten was geen plek voor een vrouw, en al helemaal niet voor een vrouw die zwanger was, had hij haar telkens weer bezworen. Er was geen club – of in elk geval niemand die ze kende, omdat het grootste deel van het regiment was teruggeplaatst naar Poona. Ze zou in Bannu niemand hebben om mee op te trekken, en haar aanwezigheid zou zelfs nadelig kunnen zijn voor zijn kansen op promotie.

'Waarom wil je per se mee?' had hij geschreeuwd op de avond van hun eerste ruzie. Terwijl hij voor haar stond, hoog boven haar uittorenend, zijn gezicht vertrokken van woede, had ze heel even gedacht dat hij haar zou slaan. Als hij dat had gedaan, zou ze hebben teruggeslagen. Ze was zich bewust van de woedende, grimmige trek om haar mond.

'Dat weet je heel goed!' had ze hem toegebeten. 'Omdat ik een kind krijg. Omdat ik niet in Poona wil blijven tussen al die roddelende wijven. En omdat ik je voorgoed kwijtraak als ik je nu laat gaan.'

Zo erg was het met hun relatie gesteld sinds zijn bekentenis over

Sunita. Ze was zich ervan bewust hoe dun de draad was die hen verbond. Dat het voorbij zou zijn als ze toeliet dat hij brak.

Die avond had hij haar bij zijn thuiskomst verteld dat er in Peshawar een ziekenhuis was waar ze kon bevallen. De spier in zijn wang trok terwijl hij het zei. Het was de spier die haar vertelde dat hij boos was. Ze had er geen acht op geslagen maar zich erg verdrietig gevoeld, omdat ze besefte dat ze hem op dat moment haatte.

Terwijl ze daar op de veranda lag, begon ze gewend te raken aan de lichte pijnscheuten wanneer ze een wee had. Ze lag er inmiddels bijna een uur. Laila was bezig thee voor haar te zetten, en al denkend vroeg Rose zich af waarom dokter Bowman uit Poona haar niets had verteld over het water dat ze had verloren. Trouwens, dat had ook niet in *Schoonheid en hygiëne van de moderne vrouw* gestaan, dat ze de laatste maanden had gespeld. Maar haar overheersende gedachte was: Waarom maakt iedereen hier zoveel drukte over? Het is niet veel erger dan de maandelijkse periode.

Het voornaamste is kalm blijven, zei ze tegen zichzelf. De trekkende, stekende pijnscheuten in haar baarmoeder stelde ze zich voor als golven waar ze moeiteloos overheen kon springen, en wanneer ze zich terugtrokken, lieten ze haar achter op een glad, vlak strand.

Toen Laila weer verscheen met een schaal biscuitjes, ervoer Rose haar koninklijke houding, haar snelle, stralende glimlach als geruststellend. Dit was een moment dat Rose nooit zou vergeten, zo lang als ze leefde. Laila in haar bleekblauwe shalwar kameez, zoet geurend naar rozen en kruiden. Haar schone nagels.

Rose dronk haar thee, sliep een tijdje, maar uiteindelijk werd ze wakker van de pijn. De zon was achter de bergen gezonken, in de verte hoorde ze de rivier grommen, tuimelen. 'Hasan thuis?' vroeg ze. 'Daktar?' Ze wist niet of Laila haar begreep en maakte zich verwijten dat ze niet meer haar best had gedaan om Laila's taal te leren.

Ze was begonnen les te nemen bij een *munshi*, een taalleraar, maar hij was erg oud, en erg saai, en de hitte maakte haar slaperig, dus ze had nog niet veel vorderingen gemaakt.

Laila kwam naast haar staan en liep eerbiedig met haar de veranda over. Toen Rose plotseling dubbelklapte van de pijn, wreef Laila over het kuiltje van haar rug. Aan de horizon ging de zon langzaam onder. Rose ging weer liggen. De vogels waren opgehouden met zingen. Laila gaf Rose een gedroogde abrikoos, een boterham met boter en drong erop aan dat ze haar thee dronk die inmiddels koud was geworden. Rose had geprobeerd niet al te luid te kreunen waar ze bij was. Het zou vast niet lang meer duren of Hasan kwam terug, of Jack, of de dokter.

'Ooooh! Ooooh!' Ze hoorde dat ze bijna dierlijk gromde. 'Sorry, sorry,' zei ze toen Laila zich naar haar toe haastte en sussend begon te mompelen. 'Ooooh! Help!'

Ze keek op haar horloge. Zeven uur, en het was pikdonker. Verdwaalde regendruppels spetterden tegen de ramen. Ze had zich haar leven lang nog nooit zo alleen gevoeld. 'Waar blijft Hasan? Daktar? Kapitein Chandler.' Ze probeerde niet te schreeuwen, maar Laila haalde slechts haar schouders op en gebaarde vaag alsof ze aan de andere kant van het ravijn waren.

'Je moet me helpen.' Rose deed nog altijd haar best kalm te klinken. 'Ik geloof dat het komt.'

Laila bracht haar naar de slaapkamer en hielp haar in een stoel vanwaar ze de bergen kon zien. Toen haalde ze Jacks gestreepte pyjama onder het kussen vandaan en legde die op de stoel. Ze trok het laken van het bed, spreidde er een schoon zeil op uit en deed er een ander laken overheen.

'Maak je daar maar geen zorgen over.' Vanuit haar stoel keek Rose ongeduldig toe. Ze had geen pijn. Het enige wat ze wilde, was dat ze kon gaan liggen. 'Dokter hier spoedig.'

'Memsahib, sorry, sorry,' zei Laila.

Rose verzette zich aanvankelijk toen Laila haar op het bed duwde en begon haar rok los te knopen.

Ze hoorde zichzelf schreeuwen. Niemand, maar dan ook niemand had haar verteld dat het zoveel pijn deed.

'Het is in orde, Laila,' zei ze beleefd toen de pijn weer wegzakte. 'Dank je wel.' Wat verschrikkelijk dat iemand haar zo zag!

En toen begon de pijn weer: alsof een bokkend wild paard haar vanbinnenuit probeerde dood te schoppen. Toen haar kreten wegebden, zag ze de paarse contouren van de bergen weer, ze rook rozen en zweet. Laila wiegde haar tegen haar zachte boezem en praatte sussend op haar in. Maar plotseling voelde Rose dat Laila haar benen uit elkaar deed en naar de plek daartussen keek.

Ze mompelde iets wat Rose niet verstond, toen legde ze haar handen tegen elkaar om een cirkel aan te geven, zo groot als een grapefruit.

Maar er gebeurde niets. De baby kwam niet. Rose smoorde haar kreten aanvankelijk in haar kussen, maar ten slotte kon ze zich niet meer beheersen. 'Mammie! Mammie! Help me dan toch!' Haar hele wereld bestond nog slechts uit pijn. Het was alsof ze op de helling van een berg stond en elk moment in de diepte kon storten. Het kon haar niet schelen als de baby doodging. Of als ze zelf doodging. Ze wilde alleen maar dat het ophield.

Laila hield haar hand in de hare: een hardwerkende hand, gespierd, sterk, met een huid als schuurpapier. Rose kneep in die hand. Laila was nu haar wereld, het touw dat voorkwam dat ze viel.

Een uur voor de dageraad, toen ze dacht dat ze elk moment kon sterven van de pijn, schoot de baby uit haar, en een andere vrouw, misschien de vroedvrouw uit het dorp – ze zou het nooit weten – kwam de kamer binnen stormen en sneed de navelstreng door.

In de daaropvolgende verwarring voelde ze dat Laila het kind in haar armen legde, en ze hoorde zichzelf roepen: 'Mijn baby! Mijn zoon!' met een verstikte stem die ze nauwelijks herkende. Haar eerste wonder. De pijn was er nog, maar betekende ineens, als bij toverslag, helemaal niets meer. Ze keek uit het raam. Boven de bergen zag ze een stralend rode zon tevoorschijn komen, en totaal onverwacht nam een overweldigende euforie bezit van haar. Ze wilde thee, ze wilde eten, ze zou de hele wereld willen kussen, omhelzen.

Toen Laila terugkwam met het kindje, dat ze had gewassen en een mousseline pakje had aangetrokken, zag Rose dat ze met een stuk dadel waarop ze even had gekauwd, over het tandvlees van de baby wreef. Rose had geen idee waarom ze dat deed, maar de trotse inheemse vrouw had haar vertrouwen gewonnen.

'Ik wil hem vasthouden, Laila.' Rose bleef maar stralen. Buiten het raam baadde de hemel in een rode gloed. Op het blad naast haar bed stond een kop thee. Op de grond ervoor lag het kussen waarop Laila die nacht had gebeden, en de pyjama van Jack.

'Geef me hem alsjeblieft. Ik wil hem vasthouden.' Ze begon zachtjes te zingen, in haar ogen brandden tranen van geluk. Stralend van verrukking keken de twee vrouwen elkaar aan.

Het hoofdje van de baby was bedekt met blonde donshaartjes, zacht als kippenveertjes. Zijn huid was vlekkerig door alles wat hij had moeten doorstaan. Zijn oogjes stonden vermoeid en wijs, zag Rose toen ze naar zijn gezichtje keek.

Laila hielp haar het kindje aan te leggen. Het was een grappig gevoel, maar ze genoot van de zuigende geluidjes die haar zoon maakte. Ze had zich nog nooit zo moe gevoeld, en zo onmisbaar.

'Ga slapen, memsahib,' zei Laila zacht toen de baby aan de borst in slaap viel. Ze deed het licht uit en trok de deken glad. Rose had de bijna onweerstaanbare aanvechting om haar welterusten te kussen, maar ze beheerste zich. Want als ze dat deed, zou Laila zich waarschijnlijk vier dagen grondig moeten wassen. Indiërs vonden het niet prettig te worden gekust. In elk geval niet door memsahibs.

'Dank je wel, Laila,' zei ze dan ook. 'Ook al weet ik niet hoe ik je ooit moet bedanken.'

Laila legde haar handen tegen elkaar en boog haar hoofd met een liefdevolle, begrijpende glimlach die leek te willen zeggen dat ze net zo blij was als Rose dat ze erbij had mogen zijn.

Om tien uur die avond kwam Jack de slaapkamer binnen. Rose en de baby sliepen. Hij hield de olielamp hoog boven zijn hoofd en bij het licht daarvan zag hij eerst alleen wat kleine kleertjes en een omslagluier op de plek waar hij wist dat zijn zoon lag. Toen hij op zijn tenen zacht dichterbij kwam, zag hij dat de baby een snoer van goudsbloemen om zijn halsje had. Zijn gezichtje was zo rood als van een oude kolonel met hoge bloeddruk. Of als een overrijpe tomaat. Bij hem vergeleken was Rose heel bleek. Er lagen donkere kringen onder haar ogen.

'Lieveling.' Jack strekte zijn hand uit. 'Lieveling.' Heel zacht streelde hij de haartjes van de baby, en toen het haar van Rose dat nog vochtig was van transpiratie. Hij keek naar de piepkleine vingertjes van zijn zoon die zich om het beddengoed kromden, als de bleke knolletjes van een kleine plant.

Toen Rose wakker werd en hem zag staan in zijn met zweet doordrenkte rijbroek, huilde hij zo onbedaarlijk dat hij geen woord kon uitbrengen. Met de punt van haar nachtjapon droogde ze zijn tranen. Toen kuste hij haar.

'Hij is prachtig,' zei hij ten slotte.

Ze legde een hand op zijn lippen en schonk hem een stralende glimlach.

'Ja,' fluisterde ze, en ze hield hem hun kindje voor. 'Het mooiste wat er is.'

Jack kon zijn pyjama niet vinden, dus hij kroop in zijn ondergoed in bed en ging naast hen liggen.

'De dokter is onderweg,' fluisterde hij. 'Er was een kleine landverschuiving, maar de weg is inmiddels vrijgemaakt. Wat ben je ongelooflijk dapper geweest.'

Ze lagen naast elkaar, hand in hand, met de baby boven op haar buik, als een slapende boeddha.

'Ik heb een zoon,' zei hij in het donker. 'Maar dat verdien ik niet.'

Hij voelde het hoofdje van zijn zoon tegen zijn arm. De zijdezachte haartjes van zijn kind.

Rose drukte zijn hand. 'Ja, dat verdien je wel.'

44

Viva was aan het tennissen met haar beste vriendin, Eleanor, toen een van de nonnen kwam vertellen dat haar moeder was overleden. Zuster Patricia, een broodmager, Iers meisje, had haar gewenkt om van de baan af te komen. Samen waren ze teruggelopen naar de school, maar het enige wat Viva zich ervan herinnerde, was hoe moeilijk ze zich had kunnen concentreren om niet op de voegen tussen de tegels te stappen. En hoe leeg ze zich vanbinnen had gevoeld – alsof haar gevoelens werden gedempt door een dik pak sneeuw.

Het had maanden geduurd voordat ze echt had gehuild. Tegen die tijd stond de kerstvakantie voor de deur. Die zou ze doorbrengen bij een verre nicht van haar moeder, in de buurt van Norwich. De nicht, een lange, vrekkig ogende vrouw die in niets op Viva's moeder leek, had haar één keer meegenomen voor een kopje thee in een nabijgelegen hotel om de afspraak te bevestigen. Terwijl ze lauwe thee dronken met oude scones, had ze Viva duidelijk gemaakt hoeveel last de logeerpartij haar bezorgde. Ze had Viva's ouders nauwelijks gekend. 'Ze zaten altijd in India,' aldus de nicht, op verwijtende toon. 'Want daar was het zo heerlijk, zeiden ze.' De nicht liet het klinken alsof het een grove nalatigheid van Viva's ouders was geweest om dood te gaan.

Viva had er niet verder over nagedacht – er was in die tijd maar weinig waar ze echt over nadacht – maar twee dagen voor de vakantie ging ze met school naar een voorstelling van Sneeuwwitje, in Chester. In het donkere theater zat ze te genieten, met een zak snoep op schoot, tot de prins op een met glinsterfolie omwikkelde boomstam ging zitten en 'A Pretty Girl is Like a Melody' voor Sneeuwwitje begon te zingen. Dat was het lievelingslied van haar vader geweest. Viva moest de zaal verlaten onder toezicht van een nijdige postulante, voor wie een dergelijk uitje een buitenkansje was. Eenmaal buiten leende de aankomende non haar een gebruikte zakdoek en keek toe terwijl Viva, onder de kerstverlichting van een warenhuis, met schokkende schouders stond te snikken en deed alsof ze de poppen in de etalage keek, tot ze zichzelf voldoende in de hand had om weer naar binnen te gaan.

Uit consideratie had iedereen besloten haar emotionele uitbarsting te negeren, en in de bus naar huis had Viva zich zo geschaamd dat ze zich heilig had voorgenomen dat zoiets nooit meer zou gebeuren. De wereld zat vol valstrikken, maar ze moest zien dat ze die ontweek. En de beste manier om dat te doen, was door vast te houden aan het bevroren gevoel waardoor ze zich tot op dat moment veilig had gevoeld, en door op haar hoede te zijn voor liedjes en sentimenteel gedoe.

Dankzij deze houding, die inmiddels een tweede natuur voor haar was geworden, was ze in staat blij te zijn toen Frank eenmaal was vertrokken, opgelucht dat hij weg was en dat hij niet meer had geprobeerd contact met haar te zoeken. Hij was in Lahore gaan werken, had Daisy haar nonchalant, tussen neus en lippen, verteld. Aan een project dat haar fascinerend in de oren klonk. Zwartwaterkoorts was een afschuwelijke ziekte. Hoe sneller er een behandeling werd gevonden, hoe beter.

Hij had niet gebeld om afscheid te nemen, en het was goed zo.

Haar werk, daar ging het om. Elke avond, wanneer de kinderen allang in bed lagen, ging ze achter haar bureau zitten. Dan luisterde ze naar het gegorgel van de stokoude waterleidingen, naar de roep van de uilen, buiten in de bomen, naar een kind dat praatte in zijn slaap. En dan begon ze te schrijven, vaak tot in de kleine uurtjes, om de verhalen van de kinderen vast te leggen. Kinderen die vaak dapper en veerkrachtig werden genoemd – net zoals zij dat ooit was geweest – maar die vooral hadden geleerd de voegen te ontwijken.

Het schrijven van het boek viel haar zwaarder dan ze had gedacht. Hoewel Daisy haar herhaalde malen had gewaarschuwd, was Viva er toch altijd van uit gegaan dat de meeste kinderen dankbaar waren om in de Tamarinde te mogen zijn. Dat ze hun verblijf in het tehuis beschouwden als een kijkje in een wereld waarvan de meesten slechts hadden kunnen dromen. Tijdens het schrijven kwam ze echter tot de ontdekking dat die opvatting niet alleen sentimenteel was, maar ook arrogant. Sommige kinderen waren inderdaad dankbaar dat ze te eten hadden en een bed om in te slapen, maar anderen voelden zich niet op hun gemak in de tussenwereld die het kindertehuis vormde. Ze misten het rijke, lawaaiige, chaotische leven van de achterbuurt, ze waren bang dat anderen die nog wel op straat leefden, zouden denken dat ze 'rijstchristenen' waren geworden – dat ze hun ziel hadden verkocht voor een warme maaltijd. Enkele van de jongens vertelden haar ronduit, zelfs uitdagend, dat ze weliswaar tijdelijk in het tehuis verbleven, maar dat ze in de eerste plaats jongens van Gandhiji waren.

Maar wat de kinderen ook zeiden, Viva was vastberaden om het waarheidsgetrouw op te tekenen. Elke dag groeide de stapel getikte vellen op haar bureau. Daisy had een deel van de verhalen al aan een vriendin laten zien die werkte bij Macmillan, de uitgeverij. Als de rest van de hoofdstukken net zo goed was, waren ze misschien geïnteresseerd, had de vriendin gezegd.

Viva werkte zo geconcentreerd, zo vastberaden om het karwei te klaren en om het bovendien goed te doen, dat ze verrast en geschokt was door haar reactie toen ze in de *Pioneer Mail* las dat de vrouw van kapitein Jack Chandler het leven had geschonken aan een zoon. Verrast en geschokt door het gevoel dat het bericht bij haar losmaakte. Het was een gevoel dat ze niet meteen wist te duiden. Jaloezie ging te ver, maar ze kon niet ontkennen dat ze werd overvallen door machtige emoties en dat ze behoorlijk uit haar doen was. Door de relatie met Frank in de kiem te smoren en zich te concentreren op haar boek, had ze gehoopt zelfstandiger te worden, authentieker, en in zekere zin was die hoop bewaarheid. De lange uren van geconcentreerd werken hadden haar een soort stille vreugde gebracht, een gevoel alsof ze het verleden achter zich had gelaten en haar leven nieuwe inhoud had gegeven. Maar soms, op de grens van waken en slapen waar alles kan, alles mag, voelde ze opnieuw zijn armen om haar heen, voelde ze weer de onbeschrijfelijke intimiteit van zijn kussen. Dan was ze zich weer bewust van alles wat haar tot in het diepst van haar wezen had geschokt en haar zoveel angst had aangejaagd.

Ze schreef Rose onmiddellijk een briefje om haar te feliciteren en stuurde een mooie sjaal mee, gemaakt door een van de meisjes in het tehuis. Toen ging ze weer aan de slag, want er moest nog een enorme hoeveelheid werk worden verzet voordat ze zich zeker genoeg voelde om het boek aan de uitgever voor te leggen. Zo verstreken september en oktober, gevolgd door wat in Bombay doorging voor de winter, met heldere, warme dagen waarop de zon abrupt onderging, en soms een nacht waarin de wind uit de Himalaya kwam en van het Hoogland van Dekan, zodat je een extra deken nodig had op je bed.

Begin november begonnen de kinderen steeds drukker te worden. Het was bijna volle maan, en in de maand Kartika werd bij volle maan het belangrijkste nationale feest gevierd: Diwali, het Lichtjesfeest van de hindoes, dat de komst van de winter markeerde, de terugkeer van de hindoegoden Sita en Ram, en de overwinning van het licht op de krachten van de duisternis.

Al weken waren ze tijdens de lessen gestoord door winkeliers en kleinhandelaars uit de wijk die om een donatie vroegen voor het bouwen van de *pandals*, de reusachtige praalwagens waarop de goden door de straten van Byculla zouden worden gereden. Boven haar hoofd had Viva de vlugge voetstappen van de kinderen gehoord terwijl ze hun kamers van onder tot boven schoonschrobden en de muren witten. Daarna begonnen ze aan hun eigen Durga, een hoog oprijzende beeltenis van de godin, gemaakt van glinsterfolie en papier en getooid met lichtjes. Het gebeurde herhaalde malen dat Viva naar boven werd geroepen om hun werk te bewonderen en om advies te geven.

Te vroeg afgestoken vuurwerk verstoorde hun slaap, en buiten de schoolhekken, op de hoek van Jasmine en Main Street, waren vier zielige geiten, hun voorpoten in de mouwen van een oud vest, vastgebonden aan het roestige hoofdeinde van een bed om te worden vetgemest voor het feestmaal.

Op dinsdag 3 november, de avond voordat het feest zou beginnen, kroop Vijay in de huid van de Grote Ram en speelde vol vuur zijn rol, compleet met een kartonnen zwaard; Chinna, het weesmeisje uit Bandra, was Sita.

Toen het applaus losbarstte, stak Daisy haar hoofd om de deur en vroeg Viva, mevrouw Bowden en Vaibhavi, een Indiase sociaal werkster, naar haar kamer te komen.

'Ik besef hoe druk jullie het hebben,' zei ze verontschuldigend, met een blik om zich heen in de overvolle kamer. 'En ik wil geen paniek zaaien, maar er is iets gebeurd waarvan ik vind dat ik het jullie moet vertellen.'

Ze stond op en schoof een paar boeken in de kast opzij.

'Dit is onze kluis. De meesten van jullie weten dat. Er zit helaas niet veel geld in, maar ik had er wel wat belangrijke documenten in opgeborgen die betrekking hebben op het tehuis. Toen ik twee dagen geleden op kantoor kwam, zag ik dat de kluis was opengebroken. Mijn adresboek is weg, en er ontbreekt een aantal lijsten met namen van kinderen. Bovendien heeft de dief een nogal brutaal briefje achtergelaten.

Op een avond als deze wil ik geen domper op de feestvreugde zetten.' Daisy nam haar bril af en begon die zorgvuldig te poetsen. 'En ik ben van plan om, zoals altijd, na het vuurwerk mijn eigen Diwalifeest te geven, waarvoor jullie natuurlijk allemaal van harte zijn uitgenodigd. Maar het kan geen kwaad om nog eens te benadrukken dat we voorzichtig moeten zijn.'

'Wat wil je daarmee zeggen?' vroeg mevrouw Bowden, die hield van duidelijkheid en die al te kennen had gegeven dat ze niet naar het feestje zou komen.

'Om te beginnen dat jullie goed op je spullen moeten letten,' zei Daisy. 'En verder: hou je aan de voorgeschreven personele bezetting wanneer je met de kinderen de straat op gaat. Bij een feest als Diwali komen altijd veel emoties los, en ook al hebben we met de meeste Indiërs een geweldig contact, niet iedereen vindt het leuk wat we doen. Dat is alles.'

Ze glimlachte stralend, geruststellend. En er was dan ook niemand die bezorgd keek bij het verlaten van het kantoor. Want het was zo gemakkelijk om te denken dat het allemaal niet zo'n vaart zou lopen zolang Daisy er was.

De kinderen eisten dat Viva zich mooi aankleedde voor het Diwali-feest. Toen ze om vijf uur die avond haar rode zijden jurk aantrok, kon ze buiten op straat de trommels al horen, vergezeld van geschreeuw en gelach, het geluid van toeters en boven haar hoofd het gedreun van opgewonden kindervoeten, die steeds sneller over de vloer roffelden.

Enkele ogenblikken later werd er op haar deur geklopt. Het was Talika, op haar mooist uitgedost in een prachtige perzikkleurige sari, haar magere armen bedekt met glazen armbanden, haar ogen aangezet met kohl, en gouden ringen in haar kleine oren. Ze keek zo trots maar ook zo verlegen, en ze zag er zo stralend uit dat Viva haar het liefst zou knuffelen, maar ze beheerste zich. Toen Viva het meisje enkele weken eerder had gevraagd of ze de omhelzingen van haar moeder miste, had Talika op besliste toon geantwoord: 'Mijn moeder knuffelde me nooit. Als ze thuiskwam van haar werk in de fabriek, was ze veel te moe.' Nog een eenzame ziel.

Achter Talika stond de kleine Savit, de jongen met het verbrande been, in een gloednieuwe *kurta* met op zijn hoofd een gouden kroon. Neeta, die weer achter Savit stond, was gekleed in een paarse sari met een kleine tiara die over haar voorhoofd zakte, bezet met glimmende steentjes en namaakparels en robijnen.

'Hoe zie ik eruit?' vroeg Savit.

'Prachtig,' antwoordde Viva. 'Je lijkt de Grote Ram zelf wel.'

Hij kneep zijn ogen dicht en schuifelde rusteloos met zijn verminkte been. De opwinding werd hem bijna te veel.

Toen Viva een uur later met haar kleine beschermelingen de straat op ging, keken die vol verwachting naar haar gezicht, en zodra ze zagen dat ze haar adem inhield, begonnen ze lachend in hun handen te klappen. De smoezelige winkelgevels en verzakte veranda's waren veranderd in een zee van lichtjes, even stralend als de sterren boven hun hoofd. Elk kraampje, elk vervoermiddel, elke vrije centimeter was verlicht. Achter de ramen stonden kaarsen, schriele, onvolgroeide bomen waren versierd met slingers en staken als feestelijk verlichte kerstbomen af tegen de hemel. En overal waren mensen, prachtig aangekleed en behangen met sieraden, die elkaar uitbundig begroetten.

Viva zwierf met de kinderen een tijdje tussen kramen door die bijna bezweken onder het gewicht van kleverige zoetigheden, wortelhalva en amandelkoeken. Savit had problemen met zijn kartonnen kroon maar weigerde hem af te zetten. Terwijl hij zich hinkend een weg baande door de mensenzee legde hij buiten adem uit dat Uma, de godin van het licht, was gekomen.

'Ze brengt licht in onze duisternis,' zei hij.

Viva hoorde trommels, een valse trompet, en toen verscheen boven de deinende hoofden van de menigte een scheefhangende *pandal* met een schitterend getooide godin, versierd met slingers van magnoliabloemen en omringd door rozen en jasmijnblaadjes.

Een man met een dikke peuter op zijn schouders ging pal voor Savit staan, zodat die even niets kon zien. Maar de jongen wachtte geduldig af.

Talika trok aan Viva's mouw. 'Mamji, Mamji!' Het kleine meisje noemde haar vaak mama wanneer ze opgewonden was. 'Lakshmi komt vanavond.'

Lakshmi was de godin van de rijkdom. Viva wist dat elke deur in Byculla die avond openstond, opdat de godin zou binnenkomen en haar rijkdom met gulle hand zou verspreiden. En dan het vuurwerk: vuurraderen die kokend vet leken te sproeien in de oranje avondlucht, dreunende raketten die met hun gloed de gezichten van haar beschermelingen blauw, geel en roze kleurden en die maakten dat de reusachtige menigte de adem inhield van verrukking.

Twee weken eerder, toen de winkeliers waren begonnen te vragen om bijdragen voor het Diwali-fonds en ook aan de poort van het tehuis hadden gebeld en de lessen hadden onderbroken, had Viva tegen Daisy geklaagd over de gruwelijke verspilling om zoveel geld aan vuurwerk te besteden en in rook te laten opgaan. Nu besefte ze dat ze zich had vergist.

Want dit was waar het om ging: vanavond, op de donkerste avond van het jaar, in een van de armste landen ter wereld, werd het feest van de hoop gevierd. En zij maakte er deel van uit. Daar stond ze, met haar mond wijd open, vervuld van nederigheid door de onverwoestbare vreugde, door het vertrouwen van de mensen in een betere toekomst.

'Leuk, hè?' Daisy stond ineens naast haar, met een stuk glinsterfolie in haar haar. 'Je komt toch wel naar mijn feestje?'

'Natuurlijk! Dat zou ik niet willen missen,' zei ze grijnzend. Na weken van hard werken voelde ze zich ineens lichter, klaar om te gaan genieten.

Het was middernacht tegen de tijd dat de feestelijkheden op hun eind begonnen te lopen. De kinderen lagen in bed, en Viva liep opnieuw de straat op. Door de veelkleurige rookwolken van het afgestoken vuurwerk slenterden de feestgangers in kleine groepjes naar huis. Een gevlekte hond scharrelde restjes op onder een schragentafel.

Toen Viva van het trottoir de straat op stapte, hoorde ze een bel rinkelen, gevolgd door het geluid van draaiende wielen. Er werd zacht een hand op haar arm gelegd.

'Madam sahib.' Een pezige kleine man met één troebel oog, als een gesuikerde amandel, wees naar zijn riksja. 'Juffrouw Barker heeft me gestuurd om u te halen. Stapt u maar in.'

De riksja kwam in beweging. De magere benen van de man pompten op en neer. Vermoeid van de lange avond leunde Viva achterover tegen de haveloze zitting. Het duurde niet lang of ze dommelde in. Toen ze wakker werd en het canvas wegtrok dat haar uitzicht blokkeerde, zag ze dat ze door een smalle, ongeplaveide straat reden. Aan weerskanten hing was te drogen.

'Dit klopt niet,' zei ze. 'Juffrouw Barker woont bij het Umbrella Hospital. Stop! We moeten terug!'

Maar de wielen wervelden door, de bestuurder keek niet om.

'Stop!' riep Viva nogmaals, maar hij reageerde nog steeds niet. De riksja reed door een diepe kuil, en Viva's hart bonsde in haar keel toen ze om zich heen keek en alles haar vreemd voorkwam. 'Pardon! Pardon!' Ze had het gevoel dat het belangrijk was om beleefd te blijven. 'Hier moet ik niet heen. Dit is niet de goede straat!'

Ze wilde zich naar voren buigen, maar werd door de snelheid waarmee hij vaart meerderde weer tegen de rugleuning gesmeten.

Hotsend en schokkend reden ze opnieuw een smalle straat door met hobbelkeien. Aan haar rechterkant zag Viva het soort achterbuurthuizen dat door de inheemse bevolking *chawls* werd genoemd, een grimmige verzameling gebouwen waar losse arbeiders konden verblijven die van karwei naar karwei trokken. De gebouwen waren in duisternis gehuld, slechts hier en daar was de zwakke gloed te zien van een olielamp. De riksja sloeg abrupt rechtsaf; op de hoek stonden twee vrouwen in sari, in een poel van licht, de ramen van het gebouw achter hen waren voorzien van tralies. Meisjes van de straat, dacht Viva.

Schokkend en hobbelend reden ze verder, tot Viva merkte dat de riksja vaart minderde en dat de weg omhoog ging. Ze deed het canvas weer opzij. De keien waren vlakbij. Als ze goed uitkeek waar ze terechtkwam, zou ze veilig uit de riksja kunnen springen, dacht ze. Maar net toen ze haar sjaal pakte, maakten ze een bocht naar links, ze verloor haar evenwicht, en de inhoud van haar tas – lippenstift, poeder, notitieboeken, pennen – belandde op de grond van de riksja.

Toen opeens stonden ze stil. Een troebel oog keek om de hoek van het canvas, en toen de riksjabestuurder zijn puntige tanden ontblootte zag Viva dat ze rood waren van het sirihsap.

De punt van een mes werd tegen haar hoofd gedrukt, net achter haar oor.

'Uitstappen!'

Haar zwarte notitieboek, met alle aantekeningen die ze de volgende dag had willen uittikken, was in de goot gevallen.

'Mag ik dat boek even oprapen?' Ze probeerde angstvallig zich niet te bewegen en zelfs niet met haar ogen te knipperen.

De punt van het mes werd dieper in de holte tussen haar kaak en haar oor gedrukt.

'Mond dicht!'

Met de punt van zijn kaalgesleten schoen schopte de riksjabestuurder het boek in een berg vuilnis bij een open riool.

'Ik heb geld in mijn tas. U mag het allemaal hebben, maar geef me alstublieft mijn boek terug,' zei Viva smekend.

Nu werd het mes tegen haar keel gedrukt.

Ze hoorde dat hij zuchtte, maar toen haakte hij met zijn rechterbeen het boek naar haar toe.

Terwijl hij het opraapte en aan haar gaf, verdween het mes even. 'Dank u wel,' zei ze, maar hij schudde zijn hoofd.

'Lopen!' Hij gaf haar hardhandig een duw in haar rug.

In dit gedeelte van de stad waren geen Diwali-versieringen te bekennen, het enige licht kwam van de zwakke oranje gloed aan de donkere hemel. De krotten aan weerskanten van de straat hadden luiken voor de ramen.

De riksjabestuurder loodste haar een steeg door die zo smal was dat ze vóór hem moest lopen. Aan de andere kant lag een open riool en stonk het naar menselijke uitwerpselen. Op bergen vuilnis lagen delen van een fiets en iets gruwelijks wat eruitzag als de overblijfselen van een dier, misschien een ezel. Terwijl Viva erlangs liep, ving ze een glimp op van een vacht, starende ogen.

Ze luisterde ingespannen of ze iets hoorde achter de ramen van de krotten: een baby die huilde, het gerinkel van een fles op een tafel, flarden muziek. Van tijd tot tijd prikte de riksjabestuurder haar pijnlijk met het mes in haar rug, terwijl hij '*Gora*' mompelde – vreemdeling – en obsceniteiten prevelde die ze straatjongens had horen roepen.

Aan het eind van de straat hield de riksjabestuurder stil. Ze stonden voor een hoog, smal huis met een zware deur voorzien van ijzerbeslag. De ramen gingen schuil achter smerige luiken van latten; daarachter was geen licht te zien.

'We zijn er,' zei hij.

De deur ging open. Ze voelde dat ze een smalle gang in werd getrokken, verlicht door een olielamp. Er klonk een zacht geroffel van voeten. Iemand pakte haar bij de haren, en voordat ze de kans kreeg om te schreeuwen, werd er een lap in haar mond gepropt die rook naar benzine.

Er ging een deur open, en ze werd zo hard de muffe duisternis in geduwd dat ze haar hoofd stootte tegen iets hards – een stoel of een vensterbank. Terwijl ze viel hoorde ze een man schreeuwen, het schrapen van stoelpoten over de grond. Ze kreeg een touw om haar polsen, om haar nek, ze hoorde een klap, proefde de smaak van metaal in haar mond. Toen werd alles donker om haar heen.

45

Toen Viva bijkwam werd ze aangestaard door een man van middelbare leeftijd met een geborduurd petje op zijn hoofd. Hij had grote, uitpuilende ogen, waarvan het wit geelachtig was. Zijn adem rook naar knoflook.

'Ze is wakker,' zei hij in het Hindi tegen iemand die ze niet kon zien.

Ze had het koud. Haar polsen waren rood en gezwollen, met striemen waar de touwen in haar huid sneden. De jutezak om haar schouders rook naar hennep en schimmel.

'Ik ben Anwar Azim,' zei de man met het petje.

Hij was klein maar gespierd, met een grote, enigszins scheve neus en een stel gouden tanden in zijn vlezige mond. Een richel op zijn onderlip suggereerde dat hij daar ooit een snee had opgelopen die was gehecht. Zijn stem had het diepe rochelende geluid van de zware roker, maar hij sprak goed Engels, zij het zonder een zweem van warmte. 'Ik zie er al enige tijd naar uit u te ontmoeten.'

Hij snoot luidruchtig een voor een zijn neusgaten leeg. De minachting die daarvan uitging, vervulde haar met angst. Toen hij zijn mond had geleegd in de koperen kwispedoor die in de hoek van het vertrek stond, keek hij haar opnieuw onbewogen aan.

Door de pijn in haar hoofd kostte het haar moeite hem duidelijk te zien. Hetzelfde gold voor het vertrek waarin ze werd vastgehouden, een kleine ruimte – misschien drie bij drieënhalve meter – met groezelige muren en een rafelig tapijt. Op een tafel in de hoek, vol met brandplekken van sigaretten, stond een opzichtig altaar voor Ganesha de olifantgod. Het gipsen beeldje had een slinger van goudsbloemen om zijn nek, en ze zag tot haar verbazing dat de godheid een rode speelgoedauto in zijn armen hield.

Zijn ogen volgden de hare.

'Dit is niet mijn kamer,' zei hij.

Midden op zijn voorhoofd had hij een donkerbruine plek en de lichte uitholling van een toegewijde moslim die diverse malen per dag knielde om te bidden.

Blijkbaar had ze opnieuw het bewustzijn verloren, want toen ze weer bijkwam bestond haar gezelschap uit een jonge man met een pluizige baard en een prettig, zij het pokdalig gezicht. Hij lag op een charpoy voor de gesloten deur. Er trok een pijnscheut door haar hoofd toen ze zich omdraaide om hem aan te kijken.

'Ik heb dorst,' zei ze. 'Mag ik iets drinken?'

Tot haar verrassing sprong hij onmiddellijk op.

'Natuurlijk.' Hij pakte een karaf met roestbruin water en een glas.

Toen hij dat aan haar lippen hield, hoorde ze zelf hoe luidruchtig ze dronk. Hij wendde zijn hoofd af, alsof ze hem vervulde met weerzin.

'Het spijt me,' zei hij geaffecteerd. 'Het is hier nogal een zwijnenstal. Ik heb geen idee welke sanitaire voorzieningen er zijn.'

Ze merkte dat ze hem met open mond aankeek.

'Waarom ben ik hier? Wat heb ik gedaan?'

'Dat kan ik u niet vertellen. Daar ga ik niet over. Meneer Azim komt straks weer. Wilt u misschien iets eten?'

'Ik wil naar huis. Ik heb niets misdaan.'

Haar hoofd deed zo'n pijn dat ze er misselijk van was, en ondanks het besef van gevaar werd ze bekropen door een gevoel van uitputting, als een verstikkende mist, en het enige wat ze wilde, was slapen, ongeacht wat er ging komen.

Toen ze weer wakker werd, schilderde het daglicht dat door de kieren van het houten luik viel, een patroon van strepen op de grond. Haar polsen waren niet langer gebonden, haar handen lagen nutteloos in haar schoot. Bij het bandje van haar horloge zat een grote blaar, gevuld met vocht.

Er stond een dikke vrouw voor haar, in een smerige sari, met twee chapati's en een kleine pot dhal op een dienblad. In de deuropening verscheen de jongen met de baard en het geaffecteerde Engelse accent die haar de avond tevoren te drinken had gegeven. Hij zei op scherpe toon iets tegen de vrouw, die het gipsen olifantenbeeld onder haar arm nam en de kamer uit liep.

Viva had geen honger maar ze dwong zichzelf te eten. Misschien zou daardoor de mist in haar hoofd optrekken. Ondertussen spitste ze haar oren, in de hoop iets te horen wat nuttige informatie opleverde. Buiten op straat trapte iemand tegen een blikje, ergens ging een deur dicht, ze hoorde het gerammel van een handkar, het geluid van een vogel.

Ze keek op haar horloge – vijf over halfnegen in de ochtend. In het tehuis zouden ze vast en zeker al naar haar op zoek zijn. Daisy had verwacht dat ze op haar feestje zou komen, dus die miste haar ongetwijfeld ook. Maar toen kwam er een akelige gedachte bij haar op. Als het woensdag was – en dat wist ze bijna zeker – dan doceerde Daisy die ochtend aan de universiteit. Misschien dachten de anderen dat ze bij haar was. Trouwens, hoe zouden ze haar hier ooit vinden? In een willekeurig huis in een onbekende wijk?

Terwijl Viva at ging de jongen op zijn charpoy liggen en keek naar haar. Naast hem op de matras lagen een geweer en twee messen die er buitengewoon vervaarlijk uitzagen.

Toen ze uitgegeten was, liep hij plotseling het vertrek uit, schreeuwde iets in de duisternis, en even later verscheen de vrouw weer met een smerig ruikende emmer. Terwijl ze er gebruik van maakte, herinnerde Viva zich vaag dat iemand haar eens had verteld dat Indiase mannen huiverden van afschuw bij de gedachte aan bepaalde vrouwelijke lichaamsfuncties.

De vrouw in de smoezelige sari, die grove poriën had en schommelde als ze liep, bond haar weer vast. De blik waarmee ze Viva aankeek, was merkwaardig uitdrukkingsloos, zonder een greintje kwaadaardigheid of nieuwsgierigheid, maar bij het geluid van zware mannenvoetstappen op de trap, verstijfden ze allebei, en de bewegingen van de vrouw werden schokkerig en gehaast, alsof ze bang was, net als Viva.

De deur ging open en Anwar Azim kwam binnen.

Zijn kleding was die ochtend een volmaakte mengeling van Oost en West. Over zijn shalwar kameez droeg hij een prachtige goudgele mohair jas, waarmee hij zich moeiteloos in het winnaarsvak op Ascot had kunnen vertonen. Zijn kastanjebruine gaatjesschoenen onder zijn soepel vallende, linnen broek zagen er duur uit en waren glimmend gepoetst.

Toen hij zijn jas uitdeed en zorgvuldig opvouwde, zag Viva het merkje – Moss Bross – in de zijden voering. Hij trok een stoel bij en ging zo dicht tegenover haar zitten dat ze de geur van zijn sigaretten en van de mosterdolie in zijn haar kon ruiken.

'Goedemorgen, juffrouw Viva,' zei hij zacht. Zijn blik gleed langzaam van haar hals naar haar borsten, haar benen. 'Hoe hebt u de nacht doorgebracht?' vroeg hij met het geaffecteerde accent dat ze inmiddels van hem kende.

'Erg ongemakkelijk. Waarom ben ik hier?' Ze was vastberaden hem in de ogen te kijken.

Hij gaapte hartgrondig zodat ze zijn tanden en zijn tandvlees kon zien.

'Het spijt me als u een ongemakkelijke nacht hebt gehad. Kan ik daar iets aan doen?'

'Ja. Ik wil graag een deken. Want ik heb het koud.'

'Koud volgens Engelse maatstaven?' vroeg hij plagend, want het was erg warm in het vertrek.

Hij ging verzitten. 'Maakt u zich geen zorgen. U hoeft alleen maar een paar simpele vragen te beantwoorden. Dan kunt u weer naar huis.'

Hij draaide zich om en zei iets tegen de jongeman, die opstond en met een zwarte lap naar het raam liep om de kier te dichten waar daglicht door naar binnen kwam. Toen stak hij een olielamp aan en zette die op de tafel.

'Ik vind dit allemaal erg vervelend voor u.' Toen Azim zijn stoel dichter naar haar toe schoof en haar aankeek, besefte ze opnieuw hoe ongezond zijn ogen eruitzagen. Het wit had de kleur van eieren die te lang waren gekookt.

'En misschien zou ik u "Vrolijk Diwali" moeten wensen,' zei hij zonder een zweem van een glimlach. 'Wat vindt u van onze inheemse gewoonten? Curieus?' Hij streek met zijn hand over de voorkant van zijn overhemd.

'Nee.' Het ergerde haar dat haar stem zo zwak en beverig klonk. 'Ik vind ze niet curieus. Ik geniet ervan,' zei ze met iets meer kracht. Ze keek naar de schilderingen die de kinderen op haar handen hadden gemaakt en die begonnen te verbleken en te vervagen. 'Trouwens, dat kunt u zien.'

'Zelf vier ik geen Diwali. We maakten op school altijd een groot vuur op de avond van Guy Fawkes Day.' Ze keek hem aan. Bedoelde hij het sarcastisch? 'Ook een charmant gebruik.'

Daarop haalde hij een parelmoeren koker tevoorschijn, stak een sigaret tussen zijn lippen – vlezig, de onderlip gehavend door het litteken –

en knipte een zilveren aansteker aan die er duur uitzag. Een Dunhill, wist Viva. Mevrouw Driver had er net zo een gehad voor haar ochtendsigaartjes.

'Hoe dan ook,' vervolgde hij, toen zijn hoofd was omhuld door een blauw waas. 'Ik zal er niet omheen draaien. Het is heel simpel. Om te beginnen wil ik van u weten waar Guy Glover is, en verder wil ik uit uw eigen mond horen wat u op vrijdagavond doet in het kindertehuis waar u werkt.'

De vraag verraste haar. 'Wat wilt u weten?'

'Meneer Glover heeft u in het oog gehouden. Tot we hém vervolgens uit het oog verloren. Ik wil graag weten wat u doet.' Zijn stem klonk bijna vriendelijk.

'Ach, niet zoveel,' zei ze. 'We eten samen met de kinderen, en dan lezen we verhaaltjes voor en ze gaan naar bed.'

'Wat voor verhaaltjes?'

'O, van alles. Avonturenverhalen, legendes, verhalen uit de bijbel, uit de Ramayana.'

'Verder nog iets?'

'Nee. We proberen er een bijzondere avond van te maken, in die zin dat we allemaal samen eten. Daar ziet iedereen naar uit.'

'Dus de geruchten zijn niet juist dat u de jongens en de meisjes samen in bad doet?' Hij zweeg even om een plukje tabak van zijn onderlip te halen. 'Of dat u zich uitdagend wast ten overstaan van de kinderen?' Zijn stem had een ijzige, snijdende klank gekregen.

Angst joeg in razende vaart door haar hele lichaam.

'Heeft Guy Glover u dat verteld?'

Azim keek haar alleen maar aan.

'Als dat zo is, dan liegt hij. We respecteren de kinderen, en zij respecteren ons. Als u een kijkje bij ons kwam nemen, dan zou u dat zien.'

'We hebben mensen die namens ons hebben rondgekeken.' Hij wreef met zijn vingers over zijn lippen en keek haar aan. Het leek een eeuwigheid te duren. 'En we hebben veel slechte dingen gehoord en gezien. Volgende vraag: waarom woont iemand zoals u in Byculla?'

Ze haalde diep adem en keek hem aan. Hij moest ooit minstens tien, twaalf hechtingen in zijn lip hebben gehad, zo te zien vanwege een meswond, waardoor er nog altijd een spottende trek om zijn mond lag, zelfs wanneer hij glimlachte.

'Omdat ik het daar prettig vind. En ik heb er mijn werk.'

'Waarom ondervraagt u onze kinderen en schrijft u hun namen in een boek?'

Hij sloeg zijn jas open en haalde haar notitieboek uit de binnenzak in de fraaie zijden voering.

'Dat is van mij.' Toen ze zich naar hem toe boog, hoorde ze het geluid van een geweerhaan die werd gespannen. De bewaker bij de deur richtte zich op.

'Zit!' beet Azim haar toe alsof ze een hond was. 'En geef antwoord op mijn vragen.'

Het kostte haar de grootste moeite zich te beheersen. 'Ik schrijf de verhalen van de kinderen op.'

'Waarom?' Hij sperde zijn ogen wijd open.

'Omdat ze boeiend zijn.'

'Het zijn straatkinderen. Ze zijn niets. Het stof van het leven.' Hij maakte het verachtelijkste gebaar dat de Indiërs kennen, een vluchtig bewegen van de hand naast het lichaam, als om een lastig insect weg te jagen. 'U hebt wel wat beters te doen. Wat voor boeken hebt u nog meer geschreven? Kan ik ze kopen?'

'Nee, dit wordt mijn eerste.'

U spreekt erg goed Engels,' zei ze na een lange stilte. Ze had besloten hem stroop om de mond te smeren, of althans een poging te doen. 'Waar hebt u dat geleerd?'

'Ik heb in Oxford gestudeerd, net als mijn broer,' zei hij kil, maar de manier waarop hij met zijn hoofd wiegde, verried dat hij zich gevleid voelde. 'En daarvóór zat ik op St.-Crispin.'

Ze had ervan gehoord. St.-Crispin maakte deel uit van een groep particuliere scholen die beweerden 'Het Eton van India' te zijn. De zonen van maharadja's – en van iedereen die zich een dergelijke school kon veroorloven en die dacht belang te hebben bij een Engels vernisje – kregen er een westers georiënteerde opleiding met de bijbehorende normen en waarden.

'Vierde u daar Guy Fawkes Day?'

Hij stond fronsend op. 'Ik stel hier de vragen. Onze tijd is beperkt.'

Toen hij haastig het vertrek verliet, veronderstelde ze dat hij ging bidden. Even later hoorde ze water druppelen en in de stilte die daarop volgde, stelde ze zich hem voor tijdens de *salah*, het verplichte gebed dat ook de moslimkinderen in het tehuis vijf keer per dag uitspraken – bij zonsopgang, op het middaguur, halverwege de middag, bij zonsondergang en bij het vallen van de avond.

Terwijl ze wachtte tot hij terugkwam, richtte de jonge bewaker bij de deur de loop van zijn geweer op haar.

Een halfuur later verscheen Azim weer.

'Hebt u gebeden?' vroeg ze.

'Nee, ik ben niet gelovig. Dat zijn we geen van allen.'

Dus ze had zich vergist, en toen ze wat beter keek zag ze dat wat ze had aangezien voor een donkere vlek op zijn voorhoofd, een frons was.

Hij kwam dichter naar haar toe. 'Ik zal u vertellen waarom we u hier vasthouden.' De blik in zijn ogen was ijskoud. 'Wat er in het kindertehuis gebeurt, interesseert ons slechts zijdelings. Het gaat ons om uw vriend, Guy Glover.'

'Guy is geen vriend van me.'

'O nee?' Meneer Azim klakte met zijn tong en plukte er opnieuw een draadje tabak van af. 'U deelde een hut met hem aan boord van De Kaiser-i-Hind.'

'We deelden geen hut. Ik was zijn chaperonne.'

Zijn gezicht drukte verwarring uit.

'Ik werd ervoor betaald om een oogje op hem te houden,' legde ze uit.

Azim krabde aan zijn hals, aan zijn kin, alsof ze hem uitslag bezorgde.

'Probeer me geen leugens op de mouw te spelden, juffrouw Viva,' zei hij dreigend. 'Ik zou het vervelend vinden als ik u pijn moest doen.'

Ze was zich bewust van een zurig, misselijk gevoel dat begon in haar maag en zich omhoogwerkte naar haar mond.

'Hij was nog maar een schooljongen,' stamelde ze. 'Tenminste, dat dacht ik. En ik was op zoek naar werk. Dus ik heb me laten betalen om hem in de gaten te houden.'

'Nou, dan hebt u uw werk niet echt goed gedaan,' zei hij zacht.

Hij hield haar een foto voor van een duur geklede jongeman met geolied, zwart haar, gefriseerd in golven. De jongeman droeg een smokingoverhemd en bevond zich, te oordelen naar de achtergrond, in een luxueuze hut aan boord van een schip. Zijn lip was gezwollen, zijn oog glom en zat half dicht. Op het bed achter hem lag zijn smoking, als een dode pinguïn. Op de grond ervoor stond een paar glimmend gepoetste, geklede schoenen.

'Dit is mijn broer,' zei Azim. 'Dat hij er zo uitziet, heeft hij aan uw vriend Guy te danken.'

'Dat weet ik,' moest ze toegeven. 'Maar daar had ik niets mee te maken.'

'Waarom hebt u hem dan niet aangegeven bij de politie? Omdat mijn broer een zwarte is, een soort nikker?' Hij glimlachte onaangenaam.

'Nee.' Ze keek hem aan. 'Dat vind ik een afschuwelijk woord. Ik gebruik het nooit. Er is me gezegd dat vanwege bepaalde omstandigheden alle betrokkenen de zaak in de doofpot wilden stoppen.'

'En wat waren die omstandigheden?'

Ze keek naar haar handen. 'Dat weet ik niet,' antwoordde ze fluisterend.

'Wist u dat Guy Glover een dief was?'

'Ja, dat wist ik.' Haar mond was zo droog dat ze amper kon praten. 'En dat wist uw broer ook. Dus waarom heeft hij geen aangifte gedaan?'

Azim wreef over zijn gezicht, tuitte zijn lippen en nam haar zwijgend op.

'Omdat meneer Glover beloofde dat hij voor ons zou gaan werken. Maar inmiddels zijn we erg boos op hem, want hij heeft er de brui aan gegeven. We hebben gehoord dat hij mogelijk teruggaat naar Engeland. Sterker nog, misschien is hij al onderweg. Zodra u ons vertelt waar we hem kunnen vinden, laten we u gaan.'

Toen hij weg was, bond haar bewaker haar een blinddoek voor. In haar donkere wereldje hoorde ze de zware voetstappen van Azim op de trap naar beneden, gevolgd door het geraas van de geiser, het gerammel van buizen. Ze spitste haar oren en hoorde buiten op straat het geratel van wielen en de kreet van de waterverkoper. Maar ze durfde niet terug te schreeuwen, bang als ze was voor Azim. Hij zou niet met zich laten spotten, wist ze.

'Mijn broer is een goed mens,' had hij ijzig kalm gezegd, voordat hij vertrok. 'Een vreedzaam mens. Hij wilde niet dat ik dit deed. Hij gelooft niet in uw "oog om oog, tand om tand". Maar dankzij uw jonge vriend is mijn broer voor de rest van zijn leven doof aan één oor. En de littekens van wat er is gebeurd, zijn nog steeds zichtbaar. Ik had meneer Glover meteen moeten doden. Ik dacht dat hij misschien nuttig voor ons zou kunnen zijn, maar we hebben niets aan hem gehad. Hij heeft ons verraden. En nu is het mijn plicht mijn broer te wreken.'

Op de vierde dag, na een ontbijt van dhal en chapati, kwam de pokdalige vrouw met een emmer vol roestig water en gaf Viva de gelegenheid zich te wassen. Toen ze de emmer daarna gebruikte om zich te ontlasten – iets wat haar nog altijd met afschuw vervulde – wendde de vrouw haar hoofd af. Vervolgens werd Viva opnieuw geboeid, en aan het gerinkel van sieraden hoorde ze dat de vrouw de trap af liep. Ze begon dit geluid te associëren met hartkloppingen en een kurkdroge mond, want het betekende dat Azim elk moment kon verschijnen.

Ze was doodsbang voor hem, maar tegelijkertijd had ze een vorm van onzekerheid bij hem geregistreerd. Hij deed haar denken aan een man in de kostuumafdeling van een theater die niet weet welke rol hij wordt geacht te spelen. De ene keer kwam hij in een duur, modieus Engels maatpak, met op zijn hoofd een plat geborduurd kapje zoals moslims dat droegen, dan weer verscheen hij in de inheemse dracht van soepel vallend katoen, met een monocle voor zijn oog geklemd dat voortdurend losschoot.

Het patroon van zijn ondervragingen was al even onvoorspelbaar, en Viva was tot de conclusie gekomen dat zijn kleren de uiterlijke manifestatie waren van een soort geestelijke crisis. De ene dag sprak hij op gedempte toon over zijn persoonlijke overtuigingen: 'Ik ben in de eerste plaats moslim en pas daarna Indiër. De Koran leert ons dat we recht hebben op gerechtigheid, dat we het recht hebben om onze eer te verdedigen, om te trouwen. En dat we recht hebben op onze waardigheid. Dat we ons door niemand, maar dan ook helemaal niemand, belachelijk hoeven te laten maken.' De dag erna verklaarde hij dat zijn enige geloof de vooruitgang was; dat hij geloofde in vooruitgang, in hervormingen, en dat hij geen enkele godsdienst aanhing. Het werd tijd dat het volk van India ophield dankbaar te zijn voor elke kruimel die overschoot; dat het volk van India in opstand kwam tegen de vervloekte Britten en weigerde nog langer de rol van bedienden te spelen. '"Zoals u wenst, sir,"' zei hij met gespeelde onderdanigheid. '"Ik ren al, ik vlieg, ik spring voor u door een hoepel."'

Op de vierde ochtend keerde hij terug naar een vertrouwde obsessie. 'Wat doet u op vrijdagavond in het kindertehuis?'

'Niets bijzonders,' antwoordde Viva. 'We eten met de kinderen die intern zijn. Daarna wordt er soms voorgelezen.'

'Wat wordt er dan voorgelezen?' vroeg Azim wantrouwend.

'Dat heb ik u verteld. De Bijbel, en soms vertellen de kinderen ons een verhaal uit de Mahabharata, of plaatselijke sprookjes. Het is onze manier om elkaars cultuur te begrijpen.'

Hij keek haar aan met een blik vol weerzin. 'Hoe verklaart u dit tegenover de kinderen?' Hij hield haar een boek voor. 'Weet u wat dit is?' Hij beefde van nauwelijks beheerste emotie.

'Ja, dat is een heilig boek. De Koran.'

'En dit...' Zijn handen trilden terwijl hij het boek doorbladerde. 'Dit is een enorme belediging voor een moslim.' Hij pakte haar bij de haren en duwde haar gezicht naar het boek, waaruit halverwege een paar bladzijden waren gescheurd.

'Dat weet ik,' zei ze, moeizaam formulerend omdat haar lippen kurkdroog waren. Het was voor het eerst dat ze zich afvroeg of ze haar gevangenis levend zou verlaten.

'Toch hebben we deze Koran in uw kamer gevonden.'

'Dat heb ik... eh... dat hebben wij niet gedaan, meneer Azim.' Ze probeerde haar hoofd zoveel mogelijk stil te houden. 'We zouden zoiets nooit doen. We zijn geen godsdienstfanaten.'

'Probeer me maar geen zand in de ogen te strooien, juffrouw Viva.' Hij schreeuwde zo hard dat ze zijn spuug op haar gezicht voelde. 'Mijn vader is omgekomen bij de rellen van 1922, dus ik weet wat er gebeurt als jullie je met onze godsdienst bemoeien. Trouwens, daar hadden jullie niets mee te maken! Ai, die stoute inlanders.' Zijn stem was in volume en hoogte gestegen tot een hysterisch gegil. '"Wilden zijn het! Volkomen losgeslagen!" Maar u bent begonnen, om ons te bewijzen hoe hard we u nodig hadden. Wat u mijn broer hebt aangedaan... dat komt op hetzelfde neer! En wat u in het tehuis doet... dat is ook hetzelfde! U denkt nog steeds dat u een geweldig goede daad verricht door "die arme Indiërs" te helpen.'

'Ik heb het niet gedaan,' gilde ze, maar toen dwong ze zichzelf kalm te worden, ook al kostte haar dat de grootste moeite.

'Meneer Azim...' zei ze toen hij zich terug liet zakken op zijn stoel. 'Het spijt me oprecht van uw vader.'

'Ik wil niet dat u over mijn vader praat,' zei hij stijfjes. 'Daarmee beledigt u hem.'

'En van uw broer,' vervolgde ze, in het besef dat dit misschien haar enige kans was. 'Maar ik heb hem niets misdaan. Ik had er niets mee te maken. En ik ben geen spion.'

Hij snoof zacht en ging met zijn tong langs zijn lippen.

'U gelooft dit misschien niet,' vervolgde ze. 'Maar we hebben in het tehuis enorme bewondering voor Gandhi. We geloven dat het moment is aangebroken waarop India zelfbestuur moet krijgen. Bovendien weten we dat er in het verleden verschrikkelijke fouten zijn gemaakt, maar we hebben ook goede dingen gedaan.'

'Ik moet Gandhi niet,' zei Azim. 'Die is alleen voor de hindoes.'

'Misschien mag ik u ook iets vertellen,' zei Viva. 'Mijn vader is gestorven in 1913, in Cawnpore. Ik was toen negen. Hij werkte daar aan de aanleg van een spoorlijn. Zijn dood had niets met politiek te maken. Ze hebben me verteld dat hij is vermoord door bandieten. Samen met zeven van zijn mensen, mannen uit Punjab. Mijn moeder stierf een paar maanden later. Dus de Engelsen zijn niet de enigen die bloed aan hun handen hebben.'

Het werd even stil in het vertrek. Toen hij haar aankeek, was de blik in zijn ogen zo leeg dat ze zich afvroeg of hij haar wel had gehoord. Misschien had hij aan zijn eigen vader zitten denken.

'Ik heb vergeten te bidden,' zei hij, bijna tegen zichzelf.

Even voelde ze zich ingesponnen in een cocon, als een vlieg in barnsteen, een stipje materie in een blok ijs.

De poten van zijn stoel schraapten over de grond toen hij zich dichter naar haar toe boog.

Hij sloot zijn ogen en dacht even na voordat hij weer begon te praten.

'Ik ben lid van de All-India Muslim League. Sommigen van u, sommige Britten, hebben achter de schermen met ons samengewerkt. Ik heb uw vriend Guy ook de kans gegeven ons te helpen. Van uw vriendin, juffrouw Barker, weten we dat ze een vurig aanhanger van Gandhi is. Sterker nog, we denken dat het verder gaat dan dat. Kunt u ons helpen?'

'Ik weet niet waar u het over hebt.'

'O nee?'

'Nee.'

Hij stond op. 'Dat is jammer. Vandaag is de laatste avond van het Diwali-feest. Het wordt tijd dat we een besluit nemen wat we met u doen.'

'Ik ben geen spion,' zei ze vlak, ook al kon het haar op dat moment oprecht niet schelen wat er met haar gebeurde. 'Dat zijn we geen van allen.'

'Bespaar u de moeite van uw leugens, juffrouw Viva.' Hij liep de kamer uit en trok de deur achter zich dicht.

46

Viva probeerde de angst buiten te sluiten door te gaan slapen, maar na een halfuur schoot ze weer wakker, ijskoud en met kramp in haar nek. Die avond zou de afsluiting van het Diwali-feest worden gevierd, en de vorige avond had ze gemeend enkele straten verderop gesmoorde dreunen te horen, gevolgd door kreten en het gesis van vuurwerk. Bij de gedachte dat daar mensen hun gewone, dagelijkse leven leidden – mensen die lachten en aten en hun kinderen knuffelden – had ze zich zo mogelijk nog eenzamer gevoeld, alsof ze midden op de oceaan in een bootje zat en lichtjes zag op een verre kust.

Opnieuw vroeg ze zich af of ze hier ooit levend uit zou komen. Wat had Guy in 's hemelsnaam nog meer verteld als hij was gechanteerd om het tehuis in de gaten te houden? En wie zou me missen als ik vanavond doodga, vroeg ze zich af. Wie zou het kunnen schelen? Ze stelde zich haar begrafenis voor: Daisy zou er zijn, en misschien Talika en Suday; wat vrijwilligers van het tehuis, mevrouw Bowden misschien en de Ierse verpleegster die haar nooit had gemogen en haar altijd was blijven wantrouwen, maar die zich als goed katholiek verplicht zou voelen aanwezig te zijn. Tor zou de reis van Amritsar naar Bombay maken, dat wist ze zeker. Net als Rose, die uit het verre Bannu zou komen, samen met haar baby. Sterker dan ooit was ze zich ervan bewust hoe fragiel de zeepbel was waarin ze leefden, en hoe belangrijk hun vrolijke lach, hun warmte voor haar waren.

En Frank. Wat was het pijnlijk om nu aan hem te denken. Hij zou op haar begrafenis zijn. Daar was ze bijna zeker van. Hij had geprobeerd dichter bij haar te komen. Maar beschadigde mensen zoals zij – en zoals Azim – schermden zich af. Ze hadden de behoefte hun familie, hun geloof, hun trots te beschermen, hun diepste, gewonde zelf. Frank had zijn hart voor haar geopend. Hij had geen geheim gemaakt van zijn gevoelens. Wat vond ze dat dapper nu ze erop terugkeek.

Terwijl ze daar zat in het donker, dacht ze aan die heerlijke dag in Cairo, toen ze hadden gelachen en nog geen vermoeden hadden gehad van de storm die dreigde op het schip. Ze dacht aan het gastenverblijf in Ooty. 'Beloof me dat je je niet zult schamen,' had hij gezegd toen het voorbij was.

Ze herinnerde zich de regen die tegen het raam tikte; hun klamme huid tussen de verdraaide lakens. Voordat ze de kans had gekregen zich geschokt of beschaamd te voelen, waren ze rechtop gaan zitten en hadden ze elkaar aangekeken, alsof ze niet konden geloven wat er was gebeurd. Hij had haar naar zich toe getrokken en in de banen licht die door de houten jaloezieën vielen haar blik gezocht, waarop hij zijn handen langs haar gezicht had gelegd. Terwijl ze daar zat, vastgebonden op haar stoel, zag ze in gedachten zijn glimlach, die begon als een ondeugende glinstering in zijn bruin-groene ogen en zich verspreidde naar de kuiltjes in zijn wangen, tot hij haar uiteindelijk verblindde. En ze herinnerde zich hoe ze haar best had gedaan zich ervoor af te sluiten, zich bewust van het effect van die glimlach. Daar moesten andere vrouwen maar voor vallen. Zij, Viva Holloway, was niet zoals andere vrouwen. Ze was veel te slim om te bezwijken voor zoiets onnozels als een glimlach.

Bij die gedachte vertrok ze haar gezicht, vervuld van afschuw jegens zichzelf. Wat was ze een dwaas geweest. Wat had hij misdaan, anders dan dat hij een grens had overschreden die ze al zo lang geleden had getrokken dat ze zelf het nut er niet meer van inzag.

Ze had het nog niet gedacht, of ze was geschokt door haar eigen bekentenis. Tenslotte hadden Rose en Tor haar zo avontuurlijk gevonden, zo mysterieus. Frank had haar gewaardeerd om wie ze was en geprobeerd haar te helpen verder te komen. Hij had open en eerlijk de liefde met haar bedreven, als een man.

Het duizelde haar. Ja, zo moet het zijn! Je moet je als mens voor het leven openstellen! Zonder voorwaarden vooraf! Hij had zich de kleren van het lijf gerukt en ze op de grond laten liggen, snakkend naar haar, net zoals zij naar hem had gesnakt. Waarom had ze hem de volgende morgen afgewezen?

'Frank,' fluisterde ze in het donker. Het enige wat ze wilde, was hem in haar armen houden, maar die kans had ze voorbij laten gaan.

Toen Azim de volgende morgen arriveerde, stond haar besluit vast.

'Ik heb nagedacht,' zei ze. 'Ik weet waar Guy zich misschien schuilhoudt. In een huis in Byculla.'

Hij nam haar wantrouwend op.

'Waarom vertelt u me dit nu pas?' Hij had donkere kringen onder zijn ogen en zag eruit alsof hij net zo slecht had geslapen als zij.

'Ik heb nagedacht over uw broer. Hoe u moet hebben uitgekeken naar het weerzien. En wat een schok het voor u moet zijn geweest dat hij zo was toegetakeld. Dat moet u heel erg hebben gevonden.'

'Inderdaad. Want dat verdiende hij niet.'

Ze boog zich naar hem toe en dwong zichzelf hem in de ogen te kijken.

'En ik heb nagedacht over het kindertehuis. Ik ben ook niet erg gelovig, dus het heeft niets met God te maken. Maar ik heb me afgevraagd hoe ik het zou vinden als een groep Indiërs naar ons land kwam en probeerde onze kinderen te onderwijzen in hun manier van leven. Dat zou mijn wantrouwen wekken. Sterker nog, mijn boosheid...' Praatte ze te veel? Azim nam haar sceptisch op. Hij draaide aan de ring om zijn pink en wachtte af.

'Maar ik ben vooral moe. Doodmoe,' vervolgde ze. 'Dus ik hoop dat u me laat gaan nu ik u heb verteld waar u hem kunt vinden.'

'Hij zal erg boos op u zijn. Meneer Glover is bepaald geen gentleman.'

'Dat kan me niet schelen. Ik wil hier weg.'

Hij tuitte zijn lippen.

'Dat is niet aan u om te besluiten. Daar beslis ik over,' zei hij na een lange stilte.

'Natuurlijk.' Ze dwong zichzelf te glimlachen. 'Maar ik ben tot de conclusie gekomen dat het dwaas zou zijn u niet te helpen als ik dat kan.'

Vanuit haar ooghoeken keek ze naar zijn chique Engelse brogues terwijl hij nerveus met zijn voeten op de grond tikte. Ten slotte stond hij op en slaakte een diepe, huiverende zucht.

'Waar in Byculla woont hij?'

'In een kamer bij de fruitmarkt. Ik kan me het adres niet herinneren, maar als u me erheen brengt, kan ik u het huis aanwijzen.'

Hij keek piekerend, wantrouwend op haar neer, met half geloken ogen.

'Ik ben om halfzes terug,' zei hij toen.

Precies om halfzes was hij er weer. Hij had een tuniek en een kasjmier sjaal bij zich die hij op het bed gooide. Zelf droeg hij zijn shalmar kameez, waarvan het bovenstuk – sneeuwwit met parelknopen – spande om zijn buik.

'De tijd dringt.' Hij ging op de stoel voor haar zitten, met zijn benen gekruist.

'Waar gaan we heen?' Ze vond het afschuwelijk te horen dat haar stem beefde.

'De stad in. Om te zien of uw geheugen inderdaad is opgefrist.'

Ze keek hem aan. 'Ik zal mijn uiterste best doen.'

Hij nam haar wantrouwend op. 'Waarom nu ineens wel?'

'Ik ben moe,' herhaalde ze. 'En ik zie niet in waarom ik de schuld op me zou moeten nemen.'

Hij was niet overtuigd. 'Hij zal u zwaar laten boeten.'

'Dat kan me niet schelen. Ik wil hier weg.'

'Zoals ik al zei, dat is niet aan u om te bepalen. Dat beslis ik. U zou rechtstreeks naar de politie kunnen gaan. Dan is het uw woord tegen het mijne. En raad eens wie ze zouden geloven.'

'Natuurlijk,' zei ze ernstig. 'Maar als ik u kan helpen, leek me dat het risico waard.'

Hij snoof opnieuw hartgrondig, alsof hij probeerde op die manier helderheid te creëren in zijn hoofd. 'Vertelt u me nog eens waar hij precies woont,' zei hij ten slotte.

Ze sloot haar ogen, deed alsof ze nadacht.

'Ik weet het niet zeker. Het was óf vlak bij de fruitmarkt, óf bij de Jain Tempel aan Love Lane. Ik ben tenslotte een *gora*.' Ze gebruikte het Hindi woord voor buitenlander. 'Dus u zult een beetje geduld met me moeten hebben. Alles ziet er zo anders uit met Diwali.'

Er kwam een kille blik in zijn ogen. 'Dat valt wel mee,' zei hij dreigend. 'En Byculla is niet groot. Als u probeert ertussenuit te knijpen, vermoord ik u.' Hij zei iets in het Urdu wat ze niet verstond – misschien een vloek of een gebed.

'En dat zou dan geen zonde zijn, maar een daad van eer,' vervolgde hij. 'Ik hou niet van vrouwen zoals u. U brengt schande over ons en onze kinderen.'

Ze deed een dappere poging niet ineen te krimpen bij het zien van het kwaadaardig ogende mes dat hij tevoorschijn haalde.

Toen hij het touw had doorgesneden, zag ze dat het drie diepe rode striemen op haar polsen had achtergelaten.

'Stilstaan!' zei hij toen ze eroverheen begon te wrijven. Elke schijn van vriendelijkheid was verdwenen. Hij borg het mes weg in een leren schede aan zijn riem.

Toen hij de kamer had verlaten, kleedde ze zich aan onder toezicht van de oudere vrouw. De volstrekte onbewogenheid waarmee deze haar aankeek, deed Viva de moed in de schoenen zinken. Ze kreeg een chapati, wat troebel water, en vervolgens werd ze de trap af geleid, het daglicht tegemoet.

Eenmaal op straat werd ze in een riksja geduwd. Azim kwam naast haar zitten, met zijn dij tegen de hare. Het maakte haar doodsbang. Voordat ze vertrokken, liet hij haar zijn pistool zien. 'Als u voor problemen zorgt, wordt u geofferd.' Zijn woorden deden haar denken aan de magere geiten die ze voor de slagerij aan Main Street had zien staan. Het zou hem geen enkele moeite kosten haar te vermoorden.

Het was inmiddels zes uur, niet koud maar grauw en klam, de hemel verbleekt grijs. Hier en daar was een portiek beschilderd en brandden er wat lichtjes voor de ramen van een armoedig ogend huis, maar verder bleek uit niets dat in dit deel van de stad Diwali werd gevierd.

'Normaliter verplaats ik me per auto,' vertelde Azim, alsof hij het belangrijk vond dat ze dat wist. 'Maar voor ons is dit beter.' Zijn brogues tikten ongeduldig op de vloer van de riksja. Het was duidelijk dat hij zich niet op zijn gemak voelde in de achterbuurt. Gejaagd gaf hij een reeks commando's aan de riksjabestuurder, die een geïntimideerde, om niet te zeggen doodsbange indruk maakte. Daarop keerde hij zich weer naar haar.

'Ik vraag het nog één keer: waar woont hij?'

'Volgens mij vlak bij de Jain Tempel.' Ze was vastberaden overtuigd te klinken. 'Maar u moet echt een beetje geduld met me hebben. Ik ben er maar twee keer geweest.'

Hij nam haar onderzoekend op en zuchtte. Toen legde hij het pistool op zijn schoot en bedekte het met een flap van zijn kameez.

De grimmige straat lag er verlaten bij, op een moeder na die geknield voor haar deur zat, en twee kleine meisjes die Diwali-versieringen tekenden op de stoep.

'Wanneer we uitstappen, wil ik dat u de sjaal om uw hoofd doet. En als ik iets zeg, geeft u normaal antwoord. Vanavond komt Lakshmi naar Byculla, de godin van de rijkdom. Dus misschien zijn we aan het eind van de avond allemaal een stuk gelukkiger.' Hij lachte onoprecht, en ze lachte terug.

Zo moet een vrouw zich voelen die wordt geslagen, dacht ze. Zich bewust van elk moment, elk gebaar, terwijl ze elk woord zorgvuldig afweegt. Maar ze moest het spel meespelen. Ze moest kalm blijven en de schijn van welwillendheid ophouden. Als ze van zich afbeet, was ze er geweest.

Ze staken een weg over en reden Main Street in. De avondhemel was vlekkerig paarsbruin. Rechts van de weg zag ze, halverwege een rij vervallen huizen, een kleine tempel, verlicht als een sprookjesachtige schatkist met honderden kaarsjes rond het altaar.

Ze haalde diep adem.

'Meneer Azim, hoelang duurt het feest?' vroeg ze.

Hij keerde zich met een ruk naar haar toe en trok zijn been weg. 'Te lang. Diwali is voor mensen die denken als kinderen.'

De straat begon zich weer te vullen met groepjes feestvierders. 'Het is een feest voor kinderen,' herhaalde hij met een blik op hen.

Viva herkende de eenzaamheid in zijn ogen. Hij voelde zich in deze buurt net zozeer een buitenstaander als zij.

'Dus u hebt het Diwali-feest thuis nooit gevierd?'

'Ik heb u toch gezegd dat mijn broer en ik een Engelse opvoeding hebben gekregen?' zei hij ongeduldig. 'Dus we leerden Engelse geschiedenis en Engelse gedichten. We werden geslagen met – hoe heet dat ook alweer... een Spaans rietje?' Zijn stem had gewonnen aan volume. 'Toen ik klaar was met mijn opleiding, kende ik niet één Indiase dichter,' zei hij na een korte stilte. 'Stelt u zich eens voor hoe u dat zou vinden.'

Voordat ze kon antwoorden, hief hij zijn hand op. 'Stop!' zei hij tegen de riksjabestuurder. 'Hier rechtsaf!'

Mond houden,' zei hij tegen Viva. 'Ik moet me concentreren.' Zweet stroomde tappelings over zijn gezicht.

'Dat is erg spijtig,' zei ze even later. 'Want ik ken Indiase dichters die ik enorm bewonder.'

Hij snoof om haar duidelijk te maken dat het gesprek wat hem betrof was afgelopen, en begon te schreeuwen tegen de riksjabestuurder die was komen vast te zitten in een kleine verkeersopstopping van een ossenkar en een groepje feestvierders.

'Waar woont hij?' Hij keerde zich abrupt weer naar Viva.

'Ik weet het nog niet. Waar zijn we hier?'

'De fruitmarkt is daar.' Hij wees naar het enorme, wijdvertakte gebouw dat bijna onherkenbaar was door alle lichtjes en glinsterfolie waarmee het was versierd. De mensenmassa's werden steeds dichter, en Viva hoorde het gejoel en geschreeuw van een opgewonden menigte en het geschetter van een trompet, eerst nog ver weg, maar geleidelijk aan steeds dichterbij. Een magere straatjongen kwam naast de riksja rennen en probeerde hun zoetigheid te verkopen die onder de vliegen zat. Azim schreeuwde iets tegen hem, waarop hij zich schielijk terugtrok.

Ze baanden zich langzaam een weg door de drukte op Main Street, waar de kraamhouders hun lampen ontstaken en de lucht begon te gloeien door het weerkaatste licht van duizenden en nog eens duizenden kaarsen. Een kleine menigte die een godin van papier-maché in opzichtige kleuren met zich meevoerde, zorgde voor oponthoud, tot woede van Azim.

'Ik weet dat jullie denken dat we allemaal meedoen met deze afgodenverering...' Hij moest zijn stem verheffen om zich verstaanbaar te maken. 'Maar dat geldt niet voor mij! In mijn ogen zijn het dit soort rituelen waar ons land aan kapot gaat. Ik vind dat het de hoogste tijd wordt om terug te vechten.'

Ze keek naar zijn vingers die zich nog altijd om het pistool sloten.

'En Gandhi maakt ons uiteindelijk ook kapot,' zei hij. 'Met al zijn zachtmoedigheid. We zijn veel te lang, veel te beleefd gebleven.' Toen hij zich naar haar toe keerde was ze zich bewust van de haat die hij uitstraalde.

'Wat uw broer is overkomen, moet de laatste druppel zijn geweest,' zei ze zo beheerst mogelijk, ervan overtuigd dat hij haar zou doodschieten als hij geen andere uitweg zag.

'Ik moet zien dat ik Glover vanavond nog vind,' zei hij. 'Want ik heb gehoord dat hij misschien morgen de boot naar Engeland pakt.' Zijn handen trilden toen hij zijn voorhoofd bette met een zakdoek.

'Ik kan u alleen maar vertellen wat ik nog weet,' zei Viva. 'De paar keer dat ik bij hem ben geweest, ben ik de markt over gelopen en toen... Het spijt me.' Ze schudde haar hoofd. 'Ik moet het voor me zien.' Hij keek haar doordringend aan, en ze wist zeker dat hij haar leugens had doorzien. Even verstijfde hij, toen knipperde hij met zijn ogen en hij haalde zijn schouders op.

'Ik loop vlak achter u. Als u probeert te ontsnappen, schiet ik u dood. Niet meteen ter plekke, maar ik schiet u dood. En dan zal niemand ooit weten wat er met u is gebeurd. Is dat duidelijk?'

Ze knikte.

Hij blafte iets naar de riksjabestuurder, waarop het kleine fietskarretje stilhield.

'Uitstappen,' zei hij.

Amper drie stappen bij haar vandaan ging er vuurwerk af. Azim gaf haar een por in de rug, en ze liepen naar de ingang van de markt. Binnen heerste een oorverdovende herrie van blatende schapen en geiten en van vogels die krijsten in hun kooi.

Even dreigde Viva in paniek te raken. De metaalachtige smaak in haar mond kwam voort uit angst. Het lawaai om haar heen leek aan te zwellen tot een ondraaglijk volume. Zoekend liet ze haar blik langs een massieve wand van geluiden en gezichten gaan, nog altijd niet wetend wat haar te doen stond, anders dan dat ze moest zien te ontsnappen.

Voor haar slenterden twee jonge meisjes in sari, tot in de puntjes gekleed en behangen met sieraden. Blij met hun nieuwe kleren wandelden ze genoeglijk kwebbelend langs de kramen. Toen ze haar de weg versperden, had Viva hen kunnen wurgen. Azim kon hen niet zien, maar ze voelde zijn vingers in haar rug. *'Jaldi, jaldi!'* drong hij aan.

'Ik kan niet vlugger,' zei ze.

Inmiddels kon ze de enorme deur aan het eind van de markt zien. Hij stond open. Op de dakspanten erboven zaten duiven. Ernaast stonden kooien met vogels. Ter ere van het Diwali-feest was elke kooi versierd met lichtjes.

Door de deuropening zag ze op de straat daarachter een menigte die gehaast oprukte naar de zoveelste deinende pandal, omringd door muzikanten. Ze was zich bewust van de mensen om haar heen, die haar meevoerden naar de uitgang, net zoals ze zich bewust was van de harde loop van Azims pistool in haar rug, als een waarschuwing om het niet op een lopen te zetten. Maar ze had geen keus, net zo min als hij. Ze hoorde iemand lachen, er klonk een gil. De geur van rook, een stem die 'Jaldi!'

riep. Ze viel, iemand schopte met de kaal gesleten neus van zijn schoen tegen haar tanden. Een scherp gekraak, gevolgd door een felle pijnscheut in haar hoofd, alsof duizenden voeten dwars door haar hersens marcheerden. Toen werd alles zwart voor haar ogen en wist ze niets meer.

47

Toen ze bijkwam, had ze een smaak van rotte appels op haar tong, en omdat haar lippen week en bloederig voelden dacht ze dat al haar tanden uit haar mond waren geschopt. Ze lag onder een tafel, met haar linker elleboog in een krat waarin kippen werden vervoerd maar waarin nu alleen wat smerige veren zaten. Duizenden voeten liepen in razende vaart vlak langs haar hoofd – voeten in sandalen, blote voeten, voeten beschilderd met ingewikkelde hennafiguren, voeten in grote, zwarte mannenschoenen, sommige zonder veters. De aanblik maakte haar zo duizelig dat ze haar hoofd weer op de grond liet zakken en op zoek naar bescherming wegdook in een oude jutezak.

Wanneer ze zich bewoog, sijpelde er iets langs haar slapen en joegen er felle pijnscheuten door haar hoofd. Ze legde haar hand op de plek waar ze de pijn voelde en keek toen naar het bloed op haar vingers alsof het van iemand anders was.

Nog meer voeten raasden langs haar heen; het geluid van stemmen leek dwars door haar schedel te dringen, haar mond vulde zich met braaksel.

Ze dwong zichzelf te wachten – vijf minuten, tien minuten. Te oordelen naar de herrie boven haar hoofd was de mensenzee die haar had meegevoerd, weg van Azim, nog altijd even dicht, maar ze kon niet het risico nemen dat hij terugkwam. Je moet wachten, geduld hebben, zei ze vermoeid tegen zichzelf, zich ervan bewust dat ze voortdurend wegviel en weer bijkwam.

Het was donker toen ze eindelijk echt wakker werd. Ze lag niet meer onder de tafel, maar op een bultige matras. Toen ze haar hoofd betastte, besefte ze dat het verbonden was. Ze had een gruwelijke zenuwpijn in haar kaken, alsof al haar tanden en kiezen waren getrokken. Voorzichtig deed ze haar ogen open, maar het licht was te fel, te pijnlijk. Een jonge Indiase vrouw met een zacht, sereen gezicht bette haar voorhoofd met een vochtige doek.

'*Mi kuthe abe?* Waar ben ik?' vroeg Viva. Weer deed ze haar ogen open, en in een vluchtige, pijnlijke flits zag ze een dak van houten planken, een smerig raam. Ze was in een krot, een *chawl*.

'*Kai Zala?* Wat is er gebeurd?' vroeg ze.

'U bent onder de voet gelopen en geschopt,' vertelde de vrouw. 'Maar maakt u zich geen zorgen,' voegde ze er in het Marathi aan toe. 'Alles is in orde. Ze komen u halen om u mee naar huis te nemen.'

Naar huis. Ze legde haar hoofd op de matras. Nog even, en ik ben weer thuis. Daisy komt me halen.

Toen ze haar ogen weer opendeed, zag ze een ander dak boven zich: een kleverig, geel plafond. Er hing een kale gloeilamp aan een snoer, ze zag wat dode insecten, een lage balk bedekt met spinnenwebben. Ze betastte de zijkant van haar hoofd en voelde dat het verband was bedekt met opgedroogd bloed. De zenuwpijn in haar kaken was nog altijd gruwelijk, maar toen ze voorzichtig voelde met haar tong, bleek dat ze al haar tanden nog had.

Door het verband heen hoorde ze een deur opengaan, er klonken stemmen, gevolgd door het gekraak van houten vloerplanken.

'Daisy!' zei ze.

Geen antwoord.

'Daisy, ben jij het?'

Toen ze probeerde rechtop te gaan zitten, voelde ze een hand om haar pols. Een mond kwam dicht bij de hare. Zo dichtbij dat ze een zoete, verschaalde adem rook.

'Ik ben het, Guy.'

Ze sloot haar ogen zo stijf dat er nog meer bloed onder het verband uit sijpelde.

'Guy,' fluisterde ze. 'Wat doe jij hier?'

'Dat weet ik niet.' Zijn stem klonk hard, haperend. 'Ik kan je niet helpen. Ik weet niet wat ik hier doe.'

'Wat is er gebeurd?' Ze probeerde opnieuw rechtop te gaan zitten, maar op slag was het alsof er felle lampen begonnen te branden in haar hersenpan.

'De een of andere sukkel heeft je op straat gevonden. Je was buiten westen. Ze zeiden dat er een Engels meisje gewond was. Ik wilde helpen, maar nu niet meer. Je maakt me bang als je zo bent.'

'Rustig maar. Rustig maar.' Haar mond voelde wollig, opgezet, alsof hij was gevuld met watten. 'Je hoeft alleen maar naar het tehuis te gaan om Daisy Barker te halen. Dan helpt zij me verder wel.'

Hij stootte een gefrustreerd geluid uit, en ze hoorde dat hij met zijn hand tegen zijn hoofd sloeg.

'Dat kan niet. Dan krijgen ze me te pakken. Ik heb me goed in de nesten gewerkt. Dus ik kan je niet helpen.'

'Alsjeblieft! Je hoeft alleen maar naar het tehuis te gaan.'

'Morgen vertrek ik, dat heb ik je gezegd. Vraag maar of iemand anders het wil doen,' zei hij zacht.

Hij trommelde met zijn vingertoppen op een tafel en neuriede, zoals hij dat ook op het schip had gedaan wanneer hij geagiteerd was. Ze hoorde het geluid van een lucifer die werd afgestreken. Niet alleen haar mond leek vol watten te zitten, ook haar hoofd. Ze kon nauwelijks helder denken, maar ze moest iets zeggen.

'Guy, wat is er met me gebeurd? Hoe komt dat? Wat heb je gedaan?'

Geen antwoord, maar ze wachtte af en dwong zichzelf bij bewustzijn te blijven.

'Niks,' zei hij ten slotte.

'Jawel. Je hebt iets gedaan. Dat weet ik.'

'Ik wilde je weghebben uit dat tehuis,' fluisterde hij ten slotte. 'Dat was niet goed voor je.'

Ze probeerde haar hoofd te schudden, maar kreunde. 'Nee.'

Zijn mond kwam weer dichter naar de hare, de bijtende geur van sigarettenrook drong in haar neusgaten. 'Luister,' fluisterde hij. 'Je moet heel goed naar me luisteren.' Hij streelde haar slaap. 'Je bent mijn móéder. Ik heb jou gekozen om mijn moeder te zijn.' Ze voelde een vage nevel van druppeltjes spuug op haar wang.

'Nee! Nee, Guy! Ik ben je moeder niet!'

'Jawel.' Ze hoorde dat hij langzaam zijn adem uitblies. 'Je hebt gezien waar ik op school zat. Daar hebben ze me aan een laken uit het raam gehangen. Die school is het werk van mijn andere moeder. Zij heeft hem uitgekozen. Zij wilde dat ik daar bleef.'

'Hoor eens, Guy. Het is belangrijk dat je naar mij luistert. Want het is niet waar wat je zegt.'

'Ik hield van je.' Hij hijgde, en ze werd weer bang.

Hij haat me, dacht ze, overweldigd door de explosie van licht in haar hoofd.

'Ik zal je iets vertellen over mijn moeder.' Hij stond op, zijn stem klonk gesmoord van woede. 'Toen ik twaalf was, kwamen ze allebei naar Engeland, mijn vader en mijn moeder. Ik had ze heel erg lang niet gezien. Echt heel erg lang. Mijn vader zei dat het een goede grap zou zijn wanneer ik me verkleedde als ober en mijn moeder haar ontbijt bracht. Bij wijze van verrassing. Dus ik ging met een dienblad naar haar kamer. En ik zei "Mammie" en wilde haar een kus geven.' Er kwam een verwrongen trek op zijn gezicht. 'Ze begon te gillen en om mijn vader te roepen, in de kamer ernaast. Wat een geweldige grap! Ze hield zoveel van me dat ze, verdomme, niet eens wist wie ik was!'

'Dat was verkeerd van je ouders,' zei Viva. De inspanning van het luisteren maakte dat ze transpireerde. Toen ze probeerde zijn hand te pakken, deinsde hij achteruit. 'Het was een dwaze streek. Dat moet je erg veel pijn hebben gedaan.'

'Ik vermoord haar,' zei hij kalm. 'Ze verstopt mijn radio. Kijk niet naar me,' commandeerde hij toen ze zich op een elleboog overeind hees. 'Je maakt me bang. Ik vind je niet leuk als je er zo uitziet.'

'Ik wil dat je naar me luistert,' zei ze. 'Draai je om als je het verband niet wilt zien, maar ik wil dat je goed naar me luistert. Want ik weet wat je moet doen.'

'Hm.' Hij had zijn rug naar haar toe gekeerd en stond met hangende schouders, de neuzen van zijn schoenen naar binnen gedraaid. Toen maakte hij een gebaar alsof hij een onzichtbare schakelaar achter zijn oor omzette. 'Wat dan?'

'Ik weet dat je je al heel lang zorgen maakt, over een heleboel dingen,' zei ze. Het deed pijn om zo duidelijk te praten, maar ze dwong zichzelf door te zetten. 'En je moet proberen dat niet meer te doen. Je moet jezelf wat rust gunnen.' Ze zag dat hij zijn schouders nog verder liet hangen.

'Dat kan niet,' zei hij. 'Ze zitten achter me aan. En ze zitten ook achter jou aan. Daarom moet ik terug naar Engeland.'

'Wat heb je ze over mij verteld?'

'Dat je niet in dat tehuis kon blijven werken. Dat ik je nodig had.'

'Maar je hebt ze nog meer verteld.'

'Dat weet ik niet meer. Het is allemaal door elkaar geraakt in mijn hoofd. Meneer Azim wilde me pijn doen. Hij heeft me bang gemaakt.'

'Je hoeft alleen maar naar het tehuis te gaan, om Daisy te vertellen waar we zijn.'

'Dat kan ik niet,' zei hij gesmoord. 'Dan krijgen ze me te pakken en dan doen ze me pijn.'

'Zoek dan iemand die de boodschap kan overbrengen,' zei ze met inspanning van haar laatste krachten. 'Dat is voor ons allebei het beste. Zeg dat ze Viva moeten komen halen, en als je dat wilt, kun je met ons mee teruggaan. En dan gaan wij op zoek naar mensen die voor je kunnen zorgen totdat je weer helemaal de oude bent.'

Hij stond op en liep de kamer rond, met zijn armen om zijn schouders geklemd. 'Ik bedoel het niet zo kwaad. Het was niet de bedoeling om er zo'n puinhoop van te maken in je kamer.'

'Dat begrijp ik. Volgens mij was je gewoon moe.'

'Dat weet ik niet. Dat weet ik echt niet. Er zitten er te veel op mijn radiogolven. Mijn vader is ook naar me op zoek. En die is ook kwaad. Hij heeft me een pak slaag gegeven toen ik net van boord was. Ik was onbeschoft tegen hem, zei hij.'

'Kom!' Ze boog zich naar voren en zette zijn onzichtbare schakelaar om. 'Als je er geen zin in hebt zet je ze gewoon uit. Er is niemand die controle op je kan uitoefenen. Dat kun je alleen zelf. Ze kunnen van alles zeggen, ze kunnen je vragen om dingen voor ze te doen, maar jij kunt ja of nee zeggen. Het enige wat ik je vraag, is dat je me de kans geeft om je te helpen. Ik zal je niet in de steek laten. Dat beloof ik.'

'Iedereen laat me in de steek. Er is niemand die me aardig vindt.'

'Ik weet dat je dat denkt, maar dat is niet zo. En er komt een punt in je leven waarop je niet steeds boos kunt blijven op iedereen.' Hij luisterde aandachtig, maar zijn gezicht stond volstrekt uitdrukkingsloos. Terwijl ze in zijn ogen keek, had ze het vreemde gevoel dat er niets achter zat. En tegelijkertijd was het alsof haar stem de hare niet was, alsof ze naar iemand anders luisterde. Iemand die volmaakt helder klonk, vastberaden om te overleven.

'Er komt een punt in je leven, dan is het "neem uw bed op en wandel". Anders maak je iedereen om je heen, inclusief jezelf, alleen maar ongelukkig. Dat weet ik maar al te goed, want sinds de dood van mijn ouders worstel ik dagelijks met dat besef.'

'Daar moet je niet over praten.' Hij huiverde. 'Dat is verschrikkelijk.'

'Als je ze de kans geeft, komen er vanzelf mensen die van je houden,' vervolgde ze.

Hij had zijn hoofd afgewend, maar ze voelde dat hij zijn oren spitste en naar haar luisterde.

'Jij kunt het ook niet,' zei hij toen. 'Ik heb het je gevraagd.'

Het bleef even stil. 'Ik denk dat we vrienden zouden kunnen zijn,' zei ze ten slotte.

'En ze leefden nog lang en gelukkig.' Zijn stem klonk opnieuw honend, hatelijk.

'Doe niet zo raar. Wat ik bedoel, is dat ik naar je wil luisteren. Ik denk dat je moe bent van het vluchten. Dat je behoefte hebt aan rust.'

Ze bad tot God dat ze een gevoelige snaar had geraakt, maar de inspanning van het praten had haar uitgeput. Haar hoofd viel terug op het kussen, en ze was alweer in diepe slaap voordat hij kon reageren.

48

St.-Bartholomew's, Amritsar, december 1929

In de aanloop naar Kerstmis kreeg Tor tot haar verbazing een brief van Daisy, die schreef dat Viva gewond was geraakt door een 'ongelukkig voorval' tijdens het Diwali-feest, maar dat ze weer goed genoeg was om te reizen. Zelf ging ze voor onbepaalde tijd naar huis, in Engeland, en het tehuis sloot tijdelijk zijn deuren. Bestond er misschien een mogelijkheid dat Viva in de kerstvakantie door Tor werd opgevangen? Ze had verandering van lucht nodig, schreef Daisy. Alles zou haar – Tor – duidelijk worden zodra ze Viva zag.

Tor vond het vreemd dat Viva haar niet zelf had geschreven. Anderzijds, Viva deed alles altijd een beetje anders dan anderen. En ook al schrok Tor van het nieuws dat Viva gewond was geraakt, ze was meteen enthousiast bij het vooruitzicht haar vriendin weer te zien. Ze wilde Viva dolgraag laten kennismaken met haar heerlijke nieuwe leven in Amritsar, en ze wilde haar de bungalow laten zien, maar ze wilde haar vooral voorstellen aan Toby, om Viva ervan te overtuigen hoe geweldig ze het met hem had getroffen.

Geleidelijk aan ontstond er een plan in haar hoofd: als Viva met Kerstmis kwam, waarom zou ze dan niet ook Rose en Jack uitnodigen? Maar omdat haar moeder er altijd zo'n heisa van maakte wanneer er gasten kwamen, stelde ze het plan eerst een beetje nerveus bij Toby aan de orde.

'Waarom klink je zo benauwd?' vroeg die verrast. 'Mocht ons huis te klein zijn, dan hebben we meer dan genoeg ruimte in de school.'

Ons huis. Wat vond ze het heerlijk om hem dat te horen zeggen. Hun bungalow met drie slaapkamers was een miniatuurversie van St.-Bart's, zoals iedereen de kostschool noemde: een grote, excentrieke, architecturale mengelmoes die prat ging op Mongoolse bogen, balken in tudorstijl, victoriaanse ramen, veranda's met fraai houtsnijwerk en steile daken als heksenhoeden.

De bungalow stond in een vallei met mangobomen tussen het cricketveld van de school en een wilde tuin. De vorige bewoner was zo'n vijf jaar eerder met pensioen gegaan, en sindsdien hadden klimplanten de ramen overwoekerd als een verwilderde haardos. Door vocht en schimmel zat de veranda onder het mos.

Haar hart verkrampte nog altijd van medelijden en zwol van liefde wanneer ze terugdacht aan haar kennismaking met de bungalow, toen Toby's slaapkamer het enige vertrek was geweest waarin echt werd geleefd. Bij het zien van het ijzeren bed, de dunne, groene chenille sprei, de vergeelde klamboe en de ingelijste prenten van insecten aan de muur had ze moeten denken aan de kamer van een jongen die in de vakantie als enige was achtergebleven in een voor het overige verlaten kostschool.

Gelukkig bleek de schade aan de leuke, kleine bungalow slechts oppervlakkig te zijn. Nadat ze een dag de tijd had genomen om haar spullen uit te pakken, was Tor met onuitputtelijke energie begonnen aan het opknappen van het huis, met de hulp van twee kersverse bedienden: Jai en Benarsi, intelligent ogende jongens uit Amritsar, die Toby adoreerden omdat hij vloeiend Hindi sprak en hen aan het lachen maakte.

Tot Tors verbazing stuurde haar moeder een cheque voor vijftig pond, op voorwaarde dat ze het geld aan meubels besteedden. Het bedrag kwam goed van pas, want Toby gaf in deze periode, terwijl hij de laatste hand legde aan zijn boek, *Vogels en wilde dieren van Gujarat*, slechts in deeltijd les. Uitgelaten en vervuld van opwinding waren ze hun eerste tweepersoonsbed gaan kopen op de plaatselijke bazaar, en een sprei met vogels en bloemen erop geborduurd. Er kwam een sisalkleed voor op de grond. En vervolgens had Tor leiding gegeven aan het witten, timmeren en vloeren schrobben.

De tuin was vrijgemaakt en opnieuw ingeplant. In hun kleine zitkamer lagen schone kokosmatten op de grond, er stond een oude bank met twee rotan stoelen. Tor had eindelijk een echte tafel voor haar grammofoon, en Toby was vijf avonden zoet geweest met het ontwerpen en ophangen van wat hij noemde de Châteauneuf-du-Pape als het ging om planken voor zijn boeken en haar platen.

'Dus je vindt dat ik ze wel kan vragen?' Ze keek hem wantrouwend aan. Het was soms zo moeilijk te geloven dat ze dit soort vrijheden had. Hij kuste het puntje van haar neus.

'Vorig jaar was Kerstmis zo verschrikkelijk dat ik bijna naar huis was gegaan en een fles arsenicum had leeggedronken,' zei hij melodramatisch. Hij doelde op het kerstfeest in de club in Rawalpindi, waar hij met een papieren hoedje op zijn hoofd port had gedronken met een dronken theeplanter en een missionaris. 'Ik kan nog steeds niet geloven dat mijn leven zo veranderd is,' voegde hij er zacht aan toe. Dat was een van de heerlijkste dingen van Toby: het ene moment kon hij gek doen en speels, het volgende wist hij precies te zeggen waar het om draaide in het leven.

Hoe dan ook, Rose had vrijwel meteen teruggeschreven dat ze het heerlijk zou vinden om te komen en dat Jack – die met zijn regiment op een of andere enge, gevaarlijke missie in de bergen zat – ook zou proberen er te zijn. In elk geval voor een dag of twee. Maar was het erg onbeschaamd om te vragen of zij wat langer mocht blijven? Ze wilde zo graag dat Tor de kleine Freddie leerde kennen.

Begin december zei Tor tegen Toby dat hij aan het verstoffen was en dat het de hoogste tijd was om samen een leve-de-lol-dag te houden. Drie weken lang had hij koortsachtig aan zijn boek gewerkt, in een poging het voor Kerstmis af te hebben. Hij trok haar op zijn knie, piepte 'Het spijt me, schat', op een toon alsof hij danig bij haar onder de plak zat, kuste haar en zei: 'Wat een uitstekend idee!'

De volgende morgen vrijden ze bij het wakker worden onder hun klamboe, toen sprongen ze rammelend van de honger uit bed, en de daaropvolgende paar uur waren ze samen hard aan het werk. Ze verhuisden Toby's telescopen, zijn vogelboeken, zijn sitar en zijn stapels natuurfoto's van de logeerkamer naar het hoofdgebouw van de school. Daarop ging Tor op zoek naar een recept voor *christmas pudding* in Margaret Allsops *Kerstmis in de koloniën*.

Toby trok het bos in om een kerstboom uit te zoeken. Hij kwam terug met een knoestig ogende, jonge apenboom die hij in een pot zette. Tot Kerstmis zou hij hem water geven, en dan ging het boompje weer naar buiten, zei hij. Na het avondeten zette hij Beethoven op en beschilderden ze de punten van de takken met goudverf. Toen deden ze alle lichten uit, en ze dansten in het licht van de maan dat door de ramen van hun zitkamer naar binnen viel.

De volgende dag gingen ze naar de bazaar in Amritsar om de ingrediënten te kopen voor het kerstgebak. Toby kletste met de kraamhouders, Tor haalde haar lijstje tevoorschijn, en ze kochten zakken vol krenten en rozijnen. Kaneel en nootmuskaat werden van reusachtige, kleurige bergen geschept, gewogen op grote, middeleeuws ogende, koperen weegschalen en in kleine papieren zakjes gedaan die zorgvuldig werden dichtgedraaid.

Ze waren op weg naar Murphy's Bar aan de hoofdstraat voor een chota peg, toen Toby bleef staan en zijn bril opzette. Van een rommelige kraam met oude munten en kapotte brillen pakte hij een kistje met vier glazen bollen, zo groot als een eendenei en prachtig beschilderd. 'Net zo mooi als Fabergé.' Hij blies het stof eraf, en toen hij ze omhooghield naar het licht, wierpen de bollen een werveling van tinten rood, paars en groen op zijn gezicht.

'Ze zijn prachtig!' zei hij. 'Vind je ook niet, schat?'

'Kunnen we ze betalen?' vroeg ze. Hij had haar al gewaarschuwd dat ze niet rijk zouden worden van het vogelboek.

'Ja,' zei hij prompt. 'Voor onze eerste Kerstmis kan dat. En dan kan er ook nog champagne van af.'

Ze keek hem aan en had plotseling het gevoel alsof al haar zintuigen het uitjubelden van geluk.

Van pure liefde.

Ze had Toby, op wie ze elke avond vol verlangen wachtte, ze had een eigen huis – nou ja, bijna – ze had een opwindend leven voor zich, en alsof het allemaal nog niet genoeg was, kwamen Rose en Viva met Kerstmis.

Die uitbundige stemming hield geen stand. Vijf dagen later zat ze midden in een levensgrote huishoudelijke crisis. De vermaledijde Margaret Allsop had in belachelijk kleine lettertjes bij haar recept gemeld dat Tor de christmas pudding al half november, gewikkeld in vetvrij papier, in een blik had moeten doen.

'Ik had hem de hele maand moeten voeren,' jammerde ze. 'Waarom zou je in 's hemelsnaam een cake voeren? Hoort het niet andersom te zijn?'

Toby, die had zitten werken in de kas, kwam net de keuken binnen, met zijn vingers onder de inkt, zijn haar aandoenlijk piekerig. Hij was ervan overtuigd dat het niets uitmaakte. Want hij wist zo goed als zeker dat zijn moeder haar christmas pudding op kerstavond maakte.

Tor was gesust. Ze bond haar haren bij elkaar, deed een schort voor, zette de ingrediënten klaar en nadat ze Toby had verteld dat ze zich net een tovenaarsleerling voelde, begon ze het meel, de kersen en de rozijnen te wegen, waarop ze alles bij elkaar deed in een grote schaal op de keukentafel.

Jai en Benarsiu sloegen haar geïntrigeerd gade terwijl ze de hele boel door elkaar roerde, een mespuntje kaneel toevoegde, een beetje foelie, de eieren en de boter, en haar knokkels meeraspte met de sinaasappelschil. Al haar handelingen voorzag ze van doorlopend commentaar. Volgens juffrouw Allsop was het belangrijk om bedienden nieuwe vaardigheden te demonstreren, en terwijl ze de welriekende brij in een cakeblik goot, vroeg Tor zich af waarom haar moeder hier vroeger toch altijd zo'n toestand van had gemaakt. Christmas pudding maken was geen kunst, zei ze tegen Toby toen die zijn hoofd weer om de keukendeur stak. Een soort zandtaartjes bakken voor volwassenen.

De cake werd gladgestreken en in bruin papier gewikkeld, waarna Jai het geheel plechtig naar het op hout gestookte fornuis bracht en het vuur oppookte. Toby ging weer aan het werk; het geluid van zijn ratelende schrijfmachine, dat van de andere kant van het gazon tot haar doordrong, ervoer Tor als troostrijk. Met nog drie uur te gaan voordat de cake uit de oven mocht, besloot ze een ritje te gaan maken. Het was zo'n prachtige ochtend en dit was misschien haar laatste kans tot Kerstmis.

Na de rit ging ze een praatje maken bij Elsa Chambers, een van de secretaresses van de school. Elsa, een mollig meisje uit Norfolk dat ooit naar India was gekomen als nanny bij een inheemse familie van een hoge kaste, vertelde dat ze over twee dagen met een vliegtuig van Bombay naar Londen zou reizen. Iets wat Tor erg dapper vond. Toen kwam een stalknecht haar halen om naar het schattige merrieveulentje te komen kijken dat net was gearriveerd voor een van de zonen van een maharadja. Tor wreef de oren van het diertje en babbelde honderduit, toen ze ineens een doordringende gil slaakte en over de binnenplaats naar de keuken stormde.

'Lieve hemel, wat is er gebeurd?' Toby verscheen in de deuropening met een geschokte uitdrukking op zijn gezicht.

Tor keek met haar reusachtige ogen van hem naar de cake, die in een wolk van kwaadaardige rook op de keukentafel stond.

'O hemel, o hemel.' Er daalde een regen van zwartgeblakerde rozijnen neer terwijl Toby de cake, gewikkeld in een handdoek, in zijn armen wiegde. '*Mistah Kurtz, he dead*,' verkondigde hij dramatisch.

Niemand had ook maar enig idee waar hij het over had, maar hij keek er zo tragisch bij dat ze allemaal in lachen uitbarstten, een explosie van lucht als van een reusachtige ballon die knapte. Eerst begonnen Jai en Benarsi te gieren, toen begon Toby te joelen en over zijn ogen te vegen. 'Het spijt me, lieverd, het spijt me,' haastte hij zich te verklaren. 'Ik zal je vanavond helpen om een nieuwe te maken, en daarna schrijven we een nijdige brief aan Margaret...' Hij kon zijn zin niet afmaken. Tor lachte zo hard dat ze moest gaan zitten, met haar armen om haar middel. Ze schaterde het uit, tot ze uiteindelijk haar houten lepel hief naar 'haar' mannen. 'Een stelletje idioten, dat zijn jullie!' zei ze enigszins buiten adem, terwijl ze de tranen uit haar ogen veegde. 'Volstrekte sukkels. Jullie allemaal. *Memsahib tum ko zuroo kastor ile pila dena hoga.*'

Tor hoopte vurig dat Toby zich van zijn beste kant zou laten zien wanneer Viva en Rose er waren: dwaas en vol leven, maar ook ongelooflijk slim – hij had zoveel gelezen, over zulke uiteenlopende onderwerpen. Het sprak vanzelf dat de meisjes hem wantrouwden. Tenslotte had hij haar wel erg snel ten huwelijk gevraagd. Waarschijnlijk dachten ze dat hij óf wanhopig was, óf crimineel, óf erg met zichzelf ingenomen. En dat was allemaal niet zo. Hij kon verschrikkelijk verlegen en onbeholpen zijn tegen mensen die hij niet kende. Zo was hij tegen haar aanvankelijk ook geweest.

De dag nadat ze op de burgerlijke stand in Bombay waren getrouwd, was haar roekeloos euforische stemming ingezakt als een soufflé. Tijdens de rit naar het noorden in zijn sjofele Talbot had hij monotoon en urenlang – tenminste, zo leek het – gepraat over winkels en kleren. Later bleek dat zijn moeder hem had geleerd dat hij belangstelling moest tonen voor dingen die vrouwen interesseerden; dat hij daardoor de weg naar het hart van een vrouw zou weten te vinden. Dus hij had zijn beste beentje voorgezet. Maar toen hij haar vroeg of ze de voorkeur gaf aan een cloche of een hoed met bloemen, en welke kleuren ze het mooist vond, roze- of groentinten, was Tor steeds meer in paniek geraakt. Hij was zo onbeschrijfelijk saai! Hoe had ze ooit met hem kunnen trouwen? Ze had de grootste vergissing van haar leven gemaakt.

En voort tufte de auto, steeds verder weg van Bombay, door eindeloze stukken woestijnlandschap, door kleine, steeds desolater ogende stadjes, over grijsbruine vlaktes, tot het uiteindelijk te heet werd om te praten en ze in slaap sukkelde.

Toen ze wakker werd en de gouden ring om haar vinger zag, bedacht ze dat ze hem op z'n minst kon vragen wat voor werk hij precies deed. Hij was op slag opgeveerd. Ze wist al dat hij geschiedenis en natuurwetenschappen doceerde aan St. Bart's, maar nu vertelde hij dat hij bezig was aan zijn levenswerk, een boek over de duizenden bijzondere vogels in India, waarvan er vele als heilig werden beschouwd. Daarop keek hij opzij en vroeg hij of ze er bezwaar tegen had als hij haar een geheim vertelde.

'Helemaal niet,' zei ze, blij dat de stemming wat losser werd. 'Ik ben dol op geheimen.'

Hij vertelde dat hij op een ochtend op een van de sportvelden van de school het ei van een kleine bantammer in het gras had gevonden. De moederkip was nergens te bekennen, dus de daaropvolgende zes weken had hij het ei onder zijn arm gehouden, tot het uitkwam. Hij had gevoeld dat de schaal begon te kraken, dat het kleine, pluizige kopje tevoorschijn kwam, helemaal niet wiebelig en zo zacht. 'Dus ik weet hoe het voelt om een baby te krijgen,' zei hij zacht.

Ze had hem aangekeken in het steeds donkerder wordende inwendige van de auto. 'Gossie, wat lief van je,' had ze gezegd. Stel je voor dat hij ook nog knettergek blijkt te zijn. 'Wat een schitterend verhaal!' Ze klonk precies zoals haar moeder, had ze gedacht.

Die avond had ze geprobeerd zichzelf voor te houden dat ze dit huwelijk moest zien als een praktische overeenkomst, vergelijkbaar met het apart leggen van geld voor een onverwachte vakantie, of met het kopen van tweedehands meubels: als je er niet te veel van verwachtte, kon het ook niet echt op een teleurstelling uitlopen.

Nu deed het haar pijn dat ze zo kil en praktisch over hem had gedacht. Het verhaal van het kippenei was zo kenmerkend voor zijn goedheid. Het deed haar hart smelten. Ze vond het heerlijk om 's morgens vroeg met haar handen door zijn zijdezachte haar te woelen. Net zoals ze het heerlijk vond hoe hij ging slapen, met zijn armen om haar heen. Ze genoot van zijn grapjes, van de kopjes thee die hij haar 's morgens op bed bracht met iets lekkers erbij. Van de manier waarop hij vol passie en energie met zijn werk bezig was. Van de manier waarop hij haar 's avonds voorlas: Joseph Conrad, Dickens, T.S. Eliot – allemaal boeken waarvan ze altijd had gedacht dat ze er te dom voor was.

Ondanks dat hoopte ze wel dat hij niet te snel na de kennismaking met Viva en Rose voor de dag zou komen met het verhaal van het kippenei. Er was nu eenmaal tijd nodig om iemand te leren kennen.

Later die middag, nadat de christmas pudding op gepaste wijze was begraven, versierden ze het huis. Twee uur later was er bijna geen plekje meer in de bungalow dat niet bedekt was met glinsterfolie, of kaarsjes, of lichtjes.

'Denk je dat we het hebben overdreven?' Tor zag ineens CiCi voor zich en hoorde haar met gefronste wenkbrauwen zeggen: 'Minder is altijd beter, lieverd.' Een van haar stijldogma's.

'Helemaal niet.' Toby wikkelde glinsterfolie rond de knoppen van hun gruwelijk lelijke radio-grammofooncombinatie. 'Geen grotere weldaad dan overdaad! Dat is de regel met Kerstmis.'

Ze knuffelde hem en kuste hem op zijn oor.

'Wat vind je?' vroeg ze terwijl ze gearmd een stap naar achteren deden om de kamer te bewonderen.

'Schitterend,' zei hij. 'Een aards paradijs.'

En opnieuw zwol haar hart van liefde, want eigenlijk vierde ze deze Kerstmis de komst van Toby, het grootste geschenk van haar leven. Ze hoopte zo dat de meisjes hem ook aardig zouden vinden.

49

Sinds de dood van haar ouders had Viva regelmatig Kerstmis gevierd bij mensen die ze amper kende: nichten en neven, en zelfs een keer, toen niemand anders beschikbaar bleek, bij de tuinman van haar school, wiens kinderloze vrouw het tijdens een naargeestige kerstlunch maar al te duidelijk had gemaakt dat ze verwachtte te worden betaald voor de eer Viva kalkoen te mogen serveren.

Dus toen ze Tors uitnodiging ontving – in de vorm van een fel gekleurde kartonnen olifant met daarop 'Kerstmis in Amritsar – Denk erom dat je komt!' – was haar eerste impuls om terug te schrijven dat ze niet kwam. Ze had een gruwelijke hekel aan Kerstmis. Trouwens, ook zonder Kerstmis voelde ze zich al afschuwelijk.

Haar ontsnapping aan meneer Azim had haar vijf hechtingen in haar ooglid opgeleverd, een gebroken rib, hoofdpijn en slapeloosheid. Bovendien had haar zelfvertrouwen een ernstige knauw opgelopen. Ze was uitvoerig ondervraagd door brigadier Barker, een opvliegende Schot die, zwetend in zijn uniform, had geïmpliceerd dat ze, door als alleenstaande vrouw in een achterbuurt van Bombay te gaan wonen en door de adviezen van de Britse overheid te negeren, de hele situatie aan zichzelf te danken had en blij mocht zijn dat ze het er levend vanaf had gebracht.

Gelukkig waren Daisy en zij erin geslaagd een plekje voor Guy te vinden in een rusthuis in Bombay. Dr. Ratcliffe, de vriendelijke, somber ogende man die aan het hoofd stond, was zelf ooit het slachtoffer geworden van mosterdgas en had niet alleen een groot medeleven met patiënten die leden aan zenuwaandoeningen, maar bovendien boekte hij veel succes met zijn behandeling van dergelijke gevallen. Hij kwam tot de conclusie dat de geesteszwakte waaraan Guy leek te lijden een vorm van schizofrenie zou kunnen zijn. Hij leende Daisy en Viva een verhandeling over het onderwerp, geschreven door een zekere dokter Boyla, die verklaarde dat de conditie die ooit was gezien als het symptoom van een overactieve, zelfs gedegenereerde geest, met meer compassie diende te worden behandeld. 'Het is niet voldoende om "gek geworden" als conclusie boven de gegevens van een patiënt te schrijven, zoals sommige van mijn collega's doen,' zei Ratcliffe terwijl hij hen rondleidde. 'We moeten zorgen dat we een levenslijn vinden, en indien ook maar enigszins mogelijk een methode om tot genezing te komen.'

Guy kreeg een rustige, zonnige kamer met uitzicht op een binnenplaats, en er werd hem een gezond, voedzaam dieet voorgeschreven met daarnaast een dagelijks programma van oefeningen. Al snel bleek dat hij het prettig vond om in de kleine tuin te werken waar zijn kamer op uitkeek.

Toen Viva zich sterk genoeg voelde, ging ze hem opzoeken. Ze dronken samen een glas limonade op de binnenplaats, en bij haar laatste bezoek had hij haar met zoveel woorden zijn verontschuldigingen aangeboden. 'Ik heb spijt van wat ik heb gedaan. Dat was echt niet mijn bedoeling.' Viva had hem nog nooit zo rustig gezien, zo gelukkig en zo beheerst.

Maar vier dagen later arriveerde Guys vader uit Assam. Hij kwam langs in het kindertehuis, om Daisy en Viva duidelijk te maken dat hij geen hoge pet ophad van 'zielenknijpers' en dat Guy bepaald geen behoefte had aan een stel vrouwen die hem bemoederden. Hij had een ticket voor een enkele reis naar Engeland bij zich voor zijn zoon. Een oude vriend van hem die bij het leger zat, zou wel een plekje voor hem weten te vinden in zijn regiment. Guy had dokter Ratcliffe gevraagd hem naar het kindertehuis te rijden, zodat hij afscheid kon nemen. Ondanks alles wat er was gebeurd, voelde Viva zich opnieuw schuldig en verantwoordelijk bij het zien van zijn bleke gezicht en de geschokte blik in zijn ogen. Sterker nog, ze had intens medelijden met hem vanwege de manier waarop hij voor de leeuwen werd geworpen. Terwijl ze op de bank voor Daisy's kantoor zaten, had hij plotseling zijn armen om haar heen geslagen en als een kind zijn gezicht in haar hals begraven.

'Ik wil niet weg. Kun jij er niet voor zorgen dat ik niet weg hoef?'

'Nee,' had Viva gezegd, en dat was ook zo. Ze kon niets voor hem doen. Tenslotte was ze niet zijn moeder, noch zijn voogd. Zijn ouders vertrouwden haar net zomin als ze dokter Ratcliffe vertrouwden, die ze beschouwden als een kwakzalver.

Hij omhelsde haar opnieuw.

'Je bent mooi,' waren zijn laatste woorden. 'Als ik groot ben, wil ik met je trouwen.'

Het was zo'n bizarre, zo'n ongerijmde uitspraak dat het haar duizelde.

Achteraf had Daisy, die Kerstmis ging vieren in Engeland, er min of meer op gestaan dat Viva ook vakantie nam. Er waren met Kerstmis maar zes kinderen in het tehuis, en mevrouw Bowden en Vaibhavi namen met liefde de zorg voor hen op zich.

'Neem twee weken vrij. Je hebt het nodig, en ik verbied je om je nog langer zorgen te maken over die jongen en om ook maar íéts te doen aan dat ellendige boek van je. Je moet eruit!'

Toen de trein twee weken voor Kerstmis het station van Amritsar binnen liep, was Viva opgelucht te zien dat Tor alleen was. Ze voelde zich nog niet opgewassen tegen nieuwe gezichten.

'Viva!' Tor ontving haar met een stralende glimlach, omhelsde haar uitbundig en wierp toen pas een blik onder haar hoed.

'Lieve hemel!' zei ze. 'Je oog! Wat is er gebeurd?'

'O, niks. Tenminste, het valt allemaal reuze mee.' Hier was Viva bang voor geweest. Haar oog voelde nog altijd als een beschamend brandmerk. 'Laten we het houden op een klein avontuur waarin ik terecht ben gekomen. En toen ben ik gevallen. Het lijkt veel erger dan het is. Straks, tijdens het avondeten zal ik je het hele verhaal vertellen.

O Tor, ik kan gewoon niet geloven dat ik hier ben!' Ze schoof haar arm door die van Tor, op zoek naar houvast. 'En wat een heerlijke dag!'

Dat was het zeker, met een glasheldere, stralend blauwe hemel.

'Nou, Toby en ik zijn anders vastberaden onze kerst niet te laten bederven door zelfs maar een piezeltje zonneschijn,' grapte Tor terwijl ze arm in arm naar het parkeerterrein liepen. 'Hij zegt dat hij het desnoods wattenbolletjes gaat laten sneeuwen, zodat iedereen zich thuisvoelt. O Viva, ik popel echt om hem aan je voor te stellen.' Tor drukte Viva's arm. 'Ik weet zeker dat je hem enig vindt.'

Viva hoopte het. Wist hij hoe ze haar best had gedaan Tor haar trouwplannen uit het hoofd te praten? Zij, Viva, de grote deskundige als het om de liefde en het huwelijk ging! Maar ze was zo bezorgd geweest om Tor.

Terwijl ze in de Talbot naar de school reden, met Tor achter het stuur, nam Viva zichzelf ernstig onderhanden. Een van de gevolgen van de dagen dat Azim haar gevangen had gehouden, was een vorm van claustrofobie. Ze had er in de trein al last van gehad: dan bonsde haar hart, het zweet stond in haar handen, het duizelde haar en ze had het gevoel dat ze geen lucht kreeg. Terwijl ze uit het raampje van de auto keek, bekroop het gevoel haar opnieuw, als een grijze mist. Ze deed haar best om zich te concentreren op een stoffig dorp dat ze passeerden, op een man met een mager, wit paard, op een oude vrouw die met een takkenbos op haar hoofd langs de weg liep.

Ze mopperde op zichzelf alsof ze een zeurend kind was. Hou nou eens twee dagen je mond! Ga maar in de hoek staan! Denk eens niet alleen aan jezelf! Het ging nu om Tor. Het was háár beurt om te schitteren. Toen ze haar even eerder had geobserveerd, had ze gedacht hoe prachtig Tor eruitzag – zo stralend en puur dankzij haar nieuwe geluk. Was het te veel gevraagd om eens even niét met haar eigen problemen bezig te zijn?

Een halfuur later hield de auto stil bij een hek met een reusachtig wapenschild erboven.

'We zijn er,' zei Tor. 'Oost west, thuis best.'

Over een korte oprijlaan reden ze naar het flamboyante hoofdgebouw van de school, rijk aan beeldhouwwerk en kleine torentjes. Op het schitterende gazon ervoor wandelden twee pauwen die naar zaadjes pikten. Achter de pauwen stond een bord: St.-Bartholomew's College voor Zoons van Patriciërs en Maharadja's. Leeftijd zeven tot veertien.

'Dit is niet ons huis, mocht je dat denken,' zei Tor opgewekt. 'Wij zijn de arme tak van de familie.'

De auto hobbelde over een grindpad langs een cricketveld, waar het scorebord vertelde dat de stand in de wedstrijd St.-Bart's tegen Rawalpindi 179-6 was, langs een binnenplaats met witgepleisterde stallen en een poloveld waar een eenzame figuur in kniebroek en met een tulband op zijn hoofd zijn slag oefende.

'Doe je ogen dicht!' Tor keek Viva aan terwijl ze koers zetten naar een kring van bomen voorbij het cricketveld. 'We zijn er bijna.'

Het was nog altijd pijnlijk om haar ogen dicht te doen. De dokter had gezegd dat ze van geluk mocht spreken dat ze niet blind was geworden.

'Zijn we er al?' Achter haar oogleden zag ze grillige patronen van licht, alsof ze zich onder water bevond.

'Bijna.' Tor reed zwierig een hoek óm, grind knarste onder de wielen van de auto.

'Ja!' Tor pakte haar hand en drukte die. 'Doe je ogen maar open!'

Viva was verbaasd toen ze zichzelf voor het eerst sinds lange tijd hardop hoorde lachen. Het was alsof ze in een sprookje waren beland, in een verhaal voor kinderen. Op de schoorsteen zat een dikke kerstman, achter alle ramen brandden kaarsjes; ijspegels van lint hingen aan de potten met bougainville; de lege stukken van de veranda waren gevuld met kleurige platen, getekend met kinderlijke overgave. Op een daarvan stond een dikke, wijze man met een tulband, versierd met glinsterende stenen, op een andere waren sleeënde kinderen te zien, omringd door tijgers, jachtluipaarden en slangen.

Boven de deur hing een bord, met daarop in zilverkleurige letters van minstens dertig centimeter hoog: VROLIJK KERSTFEEST!

'We hebben de versiering veel te vroeg opgehangen,' zei Tor. 'Maar we konden niet langer wachten.'

'O Tor, het is prachtig!' Viva lachte weer. 'Wie is het genie dat hier woont?'

'Genieën! Tenminste, als dat het meervoud is.' Toby was in de deuropening verschenen, met achter zich twee bedienden in hun mooiste kleren met champagne en kaasstengels.

'Dag, vriendin van Tor,' zei hij wat ongemakkelijk en hij stak Viva zijn hand toe.

'Nee, nee! Wacht! Wacht!' Tor haastte zich naar binnen, draaide aan de grammofoon en even later klonk de stem van Ivor Novello door het huis: 'Ding Dong Merrily on High'.

'Ik heb haar ervan moeten weerhouden de haard aan te steken,' vertelde Toby. 'Het is tenslotte maar achttien graden in de schaduw.' Toen ze zag hoe stralend hij zijn kersverse vrouw aankeek, bedacht Viva hoe jong hij leek – met zijn verwarde haar, zijn vingers die onder de inkt zaten, zijn overhemd half uit zijn broek – en hoe onschuldig. Ze had verwacht dat hij gladder zou zijn, sluwer.

'Lieverd.' Tor legde haar arm om zijn middel. 'Lieverd, even een rustig moment voordat we gek gaan doen. Dit is mijn vriendin Viva over wie je al zoveel weet. Later gaat ze ons vertellen hoe ze aan dat oog is gekomen. Dus daar moet je nu nog niet naar vragen.'

'Dag, Viva.' Hij schudde haar hartelijk de hand. 'Kan ik je een glas champagne aanbieden?'

'Dat lijkt me heerlijk.'

'O verroest!' Toen hij de champagne over de rand goot, dacht Viva: Hij is net zo zenuwachtig als ik.

Er werd een schoon glas gehaald en ingeschonken. Viva haalde diep adem en nam een slok. Zie je nou wel, zei ze om haar altijd loerende angsten te bezweren. Ze had al drie redenen om blij en dankbaar te zijn: dat het haar was gelukt zelfstandig hierheen te reizen; dat Toby er niet uitzag als een dronkenlap of een man die zijn vrouw sloeg; en dat de naam Frank nog niet was genoemd, want ze wilde het niet over hem hebben. Dus ook al begon het allemaal veel eerder dan zij zou hebben bedacht, wat haar betrof mocht de kerstvreugde losbarsten. Even niet tobben, even niet klagen, even niet bang zijn, en even niet naar het verleden of de toekomst kijken.

Ze hief haar glas naar Tor. 'Vrolijk kerstfeest!'

50

Toen Rose de volgende dag arriveerde met Freddie die inmiddels drie maanden was, plaagde Toby de meisjes dat ze zich aanstelden als gekken. Maar hij was dan ook zo'n prachtige baby met het zilverblonde haar van Rose, een volmaakt kuiltje in zijn kin en intelligente blauwe ogen, al was hij wel een beetje scheel. Toen Viva hem in haar armen hield, schrok ze opnieuw van haar eigen gevoelens. Ze was er nog steeds van overtuigd dat ze niet jaloers was, want wat zou ze met een kind moeten beginnen? Maar ze was zich wel bewust van een gevoel van ontzag voor Rose, omdat die zoiets volmaakts, zoiets indrukwekkends ter wereld had gebracht.

Zelfs wanneer hij alleen maar opgewekte pruttelgeluidjes maakte in bad, of wanneer zijn luier werd verschoond, leek het alsof Freddie de emotionele temperatuur in huis opdreef, als een vuurtje dat zorgde voor warmte.

'O hemel,' klaagde Toby toen hij de kleine Fred eindelijk mocht vasthouden. 'Nu krijgt de memsahib natuurlijk ook last van hormonen.' Zoals Tor had gevreesd, stak hij van wal met het verhaal over het ei dat hij onder zijn arm had uitgebroed, en wat die ervaring voor hem had betekend.

'En wat is er uiteindelijk van het kuikentje geworden?' vroeg Viva vertederd.

'Ik ben erbovenop gaan staan, twee maanden nadat het uit het ei was gekropen. Toen ik haast had om de post te gaan halen. Het spijt me, lieveling,' zei hij tegen Tor. 'Dat had ik jou nog niet verteld. Omdat ik er eigenlijk nu pas over kan praten.' Hij maakte geen grapje.

'Wat verschrikkelijk,' zei Viva zacht. 'Het kan niet anders of je hield van dat beestje.'

'Dat is ook zo. Ik hield echt van dat kuiken.'

Toen Rose en Tor de baby in bad gingen doen, bleef Viva op de veranda zitten om te genieten van de zonsondergang en om een poging te doen haar eigen merkwaardige, onbestendige stemming te ontrafelen. Ze was blij voor Rose, maar door de komst van een baby veranderde de situatie voor wie daar geen ervaring mee had. Het krijgen van een kind, met alle fysieke gruwelen die daarmee gepaard gingen, betekende onbetwist een soort waterscheiding – vergelijkbaar met de initiatierite op Borneo waarbij jongens werden gedwongen met een touw om hun enkel uit een hoge boom te springen. Het was als het ware een brevet van volwassenheid, en Rose straalde een kalmte en een zelfverzekerdheid uit die haar vroeger vreemd waren geweest. Ze had toegegeven dat de bevalling erg pijnlijk was geweest en had beloofd er alles over te vertellen wanneer ze als vrouwen onder elkaar waren, zonder Toby. En ook al had ze nog niet veel over Jack gezegd, een baby betekende ook dat je een ander je vertrouwen had geschonken; dat je samen een gezin was geworden.

Het zou niet lang duren of Tor kreeg ook een kind. Daar twijfelde Viva niet aan. Bij die gedachte zou ze zich niet eenzaam moeten voelen, maar dat voelde ze zich wel. Hun vriendschap zou veranderen. Alles zou veranderen. Ieder mens had maar een beperkte hoeveelheid energie, en baby's waren als het ware reusachtige magneten, in die zin dat ze alle liefde, alle aandacht naar zich toe trokken.

Ze werd bekropen door sombere gedachten. Wat had ze bereikt in het jaar dat ze nu in India was? Slimme Viva, die ooit was beschouwd als de wijste van hun groepje, de vrouw met de meeste levenservaring. Haar boek was bijna af, maar waarschijnlijk zou niemand het willen publiceren. Ze had geen vaste verblijfplaats, ze had maar heel weinig geld en geen concrete plannen voor de toekomst.

Waarom hadden ze haar niet meteen doorzien? Vanaf de dag dat ze elkaar leerden kennen?

De zon wierp een warme, abrikooskleurge gloed over de sportvelden en de bossen daarachter, waaruit van tijd tot tijd een zwerm donkere vogels opsteeg, die langs de blauwe hemel zwenkten en dan weer neerstreken in de toppen van de bomen. En toen was het ineens donker, en aan de horizon verscheen een tapijt van sterren. Toby kwam de veranda op en liet zich op een stoel ploffen.

'Zit je lekker?' vroeg hij vriendelijk. 'Wat ik bedoel te zeggen is, zit je liever alleen of mag ik bij je komen zitten?'

'Natuurlijk!' zei ze met een hartelijkheid die ze niet meende. 'Het is heerlijk om even geen duizend-en-een dingen te moeten doen en te kunnen genieten van de rust. Tor lijkt zo...'

'Zo...' zeiden ze tegelijkertijd en ze begonnen allebei te lachen.

'Jij eerst,' zei hij. 'Jij bent de gast.'

'Ach, ik wilde alleen maar zeggen dat ik haar nog nooit zo gelukkig heb gezien!'

'O, dat hoop ik echt! Ik kan het soms nog steeds niet geloven.' Hij leek niet ouder dan acht terwijl hij het zei. 'Ik begrijp dat jij je twijfels had?' In het schemerige licht zag ze dat hij ondeugend grijnsde.

Ze lachte, een beetje in verlegenheid gebracht. 'Ach, je moet toegeven... Zelfs naar Indiase maatstaven ging het allemaal erg snel.'

'Ja, dat is zo. Het risico dat we hebben genomen, was reusachtig! Maar zijn dat soort beslissingen niet altijd de beste?'

'Ik weet het niet. Zo dapper ben ik niet.'

'Kom, kom. Tor heeft me verteld over je werk, over je boek. Volgens mij ben je juist heel erg dapper.'

Ze ging er niet op in.

'Zullen we een chota peg nemen?' stelde Toby voor. 'En vertel me dan eens over je boek. Zoveel schrijvers ontmoet ik hier niet.'

Dus ze namen een borrel, en praatten, en Toby toonde zich zo enthousiast dat ze meer en gedetailleerder vertelde dan ze onder andere omstandigheden zou hebben gedaan. Over Talika, en op zijn aandringen ook over Prepal en Chinna, twee nieuwe bewonertjes van het tehuis. Dat ze voor hun zeven broertjes en zusjes hadden gezorgd toen het huis van hun ouders in de as was gelegd.

'Die kinderen zijn zo dapper,' zei Viva. 'Ze lachen en zingen en vertellen grappen. Ze weigeren simpelweg ten onder te gaan.'

Hij nam haar aandachtig op. In de bomen ritselde een vogel, ver weg in het bos klonk de schorre kreet van een jakhals.

'Blijkbaar vertrouwen ze je,' zei hij. 'Anders zouden ze je dat niet allemaal vertellen.'

'Volgens mij vinden de meeste mensen het heerlijk om hun verhaal te doen.'

'Dat hangt ervan af. Engelsen zijn erg gesloten over hun privézaken. In dat opzicht zijn we de oosterlingen van het westen. Natuurlijk, iedere ouwe baas op de club zal je vertellen bij welk regiment hij heeft gevochten en wat een puinhoop de regering is, maar de meeste mannen vreten liever hun hoed op dan dat ze praten over wat hun echt verdriet of pijn doet, en wat hun het meest dierbaar is. Of ben je dat niet met me eens?' Hij keek haar recht aan en dronk zijn glas leeg.

'Ja, dat is zo,' moest ze toegeven.

'Heb je al een uitgever?' vroeg hij na een korte stilte.

'Nee, nog niet. Alleen een contactpersoon bij Macmillan die een paar hoofdstukken heeft gelezen.'

'Ik word uitgegeven door Stone and Greenaway,' zei hij. 'Ik wil je met alle plezier met ze in contact brengen. Rijk zul je er niet van worden, maar hun boeken zien er prachtig uit.'

Uit de kamer van de baby klonk uitbundig gelach, en ze keken allebei op. Een luid gespetter, toen de stemmen van Rose en Tor die losbarstten in gezang. 'Daisy, Daisy give me your answer do!'

Toby pakte de polohamer die in de hoek van de veranda stond, en sloeg ermee op de muur.

'Kan het wat zachter?' riep hij. 'We proberen geen overlast te bezorgen!' Het gezang werd luider, de baby tjilpte als een vogeltje. Even later verscheen Tor met Freddie in haar armen, rozig van zijn bad, geurend naar zeep en talkpoeder. 'Zeg maar welterusten tegen tante Viva en oom Toby.' Viva drukte een kus op het kleine voorhoofdje. Het huidje van de baby rook naar vers gras.

Hij wiebelde met zijn kleine roze vingertjes naar haar alsof hij wuifde, en raakte de plek naast haar oog, waar het litteken bezig was te genezen. Ze kromp ineen maar kuste hem nogmaals. 'Welterusten, lieve Freddie. Slaap lekker.'

Toen Tor met de baby naar binnen was verdwenen, was Viva nijdig op zichzelf omdat ze voelde dat ze opnieuw werd bekropen door somberheid. Als ze niet kon genieten van andermans geluk, had ze het fatsoen moeten hebben om in Bombay te blijven.

'Alsjeblieft.' Toby verscheen weer op de veranda met een schaal groot uitgevallen pasteitjes. 'Die heeft Tor gemaakt.'

Ze wilde dat hij ophield zo aardig tegen haar te zijn; dat ze alleen kon zijn met haar sombere gedachten.

'Hm, lekker!' Er daalde een regen van kruimels neer in haar schoot. 'Het is echt verschrikkelijk aardig van jullie om ons allemaal uit te nodigen.'

'Hoe meer zielen hoe meer vreugd,' zei Toby. 'Het is alleen jammer dat je vriend de dokter niet kon komen. Lahore is hier bijna om de hoek, en ik had het leuk gevonden om met hem over zijn onderzoek te praten. Zwartwaterkoorts is een verschrikkelijke ziekte. Vorig jaar hebben we er nog een stel van onze jongens aan verloren.'

'Mijn vriend de dokter?' Ze staarde hem aan. 'Ik wist niet dat die ook zou komen.' Ze zette haar glas neer. 'Wie heeft hem uitgenodigd?'

'O hemel! Heb ik iets verkeerds gezegd?'

'Nee, helemaal niet.' Ze dwong zichzelf nonchalant te klinken. 'We waren goed bevriend op het schip. Trouwens, Rose en Tor ook. Ik denk eigenlijk zelden meer aan hem, maar...' Ze keek op haar horloge. 'Ik ga even naar mijn kamer om me op te frissen. Het is bijna tijd voor het avondeten. Leuk om even met je te hebben gebabbeld.'

'O verdorie!' Toby keek verslagen. 'Ik heb mijn mond voorbijgepraat, hè? Wat ben ik toch een stomme idioot!'

Eenmaal in haar kamer deed ze de deur op slot. Ze liet zich op het voeteneind van het bed vallen en legde haar gezicht op haar knieën. Het was afgelopen. Uit. Hij was uitgenodigd, maar hij had bedankt. Dat liet aan duidelijkheid niets te wensen over. Ze was zich bewust van een intense pijn diep vanbinnen, een pijn die steeds heviger werd, zonder dat ze er ook maar iets tegen kon doen. Het was een gevoel alsof de lucht uit haar longen was geslagen. Het is afgelopen. Uit. Hij is uitgenodigd, maar hij heeft bedankt, herhaalde ze in gedachten.

Hij wil je niet. Laat dat nou eindelijk eens tot je doordringen, zei ze woedend tegen zichzelf. En waag het niet het kerstfeest te bederven.

Vijf minuten later kwam ze zacht de logeerkamer aan de andere kant van de gang binnen, waar Rose en Tor bij het licht van een olielamp de klamboe instopten rond het bedje van de baby.

'Tor...' Ze probeerde zo gewoon mogelijk te klinken. 'Had je Frank ook uitgenodigd voor Kerstmis?'

Tors gezicht sprak boekdelen.

'Nee, niet echt.' Tor keerde zich hulpeloos naar Rose, die zich uit alle macht concentreerde op het lakentje van de baby en weigerde haar aan te kijken.

'Nou ja, misschien ook wel,' bekende Tor ten slotte. 'Min of meer. Het ging eigenlijk heel toevallig. We kwamen hem tegen op een feestje in Lahore. Het was zo'n verrassing om hem weer te zien. Dus toen leek het me leuk om met z'n allen weer eens bij elkaar te komen. Je weet wel. Een soort reünie.'

Ze keek weifelend naar Rose.

'Gossie,' zei die. 'Ik geloof niet dat je me dat hebt verteld.'

'En?' Viva deed nog altijd haar best haar stem vast te doen klinken. 'Wat zei hij?'

'Hij eh...' Tor ontweek haar blik. 'Het was heel jammer, maar hij moest werken met Kerstmis, zei hij, en hij had andere plannen.'

'Wist hij dat ik er ook zou zijn?'

Tor friemelde aan de klamboe. 'Ja.'

'Het maakt niet uit. Echt niet,' zei Viva, vervuld van afschuw bij het zien van hun meelevende blikken. 'Ik denk eigenlijk nauwelijks meer aan hem.'

'Gelukkig maar,' zeiden Rose en Tor in koor, hetgeen betekende dat – op Freddie na – iedereen in de kamer onwaarheden sprak.

Tijdens het avondeten deed Toby het lang niet gek bij het aansnijden van het braadstuk. Hij vertelde dat hij bezig was het te leren en dat hij doorgaans tekeerging als een bijlmoordenaar. Jai kwam binnen en stak olielampjes aan rond de veranda, ze trokken de speciale fles rode wijn open die Rose had meegebracht en dronken elkaar toe.

Het gesprek was opgewekt en ontspannen, en Viva deed haar best ook haar bijdrage te leveren.

Tijdens het dessert – een verrukkelijke, mierzoete vruchtentaart – ging het gesprek over het verschil tussen een vriend en iemand met wie je het oerwoud in zou durven.

'Voor het oerwoud zou ik jou niet kiezen,' zei Tor plagend tegen Toby. 'Je zou op handen en knieën rondkruipen, op zoek naar de grote gevlekte mees, of de weidewasplaatszwam, of zoiets, en we zouden er nooit meer uit komen. Nee, dan nam ik Viva mee.'

'Waaraan dank ik die eer?' vroeg die.

'Je bent dapper en je laat je niet ontmoedigen. Je gaat door. Neem nou dat geheimzinnige avontuur in Bombay. Daar zou je ons over vertellen, maar uiteindelijk hebben we het verhaal nooit te horen gekregen. Als ik hechtingen in mijn oog had, of buiten westen was geslagen, zou ik er maandenlang alle kanen uit hebben gebraaien.'

'O dat.' Viva streek luchtig over de zijkant van haar oog. Het overviel haar. 'Ach... dat was niks. Tenminste, het was natuurlijk wel wát, maar het was allemaal niet zo erg als het klinkt.'

In de trein had ze haar verhaal gerepeteerd. Maar zelfs haar luchtige versie van haar ontvoering – met haarzelf in de hoofdrol als doodsbange maagd in een rode jurk en met Azim als de schurk in het stuk – leidde tot geschokte reacties.

'Je had wel dood kunnen zijn!' zei Tor, vervuld van afschuw.

'Waarom heeft de politie niets gedaan?' vroeg Rose.

'Die is uiteindelijk wel gekomen, maar je weet hoe dat soort dingen hier onder het tapijt wordt geveegd.'

'Niet als het om Engelsen gaat,' zei Toby zakelijk.

'Ja, maar je moet niet vergeten dat de gouverneur ons tot twee keer heeft gewaarschuwd dat we het tehuis zouden moeten sluiten,' hielp ze hem herinneren. 'En dat wil niemand van ons zelfs maar overwegen. Het is een complexe situatie.

Trouwens...' Ze wilde niets liever dan de aandacht afleiden van zichzelf. 'Meneer Azim heeft op een Engelse kostschool gezeten. Volgens mij ergens hier in de buurt. De leerlingen kregen slaag, vertelde hij. De sportleraar heeft hem ooit zo hard aangepakt dat hij zijn pink brak, en Diwali werd er niet gevierd. Dat noemden ze daar Guy Fawkes Day. Maar dat kan toch haast niet waar zijn?'

'Jawel,' antwoordde Toby eenvoudig. 'Het loopt allemaal afschuwelijk door elkaar. We balanceren op een heel dun koord. Sommige Indiërs uit de hoogste klassen die hun kinderen bij ons op school doen, willen niet dat ze door iemand anders worden geslagen dan door henzelf, anderen verwachten een ouderwetse kostschool, compleet met feuten, slechte havermoutpap, slaag, cricket, de hele mikmak.'

'Maar Guy Fawkes Day? Dat zal toch niet?'

'Ja, dat vieren ze hier ook. En wat zelfs nog erger is, we duwen de leerlingen wel Wordsworth en Shakespeare door de strot, maar besteden geen aandacht aan grote Urdu dichters zoals Mir Taqi Mir en Ghalib. Een schande, dat is het!'

Het gesprek eindigde abrupt toen Tor haar vinger op haar lippen legde en in de richting van Freddies kamer keek. 'Hoor eens!' De baby huilde. Het klonk een beetje schor en beverig; niet echt serieus. Iedereen zweeg en luisterde tot de wieg klikklakkend heen en weer begon te schommelen, dankzij het touw aan de voet van de ayah. Toen klonk ook haar zachte stem.

'Wat zingt ze?' vroeg Viva aan Toby.

'Kleine meester, kleine koning, slaap, mijn liefje, slaap,' zei Toby. 'Het is leuk om te weten dat er nog ergens vrouwen zijn die ons, mannen, respecteren.' Hij keek triomfantelijk de tafel rond.

Viva ontspande toen hij haar glas nog eens bijschonk. Het verhaal over de ontvoering was met succes afgehandeld. Niemand zou ooit hoeven te weten hoe ernstig bezeerd ze was geraakt, hoe dwaas ze zich had gevoeld, hoe de gebeurtenissen haar hadden beroofd van het soort arrogantie dat je nodig had om te denken dat je iets kon betekenen voor mensen in een land dat zo ver weg lag van alles waarmee je was opgegroeid, alles wat je begreep.

'Maar Viva...' Tor keerde zich naar haar toe. 'Maak je verhaal af. Hoe is het afgelopen met die afschuwelijke Guy?'

Dus Viva vertelde over dokter Ratcliffe en zijn tehuis. Hoe goed Guy het daar had gedaan tot hij er was weggehaald.

'Hij is inmiddels terug in Engeland. Dat is het ergste wat hem had kunnen overkomen. Zijn vader heeft een baantje voor hem geregeld in het leger. Dus het zal niet lang duren of hij loopt met een geweer rond. Er is nauwelijks een baan te bedenken waarvoor hij minder geschikt is. Hoe bedenken ze het? Ze lijken wel blind!'

'We zien de dingen niet zoals ze zijn, maar zoals wij zijn,' zei Toby zacht. 'Dat staat in de talmoed.'

'Daar heb ik me ook aan schuldig gemaakt,' bekende ze.

'O, en Viva, het spijt me dat ik zoveel vragen stel.' Tor kon soms opmerkelijk vasthoudend zijn. 'Maar straks ben je weer weg, en ik moet het weten. Waar ga je wonen als het tehuis moet sluiten?'

'Dat weet ik nog niet,' antwoordde Viva. 'Maar ik ben er inderdaad vrij zeker van dat we op korte termijn zullen moeten sluiten.'

'Lieve hemel.' Tors ogen waren als zoekende koplampen wanneer ze je zo aankeek, dacht Viva. 'Is dat geen ramp voor de kinderen?'

'Niet voor allemaal.' Viva hoorde tot haar afschuw dat haar stem begon te beven. 'Sommige popelen om er weg te komen. De status van weeskinderen is in dit land zo laag. O, als ze geen andere keus hebben, dan blijven ze wel. Maar het is niet altijd zo dat ze ons als redders zien. Sommige kinderen snakken ernaar de straat weer op te kunnen.'

'Maar heb je enig idee waar jij naartoe gaat?' vroeg Tor weer.

'Hemeltje.' Viva voelde zich opnieuw in het nauw gedreven. 'Daar heb ik eigenlijk nog niet over nagedacht. Ik...'

'Chocolaatje?' Toby hield haar een doos flikken voor, alsof hij haar te hulp wilde komen. 'Trouwens,' zei hij. 'Dat heb ik je al eerder willen vragen. Waar woonden je ouders destijds? Stond er niet nog ergens een hutkoffer van ze? En zou je die niet gaan halen?'

In de veronderstelling dat Viva het niet zou merken, legde Tor haar dessertlepel neer en zei geluidloos 'Niet doen' tegen Toby. Die raakte even in paniek, maar vervolgde toen vlot: 'Als kind ben ik ook om de haverklap verhuisd. Mijn vader was wetenschapper, maar hij heeft jaren voor het Indiase ministerie van bosbouw gewerkt. Dus ik wist eigenlijk ook nooit waar ik terechtkwam. Aan de ene kant is dat leuk, maar het probleem is...' Viva zag dat hij Tor aankeek, alsof hij wilde zeggen: *Hoe doe ik het?* 'Het probleem is dat je wereldbeeld enigszins uit het lood raakt.'

'Daar heb ik geen last van.' Tor stond op en sloeg haar armen om hem heen. 'Ik vind het hier heerlijk. Echt heerlijk.'

Viva keek naar hen met een blik van verlangen. Wat heerlijk zoals hij genietend zijn ogen sloot terwijl Tor hem omhelsde en zijn hoofd tegen het hare legde.

Toen Rose opstond om bij de baby te gaan kijken en Viva naar de lege wijnglazen op de tafel keek, werd ze overspoeld door een gevoel van verlatenheid. Ze had niet moeten komen. Blijkbaar was ze er nog niet klaar voor.

'Viva.' Rose kwam de kamer weer binnen. 'Hoe zou je het vinden als we Frank met Kerstmis voor de lunch uitnodigden? Niet om te blijven logeren, alleen voor de lunch? Frank was onze knappe scheepsarts,' legde ze Toby uit. 'We waren allemaal verkikkerd op hem.'

Viva voelde een vlaag van woede – het klonk zo onbetekenend zoals ze het zei.

'Ik weet zeker dat Toby hem aardig vindt,' voegde Tor eraan toe.

Ze keken elkaar aan. Viva slikte.

'Liever niet,' zei ze toen. 'Hij heeft tenslotte al een keer nee gezegd.'

Daar lieten ze het bij.

51

De volgende morgen stelde Tor voor dat Viva en Rose samen een rit gingen maken.

Toby tekende een kaart voor hen. Het gebied van de school besloeg honderdzestig hectare, vertelde hij, doorkruist met rijpaden waarvan er een naar een meer leidde dat een verrukkelijk plekje was om te picknicken. Om het allemaal nog leuker te maken opperde hij dat ze Freddie meenamen op de Shetlander van de school in een speciaal mandstoeltje voor baby's, een zogenaamde *howdah*, waarin hij als een vorst te paard zou zitten. De stalknecht kon de Shetlander bij de teugel nemen en eerder teruggaan, zodat de meisjes nog even lekker een stuk konden galopperen.

Lekker een stuk galopperen! Viva's maag maakte een salto.

Een uur later draafden ze door een laan van populieren het bos in. Viva's pony, een grijze Arabier met een vuurrood hoofdstel, was nerveus en dartel en zette grote ogen op bij alles wat bewoog: papegaaien, bladeren, vlekken zonlicht op het pad.

Elke spier in Viva's lichaam verkrampte van angst.

Toen Toby tijdens het ontbijt had gevraagd of ze kon rijden, had ze bijna zonder nadenken geantwoord: 'O, als kind heb ik heel veel gereden.' Maar een van de problemen als je geen ouders meer had en geen broers of zusters, was dat je soms dingen zei zonder te weten of ze wel helemaal klopten. 'Heel veel gereden', betekende dat vier of vijf keer in totaal? Betekende het dat ze elke week paard had gereden? Ze had geen idee.

Even eerder, toen beide pony's schrokken van een kwartel, was Viva bijna uit het zadel gevallen, terwijl Rose recht en koninklijk op haar pony zat, alsof ze met het dier was vergroeid.

De herinnering aan een rit met haar vader, in Simla, stond Viva nog heel helder voor de geest. Ze moest een jaar of drie zijn geweest, misschien vier. Hij was met dreunende hoeven het pad af gekomen, had zich uit het zadel gebogen en haar als een stuk speelgoed, licht als een veertje, van de grond geplukt. Toen ze eenmaal voor hem in het zadel zat, had hij zijn paard de sporen gegeven en waren ze weggestoven. Viva had de explosie van energie gevoeld in het paardenlijf en ze was zich bewust geweest van de handen van haar vader die haar muurvast tegen zich aan hielden, als de roerloze kern van een draaiend wiel.

Het was een van haar mooiste herinneringen.

'Waar zit je aan te denken?' Blijkbaar had Rose iets tegen haar gezegd. Onder haar tropenhelm had ze haar ogen half dicht geknepen, terwijl ze haar onderzoekend opnam.

'O, niks bijzonders.'

'Hm.' Rose schonk haar een sceptische blik. 'Weet je, ik geef Freddie een kus, en dan stuur ik hem naar huis met de stalknecht.' Ze liet zich uit het zadel glijden, zette Freddies mutsje goed boven zijn vuurrode gezichtje en trok zijn zachte, kleine lijfje omhoog, want hij was onderuit gegleden in de mand. 'Arm kind. Hij ziet er doodmoe uit.'

Rose keek hem vertederd na tot de kleine Shetlander tussen de bomen was verdwenen.

'Zo.' Ze sprong weer in het zadel. 'En nu gaan jij en ik het er eens lekker van nemen.'

'Heerlijk.' Viva had het gevoel alsof er een knoop in haar maag lag.

Ze reden door een openstaande poort van riet. Een zwerm groene papegaaien vloog op, de bossen in. Vóór hen strekte zich een kronkelend pad uit, een korte helling op, tussen in nevelen gehulde bomen. Volgens Rose was het de perfecte plek voor een galop.

'Ben je er klaar voor?'

'Helemaal.'

Rose verdween in een stofwolk.

Toen Viva de teugels liet vieren, schoot haar pony er als een pijl vandoor, uit alle macht proberend Rose in te halen. Het enige wat Viva voelde was doodsangst, pure doodsangst. Zo moet het zijn om te vliegen. De wind geselde haar gezicht, onder zich voelde ze het dreunen van de paardenhoeven. Voort ging het, steeds maar voort. Struiken schoten voorbij, toen joegen ze over een modderig pad langs bomen die geurden naar kaneel. Ze moesten over een paar omgevallen stammen springen, en toen ze eindelijk stilhielden, op de top van de heuvel, waren de pony's nat van het zweet, maar Rose en Viva lachten en voelden zich ineens meer op hun gemak in elkaars gezelschap.

'O, wat een genot!' Met haar blozende wangen en haar blonde haar los zag Rose eruit alsof ze twaalf was. 'Wat een absolute, totale gelukzaligheid!' Haar donkere vos deelde haar uitbundigheid en stond te dansen. Twee knappe schepselen in de bloei van hun leven. Ze is prachtig, dacht Viva. En dapper.

Toen ze zwegen, hoorden ze het geborrel van de stroom langs het pad, het dreunen van de hoeven van hun paarden op het rode zand. Eenmaal bij de stroom aangekomen bogen hun paarden gretig hun hoofd om te drinken. Van de andere oever vloog een reiger op. Viva keek op toen ze voelde dat Rose luchtig haar hand op haar mouw legde.

'Je ziet er zoveel beter uit.'

'O ja?' Viva pakte de teugels van haar paard. De bezorgde glimlach van Rose maakte dat ze zich in de verdediging gedrongen voelde.

'Weet je zeker dat alles goed met je is?'

'Ja, natuurlijk. Dit is inderdaad heerlijk.' Viva legde haar hand op de hals van haar pony. 'Ik ben blij dat je het hebt voorgesteld.'

'Dat bedoelde ik niet.'

'O. Nou, wat je ook bedoelde, met mij is alles prima. En jij? Hoe gaat het met jou?'

Rose schonk haar een merkwaardige blik. 'Wil je het echt weten?'

'Natuurlijk.'

'Ik weet niet goed waar ik moet beginnen. Er is dit laatste jaar zoveel veranderd.'

'In welk opzicht?'

Rose stopte een blonde lok die was ontsnapt terug onder haar hoed.

'Alleen al door de reis hierheen. Ik ben naar India gegaan zonder er ook maar één moment over na te denken. En dan bedoel ik echt, serieus nadenken.'

'Maar Rose! Dat is niet waar. Je bent veruit de verstandigste van ons allemaal.'

'Kom nou toch, Viva. Je moet hebben gemerkt wat een kind ik nog was.' Twee zweetdruppels sijpelden langs de zijkant van haar gezicht. 'Echt, ik was nog zo'n kind.'

Viva spitste haar oren. Rose leek ineens zo geagiteerd.

'Maar denk je nu echt dat iets je kan voorbereiden op India?' vroeg

Viva. 'India is als een enorme ui. Onder elke laag die je afpelt, komt iets tevoorschijn wat je nog niet wist. Over India, of over jezelf.'

'Ik heb het niet alleen over India,' vervolgde Rose vasthoudend. 'Ik heb het ook over mijn huwelijk met Jack. In het begin was het verschrikkelijk.'

Viva was zo diep geschokt dat haar hoofdhuid begon te tintelen. Ze had altijd gedacht dat Rose zo zwijgzaam was over Jack omdat ze tegenover Tor niet wilde opscheppen over haar knappe echtgenoot.

'Echt verschrikkelijk,' herhaalde Rose. 'Ik was zo verlegen, en ik had zo'n heimwee. Ik was volstrekt niet tegen hem opgewassen. Ik had het gevoel alsof ik niks kon en nergens voor deugde.'

'Gossie,' zei Viva na een korte stilte. 'En hoe gaat het nu?' Ze vond dit bijna net zo afschuwelijk als Rose.

'Ach, het gaat wel iets beter,' Rose draaide aan haar teugels. 'Tenminste, in de slaapkamer. In het begin vond ik het allemaal zo primitief.'

Ze barstten in lachen uit. Een patrijs vloog krijsend op uit het struikgewas.

'Maar nu gaat het beter?' vroeg Viva voorzichtig. 'Ik bedoel, ook in andere opzichten?'

'Nee. Of nou ja... gedeeltelijk...' Rose haperde. 'Want het werd eerst nog erger. Nog veel erger.'

'In welk opzicht?'

'Tja...' Rose slaakte een diepe zucht. 'Vind je het vervelend dat ik je dit vertel?'

'Natuurlijk niet,' loog Viva. Ze vond het verschrikkelijk en ze wist zeker dat Rose later spijt zou krijgen van haar openhartigheid.

'Er is iets gebeurd. Iets heel ergs.' Het duurde geruime tijd voordat Rose haar stem weer onder controle had.

'In Poona. Ik ging op een dag alleen naar de club. Jack was weg, op een missie, dus ik was alleen met de gebruikelijke oude zeurkousen in het vrouwengedeelte van de bar. Mevrouw Henderson was er ook, een echte oude roddeltante, die altijd wat akeligs te zeggen had, over bijna iedereen: dat mensen niet wisten hoe ze met hun bedienden moesten omgaan, of dat ze niet vaak genoeg ontvangsten gaven, enzovoort. Het was allemaal heel erg saai, dus ik luisterde amper, maar toen leek ze het gesprek met opzet op mannen te brengen; dat het zulke beesten konden zijn. Ik voelde ineens dat het stil werd en dat iedereen probeerde niet gegeneerd te doen en niet naar mij te kijken. Het was een heel vreemd moment. En toen zei mevrouw Henderson: "Gunst, heb ik iets verkeerds gezegd?" Zo subtiel als een olifant in een porseleinkast. En ze begonnen allemaal snel over iets anders te praten.

Ik was nog zo nat achter de oren dat ik het misschien zou hebben vergeten, of gewoon zou hebben gedacht dat mevrouw Henderson nu eenmaal niet wijzer was, maar toen ik een paar dagen later niet kon slapen en 's nachts de zitkamer binnen kwam, zat Jack een brief te lezen. En hij huilde. Ik vroeg wat er aan de hand was. Nou, je kent Jack. Of eigenlijk ken je hem helemaal niet. Maar hij is soms afschúwelijk eerlijk.' Rose slaakte een diepe zucht. 'Dus hij bekende meteen.'

'Wat bekende hij?'

'Dat hij een andere vrouw had.'

'O nee.' Viva legde haar hand op de arm van Rose. 'Wat afschuwelijk. Dus het was waar?'

De vraag was overbodig. Bij de herinnering was het lieftallige profiel van Rose verwrongen tot een grimas.

'Ja, het was waar. Hij had het me niet hoeven te vertellen. In zekere zin denk ik nog steeds dat het beter was geweest als hij zijn mond had gehouden. Hij had de verhouding beëindigd toen hij met mij trouwde, maar terwijl wij op het schip zaten, ging hij nog met haar om. Hij had het moeilijk gevonden om afscheid te nemen, zei hij. Ik was aanvankelijk zo geschokt dat ik hoopte dat de baby dood zou gaan, en daarna heb ik een tijdje gedacht dat ik mezelf waarschijnlijk maar beter van kant kon maken. Ik besef dat het dramatisch klinkt, maar ik voelde me zo ellendig, zo ver van huis.'

'Was het iemand die je kende?'

'Nee.' Rose haalde huiverend adem. 'Ze is Indiase en ze heet Sunita. Een beeldschoon, ontwikkeld meisje uit Bombay. Toen ik hem vroeg of hij van haar had gehouden, zei hij dat hij haar heel erg dankbaar was; dat ze hem zoveel had geleerd; en dat ze een prachtig mens was. Met andere woorden, hij hield van haar.'

'O, Rose, wat verschrikkelijk.'

'Ja, dat was het.' Rose streek over de manen van haar paard en haalde zwaar adem. 'Het was het ergste wat ik ooit heb meegemaakt, en ik was te trots om het aan iemand te vertellen.'

De paarden reden tussen rijen bomen door. De zon tekende lichte vlekken op het gezicht van Rose.

'Daarom stond ik erop destijds naar Ooty te komen. Maar toen ik daar eenmaal was, voelde ik me zo'n bedriegster. Ik heb zoveel gehuild. Het verbaast me dat ik de baby niet heb weggespoeld. En jullie vonden het allebei zo geweldig voor me.'

'O Rose.' Viva was er misselijk van. 'Je had het ons moeten vertellen. Daar zijn vriendinnen voor.'

'En dat zeg jij?' Rose keek haar onderzoekend aan.

Viva besloot er niet op in te gaan. 'Wat heb je toen gedaan?'

'Nou, ik heb me echt nog nooit zo ellendig gevoeld. Een tijdlang heb ik hem verafschuwd, en dat heb ik nog nooit met iemand gehad, behalve met een heel naar kind op school dat tegen iedereen akelig deed. Een van de dingen waar ik het meest razend om was, dat was de manier waarop hij zich verontschuldigde. Zo stijf.' Rose zette een mannenstem op. '"Luister eens, Rose, het spijt me. Maar zo zijn mannen nu eenmaal. Zulke dingen gebeuren." En toen ging hij mokken en hij deed heel ver-ongelijkt alsof het allemaal mijn schuld was. O, ik was razend! Niet dat ik wilde dat hij voor me door het stof ging, maar ik was zo bezeerd, en het ergste was nog wel dat ik echt van hem was gaan houden. Niet zoals in boeken of toneelstukken, maar gewoon, in kleine dingen. Zijn arm om me heen als we in bed lagen, zorgen dat we dingen aten die hij lekker vond. Ik maakte me zelfs zorgen over zijn constipatie – Viva, lach niet! Jack is een van de weinige mensen in India die ik ken die daar last van hebben.' Ze veegde het zweet van de hals van haar paard en sloeg het af op het gras.

Toen ze bij het meer kwamen, vlogen daar met zacht vleugelgeklapper drie reigers op.

'Ik hoop dat je het niet erg vindt dat ik je dit allemaal heb verteld.' Rose zag bleek terwijl ze samen op het kleed gingen zitten.

'Ik vind je erg dapper,' zei Viva. Zij zou nooit zo over zichzelf kunnen praten tegen een ander.

'Het was helemaal niet dapper.' Rose zette haar helm af en schudde haar haren. 'Natuurlijk ben ik gebleven, want wat had ik anders moeten doen? Teruggaan naar Hampshire, gescheiden en met een kind op komst? Mijn ouders zouden er kapot van zijn geweest. Bovendien had ik in al mijn brieven geschreven hoe geweldig we het hadden. Mijn moeder heeft het sinds de oorlog toch al zo moeilijk. Mijn broer is gesneuveld, en nu is mijn vader ernstig ziek. Dus met mij moet het goed gaan. Dat ben ik aan haar verplicht.' Rose sloot gekweld haar ogen. 'Het was niet Jacks bedoeling om wreed te zijn.'

'Praat hij over haar?'

'Nee. Of eigenlijk, ja, maar alleen omdat ik dat wilde. Hij kon niets slechts over haar bedenken. Dat vond ik eigenlijk nog wel bewonderenswaardig. Ik hoefde maar naar zijn gezicht te kijken om te weten dat hij nog steeds van haar hield. En misschien doet hij dat nog wel.'

Viva keek haar verbaasd aan. Rose klonk zo redelijk.

'Ik was afschuwelijk jaloers. Als Freddie er niet was geweest, weet ik niet hoe het zou zijn gegaan. De bevalling was verschrikkelijk. Dat vertel ik Tor en jou later nog wel. Freddie is thuis geboren, mijlen van het ziekenhuis. Dat was helemaal niet de bedoeling. Jack kwam die nacht terug van een missie. Toen hij me zag, met Fred in mijn armen, kon hij zich niet langer goedhouden en begon hij te huilen. Hij stapte in bed en zei dat het hem speet; dat hij ons zou beschermen en zijn leven voor ons zou geven. Het klonk zo grappig ouderwets, maar het betekende heel veel voor me. Alleen, tegen die tijd...' Rose wuifde zijn verontschuldiging weg als een lastige vlieg. 'Tegen die tijd hoefde het niet meer. Alles was opnieuw veranderd. Hij kwam bij me in bed en sloeg zijn armen om me heen. Fred lag op mijn buik, en toen ik naar buiten keek en zag... Hoe moet ik het zeggen? Toen ik zag hoe reusachtig de wereld was – de maan, de sterren – toen besefte ik dat ik me nog nooit zo gelukkig had gevoeld. Ik kan het niet goed onder woorden brengen. En ik wist dat ik, als ik bij hem weg zou gaan, een deel van mezelf zou achterlaten.'

'Allemachtig.' Viva was verbijsterd, want Rose leek oprecht gelukkig. Zij zou geen moment hebben geaarzeld en zijn weggegaan.

Na de lunch viel Rose op het kleed in slaap, met een koekje in haar hand. Blijkbaar had haar bekentenis haar uitgeput. Viva controleerde de paarden die ze hadden vastgebonden en die liepen te grazen. Toen liep ze terug naar het kleed, en ze ging naast Rose liggen, denkend hoe druk ze het in Ooty met zichzelf moest hebben gehad dat ze helemaal niet had gemerkt dat Rose zo van streek was. Ze vergiste zich zo vaak, concludeerde ze, door te denken dat mensen gelukkig waren. Mensen zoals Rose en Jack – gezegend met een knap uiterlijk of met geld of met ouders die nog leefden. Mensen bij wie alles in het leven over rozen leek te gaan en die niet hoefden door te maken wat andere mensen soms voor hun kiezen kregen. Dat was helemaal niet waar. Iedereen had zijn eigen verdriet, zijn eigen worsteling.

Bovendien was ze getroffen door de eenvoud waarmee Rose haar verhaal had verteld. Zo recht uit het hart. En ze voelde zich geraakt door de ontdekking dat Rose vond dat zij, als haar vriendin, moest weten wat ze had doorgemaakt. En de waarheid zal u vrijmaken. Maar was het niet zo dat je een ander slechts kende voorzover hij of zij bereid was zich voor je open te stellen? Die vraag liet Viva niet los en hing als een donkere wolk aan de hemel van haar gedachten.

In reactie op de bekentenis van Rose had ze haar gemakkelijk kunnen vertellen over wat er in Ooty was gebeurd. Over Frank. Over Guy. Rose had bewezen dat ze tegen een stootje kon. Ze zou het hebben begrepen en misschien zou ze haar van advies hebben kunnen dienen. Maar het leek wel alsof haar deur muurvast zat. Ze vond het te angstig om hem open te doen, bang voor de naargeestige woestenij die ze daarachter zou aantreffen.

Er kwam een gedachte bij haar op die nog pijnlijker was: dat Rose er alles voor had gedaan om te leren van haar man te houden, mét al zijn onvolkomenheden – en het had er alle schijn van dat ze daarin was geslaagd – terwijl voor haar, Viva, het tegenovergestelde gold. Zij deed er alles aan om onverschillig te blijven, om te komen tot een soort doelbewuste harteloosheid. Met als reden – althans, dat was haar excuus – dat ze alleen op die manier kon werken en overleven. Wie had er gelijk?

Het litteken begon te bonzen. Het was allemaal zo gecompliceerd. Kon ze wat Rose haar had verteld maar terugbrengen tot een gedachte waar ze iets mee kon – iets waarin ze kon geloven, waarvoor ze bewondering kon voelen, waar ze verdrietig om kon zijn.

Als kind was ze vaak verbijsterd geweest door de wetenschappelijke geest van haar vader, die een vraag niet zelden had beantwoord met een tegenvraag. 'Hoe maak je een vliegtuig?' had ze hem ooit gevraagd.

'Wat is het doel van een vliegtuig?'

'Vliegen!' En daarop had hij haar zelf laten bedenken wat er nodig was om te kunnen vliegen: vleugels, geringe zwaarte, snelheid enzovoort.

Wat was het doel van het samenzijn van man en vrouw – behalve het voor de hand liggende, namelijk kinderen maken? Ging het om beschutting? Bescherming? Door het vrouwenkiesrecht waren de regels aan het veranderen. Was het samenzijn van man en vrouw bedoeld om je te helpen bij het bedrijven van de liefde? Om je begrip van de liefde te vergroten door boven jezelf uit te stijgen? Maar dat klonk zo hopeloos verheven en romantisch. Sommige mensen beschadigden elkaar op een verschrikkelijke manier, maar hoe wist je dat voordat de schade was aangericht? Het kon niet anders of het huwelijk was het grootste risico dat een mens kon nemen.

Ze probeerde er in zuiver abstracte termen over te denken toen ze ineens Franks gezicht voor zich zag – de kuiltjes in zijn wangen, zijn glimlach, zo onverwacht lief soms – en ze kneep haar ogen stijf dicht. Ze moest ophouden zo aan hem te denken. Haar kans was verkeken. Het was voorbij.

52

Toen Rose wakker werd, zag ze dat Viva met wijd open ogen voor zich uit lag te staren.

'Waar denk je aan?' vroeg ze.

'Dat het de hoogste tijd is om naar huis te gaan. Tor zal denken dat we zijn opgegeten door een krokodil.'

Plotseling was Rose razend. Net als Tor was ze geschokt geweest te zien hoe slecht Viva eruitzag. En dat kwam niet alleen door de blauwe plekken rond haar ogen. Daar waren ze het over eens geweest. Het leek wel alsof ze haar innerlijke vuur was kwijtgeraakt. Zelfs haar haren leken minder te glanzen.

'Praat jij nou eens met haar als jullie gaan rijden,' had Tor gezegd. 'Ik zeg altijd de verkeerde dingen, en je weet hoe overgevoelig ze kan reageren.'

Dus Rose had een poging gewaagd, en omdat Viva goed kon luisteren, had ze veel meer gezegd dan ze eigenlijk van plan was geweest. Het was zo lang geleden dat ze iemand in vertrouwen had genomen. En ineens was ze boos, voelde ze zich onnozel, want Viva stond op, klopte de kruimels van haar rijbroek en keek haar aan met haar superieure chaperonneglimlach alsof ze medelijden met haar had. Nog even – Rose voelde het aankomen – en ze haalde dat vervloekte notitieblok en haar potlood tevoorschijn. Dan zou Rose zich moeten beheersen om haar niet te slaan!

Ze haalde een paar keer diep adem.

'En, ga je nog wat zeggen of niet?' Het was eruit voordat ze er erg in had.

'Waarover?' In het zonlicht waren de gele en groene vlekken rond Viva's ogen duidelijk zichtbaar, en de rij kleine gaatjes waar de hechtingen hadden gezeten.

'Over jezelf bijvoorbeeld?'

'Maar ik dacht dat we het over jou hadden. O Rose, ik vind het zo afschuwelijk voor je.'

Ze haalde een potlood uit haar zak en draaide het tussen haar vingers – het was een zenuwtrek van haar.

'Je begrijpt het niet, hè?'

'Ik weet niet waar je het over hebt.'

'Ik heb het erover dat je elkaar als vriendinnen in vertrouwen neemt.' Rose liep een eindje bij haar vandaan. 'Ik vertel jou iets wat belangrijk voor me is, en dan doe jij dat ook. Dan vertel jij iets wat jij belangrijk vindt. Dat noemen ze jezelf blootgeven.' Rose was geschokt toen ze besefte dat ze stond te schreeuwen.

'Rose!' Viva liep zo snel bij haar vandaan dat ze de heupflacon omver trapte. 'Ik vertel ook wel eens wat over mezelf. Soms.'

'Ach, schei toch uit!' schreeuwde Rose. 'Dat is gewoon niet waar.'

'En het is geen potje tennis,' tierde Viva. 'Waarom zou ik jou in vertrouwen moeten nemen, alleen omdat jij dat met mij hebt gedaan?'

'Laat maar,' beet Rose haar toe. Twee zwanen vlogen over het meer, hun vleugels klapperden als zeilen. De paarden hieven met een ruk hun hoofd op. Maar Rose was niet meer te stuiten. Het was zo'n opluchting om niet langer de schijn op te houden. 'Laat maar. We hebben het er niet over dat je minstens zes kilo bent afgevallen; dat je eruitziet alsof je kapot bent, gebroken; dat iemand heeft geprobeerd je te vermoorden en dat je daar niet over wilt praten; en dat je Frank, die duidelijk stapelgek op je is, zonder reden hebt weggestuurd, of om een reden waar je niet over wilt praten. Laten we het alleen nog maar hebben over pony's en over christmas pudding. Dan doe ik alsof al dat andere er allemaal niet is. Alleen die onnozele kleine Rose heeft problemen. Die doet alles fout. Maar Viva is geweldig. Die heeft nog steeds alles onder controle.'

'Hoe durf je het te zeggen?' Viva had haar vuisten gebald. 'Wat wil je dat ik zeg?'

Ze keken elkaar woedend aan.

'Ach, je zou kunnen beginnen met Frank. De meeste vriendinnen zouden elkaar op z'n minst vertellen wat er is gebeurd.'

'Er is helemaal niets gebeurd,' zei Viva. Wanneer ze zo grimmig keek, was Rose bijna bang voor haar. 'We hebben een kortstondige relatie gehad, als het die naam verdient. Maar ik moest werken, mijn boek afmaken, ik moest door met mijn leven en proberen geld te verdienen. Ik heb geen pappie en mammie op de achtergrond bij wie ik kan aankloppen als de nood aan de man komt.'

'Nee, dat heb je inderdaad niet,' gaf Rose toe. 'Maar dat wil nog niet zeggen dat je ongestraft leugens over jezelf kunt rondstrooien.'

'Wat voor leugens?' Viva's stem klonk kil.

'Over hoe je je voelt.' Rose had het gevoel alsof de sandwiches in haar maag veranderden in stukken lood. Ze had nooit eerder echt ruzie gemaakt met een vriendin.

'Waar haal je het lef vandaan over me te oordelen?' Viva's ogen waren zo zwart geworden als kolen.

'Ik oordeel niet. Ik probeer alleen een vriendin voor je te zijn. Alsjeblieft, Viva.' Ze legde liefdevol een hand op haar schouder. 'Ga nog even zitten.'

Viva liet zich op de verste kant van het kleed vallen en keek strak naar het meer.

'Hoor eens...' begon Rose na een lange stilte. 'Het gaat ons absoluut niets aan, maar we geven om je. We waren samen in Ooty. En toen hebben we je gezien, met Frank. Jullie leken zo gek op elkaar.'

Viva verlegde haar benen, wiebelde met haar hoofd, toen zei ze: 'Jij je zin. Als je het dan zo nodig moet weten, ik heb er één grote puinhoop van gemaakt. Ben je nu tevreden?'

'Nee, natuurlijk niet,' zei Rose zacht. 'Dat is niet eerlijk.' Ze strekte haar hand uit, maar Viva negeerde het gebaar.

Ze stond plotseling op. 'Het spijt me, maar in dit soort dingen ben ik echt hopeloos. Dank je wel dat je het hebt geprobeerd. Dat meen ik echt. Maar ik denk dat we nu naar huis moeten.'

'Zeg iets, Viva,' smeekte Rose.

'Ik kan het niet. Er valt niets te vertellen. Het is één grote chaos in mijn hoofd.'

Ze zuchtte, en het klonk als een droge snik die van heel diep kwam. Toen bleef het weer geruime tijd stil.

'Nou goed dan.' Viva stond met haar rug naar Rose, haar stem klonk gesmoord. 'Weet je nog die avond dat Frank naar Ooty kwam, om ons te waarschuwen voor Guy? Toen jullie naar bed waren, is hij meegegaan naar mijn kamer. En daar is hij die nacht gebleven. Ben je nu geschokt?'

'Nee, natuurlijk niet.' Rose stootte haar zacht tegen haar arm. 'In India gaat het nu eenmaal anders dan thuis. Bovendien, het was zo duidelijk!'

'Echt waar?' Viva sloeg met tegenzin haar ogen op.

'Nou en of.'

'Wat afschuwelijk.'

'Waarom?'

'Omdat het geheim is.'

'Jullie zagen er allebei zo anders uit. Bijna alsof jullie betoverd waren. Ik weet nog dat ik jaloers was; dat ik wenste dat ik me op mijn huwelijksreis ook zo had gevoeld.'

'Ik voelde me anders helemaal niet betoverd. Eerder... Nou ja, het doet er niet meer toe. Het was allemaal zo verwarrend.'

'Maar...' Rose begreep het niet. 'Sorry dat ik het vraag, maar ging het niet goed?'

'Jawel,' antwoordde Viva bijna onhoorbaar. 'Het was geweldig.' Ze kreunde zacht, gekweld.

'Dus je hebt hem weggestuurd omdat het geweldig was.'

'Ik voelde me zo schuldig... Frank had me verteld dat Guy misschien bij de rellen was omgekomen. Ik was ervan overtuigd dat hij dood was.'

'Wat Guy heeft gedaan, is niet jouw schuld.'

'Hoor eens, Rose.' Viva zag spierwit. De kneuzingen rond haar ogen lichtten op als een kwaadaardige bloem. 'Ik heb gezegd dat ik er niet over wilde praten, en dat blijft zo. Kunnen we er nu over ophouden, alsjeblieft?' Ze liep zo haastig naar de paarden dat ze bijna struikelde over een steen. 'Ik wil nu echt naar huis.'

Tor stond in de keuken toen Viva binnenkwam en de deur zo hard achter zich dichttrok dat een van de kransen op de veranda naar beneden viel. Daarna hoorde Tor het getik van haar hakken in de gang en het geluid van haar slaapkamerdeur die in het slot viel.

Rose hing haar tropenhelm aan de kapstok en keek naar de gesloten deur.

'Wat is er gebeurd?' vroeg Tor, overvallen door moedeloosheid.

'Een ramp,' fluisterde Rose. 'Ze is razend! Ze vindt het afschuwelijk om over zichzelf te praten.'

'Zal ik even naar haar toe gaan?' vroeg Tor heel zacht. 'Met een kop thee.' Ze bracht een denkbeeldig kopje naar haar mond.

'Ik zou haar maar even met rust laten,' zei Rose. 'Ik denk dat ze alleen wil zijn. Is het goed als ik Freddie in bad doe?' vervolgde ze, zo hard dat Viva het kon horen. 'Dat heeft hij vast wel nodig na die rit.'

Een papieren slinger was van het plafond in de hal gevallen. Tor raapte hem op en deed hem om haar hals als een stola. De moedeloosheid dreigde haar te overweldigen. Terwijl Viva en Rose weg waren, had Jack gebeld om te zeggen dat hij even terug was in Peshawar, maar dat het er niet naar uitzag dat hij het ging redden om met Kerstmis bij hen te zijn. Hij had geprobeerd het uit leggen, maar de lijn was slecht, met een geluid alsof er een bosbrand woedde op de achtergrond. Rose zou natuurlijk van streek zijn. Viva was ook niet bepaald het stralende middelpunt, en met nog acht dagen te gaan tot Kerstmis stelde Tor zich voor hoe zwijgzaam de maaltijden zouden verlopen, terwijl zij zoals gebruikelijk weer veel te druk praatte, een gastvrouw die haar gasten uitputte. Alle versieringen die haar enkele dagen eerder nog met opwinding hadden vervuld, leken ineens dwaas en kinderachtig – een onwelkome por in de ribben die hen eraan herinnerde dat ze vooral veel plezier moesten maken.

Toby – wat leek hij ineens lief en ongecompliceerd – zou zich afvragen waarom ze het zo leuk had gevonden om al deze gecompliceerde figuren voor een logeerpartij uit te nodigen.

Ze werd opgeschrikt in haar sombere gedachten door een getjilp als van een vogeltje dat uit Freddies kamer kwam, gevolgd door een gorgelende lach. Tor liep erheen en deed de deur open. Rose lichtte net de klamboe op en tilde Fred uit zijn bedje. Toen hij zijn moeder zag, deed hij zijn oogjes wijd open, hij glimlachte stralend en wiebelde met zijn vingertjes.

Tor liep achter Rose aan naar de badkamer, waar Jai de oude zinken kuip had gevuld. Rose trok Freddie zijn trappelpakje uit en liet hem in het water zakken, nadat ze met haar elleboog de temperatuur had gecontroleerd.

'Freddo, lieverd, meneer McFred, wat ben je toch een knappe baby,' koerde ze terwijl het water tegen de vetrollen van zijn dikke beentjes klotste. De baby schonk haar een onbekommerde glimlach met veel tandvlees en schopte met zijn voetjes. Wat heerlijk dat althans iemand in huis opgewekt bleef, dacht Tor. Ze rolde haar mouwen op en knielde aan de andere kant van de kuip.

'Denk je dat het weer goed komt met Viva?' vroeg ze op gedempte toon aan Rose.

'Ik hoop het,' fluisterde die terug. 'Maar ze is soms om razend van te worden. We hebben het wel even over Frank gehad, maar je moet het er echt uit trekken, en toen werd ze ineens... Nou ja, je hebt gezien hoe ze binnenkwam.'

'Wat moeten we doen?' vroeg Tor fluisterend. 'Het is verschrikkelijk om Kerstmis te vieren met iemand die geen mond opendoet.'

'Dat zal wel meevallen,' zei Rose op normale geluidssterkte. 'Geef me die doek eens. Fred heeft berg op zijn hoofdje. Als je die handdoek op je knie legt, geef ik je hem aan. Pas op, hij is glibberig... Oeiiiii!'

De druipende baby werd omhooggehouden, doorgegeven en belandde op de knie van Tor.

'Je bent een *burra* baby.' Tor kuste zijn teentjes. 'En een geweldige ruiter.' Ze klakte met haar tong en liet hem stuiteren op haar knie. 'Zo gaat een damespaard, een damespaard gaat zo...' Toen ze zich naar hem toe boog om hem weer te kussen, plaste hij recht in haar oog.

En plotseling schaterden ze het uit. Ze sloegen dubbel van de lach, ze gierden het uit en voelden zich weer zes, zeven op zijn hoogst. Ze lachten nog toen Viva binnenkwam en op de met kurk beklede kruk naast het bad ging zitten.

'Het klinkt alsof het hier gezellig is,' zei ze.

'Dat is het ook.' Tor stikte bijna. Ze legde een handdoek op Viva's schoot en gaf haar de baby. 'Dit jongetje heeft een dodelijk schot. Hij heeft net recht in mijn oog gepiest.'

Viva glimlachte en speelde even met zijn vingertjes. Ze zag eruit alsof ze ook zou willen schateren, maar er te moe voor was.

'Tor,' zei ze ten slotte. 'Hoe ver is het hiervandaan naar het ziekenhuis van Frank?'

Tor kon niet helpen dat ze begon te stralen. 'O, dat stelt niets voor. Je bent er zo. Een halfuurtje. Op zijn hoogst drie kwartier.'

Ze zag dat Rose achter Viva's rug gebaarde vooral niet te hard van stapel te lopen.

'Ach, eh...' Voorzover Tor zich kon herinneren, was dit de eerste keer dat ze Viva verlegen meemaakte. 'Toby vertelde over zijn laatste Kerstmis op de club, de papieren hoedjes, de oude wijn. Het klonk verschrikkelijk. Het kan natuurlijk heel goed zijn dat Frank inmiddels andere plannen heeft,' ploeterde Viva verder. 'Maar ik denk niet dat het kwaad kan om naar hem toe te gaan en hem vrolijk kerstfeest te wensen. Ook als hij niet kan komen.'

Ze trok Freddie dichter tegen zich aan en sloeg haar armen om hem heen.

'Wat vinden jullie?' Ze keek naar Rose, en toen naar Tor. En ze beefde.

Tor kwam naar haar toe en drukte teder een kus op haar kruin.

'Ik vind het een geweldig idee.'

53

De volgende dag vertrokken ze met Toby's stokoude Talbot naar Lahore. Tor zat achter het stuur met Rose naast zich, gewapend met de kaart, en Viva op de achterbank.

De auto maakte zoveel lawaai dat Viva onmogelijk kon deelnemen aan het gesprek op de voorbank, en dat vond ze een opluchting, want het idee om onaangekondigd bij Frank aan te komen leek haar plotseling volslagen belachelijk. Eigenlijk was ze een beetje boos op de meisjes omdat ze het haar hadden aangepraat. Alleen al bij de gedachte dat hij op amper een uur rijden bij haar vandaan was – en zich op ditzelfde moment misschien stond te scheren, of de ronde deed langs zijn patiënten, of een kop thee dronk – werd haar mond kurkdroog.

Om zichzelf af te leiden dacht ze aan Toby en zijn vogels. De vorige avond tijdens het diner had hij erover verteld. Aanvankelijk had ze hem geruststellend vriendelijk gevonden, zij het een beetje langdradig. Het soort man van wie je, als hij een vrouw was geweest, zou zeggen dat hij zo gezellig kon babbelen. Maar de vorige avond was hij voor het eerst echt volledig op zijn gemak geweest en had ze zijn droge gevoel voor humor leren kennen en ontdekt dat zijn conversatie was doorspekt met juweeltjes. De laatste weken had hij een studie gemaakt van trekvogels, poolsterns en zomertalingen die, net als de Vissersvloot, voor de wintermaanden naar India kwamen. Hij had haar verteld hoe verweesde vogels soms de treurigste surrogaten als moeder accepteerden – een trui, een kruik, een oksel, zelfs een papieren vliegtuigje, alles beter dan niets, maar bij voorkeur iets wat bewoog.

Met haar hoofd tegen de rugleuning kwam ze tot de conclusie dat William als surrogaatmoeder meer van een papieren vliegtuigje had weggehad dan van een kruik. Hij was in haar leven gekomen tijdens die eerste verwarrende weken in Londen, toen ze zich hopeloos eenzaam voelde en snakte naar kameraadschap. Hij was een goede vriend van haar ouders, had hij gezegd, en hij zou het leuk vinden om haar mee te nemen naar een uitvoering van 'Turandot' in Covent Garden. In het restaurant waar ze gingen souperen, had ze hongerig gewacht op verhalen over haar ouders, over Josie, maar ze had steeds sterker het gevoel gekregen dat hun namen als het ware taboe waren.

Trouwens, William was hoe dan ook niet het type man gebleken dat graag verhalen vertelde. Hij hield van feiten, zekerheden. Hij had haar uitvoerig van advies gediend hoe ze met haar geld moest omgaan, waar ze moest gaan wonen, welke mensen ze het best kon mijden. En toen hij haar uiteindelijk in bed had weten te krijgen, had ze zijn liefkozingen ervaren als mechanisch, een soort handigheid, iets waarover ze allebei deden alsof het er niet was en waaraan ze een leeg, verward gevoel had overgehouden. Hij was ook nooit echt in haar geïnteresseerd geweest, behalve als project, een puzzel die hij moest oplossen.

Wat was Frank dan anders! Dat besefte ze nu pas. Die nacht in Ooty had hij de liefde met haar bedreven als een man, zonder zich te verontschuldigen, zonder ongemakkelijk te glimlachen, zonder haar ook maar enigszins het gevoel te geven dat wat ze deden niet volmaakt natuurlijk was. Maar de meest overweldigende ontdekking was dat hij oprecht in haar geïnteresseerd was, iets wat tot op dat moment niet haar ervaring was met mannen. Frank leek haar te willen begrijpen en haar te zien als een zelfstandig individu. En dat vond ze angstaanjagend – sterker nog, dat was precies waar ze jaren voor op de vlucht was geweest. Maar het was ook verbazingwekkend.

Viva keek naar haar spiegelbeeld in het autoraampje. Ze stond op het punt zich voor hem te vernederen, want behalve al die andere dingen, was hij ook een knappe, ongeduldige man die het gewend was dat vrouwen hem leuk vonden, en ze had hem onheus behandeld, op een manier die hij niet verdiende. Waarschijnlijk was hij haar allang vergeten en had hij zich inmiddels tot een ander gewend.

Misselijkheid dreigde haar te overweldigen. Je piekert te veel, zei ze tegen zichzelf terwijl ze uit het raampje staarde.

De sombere dag was iets opgefleurd. Een bleek zonnetje scheen over het land, dat eruitzag als een te lang doorgebakken omelet. Viva keek naar twee gieren die zwenkend en duikend een langgerekte, trillende lijn langs de hemel trokken en zich vervolgens uit de lucht lieten vallen om zich te goed te doen aan wat eruitzag als de overblijfselen van een geit.

Wat leek het leven hard voor wie zich hier moest zien te handhaven.

Ze naderden twee oude mensen, een man en een vrouw die, bijna aan het oog onttrokken door stofwolken, langs de weg voortploeterden. Figuren uit het stenen tijdperk. Allebei op blote voeten. Hij voerde een ezel aan een touw, zij droeg een bos hout op haar rug. Op het moment dat de auto hen pruttelend passeerde, legde de vrouw de bos hout neer naast een hutje ter grootte van een kolenhok en keek naar hen.

Op de voorbank kibbelden Viva en Rose over dubbel ontkoppelen.

'Nee Rose. Zo moet het niet.' Tor liet de motor loeien en de auto naar voren springen. 'Zo moet je het doen. Pedaal indrukken, loslaten, weer indrukken, en dan gas geven.'

'Het is een auto, Tor, geen springstok. Maar doe het vooral zoals jij denkt dat het moet.' In het achteruitkijkspiegeltje zag Viva dat Rose haar ogen ten hemel sloeg.

'Viva!' riep Tor over haar schouder. 'Even opletten, alsjeblieft. Wanneer we in Lahore zijn, wil je dan dat we bij je blijven of moeten we ons onzichtbaar maken? Dit in verband met eventuele morele steun?'

'Nee,' zei Viva haastig. 'Blijf er alsjeblieft niet bij.' Ze kon de gedachte aan toeschouwers bij het aanstaande debacle niet verdragen. 'Kom me om vier uur maar weer halen. Dat moet lang genoeg zijn. Als hij er niet is, loop ik gewoon wat rond,' voegde ze eraan toe, alsof het om niet meer ging dan een bezoekje aan de stad. 'Dat lijkt me wel leuk. Trouwens, waarschijnlijk heeft hij inmiddels al diverse andere uitnodigingen gehad voor Kerstmis,' voegde ze eraan toe. 'Maar dan hebben we het hem in elk geval gevraagd.'

Ze zag dat Tor en Rose elkaar aankeken en dat Tor vluchtig haar hoofd schudde, waarop Rose een lichte zucht slaakte.

Ze hadden de buitenwijken van Lahore bereikt, een vlakke stad gedomineerd door één hoge heuvel. Tor zette de auto langs de kant van de weg en raadpleegde de kaart die Toby voor hen had getekend. Vanwaar ze stonden, zag ze de Shish Mahal, het Spiegelpaleis, aan de horizon, wat betekende dat het volgens Tors berekening nog ruim zes kilometer was naar het ziekenhuis.

Ze deden er een halfuur over, waarbij Tor veelvuldig en luidruchtig gebruik moest maken van haar toeter om door de smalle, overvolle straten te laveren. Toen hadden ze de drukke wijk met de bazaar plotseling achter zich gelaten en reden ze op een indrukwekkend, vervallen gebouw af, een mengelmoes van stijlen met Mongoolse bogen en enorme ramen met luiken ervoor. Langs de oprijlaan stonden stoffig ogende cacteeën.

'We zijn er.' Tor trapte op de rem. 'St.-Patrick's Hospital, het ziekenhuis van Frank. Weet je het zeker, Viva? Wil je toch niet liever dat we met je meegaan?'

Het tweetal nam haar ongerust op.

'Heel zeker,' antwoordde Viva, ook al bonsde haar hart in haar keel. 'Want het is hoe dan ook in orde. Het maakt niet uit wat hij zegt.'

'Natuurlijk,' zei Rose vlak. 'Alles is goed.'

Tor draaide zich om en drukte een liefdevolle kus op Viva's kruin. 'Precies, het is maar een lolletje,' zei ze. 'Maar toch. Succes!'

Terwijl de meisjes naar het ziekenhuis staarden, haalde Viva een spiegeltje uit haar tas. Haar gezicht stond verschrikt en zag bleek. Ze bracht het spiegeltje dichter naar haar oog en bestudeerde zichzelf aandachtig: de sporen van de hechtingen begonnen te verbleken, de blauwe plekken waren er nog, maar in het juiste licht – ze hield haar hoofd een beetje schuin – zag je ze nauwelijks.

Toen ze opkeek, keek Tor haar glimlachend aan.

'Je kunt ermee door,' zei ze.

Viva deed het portier van de auto open en stak een voet naar buiten. 'Nou, daar gaan we dan. Dit kan niet anders dan karaktervormend zijn.'

'Precies,' zei Rose braaf. 'Dat is een heel goede formulering.'

Het maakt niet uit, zou Viva willen herhalen. *Het gaat goed met me. Ik geniet van het leven. En ik kan ook zonder Frank gelukkig zijn.*

Maar Rose en Tor waren al verdwenen in een stofwolk. Ze was alleen.

In het ziekenhuis zat een man in uniform met een enorme snor, duidelijk in de was gezet, achter een bureau afgeschermd door een koord. Haar hakken tikten op de marmeren vloer terwijl ze naar hem toe liep. Toen ze voor zijn bureau bleef staan, staakte hij het schrijven in een afsprakenboek en keek op.

'Madam, waarmee kan ik u van dienst zijn? Ik ben de algemeen secretaris van dit ziekenhuis.'

'Ik zoek een zekere dokter Steadman. Frank Steadman,' zei ze, maar hij schudde zijn hoofd, al voordat ze was uitgesproken.

Vermoeid door de druk van zijn verantwoordelijkheden raadpleegde hij het boek. 'Er is hier niemand die zo heet,' zei hij, en als om zijn belangrijke positie te onderstrepen zette hij een stempel op een lege pagina. 'Dus u zult het ergens anders moeten proberen. Misschien bij het St.-Edward's. Daar werken veel Britse artsen en verpleegsters.'

Ze had kunnen weten dat het zo vlot niet zou gaan. In India duurde alles altijd langer dan verwacht.

'Ik weet dat hij hier werkt,' zei ze. 'Hij doet onderzoek naar de zwartwaterkoorts.'

'Wilt u hier even wachten? Dan zal ik eens kijken.' Hij ging haar voor naar een donkere, benauwde kamer die vol zat met patiënten. Bij haar binnenkomst stokten de gesprekken en keken ze allemaal naar haar.

Toen haar ogen aan de schemering waren gewend, zag ze op de bank tegenover zich een oude man die moest vechten om lucht in zijn longen te krijgen. Zijn gezicht stond gekweld. Aan weerskanten zaten familieleden – althans, dat vermoedde ze; een vrouw, twee zoons en een dochter – geduldig te wachten. Ze hadden genoeg spullen bij zich voor een kampeertrip – pannen en potten en matrassen.

Terwijl ze ging zitten bleven ze haar onafgebroken aankijken. Hou op me aan te gapen, zou ze willen roepen. Ze was doodzenuwachtig en bepaald niet in de stemming om als attractie te dienen.

Het duurde niet lang of de secretaris kwam terug. Hij zette zijn bril af, keek haar aan en slaakte een diepe zucht, alsof hij wilde dat de hele wachtkamer zou weten hoe ergerlijk hij haar vond.

'Er werkt hier geen dokter Frank Steadman. Hij heeft zijn onderzoek verplaatst naar elders.' Hij wapperde met een hand en wees over zijn schouder.

'Luister eens.' Viva stond op en keek hem recht aan. 'Ik ben hier niet omdat ik me door hem wil laten behandelen, als u dat soms denkt.' Ze ging over op Hindi. 'Dokter Frank is een vriend van me.'

'O, o.' Zijn gezicht kwam plotseling tot leven. Hij glimlachte stralend, en er verschenen kuiltjes in zijn wangen. 'Wat een dwaas misverstand. Neemt u me niet kwalijk, memsahib. Wilt u hier alstublieft even tekenen.'

Hij haalde een formulier tevoorschijn bedekt met stempels, en keerde zich gebiedend naar een jongen die hem in zijn kielzog was gevolgd. 'Breng madam memsahib naar de kamer van dokter Steadman! En vlug een beetje!'

Terwijl ze achter de jongen aan door de donkere gang liep, rook ze de geuren van frituurvet en schoonmaakmiddel. Haar maag draaide om. Aan weerskanten van de gang zag ze tegen een achtergrond van gevangenisachtige ramen bedden waarin de patiënten slechts zichtbaar waren als silhouetten. De bezoekers en familieleden die zich rond de zieken en stervenden hadden verzameld, leken zich volmaakt thuis te voelen, alsof het ziekenhuis simpelweg een verlengstuk was van hun eigen huis. Sommigen lagen op smalle bedden naast de patiënten, anderen hurkten op de grond en kookten eten op een klein primusbrandertje, een vrouw was bezig het overhemd van haar man te verschonen.

De jongen bleef staan bij een broodmagere man die bij de deur lag. Viva keek in de ogen van een vrouw – zijn echtgenote, veronderstelde ze – die in kleermakerszit op de grond een pan dhal zat te koken. Toen de vrouw opkeek, verraste ze Viva met een stralende, bijna vertrouwelijke glimlach, alsof ze wilde zeggen 'We zitten in hetzelfde schuitje'.

'Voorzichtig, memsahib,' zei de jongen toen ze halverwege de gang waren en er een brancard aan kwam met daarop een jammerende oude man, verbonden met smerig verbandgaas. Toen hij zich oprichtte op een elleboog en groen slijm opgaf, voelde ze dat haar mond zich vulde met speeksel, alsof ze ook op het punt stond te braken. Hoe kon Frank dit soort toestanden verdragen?

'We zijn er.' De jongen deed een deur open aan het eind van de gang die toegang gaf tot een stoffige, vierkante binnenplaats. Aan een waslijn hing een rij grijze verbanden. 'Mevrouw...' Hij wees naar een klein huisje met afbladderend wit pleisterwerk. 'Dokter Steadman is daar.'

Ze drukte wat muntjes in zijn uitgestoken hand, en toen hij weg was, liep ze naar de deur.

'Frank.' Ze klopte zacht. 'Frank, ik ben het. Mag ik binnenkomen?'

De deur ging open, en daar stond hij, slaperig, zijn lichtbruine haar piekerig als bij een kind dat net uit bed komt. Hij droeg een gestreepte, blauwe pyjama en liep op blote voeten.

'Viva?' Hij knipperde met zijn ogen en fronste zijn wenkbrauwen. 'Wat doe jij hier?'

Er klonk geritsel in de schaduwen, het geluid van een tak die brak. De jongen stond hen gefascineerd op te nemen. Toen Frank iets naar hem riep, dook het kind weg, de schaduwen in, en ze waren alleen.

'Het lijkt me beter als je binnenkomt,' zei hij koel. 'Je kunt hier niet blijven staan.'

Nadat hij de deur achter hen had gesloten, nam hij haar onderzoekend op. 'Wat is er met je gezicht gebeurd?'

Haar hand vloog naar de blauwe plekken. 'O, een kneuzing, meer niet.'

'Wat doe je hier?'

Ze dwong zichzelf zich in haar volle lengte op te richten.

'Ik had gehoopt dat we een beetje konden praten.'

'Dan wil ik me eerst graag aankleden.'

Terwijl zij de andere kant uitkeek, trok hij een broek aan over zijn pyjama.

Zijn kamer maakte een onpersoonlijke indruk, de kamer van een balling. Op de klerenkast achter hem zag ze twee grote koffers, met labels van P&O.

Ze herinnerde zich de eerste keer dat ze hem had gezien, toen hij met die koffers de loopplank van De Kaiser op kwam. En ze dacht terug aan zijn eigenwijze manier van lopen, zijn overrompelende glimlach, zijn irritante zelfverzekerheid – althans, die indruk had ze toen gekregen – geboren uit zijn overtuiging dat de eenzame vrouwen aan boord bij bosjes voor zijn charmes zouden bezwijken. Uit niets was gebleken dat hij rouwde; dat het avontuur een wanhoopspoging was om een nieuwe start te maken. En uitgerekend zij, die maar al te goed wist hoe een mens zich kon verschuilen achter een façade, had zich laten misleiden door die eerste indruk.

De aanblik van zijn koffers schonk haar vluchtig een soort sombere troost. Hij was een reiziger. Het zou niet lang meer duren of hij ging hier ook weer weg. En dan was het allemaal voorbij.

Hij stak een lamp aan, schoof een stoel naar haar toe.

'Wat doe je hier?' vroeg hij opnieuw, op dezelfde vlakke toon.

Ze haalde nogmaals diep adem. Hij was tegenover haar gaan zitten, zodat ze hem eindelijk goed kon bekijken: zijn huid, zijn haar, zijn volle lippen. En ze werd zo overweldigd door emoties dat ze al bijna in tranen was voordat ze een woord had kunnen uitbrengen.

'Waarom zitten er tralies voor de ramen?' vroeg ze.

'Omdat er regelmatig overvallen worden gepleegd.'

Ze haalde weer diep en huiverend adem, geschokt dat ze al zo snel de controle over de situatie kwijt was.

'Zou ik misschien een glas water kunnen krijgen?' vroeg ze ten slotte.
'Natuurlijk,' antwoordde hij beleefd. 'Wil je er een scheutje cognac in?'
'Graag.'

Hij haalde twee glazen tevoorschijn en vloekte zacht toen hij cognac op zijn bureau morste.

'Wat is er met je oog?' vroeg hij terwijl hij weer ging zitten.

Even overwoog ze te doen alsof dat de reden was van haar komst. Door hem aan te spreken op zijn beroepstrots zouden bepaalde bruggen kunnen worden gerepareerd, zonder dat hij ooit hoefde te weten waarom ze was gekomen.

'Ik ben gevallen,' zei ze. 'Op de markt in Bombay. En toen ben ik met mijn hoofd op de stoeprand terechtgekomen. Maar het gaat al veel beter.'

Hij boog zich naar haar toe, ging met zijn vinger langs haar wenkbrauw en bestudeerde haar gezicht.

'Daisy vertelde dat je was ontvoerd.'

'O ja?' Ze voelde dat haar gezicht begon te gloeien van schaamte.

'Ze vond het verschrikkelijk,' vervolgde hij. 'Ze dacht dat je dood was. Daarom nam ze contact met me op.' Toen hij haar aankeek, zag ze de verwarring, de stille pijn in zijn gezicht. 'De kans was maar al te groot dat je het niet had overleefd.'

Door het getraliede raam stroomde bleek, vuilgeel licht de hut binnen. In de verte hoorde ze het geratel van karrenwielen, het gespetter van water.

'Ik heb twee keer naar het tehuis geschreven, maar niks van je gehoord. Trouwens, ook niet van Daisy. En daarna heb ik het opgegeven. Ik wil het niet meer weten.' Hij hief boos, afwerend zijn handen. 'Ik ben ermee opgehouden na te denken over jou, over ons. En ik heb geen idee wat je hier nog komt doen.'

'Die brieven heb ik nooit gekregen. Dat zweer ik.' Ze hoorde zelf hoe gejaagd, hoe onzeker ze klonk. 'Blijkbaar zijn ze onderschept. Het is er zo'n chaos. Van het tehuis is weinig meer over. Daisy heeft opdracht gekregen het te sluiten, en bovendien is gebleken... Er is gebleken...' Tot haar afschuw stroomden plotseling de tranen over haar wangen. 'Er is gebleken dat de helft van de kinderen het verschrikkelijk vond om daar te zijn.'

Hij zweeg geruime tijd. 'Heb je je boek nog afgemaakt?' vroeg hij ten slotte.

'Nee. Het merendeel van mijn uitgetikte aantekeningen is verloren gegaan. De aantekeningen heb ik nog, maar ik denk niet dat ik het kan opbrengen ze voor de tweede keer uit te werken. Dus dat is de stand van zaken. Het spijt me als ik je heb laten schrikken.'

Ze blies krachtig haar adem uit, alsof ze keihard in haar maag was gestompt.

Het was voor het eerst dat ze iemand had verteld over het boek. De meeste bladzijden van het manuscript waren hetzij gescheurd, hetzij onleesbaar gemaakt in de tijd dat ze de gevangene van Azim was geweest. Bij terugkeer in het tehuis hadden ze in haar kast gelegen. Die avond met Toby had ze de schijn opgehouden. Ze had het te pijnlijk gevonden erover te praten.

Er viel een afschuwelijke stilte.

'Ik logeer bij Tor in Amritsar,' zei ze ten slotte. 'Ik weet niet in hoeverre je op de hoogte bent. Tor is getrouwd, met Toby. Rose is er ook met de baby. Ze hebben me gevraagd je over te halen om met Kerstmis ook te komen.'

'Dat wist ik al,' zei hij. 'Tor was degene die me vertelde dat alles goed met je was.' De spier in zijn wang trok weer. 'Ze heeft me al gevraagd. En toen heb ik voor de uitnodiging bedankt.'

'Waar ga je heen?'

'Dat weet ik nog niet.'

Opnieuw voelde ze zich vermorzeld door spijt, verdriet. Ik ben hem kwijt, dacht ze. En het is mijn eigen schuld.

'Ik kan het je niet kwalijk nemen,' zei ze.

'Ik vond de gedachte onverdraaglijk. Vandaar!' Hij probeerde te glimlachen en keek toen op zijn horloge, alsof hij haar het liefst weer zag vertrekken.

Er hing zoveel pijn in de lucht, de druk van zoveel dingen die niet gezegd konden worden, dat ze opstond en haar armen om haar schouders sloeg.

'Is er iets wat ik kan zeggen om je op andere gedachten te brengen?' vroeg ze. 'Het kan nog.'

'Nee, ik denk het niet. Want ik hou niet van mensen die doen alsof.'

Viva voelde dat haar maag verkrampte van angst.

'Ik deed niet alsof.'

'O. Nou, dat is een hele troost,' zei hij wrang.

'Akkoord. Het spijt me!' Ze schreeuwde het bijna uit. 'Is dat wat je wilt horen? Ben je nu tevreden?'

'Nee.' Hij zei het zo verdrietig dat ze besefte dat hij het niet onaardig bedoelde. 'Nee, vreemd genoeg niet.'

Ze pakte zijn hand.

'Je hebt gelijk. Ik ben niet eerlijk geweest over wat er in Ooty is gebeurd. Het maakte me bang.'

'Hoezo?' Hij schudde zijn hoofd.

'Begrijp je dat dan niet?'

'Nee.'

Toen ze opkeek, besefte ze dat hij in de maanden dat ze hem niet had gezien, magerder was geworden. Er begonnen zich lijnen af te tekenen rond zijn mond. Dat is mijn schuld, dacht ze. Het is mijn schuld dat hij er ineens zoveel ouder uitziet, zoveel wantrouwender, zoveel meer op zijn hoede.

Buiten de hut klonk het geluid van water dat op aangestampte aarde spetterde. Er blafte een hond. Toen ze hem aankeek, wist ze dat ze alles in de strijd moest gooien. Anders was het te laat.

'Alsjeblieft, Frank. Kom met Kerstmis naar Amritsar. Ik kan je nu niet in vijf minuten het hele verhaal vertellen.'

Hij stond op en legde zijn hoofd tegen de tralies voor het raam.

'Nee, ik kan niet van het ene op het andere moment alles omgooien. Ik heb hier patiënten die op me rekenen. Er is van alles wat ik nog moet doen.'

Ze had haar spijt, haar verdriet op hem overgedragen. Ze zag het aan zijn houding, aan de blik in zijn ogen. Zo duidelijk als ze het nog niet eerder had gezien.

'Frank.' Ze haalde diep adem en besloot het erop te wagen. 'Ik wil dit niet als excuus gebruiken. Dat zou misbruik zijn. Maar weet je nog dat ik je op het schip vertelde over mijn familie? Dat mijn ouders en mijn zusje waren omgekomen bij een auto-ongeluk? Dat is niet waar. Ze zijn allemaal afzonderlijk gestorven.' Ze omklemde de armleuningen van de stoel om het beven tegen te gaan.

'Mijn zusje is overleden aan een geperforeerde blindedarm. Als we dichter bij een ziekenhuis hadden gewoond, had ze het gered. Ze was dertien maanden ouder dan ik. We waren bijna tweelingen.'

Hij keek haar geruime tijd verdrietig aan. 'Ik weet hoe het voelt. Weet je nog wat we op het schip hebben besproken?'

Ze knikte en zag dat hij bleek was geworden bij de herinnering.

'Viva.' Zijn stem had opnieuw een ondertoon van boosheid. 'Je had het me moeten vertellen. Ik zou het hebben begrepen.'

'Maar ik kon het niet.'

'Ik denk niet dat je ook maar enig idee hebt hoe gesloten je kunt zijn. Alsof je een muur om je heen hebt opgetrokken. Maar ga door. Wat is er met je vader gebeurd?' Hij luisterde aandachtig.

Ze haalde opnieuw diep adem.

'Mijn vader is een jaar later omgekomen. Hij werd met doorgesneden keel gevonden bij Cawnpore, langs de spoorweg, met zeven van de mannen met wie hij werkte. Ze denken dat ze zijn vermoord door bandieten.'

Frank kneep zijn ogen dicht. 'God, wat verschrikkelijk.'

'Ja. Erger is nauwelijks denkbaar. Ik zag hem zelden. Hij was geobsedeerd door zijn werk, maar ik hield zoveel van hem. Op de achtergrond was hij er altijd. Een briljante man. En hij deed zo zijn best een goede vader te zijn.' Er lag een verwilderde blik in haar ogen. 'Het afschuwelijke is dat ik me niet goed meer kan herinneren hoe hij eruitzag, hoe zijn stem klonk. Als Josie er nog was geweest, hadden we erover kunnen praten. Maar nu verbleken de herinneringen. Dat vind ik zo erg.'

'En je moeder?'

'Die is een jaar na mijn vader gestorven.' Ze sloot vluchtig haar ogen. 'Volgens mijn tante aan een gebroken hart. Kan dat, medisch gezien?' Ze probeerde te glimlachen, maar hij bleef ernstig. 'Trouwens, we hebben nooit echt een hechte band gehad,' vervolgde ze. 'En ik weet eigenlijk niet meer waarom – misschien was het iets heel simpels – maar ik heb altijd gedacht dat ze meer van mijn zusje hield dan van mij.

Kort na de dood van mijn vader heeft ze me in Simla op de trein gezet, terug naar kostschool in Engeland. Ik begrijp nog steeds niet waarom ze me niet bij zich wilde houden. Hoe dan ook, ik heb haar nooit meer gezien.'

'Dit had je me eerder moeten vertellen.'

'Dat kon ik niet.'

'Warom niet?'

Ze voelde zich uitgeput. 'Ik weet het niet. Voor een deel omdat ik het niet kan verdragen als mensen medelijden met me hebben.'

'Denk je dat wat er in Ooty is gebeurd, voortkwam uit medelijden?'

'Nee.' Ze kon amper een woord over haar lippen krijgen. Er ging zoveel door haar heen – pijn, tederheid, woede op haar moeder omdat die haar had weggestuurd.

Toen ze naar hem opkeek wendde hij zich af.

'Kom alsjeblieft met Kerstmis naar Amritsar. We zouden het allemaal zo fijn vinden.'

Hij dronk zijn glas cognac leeg.

'Nee,' zei hij toen. 'Ik ben blij dat je het gevoel had dat je me dit kon vertellen. Maar ik kom niet naar Amritsar. Dat kan simpelweg niet.'

Ze zwegen geruime tijd.

'Toen we afscheid hadden genomen, moest ik alles opnieuw tegen het licht houden. Zelfs dit.' Hij wees boos naar haar oog. 'Je vertrouwt niemand, hè? Besef je wel hoe vermoeiend dat is?'

Ze maakte aanstalten te protesteren, maar hij legde zijn hand op haar mond. En trok hem meteen weer weg, alsof hij zich had gebrand.

'Laat me uitspreken. Wat er die nacht in Ooty is gebeurd, was voor mij geen verrassing. Ik wist dat het zou gebeuren en ik dacht dat jij dat ook wist. Maar je gaf me het gevoel...' Zijn stem brak. 'Alsof ik je had verkracht. Terwijl ik zoveel van je hield.'

'Nee, nee, nee! Zo was het niet!'

Hij trok haar naar zich toe, maar duwde haar meteen weer weg.

'Je hebt maanden de tijd gehad om contact met me op te nemen, zelfs als je mijn brieven niet hebt gekregen. Aanvankelijk wachtte ik op bericht van je. Maar toen ben ik tot de conclusie gekomen dat ik zo niet verder kon. Dat ik eraan kapot zou gaan.'

Ze legde haar handen langs zijn gezicht. Toen zweeg ze. Door het raam zag ze dat Tor en Rose naar buiten werden gelaten, de binnenplaats op.

'Dit wordt niets,' zei ze. Tor en Rose konden elk moment binnenkomen, en dan veranderde de hele situatie opnieuw.

'Luister eens. Ik heb een besluit genomen,' zei ze, luisterend naar het geknars van hun voetstappen op het grind. 'Ik ga nog vóór Kerstmis naar Simla. Daar liggen mijn ouders begraven. Ik heb een brief gekregen van een oude dame. Er staat bij haar nog een hutkoffer die ik jaren geleden al had moeten ophalen. Wanneer ik dat eenmaal onder ogen heb gezien, ben ik misschien...'

Hij stond op het punt te reageren toen de deur openvloog.

'Frank!' Tor viel hem om de hals. Achter haar stond Rose, met twee pakjes in haar handen. 'Gossie, is alles goed met je, Viva?' vroeg Tor, tactvol als altijd. 'Je ziet zo wit als een doek.'

Frank bood hun iets te drinken aan maar leek opgelucht toen ze bedankten. Rose, die de stemming juist aanvoelde, liep naar de deur en zei dat ze al twee sterren tevoorschijn had zien komen. Als ze nog voor donker thuis wilden zijn, werd het tijd om te vertrekken.

54

Daarmee was er in elk geval duidelijkheid geschapen.

Toen Viva de volgende morgen aan Rose en Tor vertelde dat ze met de trein naar Simla ging om de hutkoffer van haar ouders te halen, probeerde ze zo beheerst en neutraal mogelijk te klinken, zodat ze niet zouden beseffen hoe bang ze was. Het aanbod met haar mee te gaan, wees ze af. Ze zou op tijd terug zijn voor Kerstmis, beloofde ze. Het was beter dat zij gewoon in Amritsar bleven.

De hele onderneming voelde als een reusachtig waagstuk; in kinderlijke termen: als een roekeloze expeditie: de grot van het monster binnen, en dan als de wiedeweerga terug naar buiten. Doe het zo snel en zo pijnloos mogelijk, had ze tegen zichzelf gezegd. Maak er geen al te emotionele toestand van.

Inmiddels zat ze aan het raampje van de Himalayan Queen, op de spoorlijn die haar vader had helpen aanleggen en onderhouden, kronkelend door de uitlopers van de Himalaya, met links en rechts subtropische vegetatie, op weg naar de zilverkleurige sneeuwgrens hoog op de helling. Terwijl de kleine trein, nietig als een stuk speelgoed, de ene tunnel na de andere door tufte, beurtelings in de stralende zon en in de schaduw van hoge rotspartijen, probeerde ze kalm te blijven en een zekere afstandelijkheid te bewaren. 'Thuis' was maar een woord. Het betekende niets als je dat niet wilde.

Maar zelfs het feit dat ze in deze trein zat, deed haar pijn. Deze trein die haar vaders vreugde en passie was geweest. (Een passie die hij had gedeeld met een kolonel van wie haar de naam was ontschoten, herinnerde ze zich vaag. De bewuste kolonel had zich door het hoofd geschoten toen bleek dat twee trajecten van de spoorlijn niet op elkaar aansloten.)

De trein was stampvol. Naast Viva zat een oude vrouw met zulke korte benen dat haar eeltige voeten de grond niet raakten. Ze omklemde een verzameling vlekkerige pakjes in haar schoot. Tegenover Viva – hun knieën raakten elkaar bijna – zat een jong stel dat een onschuldige, gelukkige indruk maakte. Misschien waren ze pasgetrouwd. Het meisje zag er stralend en verlegen uit in een gloednieuwe, goedkope roze sari; haar echtgenoot, een mager jongmens, schonk haar voortdurend vurige blikken, alsof hij zijn geluk nog niet kon bevatten.

Viva had een boek met gedichten van Tagore op schoot, dat ze willekeurig bij Toby uit de kast had gepakt – sinds de ontvoering kon ze zich maar moeilijk concentreren.

Haar voeten rustten op de oude koffer van haar moeder. Ze was erg verknocht aan het haveloze gevaarte waarvan de riemen dun begonnen te worden en waarop de etiketten begonnen te verbleken. Bovendien raakte het stikwerk versleten. Daar zou ze op korte termijn iets aan moeten doen. In de koffer zaten de sleutels van de hutkoffer, schone kleren en de brief met het adres van Mabel Waghorn: 'Ik woon in de straat achter de Chinese schoenmaker,' had ze in haar beverige oudedameshandschrift geschreven. 'Vlak bij de Lage Bazaar. Het kan niet missen.'

Het was natuurlijk heel goed denkbaar dat mevrouw Waghorn inmiddels was overleden, dacht Viva, met haar hoofd tegen het raampje van de trein. Als kind had ze haar een paar keer ontmoet; in haar herinnering was Mabel Waghorn een vrij grote, imposante vrouw, veel ouder dan haar moeder.

Als ze dood was, hoefde ze dit niet door te zetten. De opluchting die ze bij die gedachte voelde, schokte haar. Maar het leek haar belangrijk niet al te veel hoop te koesteren, ook al was 'hoop' nauwelijks de juiste omschrijving voor de groeiende paniek die bezit van haar nam nu ze eindelijk in de trein zat.

De trein verliet het zoveelste nietszeggende station. Viva legde haar boek neer en keek uit het raam, naar huizen gemaakt van karton, takken, leem, stukken oud hout. Dan blaas ik maar en proest ik maar, en zo blaas ik je huisje uit elkaar. Er was hier niet veel blazen en proesten nodig. Ze tuften langs een seinhuisje waar een groepje mannen haar aanstaarde, diep weggedoken in dekens. Voor het raam verschenen drie smoezelige kinderen, op blote voeten en met snotneuzen. Ze zwaaiden uitgelaten naar de trein.

Haar geval was niet bijzonder, dacht ze terwijl ze terugzwaaide. Een echt thuis was een luxe die voor de helft van de wereldbevolking niet was weggelegd. In haar vroegste kinderjaren, toen haar vader een veelge-vraagd spoorwegingenieur was geweest, was het verlangen naar een per-manente woonplaats die ze 'thuis' kon noemen, zelfs nooit bij haar op-gekomen. Die jaren waren de gelukkigste tijd van haar leven geweest. Het hele gezin – Viva, Josie en haar moeder – was elke paar maanden verhuisd en als een soort zigeunerkaravaan achter haar vader aan getrok-ken. Sommige van de plekken waar ze hadden gewoond – Landi Kotal, Lucknow, Bangalore, Chittagong, Benares – herinnerde ze zich nog vaag, andere waren opgelost in de mist van het verleden die haar soms misleidde en op het verkeerde been zette. Op weg naar Ooty bijvoor-beeld had ze zich geblameerd door Tor te vertellen dat ze het stationne-tje waar ze langs reden herkende – de verbleekte, blauwe ramen, de rij rode emmers. Het daaropvolgende station bleek precies dezelfde rode emmers en blauwe ramen te hebben, net als het station daarna.

De trein was begonnen aan de klim tussen dichte groene bossen door, de hellingen van de uitlopers van de Himalaya op. Een aantal rijen achter haar vertelde iemand in bulderend Engels – waarschijnlijk aan zijn vrouw – dat de spoorlijn maar vijfenzeventig centimeter breed was; dat het hele project een bouwtechnisch wonder was en dat ze in korte tijd honderdtwee tunnels door zouden rijden, die met gebruik van dynamiet waren aangelegd in de rotsen. 'Honderdtwee! Allemachtig,' zei een ver-veelde, geaffecteerde stem. 'Het is me wat!'

Plotseling voelde ze zich als trotse dochter geneigd om voor haar vader op te komen: mijn vader heeft geholpen bij de aanleg. Hij was een van de beste spoorwegingenieurs in India en dat wilde heel wat zeggen.

Maar inmiddels werden de man en de vrouw overstemd door een rom-melend achtergrondgeluid – het gebulder van de trein terwijl die door een tunnel reed en weer tevoorschijn kwam in het daglicht.

Wat had ze als kind gehouden van deze manier van reizen! En wat had ze medelijden gehad met andere kinderen die niet telkens een nieuw huis hadden om te verkennen, nieuwe bomen om in te klimmen, nieuwe die-ren, nieuwe vriendjes en vriendinnetjes. Ze was een kind geweest van het Britse Imperium. Dat besefte ze nu pas.

Plotseling kwam er een schokkende gedachte bij haar op. Thuis, dat was waar zij waren – papa, mama en Josie – en sinds zij waren wegge-vallen, was ze eigenlijk altijd op de vlucht geweest.

Papa, mama en Josie – ze had hun namen zo lang niet in een adem durven noemen. Aftellend op haar vingers rekende ze uit dat ze een jaar of acht, misschien negen moest zijn geweest toen ze voor het laatst in deze trein had gezeten. Wat vreemd dat ze zo oud was geworden zonder hen. Haar moeder maakte vaak een speciale picknick klaar voor dit soort tochten: limonade, bolletjes, vruchtencake, sandwiches. Op hun laatste reis samen had Josie naast hun moeder gezeten en Viva tegenover hen, naast haar vader, beschenen door de zon. Opnieuw voelde ze de warmte van de zon op haar haren, haar blijdschap omdat ze naast hem zat. De slanke, gereserveerde man met zijn zachte handen en zijn intelligente gezicht had nooit met zoveel woorden gezegd dat hij van haar hield. Maar ze had het geweten. Ze was zich er altijd van bewust geweest. Het was alsof ze zich bewoog in een onzichtbaar magnetisch veld.

Ze hadden een jongen gewild, maar toen ze die niet hadden gekregen, had zij zonder nadenken die rol op zich genomen. Als een van de drie vrouwen in het gezin was zij degene die hem het liefst hoorde vertellen over waar zijn interesse naar uitging, waar hij enthousiast over kon worden: stoommachines; het punt waarop een paard zijn optimale krachtsinspanning leverde bij het trekken van een kar; het idee dat de stoom uit de waterketel een energetische dans van moleculen was. 'Als je ze kon zien, zouden ze lijken op rondvliegende biljartballen,' had hij haar eens verteld.

Hij was er weer. Terwijl ze keek naar de stoffige dorpen, de stadjes, de dorre verlatenheid daartussen, wilde ze hem terug, met een heftigheid die ze in geen jaren had gevoeld. Bijvoorbeeld om met hem over zijn spoorlijn te praten. Wanneer hij thuis werkte aan de complexe onderhoudsproblemen, haalde hij een grote houten kist uit de kast, met daarop in grote letters THE QUEEN. Dan stortte hij de inhoud op de rieten matten in zijn studeerkamer: gipsen miniaturen van Parijse bruggen, taluds, bomen, rotsblokken van papier-maché. Hoe knap had hij wat voor hem zijn leven betekende, vormgegeven op een manier die in haar ogen een spel leek. En wat moest het ambitieuze project, met al die steile hellingen, die reusachtige rotsen, hem soms een hopeloze taak hebben geleken.

Viva zuchtte zo hartgrondig dat ze zich moest verontschuldigen tegenover de dame naast haar. Waarom was ze hieraan begónnen als het zoveel pijn deed? Wie zou het ook maar íéts uitmaken als ze op het volgende station uitstapte en rechtsomkeert maakte naar Amritsar? Behalve Frank, die nog altijd niet echt begreep wat dit voor haar betekende? Alle sporen van thuis konden worden uitgewist door de brief van Mabel Waghorn en de sleutels van de hutkoffer uit het raam te gooien.

De trein tufte onverbiddelijk verder. Bij Kalka, een klein stationnetje dat zich vastklampte aan een rotsachtige helling, sprong een man met een mand eten aan boord en rende door de rijtuigen alsof zijn broek in brand stond. 'Water, vruchtencake, versnaperingen!' riep hij luidkeels. Maar Viva kon niet eten, wilde niet eten.

Ze zag de jongeman die tegenover haar had gezeten uit de trein springen en over het perron rennen om twee porties dhal te kopen bij een kraampje. Zijn jonge vrouw zat al die tijd kaarsrecht en gespannen, zonder hem ook maar één moment uit het oog te verliezen.

Het was eigenlijk zo simpel, dacht Viva, bij het zien van haar opluchting toen hij terugkwam.

'Thuis' was het weten dat je voor een ander de kern van diens universum vormde. Zij had die zekerheid verloren met de dood van haar ouders. Er was sindsdien nooit iemand echt onaardig tegen haar geweest – ze was niet geslagen of naar een werkhuis gestuurd, dus er was geen reden voor jankende violen – maar er was wel iets veranderd. In die zin dat ze zich sinds de dood van haar ouders als het ware overtollig had gevoeld, een soort nutteloos overschot.

Bij familie had ze geslapen in de kamers van kinderen die het huis uit waren. Vanaf de klerenkasten hadden hun stoffige poppen en houten treinen haar aangestaard. En wanneer ze tijdens de vakantie op school was gebleven, had ze in de ziekenboeg moeten slapen, waardoor de eenzaamheid was gaan voelen als een ziekte, een bijzondere, ergerlijke kwaal. De opluchting toen ze eindelijk oud genoeg was om haar leven in eigen hand te nemen en toen ze haar intrek had genomen in een piepkleine zitslaapkamer aan Nevern Square was overweldigend geweest. Ze had zich bijna dronken gevoeld van geluk. Eindelijk was ze voor het eerst echt alleen, zonder dat ze iemand dankbaar hoefde te zijn.

Nog altijd tussen dromen en waken dacht ze aan Josie. Het was verschrikkelijk hoe de herinneringen aan haar begonnen te verbleken als een stuk muziek dat je speelde en bleef spelen tot het zijn zeggingskracht verloor. Zwarte krullen, blauwe ogen, lange benen waarmee ze als een geit van rotsblok naar rotsblok sprong. 'Schiet op, slome. Spring!' Slechts dertien maanden ouder dan zij.

De beste herinneringen bewaarde ze aan het kamperen met Josie in de uitlopers van de Himalaya. Het hele gezin was er met pony's, beladen met proviand en kampeerbedden, naartoe gereden. De bedienden volgden te voet. Ze hadden geslapen in tenten onder sterren zo helder als diamanten, luisterend naar het geknabbel van hun pony's die buiten het kamp stonden te grazen, en naar het gebulder van de bergbeken. Hun ouders zaten bij het kampvuur en vertelden om beurten een verhaal. Het lievelingsverhaal van haar vader was dat van Puffington Blowfly. Het was een verhaal dat hij zelf had verzonnen, over een sterke, dappere jongen die nooit ergens over zeurde.

Later trokken ze naar Kasjmir. De naam van de stad was haar ontschoten, zoals dat gold voor de namen van zoveel huizen, zoveel scholen, zoveel vriendjes en vriendinnetjes. Ze herinnerde zich nog wel dat er ergens een brug was ingestort en dat haar vader erbij was geroepen. Ze hadden vakantie gehouden op een meer in Srinagar, waar ze een boot met een klein huisje erop hadden gehuurd. Josie en zij (dat wist ze nog heel goed) waren opgetogen geweest over het vrolijke, kleine scheepje met zijn sits gordijnen en papieren lantaarns op het dek, en over hun piepkleine slaapkamer met prachtig beschilderde kooien. Maar ze herinnerde zich ook dat ze had gehuild om een hond – ze hadden het beest moeten achterlaten, terwijl ze met de verknochtheid van een kind van hem was gaan houden. Natuurlijk had ze het beestje nooit meer teruggezien. Om haar op te vrolijken had moeder gezegd dat ze aan dek mochten slapen. Josie en zij hadden samen onder dezelfde klamboe gezeten en gekeken hoe de zon de hemel bloedrood kleurde en uiteindelijk als een reusachtige gesmolten toffee wegzonk in het meer.

Was dat de nacht waarin Josie, die net zo'n wiskundeknobbel had als hun vader, de onvoorstelbare ramp had berekend mocht een van hen beiden jong sterven en de ander alleen achterblijven?

'Het sterftecijfer bij kinderen is in India een op vier,' had Josie gezegd. 'Dus misschien worden we niet oud.'

'Als jij doodgaat, ga ik met je mee,' had Viva gezegd.

Dat had ze natuurlijk niet gedaan. Weer een schokkend besef dat voelde als verraad – ze kon zich staande houden zonder hen.

Na de geperforeerde blindedarm van Josie, en nadat ze haar ter ruste hadden gelegd op de begraafplaats bij de legerplaats, was Viva maanden en nog eens maanden geobsedeerd geweest door de gedachte dat haar zusje bezig was te veranderen in een skelet. Ze had gekeken naar de versgedolven aarde rond de andere kleine grafstenen, en ze had haar moeder tot wanhoop gedreven met haar vragen hoe de andere kinderen waren gestorven. Ze herinnerde zich een klein jongetje dat naar een slang was gedribbeld en het dier een handje had willen geven; en een baby die de dag na Josie was gestorven, aan tyfus.

Had ze te veel vragen gesteld? Ongetwijfeld. Of misschien kon haar moeder haar niet om zich heen verdragen omdat ze zo op Josie leek? Of omdat ze aanvankelijk koppig had geweigerd te accepteren dat Josie er niet meer was. Ze had zo vaak voor haar gebeden. Elke avond had ze Josies pyjama klaargelegd op het bed, en ze had een koekje onder de lakens gedaan, zodat Josie geen honger zou hebben als ze terugkwam. Ze was naar de tempel gegaan om rijst en bloemen te offeren aan de goden, maar uiteindelijk had ze het geloof radicaal afgezworen.

Kort daarna was ze naar de kloosterschool gestuurd. In haar herinnering was ze er helemaal alleen naartoe gegaan, maar dat kon toch haast niet? Ze was tien! Er moest iemand met haar mee zijn gereisd. Waarom was haar moeder niet met haar meegegaan? Had ze haar een kus gegeven bij het afscheid? Dit waren de details die je geheugen deden dichtslibben en die je het gevoel gaven alsof je jezelf en anderen bedroog. Daar had Frank gelijk in. Maar terwijl ze het toegaf, werd ze opnieuw boos op hem omdat hij zich had bemoeid – ja, bemoeien was het juiste woord – met zoiets verschrikkelijks, zoiets definitiefs.

Ruim twintig mijl van het station merkte ze dat ze onbeheerst zat te huilen. Ze had deze reis niet moeten maken. Dat had ze geweten! Ze had het geweten! Het duurde even voordat ze zichzelf weer in de hand had, haar tranen had gedroogd en haar gesnik had gesmoord in een zogenaamde hoestaanval. Ten slotte viel ze in slaap, en ze werd pas wakker toen de vrouw die tegenover haar zat, haar op de arm tikte. De trein had zijn eindbestemming bereikt. Ze was terug in Simla.

Toen ze was uitgestapt, bleef ze even roerloos staan. Ze keek naar de bomen, bedekt met sneeuw, naar de magere paarden met een dek van jutezakken, die stonden te wachten op passagiers. Dit was de enige plek die ze nooit van haar leven zou vergeten.

Vlokken sneeuw dwarrelden uit de lucht en vielen op haar haren. Ze zag de Engelsman, nog altijd druk pratend en gebarend tegen zijn vrouw, wegrijden in een taxi de heuvel op.

Op het plein voor het station stond een tonga. De bestuurder zat met zijn voeten omhoog van zijn chai te genieten. Maar op dat moment luidde hij een zilveren bel om haar aandacht te trekken.

'Wacht u op uw sahib?' vroeg hij.

'Nee, ik ben alleen. Dit is het adres waar ik heen moet.' Ze gaf hem het stukje papier. 'En daarna naar het Cecil Hotel.'

Met gefronste wenkbrauwen keek hij naar de brief van Mabel Waghorn. Zijn gezicht zag blauw van de kou.

'Cecil Hotel goed,' zei hij. 'Dit niet goed.' Hij gaf haar de brief terug. 'Lage Bazaar – woont geen Engelsmensen.'

'Dat kan me niet schelen.' Ze tilde zelf haar koffer in het rijtuigje voordat hij van gedachten veranderde. 'Daar moet ik heen. In de straat achter de Chinese schoenmaker,' voegde ze eraan toe, maar hij had de teugels al ter hand genomen en liet zijn zweep knallen op de paardenrug.

Toen ze halverwege de weg naar boven waren, draaide hij zich naar haar om en verkondigde als een volleerde toeristische gids: 'Apen!' Hij wees naar een stel grijze langoeren die rillend in een boom rechts van de weg zaten. 'Heel grote tijger en leeuw, hier in bossen.'

Ze was half verdoofd van de kou, achter in het kleine karretje. 'Ja, dat weet ik.'

'Morgen ik maak speciale rit met u voor goede prijs.' Toen hij zijn teugels liet zakken om haar trouwhartig aan te kijken, klepperde het paard braaf en onverstoorbaar verder. Het dier had het allemaal al eerder gehoord.

'Nee, dank u.' Haar eigen stem klonk haar vreemd in de oren.

Ze reden door een drukke straat, waar Viva voornamelijk Engelsen zag lopen langs de charmante, half uit hout opgetrokken huizen. Op een groot bord hing een aankondiging van *The Fatal Nymph* in The Gaiety, dat weekend. Tussen de huizen door kon ze besneeuwde hellingen zien, en bergen, wouden, rotsen.

Het paard hing schuin voorover in het tuig. Zijn adem kwam als rook uit zijn neusgaten terwijl ze een lange, glooiende helling beklommen, bedekt met berijpte sparren en dennenbomen. Ten slotte kwamen ze uit op een kleine open vlakte, geplaveid met keien. Het zag eruit als een uitkijkpunt voor toeristen. Kleumende Europese kinderen werden op magere pony's meegevoerd door hun ouders of hun kindermeisje. Op het smalste punt van het klif stond een grote koperen telescoop.

'Ik spreken goed Engels.' De gids nam de teugels in één hand en stak met de andere een *bidi* op. 'Deze kant heel mooi. Oost naar Golf van Bengalen. Die kant...' Hij wees met de sigaret. 'Arabische Zee. Ook heel mooi.'

Ze keek vluchtig naar beneden, naar de twee rivieren, de wouden, de bergen bedekt met een dunne laag sneeuw.

'Ik heb u toch niet gevraagd hierheen te rijden?' zei ze angstig en boos tegelijk. 'Waarom hebt u me hierheen gebracht?'

'Mooie, veilige vakantieplek voor memsahib,' zei hij mokkend.

'Daarvoor ben ik hier niet.' Ze liet hem nogmaals het adres zien waar ze moest zijn. 'Hier moet ik heen. Dat had ik u gevraagd.'

Hij haalde zijn schouders op en reed de steile weg weer af, terug naar de stad. Vanuit dit perspectief zag de wirwar van fleurig beschilderde huizen en gebouwen in namaak-Tudorstijl die zich vastklampten aan de hellingen, er nogal wankel uit, alsof een beetje wind al genoeg zou zijn om ze weg te blazen. Eenmaal beneden hoorde ze de zachte stemmen van de weinige mensen die op straat liepen – een lange, goedgeklede blanke vrouw in bruin en wit tweed met een vossenbontje om haar hals, een paar legerofficieren – maar het verbaasde haar dat het zo rustig was, midden op de dag.

Op het volgende kruispunt hielden ze stil. Een zwarte koe met een koperen bel om zijn nek deponeerde onbekommerd een vlaai op de straathoek. Viva boog zich uit het rijtuigje, zodat ze de borden van de winkels kon zien: Empire Stores, Rams Kleermakerij voor Militaire, Leger- en Burgeruniformen, Himalaya Stores.

'Stop!' Ze had de winkel ontdekt die ze zocht: TA-TUNG & CO. CHINESE SCHOENMAKER stond er op het bord. De planken voor het raam stonden vol met veterschoenen en prachtige rijlaarzen, pololaarzen, fluwelen slippers met kleine stukjes vossenbont op de neus. OP MAAT GEMAAKT las ze op een bordje tegen twee houten palen. GAAN EEN LEVEN LANG MEE.

Ze haalde de brief weer tevoorschijn.

'Zet u me hier maar af,' zei ze tegen de koetsier, en ze hield hem het geld voor. 'Mijn vriendin woont in de straat achter deze winkel.'

Hij mompelde iets en schudde zijn hoofd alsof ze haar vergissing spoedig zou betreuren.

Toen hij weg was, keek ze om zich heen, in een poging zich te oriënteren. Aan haar rechterhand lag de keurige Europese straat, netjes geveegd en voorzien van kleine kuipen met vrolijke bloemen. Daaronder en aan de voet van een lange, steile kronkeltrap lag de inheemse wijk, een doolhof van smalle straatjes en piepkleine winkeltjes, verlicht door lampen.

Ze liep de eerste trap af.

Ik heb me vergist, dacht ze, terwijl ze naar binnen keek in een smoezelig hol in de muur, waar een oude man naar buiten zat te staren. Nog verder naar beneden kwam ze langs een erbarmelijk ogende wolwinkel waar jutezakken de kleurige strengen wol beschermden tegen de sneeuw. Moeizaam, met stijve vingers van de kou haalde ze de brief weer tevoorschijn.

Ze wist bijna zeker dat Mabel Waghorn schooljuffrouw was geweest, misschien zelfs directrice. Maar het kon niet anders of het adres klopte niet. De straat was te armoedig. Het stonk er. Nerveus ging ze op een van de treden zitten, en op dat moment ontdekte ze net achter een rij bouwvallige daken van golfplaat een huis dat het wel eens zou kunnen zijn.

Ze liep erheen. Het huis telde twee verdiepingen en leek zich vast te klampen aan de helling. Nee, dit was het vast niet. Het huis bood weliswaar een schitterend uitzicht op de bergen in de verte, maar er was overal pleisterwerk van de gevel gebrokkeld, en de smeedijzeren balkons stonden stampvol emmers, zakken met kleren, vogelkooien en afgedankte gereedschappen en machinerieën.

Ongelovig liep ze nog dichter naar het huis toe. Op een afgebladderde, groene voordeur met roestige tralies voor een ruitje als van de cel van een karmelietes stond het huisnummer: 12. Rechts van de tralies bevond zich een koperen bel met een schellenkoord, en daaronder een bordje met daarop in Mabel Waghorns beverige handschrift: *Ik woon boven*. Viva trok aan de bel, maar er kwam geen reactie.

Toen ze voor de tweede keer aan de bel trok, kwam er een Chinese vrouw uit een schemerig verlichte deuropening naast haar. In het geelbruine licht ontdekte Viva achter de vrouw een man in een vest die haar stond aan te gapen.

'Ik ben op zoek naar deze dame.' Viva hield haar het stukje papier voor. 'Mevrouw Waghorn.'

De vrouw haastte zich met het stukje papier naar binnen. Even later hoorde Viva dat er met een bezem tegen het plafond werd gestampt.

'Ze slaapt heel veel,' zei de vrouw fronsend.

'Wacht even.' Ze sloot de deur.

Viva wachtte misschien een minuut of vijf. Het begon ijzig koud te worden, dus ze stampte met haar voeten. De bergen gingen half schuil achter flarden mist, een adelaar vloog geruisloos over haar hoofd met een stuk brood in zijn snavel, en in de volmaakte leegte van dat moment had ze het gevoel alsof ze terugging in de tijd.

'Hallo.' De oude dame die op de veranda verscheen, keek enigszins wazig, alsof ze was gewekt uit een diepe slaap. Ze droeg geen kousen. Haar blote voeten staken in pantoffels, en toen de wind haar tweed jas deed opwaaien, zag Viva dat ze daaronder een nachtjapon droeg. Ze keken elkaar aan, en Viva's eerste reactie was dat deze fragiel ogende oude dame niet Mabel Waghorn kon zijn. Op de een of andere manier had ze zich bij iemand met dezelfde achternaam als Thomas Waghorn, de postroutepionier, een kordate tante voorgesteld, met een tennisracket in de hand, een paar stevige kuiten en een geweldig geheugen; iemand die haar van alles kon vertellen wat ze nog niet wist.

'Grote god!' De oude vrouw was naar de rand van de veranda geschuifeld. Toen ze een van haar pantoffels verloor, zag Viva een stokoude voet, als een paarse klauw, die tussen de ijzeren tralies van de reling piepte.

'Grote god!' Ze staarden elkaar aan.

'Nee!' De oude vrouw stak haar onderkaak naar voren en nam Viva doordringend op. 'Ben jij het?'

'Nee! U vergist zich!' riep ze haastig, want ze begreep wat er aan de hand was. 'Ik ben Viva! Haar dochter!'

Viva zag dat de uitdrukking op het gezicht van mevrouw Waghorn op slag veranderde. Plotseling leek het alsof ze zich afsloot. Misschien was het de teleurstelling omdat ze even had gedacht dat ze een oude vriendin weerzag. Of misschien was ze gewoon te oud om overweg te kunnen met dingen die buiten haar gewone, dagelijkse routine vielen.

Ze wrikte haar pantoffel los.

'Neemt u me niet kwalijk, maar heb ik u gevraagd om te komen?'

De zoom van haar jas woei op en onthulde een paar dunne spillenbenen als de poten van een vogeltje, en een degelijke directoire. Viva huiverde.

'Ik had moeten schrijven,' verontschuldigde ze zich. 'U hebt me heel lang geleden inderdaad gevraagd om langs te komen.' Omdat de oude dame een hand achter haar oor hield, riep ze met stemverheffing: 'Vindt u het goed als ik boven kom? Het hoeft niet lang te duren. Het spijt me als ik u heb laten schrikken.'

Mevrouw Waghorn staarde haar nog altijd aan alsof ze spoken zag.

'Kom dan maar boven,' zei ze ten slotte. 'Ik zal Hari naar beneden sturen.'

Even later deed Hari, een knappe, goedlachse jongen in de traditionele tuniek van Kasjmir, de voordeur open en wenkte haar binnen te komen. Hij nam haar koffer van haar over en loodste haar een gang door waar het rook naar oude katten.

'Wilt u mij maar volgen?' zei hij met hetzelfde keurige accent als zijn bazin. 'Mevrouw Waghorn is boven, in haar studeerkamer.'

Ze beklommen een trap die werd verlicht door kaarsen op blakers aan de muur. Als een middeleeuwse kerker, dacht Viva. Eenmaal op de overloop hoorde ze het gekef van een hondje, het schrapen van een stok over de vloer.

'Hari?' riep een stem van achter de deur. 'Is ze dat? Ik ben hier.'

Hari schonk Viva een ondeugende, samenzweerderige blik alsof hij wilde zeggen: er staat je wat te wachten! 'Gaat u maar naar binnen,' zei hij. 'Ze verwacht u.'

Toen Viva binnenkwam, leek de kamer haar aanvankelijk zo donker dat ze een stapel kleren op een stoel aanzag voor mevrouw Waghorn. Maar nadat haar ogen waren gewend, ontdekte ze de oude dame in een stoel voor een petroleumkachel. Op de punt van haar knie zat een klein hondje met tragische ogen en oren als van een vleermuis.

'Kom binnen,' zei ze. 'En ga ergens zitten waar ik je kan zien.'

Ze wees naar een doorgezakte bank die voor de helft vol lag met stapels kranten. Ondanks haar ademnood had haar stem een gebiedende klank.

Ze keken elkaar aan.

Viva had besloten er niet omheen te draaien. 'Ik ben de dochter van Alexander en Felicity Holloway. Kunt u zich mij nog herinneren? U was zo vriendelijk me te schrijven – al heel lang geleden – over een hutkoffer die mijn ouders bij u hebben achtergelaten. Het spijt me dat het zo lang heeft geduurd voordat ik hem kon komen halen.'

Opnieuw zag Viva een blik van paniek in de ogen van de oude dame. Ze plukte nerveus aan de halsband van haar hondje, alsof dat haar kon redden.

'Als u namens het ziekenhuis komt, kunt u wel weer gaan,' zei ze. 'Want ik mankeer niets. Dat heb ik u al eerder gezegd.'

O hemel, dacht Viva, heen en weer geslingerd tussen opluchting en medelijden. Ze is kierewiet, of hard op weg om het te worden. Viva zou uiterst voorzichtig moeten zijn met wat ze zei.

'Ik ben niet van het ziekenhuis. Echt niet. Ik ben Viva Holloway, en u was heel lang geleden zo vriendelijk om een van de hutkoffers van mijn ouders naar mijn kostschool in Wales te sturen. De andere hutkoffer zou u hier houden tot ik terugkwam naar India. En ik ben nu pas voor het eerst terug.'

'Nu moet u eens goed naar me luisteren!' De oude dame keek haar dreigend aan en wees beschuldigend met haar vinger naar Viva. 'Ik ga hier níét weg. Want ik heb het volste recht om hier te wonen.'

De hond sprong op de grond en kwam naast Viva zitten, met zijn staart ferm tussen zijn poten geklemd.

'Nu hebben we Brandy van streek gemaakt.'

'Hij is lief.' Viva liet zich op haar knieën zakken en klopte het beestje op zijn rug, in de hoop daarmee de opwinding te sussen. 'Is het een chihuahua?'

'Ja,' antwoordde de oude dame trots. 'Wist u dat ze zijn gefokt tijdens de Ming-dynastie, om muizen te vangen voor de keizer? Mocht het u interesseren, ik heb stapels boeken over het onderwerp.'

Viva voelde dat ze bijna moest lachen. Misschien was dat uiteindelijk het enige wat ze hier in Simla zou doen – zich verdiepen in chihuahua's – want de toestand leek niet erg veelbelovend.

'Zou u iets voor me willen doen?' De oude dame keek haar doordringend aan. 'We bewaren zijn snoepjes achter het kussen waar u op zit. Zou u mij er een willen geven? Hij is vanmorgen zo braaf geweest, en nu heb ik hem nijdig gemaakt.'

Ze wees naar een vuurrood kussen met een vogel erop geborduurd. Toen Viva het opzijtrok, probeerde ze haar gezicht in de plooi te houden. Want wat ze zag was weerzinwekkend: een pootje dat van een konijn of van een kat afkomstig leek. Er zaten nog plukjes vacht aan en een paar slierten rauw vlees.

'Er ligt hier een bot,' zei ze, en ze probeerde het niet aan te raken.

'Ja, zou u me dat willen geven? Ik heb het voor niks gekregen, van een aardige man op de markt.'

Huiverend van weerzin gaf Viva het zoetig ruikende pootje – van een konijn, ze wist het bijna zeker – aan mevrouw Waghorn, die het tussen de dunne, vlijmscherpe tandjes van Brandy liet vallen. 'Het is echt het vriendelijkste volk dat er bestaat. Ik vind dat we ze niet goed behandelen.'

Viva keek in haar waterige ogen. 'Ik ben blij dat ze zo goed voor u zijn,' zei ze.

Onder andere omstandigheden zou ze ervan hebben genoten om de oude dame uitgebreid te laten vertellen over haar tijd als lerares, en dan zou zij op haar beurt verslag hebben gedaan van het tehuis in Bombay. Maar dat leek op dit moment voor geen van hen beiden een optie.

'Hebt u het koud?' Mevrouw Waghorns strijdlustige blik werd iets vriendelijker. 'Want dan kunt u de pit van de petroleumkachel wat hoger zetten, of er een flinke schop tegenaan geven. Trouwens, daar zou u me hoe dan ook een plezier mee doen. De pit moet nodig worden afgeknipt. Er ligt een grote schaar bij de kachel.'

Viva liet zich op haar knieën zakken. De grond voelde gruizig onder haar kousen. De kleine kachel sputterde en plofte en stuurde bijtende, zwarte wolken rook de kamer in.

'Ik had er in Londen ook zo een.' Ze tilde de glazen kap op en sneed de bovenkant van de zwartgeblakerde, verharde pit. Toen draaide ze aan de kleine hendel. 'Ze kunnen verraderlijk zijn. Zo. Dat is beter.' Toen ze de pit weer aanstak, verscheen er een vrolijke kring van roze en gele vlammetjes.

'Dank je wel, lieverd.' Mevrouw Waghorns ogen traanden. 'Die afschuwelijke rook. Dat is erg aardig van je. Het spijt me als ik onbeleefd tegen je ben geweest. Maar ze sturen nog wel eens vrouwen van de club om me te komen halen, begrijp je.'

Viva keerde zich naar haar toe.

'Weet u zeker dat u zich mij niet herinnert?' vroeg ze. 'Ik ben de dochter van Felicity. Mijn vader was Alexander Holloway, de spoorwegingenieur. Ik moet een jaar of acht, negen zijn geweest toen we elkaar voor het eerst hebben ontmoet. Ik kan me u wel herinneren. Sterker nog, ik was een beetje bang voor u, want u was directrice van de school.'

'Ja, dat klopt. Daar heb je gelijk in. Ik ben daar heel lang directrice geweest.' Bij het noemen van de school fleurde de oude dame op. 'Mijn man Eric en ik zorgden voor alles: veertig interne leerlingen, dertig dagleerlingen, zowel van Indiase als van Britse families. De Wildhern

School. Een heerlijk oord. Daar heb ik Hari leren kennen...' Ze zweeg abrupt, vouwde haar handen onder haar kin en keek Viva lang en doordringend aan. Toen kneep ze peinzend haar ogen half dicht.

'Ik geloof niet dat ik me jou herinner. Het spijt me. Maar ik heb ook zoveel kinderen gezien.'

'Dat geeft niet,' zei Viva. 'Het is mijn eigen schuld. Echt waar.'

De arme oude dame leek danig van streek, en Viva was bang dat ze zelf weer zou gaan huilen als ze zich niet heel goed in de hand hield. Dat zou onverdraaglijk zijn.

'U hebt het geprobeerd. Want u hebt me een brief geschreven. Ik had eerder moeten komen.'

'Mijn geheugen wordt steeds slechter,' mompelde de oude vrouw. 'Maar Felicity, die herinner ik me nog wel. Een buitengewoon charmante vrouw. Mag ik je wat meer over haar vertellen als ik niet zo moe ben?'

Het hondje was begonnen te graven achter een van de andere kussens. Het haalde een roze korset met baleinen tevoorschijn, wat stoffige haarspelden en een bustehouder. Viva propte ze weer achter het kussen, blij dat de oude dame het niet in de gaten scheen te hebben.

'Ik ben bang dat ik u heb vermoeid,' zei Viva. 'Als u dat wilt, kan ik morgen terugkomen.'

De oude vrouw keek haar aan en wierp toen een blik op haar horloge dat op haar jurk zat gespeld. 'Nee, blijf nog maar even. Dan drinken we samen een kopje thee. Hari komt zo. Waar is hij eigenlijk gebleven?'

Ze begon te hoesten, een pijnlijk, droog geluid. Viva keek om zich heen, naar de bergen oude kranten op de doorgezakte bank, de stapels stoffige grammofoonplaten, de aangekoekte asbakken. Gelukkig walmde de petroleumkachel een stuk minder.

'Het spijt me, lieverd.' Mevrouw Waghorn hield op met kuchen. Ze veegde haar mond af met een grote, groezelige zakdoek en schonk haar een innemende glimlach.

'Dit is zo'n aangename verrassing. Een knap meisje als jij op een saaie middag. Ben je erg kien op geld?' Ze keek Viva zo doordringend aan dat het leek alsof ze de poriën op haar gezicht telde. 'Nu ik je eens goed aankijk, lijk je niet half zoveel op Felicity als ik dacht. Je lijkt meer op je vader.'

Viva hield haar adem in, maar toen ging de deur open en Hari kwam binnen met een welgevuld theeblad. Mevrouw Waghorn was meteen afgeleid. 'Lekker! Zet daar maar neer.' Ze wees naar het kameelzadel.

'Ik heb deze jongedame net verteld dat ik jou ook in de klas heb gehad op Wildhern,' vertelde ze. 'En inmiddels zou ik niet weten wat ik zonder hem moest beginnen,' zei ze tegen Viva. 'Hij is een echte heer.'

Hari legde zijn handen tegen elkaar en boog zijn hoofd naar mevrouw Waghorn.

'Ze is mijn leermeesteres,' zei hij tegen Viva. 'De leermeesteres van mijn leven.'

'O, wat een heerlijke thee heb je ons gebracht.' Mevrouw Waghorn keek uitgelaten naar de sandwiches met jam, de plakken vruchtencake en de grote, dof geworden zilveren theepot met de twee porseleinen kopjes. 'En wat goed dat je aan het cakemes hebt gedacht.'

'Het spijt me dat ik het niet netter kan.' Ze schonk beverig thee in en gaf ratelend een kopje aan Viva. Er dreven vetbolletjes op. 'Vreselijk, die buffelmelk,' zei mevrouw Waghorn. 'Een mens snakt naar een fatsoenlijke kop thee. En, vertel eens,' zei ze toen Hari de kamer had verlaten en ze weer alleen waren. 'Waar sta jij in de Indiase kwestie? Maar misschien mag ik je eerst iets vertellen.'

Ze zette haar kopje neer en hief opnieuw haar vinger, als om haar woorden te onderstrepen.

'Je hebt Hari ontmoet. Je hebt gezien wat een prachtig mens hij is, van goede familie enzovoort. Hij was een geweldige leerling. Een van de beste die we ooit hebben gehad. Maar de hoogste positie die hij heeft kunnen bemachtigen, is die van chauffeur of bediende. Want zijn familie heeft geen geld.'

Mevrouw Waghorns ogen hadden zich gevuld met tranen. 'Hij verzekert me dat hij het niet erg vindt, maar ik ben er diep door gekwetst. En jij?'

'Ik ook! Natuurlijk, dat spreekt vanzelf!' antwoordde Viva. 'Het is verkeerd.'

'Mooi. Dan zijn we het daarover eens. Als je dat wilt, kun je blijven voor het avondeten. Ik heb al heel lang geleden geprobeerd het hierover te hebben met een vrouw op de club. Een vreselijk mens. Ze denken dat ik kierewiet ben geworden, en nu sturen ze voortdurend mensen naar me toe van het ziekenhuis.'

Mevrouw Waghorn leek opnieuw nerveus te worden.

'Daar heb ik niets mee te maken,' zei Viva geduldig. 'Echt niet. En ik vind het erg aardig dat u me uitnodigt voor het avondeten, maar mag ik bedanken? Ik ga zo terug naar mijn hotel om een bad te nemen, en daarna wil ik vroeg naar bed.'

Door het raam boven het hoofd van Mabel Waghorn zag ze dat de hemel paarsachtig grijs was geworden en dat de natte sneeuw veranderde in dichte, witte vlokken.

In een impuls boog ze zich naar voren en nam ze vluchtig de hand van de oude dame in de hare. Hij was zo licht als een veertje en rook vaag naar sigarettenrook.

'Als het mag, wil ik morgenochtend heel graag terugkomen.'

De oude dame keek haar aan.

'Kom niet te vroeg,' zei ze toen. 'Hari en ik beginnen de dag met boeken lezen.'

'Ik wil uw programma niet in de war gooien.' Toen Viva opstond en haar jas aantrok, rinkelden de sleutels in haar zak. 'Maar ik kan niet zo lang in Simla blijven, en ik zou heel graag de hutkoffer van mijn ouders willen zien.' Ze zag dat de ogen van de oude dame opnieuw wazig werden van verwarring.

'O hemel, natuurlijk. Natuurlijk! Lieve hemel. Eens even denken.' Ze zette haar kopje neer en legde haar vingers tegen haar slapen in zo'n stereotiepe denkerspose dat Viva zich afvroeg of haar vergeetachtigheid soms gespeeld was, een kwestie van tactiek. 'Ik hoop dat ik het dekselse ding kan vinden,' zei ze ten slotte. 'Had ik je al verteld dat we vorig jaar een rode-mierenplaag hebben gehad?'

Alsof rode mieren een hele hutkoffer konden opeten met tien jaar herinneringen, het leven van haar ouders.

'Ik logeer in het Cecil.' Viva probeerde kalm en beheerst te klinken. 'Schikt morgenochtend elf uur?'

Geen antwoord. Het hoofd van de oude dame was op haar borst gezakt, haar ogen waren dichtgevallen. Toen Viva opkeek, stond Hari in de deuropening om haar uit te laten.

55

'Mensen kun je doden, maar niet het leven,' verkondigde mevrouw Waghorn de volgende morgen om tien over elf, even nadat Viva was gearriveerd. Zoals bijna elke ochtend had de oude dame met Hari uit de Mahabharata gelezen.

'Ken je het?' vroeg ze aan Viva. 'Het is een prachtig boek, vol van de kostbaarste teksten. Misschien niet dé sleutel tot het leven, maar zeker een van de sleutels.'

Blijkbaar had het lezen haar opgevrolijkt. Ze droeg op deze grijze winterochtend een feloranje huisjapon en een fraaie, barnstenen ketting. Ze had zelfs een beetje rouge op haar wangen gedaan.

'Ik ben vandaag helderder dan gisteren,' zei ze tegen Viva terwijl ze voor haar uit naar de zitkamer strompelde, waar een versgeplukte tak bougainville op het kameelzadel stond. 'Toen had ik het veel te veel over mezelf. Vandaag wil ik jouw verhaal horen.'

Ze legde haar hand op Viva's arm, een gebaar dat Viva zowel kalmerend als verwarrend vond. Ze voelde zich kwetsbaar na een uitzonderlijk slechte nacht waarin ze had gedroomd over de woonboot in Srinigar. Een veel oudere en dikkere Talika deelde een hut met haar. Door het raampje zag ze de reusachtige golven op het meer. Het water was zo ruw dat ze om de haverklap tegen de grond werden geslagen, en Talika was razend. 'Waarom kan ik nooit ergens mijn kleren kwijt?' Haar ogen schitterden van woede, haar tanden waren blikkerend wit. Ze gooide armenvol sari's en *choli*'s op de grond en stampte met haar bemodderde voeten op de tere zijde. Viva keek toe, hulpeloos en beschaamd.

Ze probeerde zich te verontschuldigen, maar Talika legde haar hand op haar arm.

'Het geeft niet, Mabap.' Weer dat liefdevolle Indiase woord. 'Je bent mijn moeder en mijn vader.' En toen kuste ze haar, iets wat een Indiaas meisje nooit zou doen bij iemand uit Europa, behalve in een droom.

'Ik ben bang dat ik u gisteren nogal heb laten schrikken,' zei Viva tegen mevrouw Waghorn. 'Het was beter geweest als ik u had geschreven. Maar ik ben zomaar spontaan, spoorslags in de trein gestapt.'

'Spoorslags. Wat een mooi woord.' De oude dame hield haar hoofd schuin, als een waakzaam vogeltje. 'Sporen doen pijn, kunnen tot bloedens toe verwonden, drijven voort. Weet je zeker dat je dit vandaag wilt doen?' Haar ogen waren heel rond en troebel geworden. 'Het is daar beneden een verschrikkelijke chaos.'

'Wat bedoelt u? Of ik wat wil doen?'

'O gunst, heb ik je dat nog niet verteld?' Mevrouw Waghorns stem haperde. 'We hebben hem gevonden. De hutkoffer. Tenminste, Hari denkt dat het 'm is. De naam van je moeder staat erop.'

Viva's hart begon te bonzen.

'Weet u zeker dat het de goede is? Hebt u hem opengemaakt?'

'Nee, natuurlijk niet. Dat is niet aan ons.'

'Waar stond hij?'

'In de bergruimte. Ik heb me gisteren zo ongerust gemaakt, en Hari is uren en nog eens uren bezig geweest – iedereen hier in huis gooit z'n rommel daar neer. Maar het is zo'n lieve jongen. Hij heeft helemaal niet gemopperd. De koffer is wel erg smerig, ben ik bang.'

'Dat geeft niet,' zei Viva. Ze wist niet of ze blij of verdrietig moest zijn.

'In de regentijd staat er water in de bergruimte. Ik ben er in geen jaren meer geweest.' De ademhaling van de oude dame was onregelmatig geworden.

'Trekt u het zich niet aan,' zei Viva. 'Ik neem u niets kwalijk. Integendeel. U bent erg aardig voor me geweest.'

Mevrouw Waghorn ging in haar stoel zitten en schuifelde met haar pantoffels heen en weer. Ze had zich weer in zichzelf teruggetrokken.

'Als je dat niet vervelend vindt, ga ik niet mee naar beneden,' zei ze na een korte stilte. 'Hari zal het je wijzen, en als je dat wilt, kun je daarna blijven lunchen. Hari's moeder heeft kip *biryani* gebracht. Dat is erg lekker.'

Viva's maag verkrampte, alleen al bij de gedachte aan eten.

'Laat ik eerst maar eens afwachten hoe lang het duurt om die koffer tevoorschijn te halen.' Ze hoorde het geluid van een lucifer die werd afgestreken en zag dat mevrouw Waghorns ogen weer troebel en dromerig werden terwijl ze een sigaret opstak.

'Zoals je wilt,' zei ze. 'Ik wens je veel succes.'

Toen ze het huis uit kwamen, keek Viva omhoog naar de lucht, waar een zwerm roeken langs de parelmoerkleurige hemel trok. 'Volgens mij krijgen we weer een koude dag.' Ze huiverde, maar ze wilde niet weten waarom.

Hari gaf haar met zijn zachte stem uitleg over de bergruimte. Die was niet gemakkelijk te bereiken, zei hij terwijl hij over een fiets heen stapte. Ze zouden een ruimte binnen moeten hebben. Hij ging haar voor naar een primitief pad dat om het huis leidde.

'Er zijn maar weinig bewoners die er gebruik van maken.' Hij daalde een korte trap af. 'Om hun spullen te beschermen tegen het schoelje. Helaas heeft iemand uit de buurt er nogal een rommeltje van gemaakt door er hooi en paardenvoer op te slaan.'

Ze had zich de ruimte voorgesteld als een echte kelder, een afgesloten ruimte. Maar het duurde niet lang of Hari bleef staan en wees naar een vervallen schuur. Aan het dak, dat losjes leek te zijn vastgehecht aan de veranda achter het huis, ontbraken diverse pannen. Uit de lege ruimte onder het huis kroop een hond tevoorschijn. Zijn tepels raakten bijna de grond. Toen hij begon te blaffen, raapte Hari een steen op en gooide die naar het dier.

'Die hond is een grote ergernis,' zei hij terwijl ze door de waterige rode modder spetterden. 'Hij is van de mensen hiernaast. Het spijt me dat het hier zo'n natte boel is.' Hij keek naar haar schoenen en haar enkels die inmiddels onder de rode klei zaten.

De schuur zag er weliswaar nogal gammel uit, maar was voorzien van grote, zwarte, ijzeren scharnieren waarvan er een scheef hing. Hari nam een sleutel van de ketting om zijn middel en ontsloot de deur. De zwarte duisternis daarachter rook naar de bodem van een waterplas.

'Een ogenblikje,' zei Hari voordat hij de deur achter hen sloot, en hij hield een brandende lucifer bij de olielamp die hij had meegebracht.

'Het is hier erg donker, en er zitten hier nogal wat harige vrienden.'

'Wat bedoel je?' vroeg ze onnozel.

'Ratten. Vanwege het paardenvoer waarover ik u vertelde.'

Ze niesde een paar keer. Toen hij zijn lamp optilde, zag ze in de vage, gele gloed een scheefgezakte stapel hooibalen, bij elkaar gehouden door rottend touw. Door een gat in het dak viel een zwakke baan licht. Haar ogen hadden even tijd nodig om aan de schemering te wennen, maar ten slotte zag ze boven op het hooi een stel gebroken ladders liggen en iets wat eruitzag als een berg kleren.

'Komt u maar mee.' Hari liep met zijn lamp geheven langs de hooibalen naar de achterkant van de schuur, waar de grond glibberig en onvast aanvoelde. Viva onderscheidde wat witte vormen in het donker – meubels misschien – en daarbovenop een verzameling oude koffers.

'Is dit allemaal van mijn ouders?' vroeg ze. 'Ik dacht dat het om maar één hutkoffer ging.'

'Kijk.' Hij wees achter de koffers. 'Ik heb hem tevoorschijn gehaald.'

Hij wachtte terwijl ze hem voorging, langs een stel hengels en wat stokoude tennisrackets in spanners. Opnieuw moesten haar ogen even wennen aan de schemering, maar toen ze zag wat hij bedoelde, hield ze geschokt haar adem in. De grote haveloze hutkoffer zag eruit als een opgegraven doodkist. Hij stond op een lage, rechthoekige tafel, bedekt met vuil en groene schimmel. Iemand – waarschijnlijk Hari, in een welwillend gebaar om dit moment althans enig ceremonieel te verlenen – had een goudsbloem geplukt en die erbovenop gelegd.

Toen Hari zijn lamp op de koffer zette, zag ze dat het houten deksel zweette en was bedekt met mos, bijna als een levend wezen.

Hari stond naast haar, onbewogen, in beleefd stilzwijgen. Ze haalde diep adem.

'Nou, dat is 'm dan,' zei ze. 'Ik denk niet dat ik lang nodig heb om de inhoud te bekijken.'

O mammie! O Josie – ik had veel eerder moeten komen.

Haar adem floot in haar longen. Ze had niet verwacht dat ze zich een grafschenner zou voelen.

Ze haalde de sleutels uit haar zak. Uit het slot staken wat takjes, en het leek vol te zitten met vogelpoep. Toen ze de sleutel probeerde, bleef die onmiddellijk klem zitten. Ze duwde nogmaals, maar voelde dat de sleutel bleef steken op roest en gruis.

'Ik ben bang dat je me moet helpen, Hari. Het slot zit vast.'

Toen hij een stap naar voren deed, was ze zich bewust van een vluchtig, zilvergrijs geritsel in de duisternis.

'Ellendige ratten.' Hij keek haar vriendelijk aan. 'Wilt u de lamp vasthouden, memsahib? Dan zal ik het eens proberen.'

Hij draaide de sleutel naar links en naar rechts, en probeerde het nog eens, met meer kracht.

'Wilt u alstublieft een stapje naar achteren doen?' vroeg hij ten slotte. Uit een leren huls in zijn zak haalde hij een mes tevoorschijn en hij stak dat onder het deksel. Hij zette zich met zijn voet schrap tegen de muur en boog zich over de hutkoffer. Ze slaakten allebei een kreet van schrik toen het deksel openvloog.

Terwijl ze neerkeek op de berg oude kleren, probeerde ze luchtig en cynisch te blijven. Dat was het dan. Daar had ze al die tijd naar uitgekeken: de beroemde oude hutkoffer van de familie. Haar hoogstpersoonlijke blok aan haar been.

'Ik weet zeker dat er niets belangrijks in zit,' zei ze luchtig. 'Ik kijk de spullen even vlug door, en dan ga ik weer.'

Ze wilde dat hij wegging, maar hij bleef kalm, zwijgend naast haar staan. Ze was zich bewust van haar onregelmatige ademhaling toen ze haar hand uitstak en iets vochtigs aanraakte. Een met slijm bedekte trui, daarna een pantalon, een gescheurde cricketbroek, een paisley-dekbed met muizenkeutels in de zomen. Ze groef dieper, de geur van vocht en kamfer en iets nog akeligers – een dode rat? – was bijna overweldigend. Haar hand stuitte op iets hards, iets kouds. Een zadeltas – van haar vader, vermoedde ze, ook al herkende ze hem niet – stijf van de schimmel. In de tas zaten een roestige hoefkrabber, een kleine bol touw en wat dof geworden munten. Eronder lag een parcheesibord, gezwollen van het vocht; de randen vertoonden sporen van knaagdieren. Toen ze het oppakte, viel het uit elkaar.

O god, o god! Ze deed nog steeds haar uiterste best niet na te denken en het zich niet aan te trekken. Te laat! Te laat!

Hari begon zorgelijk te kijken.

'Zou je me misschien even alleen willen laten?' vroeg ze.

'Natuurlijk.' Hij klonk opgelucht. Het kon niet anders of hij had geweten, of geroken, hoe de inhoud van de koffer eraantoe zou zijn.

'Ik laat de lamp hier en ik sluit de deur af. Dan kan niemand u lastigvallen. Wanneer wilt u dat ik terugkom?'

'Een halfuurtje lijkt me prima. Dank je wel.' Ze zou meer willen zeggen; hem willen bedanken voor de waardige manier waarop hij dit afhandelde, voor zijn terughoudendheid, voor de bezorgdheid in zijn ogen. Maar de deur was al achter hem in het slot gevallen, en ze hoorde zijn zachte voetstappen de trap weer op gaan.

Alleen in het donker moest ze vechten tegen een verstikkend gevoel van paniek. Na zo lang te hebben gewacht mocht ze niet laf zijn. Maar de zure geuren van verval en ontbinding, de zinloze leegheid van hun kleren die ze door haar handen liet gaan, waren verschrikkelijk. Rijbroeken waaraan de knopen ontbraken, een gevlekte tropenhelm, een jasje van blauw brokaat dat ooit prachtig was geweest maar nu een gele vochtvlek op de kraag had, Josies nachtjapon, een avondjurk van zwaar, stijf satijn, een blikje met een poederdons, een stapeltje brieven, zo vochtig dat ze niet meer leesbaar waren.

'Allemaal rijp voor de vuilnisbelt,' zei ze hardop, met een nuchterheid die haar vreemd in de oren klonk.

Haar vingers sloten zich om iets zachts, iets wat meegaf, als een soort mummie gewikkeld in een doek. Een zachte vorm die ze al herkende voordat ze de doek had losgewikkeld en in het gezichtje van Susie keek, Josies lievelingspop. Haar zusje was dol op het smerige ding geweest met zijn stijve worstenbeentjes en jurkje van geruit katoen. Iets wat Viva's jaloezie had gewekt: haar zusje babbelde voortdurend tegen de pop, gaf haar klapzoenen en reed ermee rond in de poppenwagen. 's Avonds werd de pop te slapen gelegd onder een piepkleine klamboe. En zo was de pop een beter klein zusje dan zij.

Josie had Susie ooit in de trein laten liggen, waarop het hele gezin had moeten wachten op een zinderend heet perron terwijl een bediende de pop ging zoeken. De kwestie had geleid tot een hevige ruzie tussen Viva's vader en moeder.

Inmiddels vertoonden Susies armen de sporen van rattenbeten, bijna al het kapok was uit het lijf verdwenen, en toen Viva in de pop kneep, viel die uit elkaar met een misselijkmakende vlaag ontsnappende lucht. Verschrikkelijk. Ze voelde speeksel in haar mond lopen van onpasselijkheid. Josie had Susie in haar armen gehad, de nacht dat ze stierf. Viva herinnerde zich de kreten die in golven uit haar kamer kwamen. De braakgeluiden, het wanhoopsgeschreeuw – 'Mammie, je moet iets doen! Je moet me helpen!' – de hele nacht door, voeten die de trap op en af renden toen het iedereen duidelijk werd dat dit niet gewoon een aanval van diarree was. Viva's ayah had haar handen op Viva's oren gelegd, opdat ze niets zou horen, maar Viva had zich losgerukt en was in de kast gekropen bij Josies deur. Ergens na middernacht had ze gehoord dat het roepen zwakker werd, overging in zachte gilletjes als van een konijn, en toen niets. Is er dan niemand die iets kan doen? De kreet van haar moeder had als de roep van een wild dier door de duisternis geklonken, een rauw en bloederig geluid. En toen viel de deur dicht.

Lieve, lieve Josie. De pop viel tussen haar vingers uit elkaar en liet een spoor van grijze stofjes achter op haar bloes. Mijn zusje. Mijn enige zusje.

Ze legde de pop weg. Er moest iets in de koffer zitten dat ze wilde hebben, iets dat ze bij zich kon houden; iets dat haar enig houvast bood. Ze hoorde zelf hoe hijgend haar ademhaling was terwijl ze dieper groef en nog wat oude papieren vond, voornamelijk rekeningen, en een klein huishoudboekje. Ze moest haar ogen inspannen om de met potlood gemaakte notities te kunnen lezen in het keurige handschrift van haar moeder: Daggett en Ramsdell coldcream – 2/6, scheercrème – 3/6, twee paar wollen sokken – 6. In een blik met een afbeelding van koningin Victoria erop zat een roze brug met twee valse tanden. Van haar vader. Ze stopte hem in haar zak. De verdoving begon uitgewerkt te raken, haar ademhaling ging steeds sneller, een bewijs hoezeer ze van streek was. De tanden van haar vader. Was dat de oogst?

Door een gat in de bodem van de koffer groeide een tros grote rode paddestoelen.

De onderste laag kleren – een overjas, een satijnen avondjurk – was zo nat als bladaarde en totaal onbruikbaar. Hari zou de hele boel moeten verbranden.

Dus dat was het. Een aanfluiting, een grap, een enorme, vervloekte tijdverspilling. Ze sloot het deksel weer, sloeg haar armen over elkaar en legde haar hoofd op de hutkoffer, terwijl ze werd bestookt door innerlijke stemmen die haar allerlei nutteloze raadgevingen toeschreeuwden. Er was niets aan de hand, probeerde ze zichzelf voor te houden. Er is niets aan de hand. En zelfs al was er wel iets aan de hand – tenslotte had ze haar eigen bezeerde kreten gehoord – wat had ze in 's hemelsnaam verwacht na al die tijd? Een groots moment van inzicht? Een ervaring waardoor haar leven een nieuwe wending zou nemen? Pakketjes gevuld met vochtige, maar nog altijd bruikbare bankbiljetten? Brieven van haar ouders waarin ze haar over hun graf heen vertelden hoe ze haar leven moest leiden? Al die energie verspild aan een hutkoffer met vergane kleren. Als het niet zo verdrietig was, zou ze erom kunnen lachen.

Een paar slangenleren schoenen van haar moeder was naast de koffer gevallen. Ze pakte er een op en hield hem tegen haar wang. In de neus zat een van haar vaders treintjes. Een houten wagon waarop hij met zijn zorgvuldige letters 'Himalayan Queen' had geschilderd. Ze stopte het treintje in haar zak, bij de tanden van haar vader.

'Viva? Juffrouw Holloway?' Ze dacht dat haar hart stilstond van schrik. 'Ben je daar?' Mevrouw Waghorn stond in de deuropening, met een stormlantaarn in haar hand, als een geestverschijning in het halve duister. 'Is alles goed met je?'

Viva hoorde haar niezen terwijl ze tussen de oude balen hooi door schuifelde.

'Ja, dank u wel,' zei ze gereserveerd. Ze vond het afschuwelijk dat iemand haar zo zag. Even keken ze elkaar zwijgend aan.

'Niet huilen.' Viva voelde de dorre, droge hand van de oude dame op haar arm. 'Het spijt me dat ik het niet eerder heb gezegd, maar er is iets wat ik je wil laten zien.'

Ze hield Viva iets voor.

'Ik kan het niet zien,' zei die scherp. 'Het is hier veel te donker. Bovendien moet u oppassen dat u niet uitglijdt. De grond is erg glibberig.'

'Dan kijken we er straks naar.' De stem in het halve duister verried geen zweem van gekwetstheid. 'Ga mee naar boven. Dan drinken we wat. Volgens mij heb je voor één ochtend genoeg gedaan.'

'Ik weet eigenlijk niet precies hoeveel ik je moet vertellen,' zei mevrouw Waghorn, eenmaal terug in haar chaotische zitkamer. Haar stoel stond met de rug naar het raam, Viva zat tegenover haar. Hari had hun allebei een glas cognac in de hand gedrukt.

'Hoe is mijn vader gestorven?' vroeg Viva. 'Wat weet u van zijn dood? Ik wil graag dat u me alles vertelt.'

Mevrouw Waghorn keek haar verrast aan.

'Dat weet je toch?'

'Nee, niet echt. Het verhaal is in de loop der jaren steeds verwarrender geworden.'

'Hij is bezweken omdat hij veel te hard werkte,' antwoordde mevrouw Waghorn zonder eromheen te draaien. 'Hij reisde het hele land door, van de ene spoorlijn naar de andere, en op een ochtend hebben ze hem dood aangetroffen in de club in Quetta.'

'Weet u dat zeker?' Viva had een gevoel alsof ook mevrouw Waghorn een stem was vanuit het graf. 'Er is mij verteld dat hij is overvallen door bandieten. Dat die zijn keel hebben doorgesneden.'

'Wie heeft je dat verteld?' Mevrouw Waghorns gezicht was een studie in verbijstering en ongeloof. 'Dat is volslagen onzin. Hij is gestorven terwijl hij zijn schoenen aantrok. Het moet heel snel zijn gegaan.'

'Ik weet niet van wie ik het heb gehoord,' zei Viva. 'Ik zat op school... Ik kan het me niet meer herinneren, maar blijkbaar heeft iemand me dat verteld.'

'Dat hoeft niet. Als ze het tegen kinderen hebben, maken mensen soms van de simpelste feiten een ingewikkeld verhaal. Dus misschien hebben ze gezegd dat hij met een engel op een wolk zat, of zoiets. Of dat God hem had geroepen en de hemelpoort voor hem had opengezet.'

'Wilt u me alstublieft alles vertellen wat u weet?' vroeg Viva gejaagd. 'Het wordt allemaal steeds vager, steeds ongrijpbaarder, en daar kan ik niet mee leven. Ik moet weten wat echt is en wat ik heb verzonnen.'

'Je Engelse familie moet je toch wel iets hebben verteld?' Mevrouw Waghorns gezicht verried nog altijd ongeloof, misschien zelfs een licht wantrouwen.

'Nee. Tenminste, dat kan ik me niet herinneren. Mijn ouders waren zelden in Engeland.'

Het bleef geruime tijd stil.

'Hoor eens, ik heb je ouders niet zo goed gekend,' begon mevrouw Waghorn voorzichtig. 'Maar we mochten elkaar graag.' Ze tikte nerveus met haar vingertoppen op de palm van haar andere hand. 'Ik merk dat ik het moeilijk vind om over hen te praten.'

'Probeert u het alstublieft.' Viva nam haar nerveuze hand in de hare en hield die vast. 'U moet niet bang zijn dat u iets verkeerds zegt. Wat ik het ergste vind, dat is dat ik me zo volslagen afgesneden voel van het verleden.'

'Tja...' Mevrouw Waghorn rommelde met haar sigaretten en stak er uiteindelijk een op. 'Ik heb er heel veel over gedacht – en nu heb ik het over je moeder. Je denkt erover na, je gedachten draaien in een kringetje rond, en je zoekt naar antwoorden, naar redenen.

En dit is de conclusie die ik uiteindelijk heb getrokken. Je moeder was een knappe vrouw. Dat weet je. Je kent de foto's. En ze was ook leuk, geestig. Je vader had het enorm met haar getroffen. Maar ik heb haar altijd gezien als een zaterdagskind. Of dat had ze moeten zijn. Je kent dat rijmpje vast wel. 'Zaterdagskind werkt hard voor het brood.' Maar ze had het niet makkelijk met je vader. En met dat voortdurende verhuizen. Hij was natuurlijk...' Mevrouw Waghorn slikte krampachtig en keek haar aan. 'Hij wás natuurlijk een geweldige man. We waren allemaal verliefd op hem.'

De oude grijze ogen van mevrouw Waghorn keken in die van Viva. Je hield van hem. Net als mijn moeder. Je hield ook van hem, dacht Viva.

'Zijn werk kwam op de eerste plaats. Zo gaat het hier nu eenmaal meestal. Maar je moeder bezat ook grote talenten. Ze kon prachtig schilderen, en dan waren er natuurlijk die mooie dingen die ze maakte. Maar dat weet je waarschijnlijk wel. Ik neem aan dat je ze hebt gezien?'

Ze boog zich naar Viva toe en legde een klein, hard voorwerp in haar hand. Aanvankelijk dacht Viva dat het een marineblauwe knoop was; een knoop in de vorm van een minutieus bewerkt staafje. Toen ze beter keek, zag ze dat het een stukje steen was – donkerblauw, een beetje marmerachtig. Er was een vrouw in uitgesneden, gehuld in een sluier of een sjaal.

Ze keek er wantrouwend naar, zich afvragend of het oude dametje haar een soort troostprijs aanbood na de teleurstelling van de hutkoffer vol half verrotte kleren. Het kleine figuurtje, niet groter dan haar duim, leek een en al leven uit te stralen. Het voelde alsof het belangrijk was.

'Ik meen me te herinneren dat mijn moeder aan pottenbakken deed,' zei ze ten slotte. De herinnering was vaag, bijna weggezakt, maar ze moest zien dat ze mevrouw Waghorn aan de praat hield, dus ze draaide het kleine figuurtje om en om in haar hand. 'Maar nooit waar wij bij waren. Weet u zeker dat zij dit heeft gemaakt? Het is bijna iets wat je in een museum ziet.'

'Toen ik het van haar kreeg...' Mevrouw Waghorn had het figuurtje teruggepakt. De liefdevolle manier waarop ze het streelde, verried dat het veel voor haar betekende. '... toen wilde ze niet dat ik haar ervoor bedankte. "Het is een geschenk van het vuur," zei ze. Ik was ooit, op een dag onaangekondigd haar atelier binnen gelopen. Hoewel, het was niet echt een atelier, meer een soort hut, op het terrein van onze school. Hoe dan ook, ze zat op haar knieën, in tranen, voor haar oven. De hitte was te groot geweest, dus al haar werk van uren en nog eens uren was veranderd in een rij aangebrande cakejes. Tenminste, zo zag het eruit. We dronken een kop thee, en ik zei – ik weet het niet meer precies, maar het kwam erop neer dat ik vroeg waarom ze al die moeite deed voor iets waar niets van terechtkwam.

En toen vertelde ze – en zo gepassioneerd had ik haar nog nooit gehoord – over het magische moment wanneer ze de oven opendeed en zag dat haar werkstuk – een pot of een beeldje – heel anders was geworden dan ze het had bedoeld. Dat ze dan nog uren in de zevende hemel was.

De zevende hemel!' Mevrouw Waghorn lachte, haar ogen straalden. 'Pottenbakkers noemen zoiets – zo'n verrukkelijke mislukking – een geschenk van het vuur, vertelde ze. Het is echt heel erg jammer dat ze ermee is gestopt. Vind je ook niet?'

'Ik zou het niet weten.' Viva was zich bewust van een leegte diep vanbinnen, een gevoel alsof haar iets was ontnomen wat ze nooit had bezeten. 'Ik heb er eigenlijk nooit zoveel aandacht aan besteed. Is ze gestopt nadat pappie stierf? Of na de dood van Josie?'

'Dat weet ik niet meer. Echt niet. Waarom stoppen mensen met iets? Echtgenoten, kinderen, te vaak verhuizen. Het enige wat ik je kan vertellen, is dat ze prachtige dingen heeft gemaakt, en dat ze daar heel hard voor werkte.'

Viva was nog altijd een beetje wantrouwend. Mevrouw Waghorn leek ineens zoveel welbespraakter, en het klonk allemaal een beetje ingestudeerd, als een verzonnen verhaal, iets om de bittere pil te verzachten, precies wat een verdrietige, eenzaam achtergebleven dochter graag wilde horen.

'Zo herinner ik me haar helemaal niet,' zei ze. 'Maar ik was dan ook een beetje een vaderskind. De beelden die ik van haar heb, zijn die van de traditionele moeder die eten kookte, zorgde dat mijn naam in mijn kleren stond en alles regelde wanneer we op reis gingen.'

Haar liefde voor tekenen! Ineens zag Viva het weer voor zich: het schetsboek en de potloden die vaak tevoorschijn waren gekomen bij een picknick, en ze herinnerde zich dat zij daar altijd nijdig van was geworden – het tekenen van haar moeder ging ten koste van de tijd die aan haar werd besteed.

'Ze werd totaal in beslag genomen door haar werk – pottenbakken, schilderen, de kleine beeldjes die ze maakte – en daar voelde ze zich schuldig over,' vervolgde mevrouw Waghorn. 'Dus ze probeerde het zo onopvallend mogelijk te doen. Je werd als getrouwde vrouw niet geacht te werken. Dat is nog steeds zo, maar toen was het veel erger. Terwijl het van mannen volkomen werd geaccepteerd dat ze nooit iets anders deden dan werken.

Dus je moeder was een buitenbeentje. Ik ook, met mijn school. Wat waarschijnlijk de reden was dat we het zo goed konden vinden samen.' Ze grinnikte plotseling als een stout kind. 'Je moeder was een enige vrouw. Ontzettend geestig. En ze kon geweldig imiteren. Wat ik een van haar leukste eigenschappen vond, was dat ze zichzelf niet al te serieus nam. Maar dat was tegelijkertijd haar ondergang, als je begrijpt wat ik bedoel.'

Nee. Viva probeerde niet al te verbaasd te kijken, maar na amper vijf minuten was de vrouw over wie het ging, al een volslagen vreemde voor haar geworden.

Ze herinnerde zich haar moeder op twee manieren – een geritsel van taf of zijde, een vleug parfum, oorbellen die langs haar gezicht streken wanneer haar moeder afscheid nam om naar een feestje op de club te gaan, of 's morgens bij het opstaan, altijd gehaast, vaak moe en onveranderlijk in de schaduw van haar vader.

'Praat ik te lang?' vroeg mevrouw Waghorn. 'Je moet het zeggen als je wilt dat ik ophou.'

Nee, nee, nee.

'Nee, vertel alstublieft verder.'

'Ach...' De kleine hond sprong op de knie van de oude dame. Ze aaide hem en even werd ze in Viva's ogen weer het getikte oudje, mompelend in zichzelf, helemaal opgaand in haar eigen wereldje, terwijl ze Viva met haar diepliggende ogen peinzend opnam.

'Wat ik me afvraag, kindje...' Er kwam weer scherpte in de oude, troebele ogen. 'Wat doe jij eigenlijk voor de kost?'

Viva zou het willen uitschreeuwen van frustratie en ongeduld. In plaats daarvan vertelde ze zo kort en bondig mogelijk over het afgelopen jaar in het kindertehuis en over haar poging om daarover een boek te schrijven.

'Wat een geweldig idee!' Mevrouw Waghorn reageerde enthousiast, weer volledig alert. 'Ik geloof niet dat er ooit iemand is geweest die de kinderen van India aan het woord heeft gelaten. Dat is echt een heel erg goed idee. Wanneer kunnen we het boek lezen?'

'Ik ben ermee gestopt.'

'Gestopt!' Het klonk striemend, als een zweepslag. 'Waarom in 's hemelsnaam?'

'O, om een heleboel redenen.'

'Je moet niet stoppen. Het lijkt me een geweldig goed idee. Ik zou stapelgek zijn geworden als ik na Arthurs dood was gestopt met lesgeven.'

Viva had niet de energie om alles uit te leggen – de problemen met het tehuis, met Azim en met Guy.

'Het is een lang verhaal,' zei ze dan ook. 'Vertel me eens wat over uw school? Mist u die wereld?'

'Heel erg,' zei de oude dame. 'Want het is zo'n geschenk om werk te vinden dat je dierbaar is, vind je ook niet? Bestaat er misschien een kans dat je het schrijven alsnog weer oppakt? De kinderen zouden het prachtig vinden om hun woorden in druk te zien.'

'Misschien. Maar een deel van mijn aantekeningen is zoekgeraakt.'

'Maar die kun je toch vast wel weer terugvinden?' De oude dame keek haar recht aan. 'Als je lacht, lijk je erg op je moeder. Dat zegt zeker iedereen?'

'Nee, helemaal niet. Dat is het nu juist. Ik ken niemand die zich mijn ouders nog herinnert.'

'Ach, wat naar.' Mevrouw Waghorn stak weer een sigaret op. Even verdween haar gezicht in een rookwolk. 'En dat wordt alleen maar erger naarmate je ouder wordt. Dan leef je steeds meer in het verleden, en dan vind je het helemaal erg als je bepaalde dingen niet meer weet.'

'Ik vind het nu al erg. Het verleden is er altijd, hoezeer ik ook probeer het te vergeten.'

'Ik heb met mijn moeder iets meegemaakt wat ik nooit ben vergeten,' zei mevrouw Waghorn. 'Mijn vader was op dat moment gestationeerd in Calcutta, en we zagen elkaar maar eens in de twee jaar. Mijn moeder kwam naar Engeland. Ik neem aan dat ik gegroeid was sinds de laatste keer dat we elkaar hadden gezien, of misschien had ik mijn haar net laten knippen. Hoe dan ook, ik stond op station St. Pancras bij het kaartjesloket met mijn koffer op haar te wachten, en ineens zag ik haar aankomen. Ik was zo opgewonden dat mijn keel werd dichtgesnoerd. Ze liep over het perron mijn kant uit, keek me aan en liep recht langs me heen! Dat heb ik haar nooit helemaal kunnen vergeven, ik weet eigenlijk niet waarom. Het was onredelijk van me, maar diep vanbinnen ging er iets stuk. Of misschien moet ik zeggen dat er iets doodging.'

Ze aaide haar hondje en keek op. In de langgerekte stilte die volgde, was Viva zich bewust van een zekere spanning – de oude dame probeerde haar nog altijd te peilen, probeerde haar een rol toe te dichten waarvan Viva niet wist of ze die wel wilde. Toen begon ze weer te praten.

'Ik wil nog wel een glas cognac. En schenk jezelf ook nog eens bij. Ik moet je iets vragen. Ben je iemand die hecht aan de waarheid? Onder alle omstandigheden?'

'Ja.' Viva's hart sloeg een slag over, en ze voelde dat het zweet in haar handen stond.

'Weet je dat zeker?'

'Ja.'

'Ik ben laf geweest, gisteren. Maar ik was zo verrast toen je ineens voor me stond dat ik me even geen raad wist.'

'Dat begrijp ik.'

'O hemel.' Mevrouw Waghorns hand sloot zich om die van Viva. 'Ach kindje, niet huilen. Jij kunt er allemaal niets aan doen.'

'Jawel.' Viva kon zich niet langer beheersen. De tranen stroomden over haar gezicht. 'Ik had veel eerder moeten komen.'

'Ik wil níet dat je je schuldig voelt,' verkondigde mevrouw Waghorn met grote stelligheid. 'Schuld is voor de dommen. En je hebt niets misdaan. Je moest weg omdat ze niet wilden dat je het wist.'

'Wat mocht ik niet weten?' Viva kreeg het ineens ijskoud.

Mevrouw Waghorn mompelde enigszins geagiteerd in zichzelf, alsof ze probeerde zichzelf moed in te praten; moed om iets te zeggen, of te verzwijgen.

Viva schonk haar nog wat cognac in.

'Ik moet het weten.' Ze droogde haar tranen en probeerde uit alle macht een beheerste indruk te maken. Want ze mocht het niet laten gebeuren dat mevrouw Waghorn er verder het zwijgen toe deed.

De oude dame nam een nip en zette haar glas neer.

'Je moeder heeft zichzelf van het leven beroofd,' zei ze toen. 'Ik dacht dat je dat wist.'

Als van heel ver hoorde Viva zichzelf kreunen. 'Nee!' En nog eens: 'Nee!'

'Ik ben bang van wel.' Er schitterden tranen in de ogen van de oude dame. 'Maar ik moet er wel bij vertellen dat ik het nooit van haar had verwacht. Natuurlijk had ze haar goede en haar slechte dagen. Maar ze bruiste zo van leven, en ze hield zoveel van je. Helaas ging er ook erg veel mis. Dat is geen troost, maar het is iets wat heel veel mensen hier overkomt. Ze raken het spoor bijster.'

513

'O god.' Viva sloeg haar handen voor haar gezicht, met het gevoel alsof ze boven haar eigen lichaam zweefde.

'Weet u het zeker?'

'Heel zeker,' zei mevrouw Waghorn. 'Ik heb haar gevonden.'

'Het wordt tijd dat ik stop met praten,' zei mevrouw Waghorn even later. Haar oogleden zagen blauw, en ze leek een beetje aangeschoten. 'Maar het is mijn overtuiging dat een goed huwelijk een bloem en een tuinman nodig heeft om het... hoe zeg je dat? Om het te laten gedijen. Mijn school zou ondenkbaar zijn geweest zonder Arthur. Hij was de práktische van ons tweeën. Het is niet genoeg om in andere mensen te geloven. Je moet ook het monnikenwerk met ze doen.'

Haar paarsblauwe oogleden zakten dicht. 'Wat is dit verschrikkelijk vermoeiend,' zei ze plotseling. 'Kun je later nog eens terugkomen? Dan praten we over de as en over andere dingen.'

Ze zag er doodmoe uit zoals ze daar zat in de schemerige kamer: een dorre, lege huls.

Viva nam het glas cognac uit haar hand en dekte haar toe met een sprei. Terwijl ze op haar tenen om haar heen liep, enigszins licht in haar hoofd door de schokkende onthulling, had ze een bijna onweerstaanbare aanvechting om een kus op het voorhoofd van de oude dame te drukken. Maar de oude gereserveerdheid liet zich niet zo gemakkelijk opzijzetten. Bovendien was ze ook doodmoe. Ze draaide de lamp laag, trok de deur achter zich dicht en zei tegen Hari dat de memsahib moest rusten.

56

Weer in haar hotel ging ze op bed liggen, aanvankelijk verstijfd van de schok. Maar toen de verstarring begon te wijken, huilde ze alsof haar hart was gebroken. Ze was zo lang boos op haar moeder geweest, zo verschrikkelijk boos, zonder haar ooit als een individu te zien met een eigen leven, een eigen complex bestaan. Nu schaamde ze zich voor haar onnozelheid. Hoe had ze het zo bij het verkeerde eind kunnen hebben? Hoe had ze de dood van haar vader zo kunnen dramatiseren? En waarom had ze haar moeder begraven onder jarenlang gekoesterde wrokgevoelens?

Toen ze zich oprichtte, uitgeput en met rode ogen van het huilen, was de avond inmiddels gevallen. Sterren schitterden aan een donkere, paarse hemel. Het was bijna tien uur.

Ze liep naar de badkamer en zette de kranen open. Al haar spieren waren stijf, haar hele lichaam deed zeer, alsof het met vuisten was bewerkt. Aan haar handen kleefde nog de geur van vocht en kamfer, de vluchtige lijkenlucht van verval die uit de hutkoffer was opgestegen.

Ze staarde naar het vuil dat van haar af stroomde; ze was levend begraven geweest. Ze schrobde haar nek, haar benen, haar borsten, haar armen, ze waste haar haren en bleef in bad liggen tot het water koud werd, denkend aan haar moeder.

En terwijl ze daar lag, wist ze – voelde ze – dat de duisternis al bezig was zich terug te trekken. Ze was zich bewust van een zekere mate van ontspanning – een besef van licht en ruimte.

Ze kende nu tenminste de waarheid. Vóór deze dag had ze haar moeder van zoveel dingen de schuld gegeven, haar er zelfs om gehaat: dat ze niet had gezorgd dat pappie was blijven leven, dat ze haar had weggestuurd, dat ze haar niet bij zich had gehouden in India, terwijl haar moeder in werkelijkheid afgesneden was geraakt van de twee factoren die haar misschien zouden hebben geholpen zich staande te houden: haar werk en haar kind.

Viva stapte uit het bad en pakte de handdoek. In de beslagen badkamerspiegel kon ze haar gezicht slechts wazig onderscheiden. Misschien was ze jarenlang een schim geweest, niet geankerd in de werkelijkheid, zonder dat ze het had beseft. Ze moest denken aan een dichtregel die zich jaren geleden, toen ze nog op school zat, had vastgezet in haar geheugen: 'Ik heb zo vaak de zachte Dood bemind.'

Ik heb zo vaak de zachte Dood bemind – het waren de woorden van haar andere zelf, dat ernaar verlangde weg te glippen, als een boot die door het water gleed, naar de plek waar Josie en haar ouders op haar wachtten.

Ze kroop weer in bed en zette het kleine blauwe vrouwtje dat haar moeder had gemaakt op het nachtkastje. Bij het afscheid had mevrouw Waghorn haar het figuurtje in de hand gedrukt.

'Hou jij het maar.' Ze had Viva's vingers eromheen gevouwen. 'Ik wil dat dit het eerste is wat je ziet wanneer je morgenochtend wakker wordt.'

Ze was inmiddels rustiger geworden en nam de tijd de beeltenis zorgvuldig te bekijken: de zorgvuldige schikking van de sjaal, de onderzoekende, intelligente ogen alsof ze plezier had om een binnenpretje. De perfectie was tegelijkertijd pijnlijk en opwindend – hoe kon iets wat zo klein was, zo vol leven zijn?

Ze deed het licht uit. In het donker dacht ze na over haar laatste gesprek met mevrouw Waghorn.

'We hadden ruzie, de laatste dag die mijn moeder en ik samen doorbrachten. Het was echt een verschrikkelijke ruzie,' had ze tijdens de thee bekend. 'Maar hoe ik ook mijn best doe, ik kan me niet meer herinneren waar het over ging, of waarom ik zo kwaad was. Ik neem aan dat ik tegen haar heb gezegd dat ik haar haatte. Dat ik blij was dat ik weer naar school kon. Gewoon om haar pijn te doen. Omdat ze mij pijn had gedaan. Dat was de laatste keer dat ik haar heb gezien.'

'Je was tien. Kinderen zeggen op die leeftijd soms de afschuwelijkste dingen,' zei mevrouw Waghorn. 'Zeker wanneer ze op het punt staan te worden weggestuurd. Dat heeft je moeder heus wel begrepen.'

'Maar dat weet u niet zeker.'

'Ja, dat weet ik wel zeker.'

'Dat zegt u alleen maar zodat ik me niet meer zo ellendig voel.'

'Nee, dat is niet zo.'

De oude dame had haar doordringend aangekeken. Ze legde haar hand op haar mond, alsof ze na al die jaren nog geschokt was door wat er was gebeurd.

'Ze was zo verdrietig dat ze je had weggestuurd.'

'Ik wil niet dat u dat zegt. Dat hoeft u niet te zeggen.'

'Ja, dat moet ik wel zeggen. Toen ze afscheid van je had genomen, kwam ze bij me langs op school. We hebben samen wat gedronken. Ze was vreselijk van streek. Want ze wist dat je niet begreep waarom je werd weggestuurd. Ze besefte dat ze bezig was het contact te verliezen. Dat weet ik nog heel goed, want ze zei: "Ik kon haar niet eens een zoen geven toen we afscheid namen." Terwijl ze niets liever had gewild. Het was echt heel erg verdrietig. Voor iedereen. Het was te veel, te erg. Maar waarom zou jij daarvoor de schuld op je nemen?'

Mevrouw Waghorn was er zelf emotioneel van geworden. Ze wrong haar handen en moest even slikken. 'Ach weet je, je vader heeft míj ook zoveel geleerd,' vertelde ze haastig verder. 'En hij wilde dat ze werkte, maar het moest allemaal zo in het verborgene, en ze moest zo hard werken. En toen hij stierf... Ach, laat ik er maar over ophouden!' Haar stem klonk gesmoord. Met haar rechterduim tikte ze nerveus op de rug van haar linkerhand.

Viva zat roerloos tegenover haar, verstijfd, bevroren, alsof een deel van haar geblokkeerd was geraakt, en keek toe terwijl de tranen van mevrouw Waghorn over haar doorgroefde gezicht biggelden, in de hals van haar jurk. Ze voelde zich een indringer. Dit verdriet was te privé, onderdeel van een reeks in elkaar grijpende mysteries die niet allemaal zouden worden opgelost.

Toen ze zichzelf weer in de hand had, was mevrouw Waghorn naar een afgesloten porseleinkast geschuifeld en had Viva nog meer werkstukken van haar moeder laten zien. Een groene celadon theepot, een bord, een schaal. Allemaal even prachtig.

Viva had ze aandachtig bekeken, wanhopig op zoek naar aanwijzingen.

'Waarom heeft ze die bij u achtergelaten?' had ze gevraagd.

'Ze waren haar erg dierbaar en door al dat reizen was ze al zoveel kwijtgeraakt. Dus ze vroeg mij erop te passen.'

Er had zich een kluchtig moment voorgedaan toen mevrouw Waghorn met haar bevende handen onder luid gerammel een kop en schotel uit de kast pakte. Niet bepaald de ideale bewaarder van al dat breekbaars! Met grote inspanning hield ze de kop en schotel omhoog tegen het flakkerende licht. Toen was de drang tot lachen Viva vergaan. *Waarom die borden en schalen wel en ik niet?* had ze willen vragen, maar ze had het niet gedaan. Ze zou zich er zo kwetsbaar mee hebben gemaakt, de vraag zou zoveel zelfbeklag hebben verraden.

'Ik begrijp nog steeds niet waarom ze me naar Engeland heeft gestuurd,' had ze in plaats daarvan gezegd. 'Had ik iets misdaan?'

'Nee, nee. Helemaal niet.' Mevrouw Waghorn had haar hoofd gebogen en pas na geruime tijd de stilte verbroken. 'Dat is het nu juist. Dat was mijn schuld, ben ik bang. "Stuur dat kind toch naar Engeland," zei ik, en waarschijnlijk heb ik gezegd dat je behoefte had aan een andere omgeving, aan andere kinderen, en dat je, als je naar Engeland ging, niet met een accent zou gaan praten, zoals veel Europese kinderen die in India opgroeien. Het waren de vaste argumenten die ik aanvoerde tegenover ongeruste ouders, maar in dit geval heb ik me gruwelijk vergist. Natuurlijk dacht ik op dat moment dat je moeder uiteindelijk achter je aan zou reizen. Ik had er geen idee van hoe wanhopig ze was. Het spijt me,' besloot ze bijna onhoorbaar.

Viva had naar dat gebogen hoofd gekeken, naar de pluizige witte krullen, waar de roze huid doorheen schemerde. Ze had het gebruikelijke gebaar van vergiffenis gemaakt door haar hand op die van mevrouw Waghorn te leggen en te zeggen dat ze zichzelf geen verwijten moest maken; dat ze zich alleen maar aan de regels had gehouden, enzovoort. Maar diep vanbinnen had ze het uitgeschreeuwd.

Ze dacht terug aan de dag na de ruzie, aan het moment waarop haar moeder en zij afscheid hadden genomen: de stijve omhelzingen, de broze grapjes die ze hadden gemaakt, haar gesmoorde huilbui later, ineengedoken in de dameswc van een treinstation, op weg naar school. Ze hadden elkaar nooit los mogen laten. Zo was het, simpel, gruwelijk, maar het was de waarheid.

Uiteindelijk waren ze voor de ander gestorven, niet direct maar beetje bij beetje, door zichzelf minder kwetsbaar te maken. Een schokkende, belachelijke verspilling van liefde.

Witte mousseline gordijnen, nog meer sterren, een groenachtig zilveren wassende maan laag aan de hemel. Vanbeneden hoorde ze flarden muziek van een dansband, gelach. Haar ouders waren hier ongetwijfeld op feestjes geweest. 'Je moeder was dol op dansen,' had mevrouw Waghorn gezegd.

Ze stelde zich haar moeder voor, lachend en stralend in haar groene zijden jurk en slangenleren schoenen, het donkere haar dat om haar gezicht danste, en opnieuw voelde ze dat er diep vanbinnen iets op zijn plaats viel. Ze was wijzer geworden, en wat ze te weten was gekomen, mocht ze nooit meer vergeten. Dat was haar kapitaal voor de toekomst.

Hoe verdrietig het levenseinde van haar moeder mocht zijn geweest, ze had ook grote vreugden gekend: een man die ze aanbad, werk waarin ze goed was, kinderen die ooit een zegen waren geweest. Mevrouw Waghorn had geschaterd als een jong meisje bij de herinnering aan het plezier dat ze samen hadden gehad. En toen ze had verteld over het werk van haar moeder, had die ineens jaren jonger geleken – leeftijdloos en nog vol kracht en energie, door haar talent en door de schalen, de borden die ze had nagelaten. Die waren echt, tastbaar.

Viva stond op om de gordijnen te sluiten. Een wolk, in flarden uiteengereten, dreef langs de maan en gaf de hemel een gemarmerde aanblik. Een lichte bries deed de gordijnen opbollen naar binnen, en met enige moeite deed ze het raam dicht.

Er was een gedachte bij haar opgekomen, een helder, krachtig voornemen. Ze moest Frank vertellen wat er die dag was gebeurd. Als ze het niet snel deed, zou ze opnieuw een manier weten te vinden om alles weg te stoppen en dan zou de waarheid bezoedeld raken of worden herschikt, als voetstappen in het zand, en ze zouden op de oude voet verdergaan, zonder elkaar de geheimen te vertellen die ze diep in hun hart bewaarden. Dat was gevaarlijk, misschien zelfs fataal. 'En dan druk ik me nog heel voorzichtig uit,' zou haar vader hebben gezegd.

Ze trok haastig haar kleren aan, haar kousen, haalde een borstel door haar haren. Wat ze moest doen, moest nu meteen gebeuren, nu de pijn nog echt was – als ze te lang wachtte, verloor ze misschien de moed.

Ze keek op haar horloge. Tien over halfelf. De receptiebalie van het hotel was misschien al gesloten, de receptionist niet meer in functie. Ze rende haar kamer uit, de gang op, naar de hal, waar ze uit alle macht op de knop van de lift drukte. Haar bloed bonsde in haar oren terwijl de koperen deuren zich met een doffe dreun achter haar sloten.

Traag en piepend maakte de lift de afdaling naar de begane grond. Toen hij halverwege twee verdiepingen bleef hangen, had ze het willen uitschreeuwen. Zodra de deuren openschoven, rende ze over de glimmend gewreven cederhouten vloer van de verlaten lobby naar de balie. Er zat een man achter met een tulband op zijn hoofd.

'Ik wil een telegram versturen!' Ze rukte hem het potlood bijna uit de hand. 'Naar Lahore. Vanavond nog.'

Hij gaf haar een formulier.

'Het is achter de rug,' schreef ze. 'Stop. Alles duidelijk. Stop.' Haar hart bonsde, sloeg onregelmatig, als een vis die elk moment uit het water kon springen. 'Kom alsjeblieft met Kerstmis.'

57

Omdat Tor verschrikkelijk slecht was in het bewaren van geheimen, hadden Rose en Toby haar aanvankelijk verboden mee te gaan naar het station om Viva van de trein te halen. Maar uiteindelijk waren ze gezwicht. Tenslotte was het hele plan haar idee, zoals ze nadrukkelijk en verongelijkt had verklaard, en het leek onverdiend haar het opwindende uitje te misgunnen.

'Wat is er gebeurd?' vroeg ze prompt toen Viva bijna in draf op hen af kwam. 'Je ziet er zo anders uit.'

'Ik voel me ook anders.' Voor het eerst kromp ze niet ineen toen Tor een arm door de hare schoof.

'Vertel!' Tor negeerde de blik van Rose, die leek te willen zeggen dat ze niet zo hard van stapel moest lopen. 'Zat die hutkoffer soms stampvol verborgen schatten? Of ben je iemand tegengekomen die je nog kende van vroeger?'

Viva deed haar best te glimlachen, zei dat ze rammelde van de honger en nog even niet kon praten. 'Trouwens, heb ik nog post?' vroeg ze nonchalant terwijl ze over het parkeerterrein liepen.

'Nee,' zeiden Tor en Rose als uit één mond.

'Nee, dat dacht ik al.' En ze vervolgde in één adem: 'Ik kan gewoon niet geloven dat het al over twee dagen Kerstmis is,' alsof ze het van meet af aan over niets anders hadden gehad.

'Sorry.' Tor vond het afschuwelijk dat ze er plotseling zo moe en terneergeslagen uitzag. Ook al liep ze nog altijd kordaat het perron af, ze leek ineens kleiner, kwetsbaarder.

Haar haren zaten onder het stof en ze had een gat in haar kous.

Tor keek Rose aan. 'Maar we hebben wel een verrassing voor je. Een vroeg kerstcadeautje, zullen we maar zeggen.'

'Tor!' Rose schudde met een misprijzend gezicht haar hoofd. 'Soms zou ik je met liefde je nek om kunnen draaien.'

'Waarom?' vroeg Tor. 'Heb ik iets verkeerds gezegd?'

De verrassing kwam niet meer ter sprake voordat Viva een bad had genomen, haar haren had gewassen en zich met een kop thee op de veranda had geïnstalleerd. Toen de thee op was, verklaarde Tor met verdacht ronde, onschuldige ogen dat ze even naar de stallen liep, om te kijken terwijl de paarden werden gevoerd. Dat was een van haar favoriete bezigheden op dit uur van de dag, verklaarde ze.

Viva, die er nog altijd bleek en enigszins gespannen uitzag, reageerde enthousiast. Het gedender van de trein zat nog altijd in haar benen, zei ze. Bovendien zou het goed zijn even een frisse neus te halen. Ze had nog altijd geen woord gezegd over Simla, maar Rose en Tor waren inmiddels gewend aan haar terughoudendheid en drongen niet aan.

Tegen de tijd dat ze Freddie bij zijn ayah hadden gestald en Toby hadden verteld dat ze de deur uit gingen, was de schemering gevallen en de hemel veranderd in een opzichtig palet van vurige tinten roze, oranje en perzik. Terwijl ze gearmd het pad af liepen, moesten ze lachen om het effect dat de kleuren op hun gezicht hadden en op het blonde haar van Rose dat roze was geworden.

Aan het eind van het pad van rode aarde sloegen ze rechtsaf, een populierenlaan in die naar het poloveld leidde. Daarachter lagen de sportvelden, de school en de in een steeds diepere duisternis gehulde bossen waaruit een zwerm papegaaien opvloog die zich als kleine regenbogen aftekenden tegen de ondergaande zon.

Bij het poloveld aangekomen gingen ze even op een van de houten banken zitten, om te kijken naar twee mannen die aan het trainen waren. Bij het horen van hun verre kreten en het gedreun van de paardenhoeven slaakte Rose plotseling een diepe zucht.

'Mis je Jack?' vroeg Viva, die er doorgaans alles aan deed om dergelijke intieme vragen te vermijden. Maar Rose, die er belachelijk jong en knap uitzag in een jurk van witte voile, leek het niet te merken. Ja, ze miste hem verschrikkelijk, zei ze. 'Zeg maar niks tegen Tor, want ze wil zo graag dat we het allemaal naar onze zin hebben, maar ik heb al een paar keer zo afschuwelijk over hem gedroomd. Ik weet niet waarom.'

En omdat Tor inmiddels meeluisterde, vervolgde ze op de toon van de geërgerde echtgenote dat Jack alleen kans had gezien een telegram te sturen, met de strekking dat het regiment voor Kerstmis niet naar huis zou komen. Blijkbaar was er ten noorden van Peshawar, in het bergdorpje waar ze zaten maar waarvan de naam geheim moest blijven, een dik pak sneeuw gevallen. Dus het kwam erop neer dat Jack vastzat in een armoedige hut, met als enige gezelschap twee van zijn makkers uit het regiment. Dat soort dingen gebeurde nu eenmaal, maar het was wel erg jammer dat hij daardoor Freddies eerste Kerstmis misliep.

'We waren als de dood dat jij ook vast zou komen te zitten.' Rose keek Viva aan met een blik alsof ze wilde zeggen: Vooruit! Vertel op!

Maar Viva kon er nog niet over praten. Ze voelde zich nog steeds verdwaasd, kwetsbaar, als iemand die zijn been heeft gebroken en opnieuw moet leren lopen.

Rose drukte liefkozend haar hand. 'Het geeft niet,' zei ze zacht en geduldig. 'Je hoeft niets te zeggen als je dat niet wilt.'

'Ik probeer niet geheimzinnig te doen.' Viva deed een poging tot een glimlach. 'Echt niet.'

'Dat weet ik.'

Aan het eind van het poloveld bleven ze even zwijgend staan kijken naar een zwerm vogels die langs de karmozijnrode hemel zwenkten en wervelden. De twee mannen galoppeerden zij aan zij over het veld.

Rose glimlachte.

'Soms vind ik India echt de mooiste plek op aarde. Dan is het net een sprookje,' zei ze terwijl ze het erf voor de stallen op liepen.

'Zou jij iets van het afgelopen jaar hebben willen missen, Viva? En dan heb ik het ook over de minder leuke dingen? Heb jij hetzelfde gevoel als ik?'

'Nee. Eh... ja.' Viva had amper gehoord wat ze zei. Haar hart bonsde onaangenaam in haar keel. Wat was nou die verrassing waarover Rose en Tor het hadden gehad?

Het erf voor de stallen lag er keurig bij: vers geschilderde, witgepleisterde muren, halsters die buiten de stallen aan koperen haken hingen, netjes opgerolde touwen en lijnen. Er heerste een vredige rust, met het geluid van de paarden die knabbelden aan hun hooinetten, en van de kalme, beheerste bewegingen waarmee stalknechten de bezem hanteerden.

Twee kleine Shetlanders staken nieuwsgierig hun hoofd over de deur van hun box en hinnikten. Tor vertelde dat het prijswinnaars waren op The Dublin Horse Show en dat ze vanuit Ierland naar India waren verscheept voor de zoons van een van de plaatselijke maharadja's. De jongens waren echter meer geïnteresseerd in hun speelgoedauto's, dus er werd amper op de pony's gereden. Ze zagen eruit alsof ze zich eenzaam voelden, aldus Tor.

'Wat ben jij toch sentimenteel!' zei Rose plagend. 'Hebben ze je dat verteld?'

'Dat weet ik gewoon. Ik spreek Paards.'

De kleuren van de zonsondergang waren nog dieper geworden. Inmiddels staken er een stuk of tien nieuwsgierige paarden hun hoofd boven de deuren uit. Daarboven gleden roze duiven in dromerige cirkels langs de hemel. 'Wat een avond!' De stem van Rose leek Viva van heel ver te komen. 'Laten we morgenochtend vóór het ontbijt een rit gaan maken.'

Tors ogen begonnen te schitteren van opwinding. 'Gelukkig heb ik de knechts al gevraagd drie paarden voor ons te zadelen.'

Rose lachte. Tor en zij begonnen de namen op de bronzen plaquettes boven de boxen te lezen: Jezri, Treasure, Ruth, Sanya. In de laatste box, voorzien van ijzeren tralies, stond een schitterende Arabische hengst met een enigszins verwilderde blik in zijn ogen waarvan het wit scherp afstak tegen zijn zwarte vacht. Hij stampte met zijn hoeven op de betonnen vloer. Het was duidelijk dat hij zich ongemakkelijk voelde door de commotie. Net zo ongemakkelijk als zij, dacht Viva.

Tor slenterde nonchalant heen en weer, praatte zachtjes tegen de paarden, deelde suikerklontjes uit.

Toen bleef ze abrupt staan, en ze keerde zich naar Viva.

'Het is zover. Luister eens!'

Viva hoorde vluchtig een zacht gerinkel, daarna niets meer, alleen het geknabbel van de paarden en het zachte gefluister van vegende bezems.

'Het uur van het hazengrauw,' zei Rose. 'Wat een prachtig woord!'

'En zo vredig. Je zou erbij in slaap vallen.'

'Maar dat mag nog niet, want...' Tor legde haar handen voor Viva's ogen. 'Hier is je verrassing.'

Ze duwde haar in de richting van de staldeur.

'Kíjk!' fluisterde ze zacht in haar oor. 'Hij is op tijd gekomen voor Kerstmis.'

Viva's hart maakte een sprongetje, er klonk een schel geluid in haar oren, maar toen ze zag wat de verrassing was, kostte het haar de grootste moeite haar teleurstelling te verbergen.

Het was een veulen. Meer niet. Nog nat van de geboorte. Het stro rond het diertje zat onder het bloed. De merrie was duidelijk uitgeput, met een vochtige staart en het zweet op haar flanken.

En de hele weg naar de stallen had Viva zo'n licht gevoel gehad vanbinnen, was ze uitgelaten geweest door de zonsondergang, had ze zich voorgesteld – ach, wat deed het er nog toe? Ze had zich voorgesteld dat hij toch was gekomen; dat ze met hem zou kunnen praten. Dat ze hem over Simla zou kunnen vertellen, over alles wat ze van mevrouw Waghorn te weten was gekomen. Het verlangen om haar nieuws te delen was overweldigend. Ze had het gevoel dat hij het zou begrijpen, dat ze als het ware zou zijn vergeven. En dat ze dan allemaal samen een vrolijk kerstfeest zouden kunnen vieren. Stom, stom, stom.

Het leven is zoals het is. En dan is er het leven zoals we zouden willen dat het is. En zij haalde die twee altijd door elkaar.

Het veulen was roomkleurig en had grote, donkere ogen en een staart als een poederdons. Viva dwong zichzelf te glimlachen, want de meisjes – wat leken ze haar soms nog jong – hadden haar bij de hand gepakt en stonden te dansen van opwinding.

Het diertje krabbelde overeind, trippelde naar hen toe en snuffelde aan hun handen. Ze aaiden het rimpelige neusje en zeiden dat het zo zacht was als fluweel.

'De merrie heeft haar vorige veulen verloren, dus ze is in de zevende hemel,' fluisterde Tor. 'Ze heeft een geweldige stamboom. Volgens Toby gaan de bloedlijnen van de hengst heel ver terug. Ik geloof zelfs enkele eeuwen.'

Viva concentreerde zich uit alle macht. Als ze nu begon te huilen, hield ze misschien nooit meer op, en dan zou de vernedering compleet zijn.

Het veulen zakte door zijn dunne pijpenragerbenen en belandde in het stro. Zijn moeder kreunde zacht en duwde haar kind met haar neus weer overeind, waarop het veulentje zich met een kokette blik achter haar verborg. Toen het begon te drinken, keek de merrie hen aan met een vreemde, vurige blik, waarschuwend en trots tegelijk. *Mijn kind*, leek ze te willen zeggen. *Mijn kind. Je mag ernaar kijken, maar denk erom dat je niet te dichtbij komt.*

'Het is vannacht geboren,' vertelde Tor. 'Terwijl we gisteren nog op Tourmaline – zo heet de moeder – hebben gereden. We hadden niets in de gaten. Trouwens, de knechts ook niet. Er was nauwelijks iets te zien.'

Maar toen ik haar gisteravond laat een appel kwam brengen, zag ik dat er een reusachtige ballon uit haar achterste hing. Nou ja, niet echt uit haar achterste, maar je weet wel wat ik bedoel.'

'Was het eng?' Viva had het gevoel alsof ze een stomp in haar maag had gekregen. Haar benen waren bijna net zo wiebelig als die van het veulen. Stom, stom, stom. Ze moest ophouden zo te denken.

'Nee hoor, we waren helemaal niet bang.' Tor keek haar aan met een vreemde blik in haar ogen.

'Want we hadden een dokter bij de hand.' Viva voelde de nagels van Rose in haar arm drukken. Toen ze zich omdraaide, stond ze oog in oog met Frank.

En toen deed ze iets wat zo onkenmerkend was dat de meisjes haar er maanden later nog mee plaagden. 'Frank!' had ze uitgeroepen, ze had haar armen om hem heen geslagen en hem hartstochtelijk omhelsd, waarbij ze in snikken was uitgebarsten. Zijn aanblik, zoals hij daar stond in dat schitterende avondlicht, was zo overweldigend dat ze zich niet kon beheersen. Het was het mooiste wat ze ooit had gezien. Soms komt een besef zo snel dat het je angst aanjaagt. Dan loopt het verstand erachteraan, op zoek naar de rede, dacht ze.

Hij droeg zijn vertrouwde, rommelige linnen pak en keek haar glimlachend, hoofdschuddend aan, alsof hij ook niet kon geloven wat er gebeurde.

O God, dank u wel! dacht ze, met haar gezicht begraven in zijn hals. Dank u wel! Dank u wel! Toen hij haar omhelzing beantwoordde, begon ze opnieuw te huilen.

En het volgende moment begonnen ze allemaal te lachen omdat Tourmaline met haar voorbeen stampte en het veulen afschermde met haar lichaam.

'Volgens mij maken we haar bang,' zei Frank. Hij schonk Viva opnieuw een glimlach, en ze dacht dat haar hart het zou begeven, zo gelukkig was ze.

Maar toen werd ze ineens verlegen, zich ervan bewust dat iedereen naar haar keek – de meisjes en de stalknechten, die waren gestopt met vegen. Verlegen en niet goed wetend wat ze moest zeggen.

'Ik heb je telegram gekregen,' zei hij. Ze registreerde dat zijn overhemd uit zijn broek hing, en er zat een klein rood vlekje op zijn kin waar hij zich had gesneden bij het scheren. Blijkbaar had hij zich in haast aangekleed.

'Ik was van plan naar Simla te gaan, maar toen bedacht ik dat je misschien al weg was. En dus ben ik hierheen gekomen.'

'Hij heeft als een gek gereden.' Tor had ook tranen in haar ogen.

'Had je echt niets in de gaten?' Rose straalde. 'Want onze Tor was weer zo subtiel, maar niet heus!'

'Nee, ik had niets in de gaten.' Viva kon amper een woord uitbrengen. Het was haar allemaal te veel.

Tor keek op haar horloge. 'Ik heb een idee. We hebben nog minstens twee uur voor het eten. Als jullie samen nou een eindje gaan wandelen... Trouwens, in twee uur kun je een heel eind wandelen,' voegde ze er onschuldig aan toe. 'We eten op de vaste tijd. En dat is laat.'

Toen ze alleen waren, moesten ze lachen omdat ze Tor stralend hoorden verklaren: 'Zie je nou wel, ik kan bést tactvol zijn,' terwijl Rose en zij terugliepen naar het huis.

Frank legde vluchtig een hand op Viva's arm.

'We gaan een eindje lopen,' zei hij tegen de twee knechts, die hen op hun bezem geleund openlijk stonden aan te gapen. '*Chee apbu lamkea.*' Mogen we alsjeblieft een lamp lenen?

Toen de knecht terugkwam met een petroleumlamp, keerde Frank zich naar Viva. 'Er staat een tuinhuis bij de rivier,' zei hij zacht. 'Daar kunnen we praten. Tenminste, als je dat wilt.'

'Ja, dat wil ik. Heel graag zelfs.'

Ze volgde hem over het pad dat naar de rivier leidde. Toen ze bij een kleine steiger kwamen waaraan twee roeiboten lagen vastgebonden, wierp de zon zijn laatste stralen over de rivier. Ze bleven staan en keken naar de lisdoddes, naar de versmeltende kleuren waardoor een familie wilde eenden die zacht snaterend op het water dreven, werd gedompeld in een magische glans. Nog even, en dat alles werd opgeslokt door het duister van de avond.

'Heb je het koud?' vroeg hij toen ze huiverde.

'Nee, ik heb het niet koud.' Ze sloot vluchtig haar ogen. 'Ik ben gewoon blij...'

Ze wilde iets neutraals zeggen, iets waardoor ze even de kans kreeg zichzelf weer onder controle te krijgen.

'Ik ben blij dat we met z'n allen samen Kerstmis kunnen vieren...'

Zijn arm om haar middel verstrakte en hij draaide haar naar zich toe. 'Niet doen! Ik loop al dagen rond met het gevoel dat je heel erg eenzaam moet zijn geweest en dat wil ik niet meer.'

'Sst.' Ze legde een vinger op zijn mond en voelde hoe zacht zijn lippen waren.

'Laten we naar het tuinhuis gaan,' zei ze. 'Dan vertel ik je alles.'

Ze waren steeds sneller gaan lopen. Bij een kleine brug van planken gekomen hielp hij haar naar de overkant. Daar stond onder een knoestige eikenboom een kleine tempel, waarin kaarsen brandden. De sinaasappels en andere vruchten op het bord ervoor waren aangevreten door eekhoorns. Achter het tempeltje lag een klein grasveld met daarop een wit houten tuinhuis.

'Vlug.' Hij trok haar mee naar binnen, en toen ze de deur achter hem dichttrok voelde ze dat haar hele lichaam begon te tintelen.

In de eenvoudige, sober ingerichte hut rook het aangenaam naar ceder en wierook. In het midden stond een bureau met daarop een schrijfblok en wat potloden. Verder was er een charpoy met wat verbleekte kussens. Tegen de muur stond een stel cricketstumps.

'Het huisje is van een van de leraren,' vertelde Frank. 'Maar die is er niet in de vakantie. Dus volgens Tor worden we niet gestoord.'

Toen hij de olielamp aanstak en de lont laag draaide, keek ze naar zijn slanke, bruine vingers, naar de lichtbruine haartjes op zijn armen, en ze huiverde opnieuw. Ze had nog nooit zo het gevoel gehad dat ze alle controle kwijt was, maar tegelijkertijd had ze zich ook nog nooit zo vol leven gevoeld.

'Kom bij me zitten.' Hij trok haar naast zich op de charpoy, die onder het raam stond.

'Ik heb me zoveel zorgen over je gemaakt,' fluisterde hij. 'Ik werd er gek van. Ik...'

Hij schoof zijn handen onder haar haar en kuste haar – loom en dwingend tegelijk. Toen ze haar lippen van de zijne nam, snakkend naar adem, was een van haar schoenen op de grond gevallen en was ze zich bewust van elke vezel van haar lichaam, jubelend, bruisend van leven. Maar ook angstaanjagend.

Hij legde zijn wang tegen de hare. Dit was waarnaar ze had verlangd, hoeveel angst het haar ook inboezemde. Ze gaf zich over.

'Wacht even!' zei hij. 'We moeten eerst praten. Wat is er in Simla gebeurd?'

Ze haalde diep adem en begon hem te vertellen over de hutkoffer. Aanvankelijk probeerde ze het te presenteren als een humoristisch verhaal.

'Het leek wel een grap. Echt waar. Wat drijfnatte kleren, de valse tanden van mijn vader. En als ik dan denk hoe lang ik het heb uitgesteld om erheen te gaan.'

Ze vertelde hem over het weerzien met hun oude huis – Hari was erlangs gereden toen hij haar naar het station bracht. Omhuld door mist en bomen had het er zo onbeduidend uitgezien, zo verwaarloosd en verloren. De veranda was door het vocht bijna volledig vergaan. Ze vertelde hem niet over de schommel, die daar nutteloos had gehangen, de schommel waarop Josie en zij uren samen hadden doorgebracht. Inmiddels had een vogel er zijn nest gemaakt. En ze vertelde ook niet over hun slaapkamer boven, waar het ouderwetse behang met vogels, bomen en vruchten was gescheurd en verkleurd, maar nog altijd zichtbaar vanuit de tuin. Twee bomen waren omgevallen en lagen dwars over het pad, alle goten waren hetzij kapot, hetzij verstopt met donkere bladeren.

Meer was er niet geweest. Er waren geen stokoude bedienden naar buiten komen rennen om met haar over het verleden te praten, geen buren die zich haar nog herinnerden, er waren geen aanwijzingen geweest die verrieden dat zij er ooit had gewoond, alleen het dichte woud dat een geleend huis hoe langer hoe meer insloot, alsof dat van meet af aan de bedoeling was geweest.

Wat ze wel vertelde, was dat mevrouw Waghorn haar op de laatste dag had meegenomen naar de begraafplaats, waar ze hen voor het eerst alle drie samen had gezien, keurig naast elkaar op een rij. Het was er vredig. De wind in de dennen ruiste sussend, als een zachte golfslag, de hemel was wit als parelmoer. Ze had de graven vrijgemaakt van onkruid en er bloemen neergezet in een vaas die ze had meegebracht en die ze had gevuld in een stroompje vlakbij.

De naam van haar moeder op de grafsteen was verkeerd gespeld en in plaats van Josie stond er Josephine, ook al kon ze zich niet herinneren dat iemand haar ooit zo had genoemd.

Hij luisterde aandachtig, haar aankijkend met zijn groene ogen. Toen zijn greep op haar hand verstrakte, voelde ze zich warm worden, maar ze schaamde zich er niet voor.

'Dus misschien is het toch goed dat je er bent geweest,' zei hij toen ze was uitgesproken. 'Misschien heeft het je geholpen het verleden een plaats te geven. En een beetje rust te vinden,' had hij er aarzelend aan toegevoegd.

Terwijl hij het zei, keek hij zo bezorgd en beschermend, dat ze zich bewust was van een keerpunt. *Mensen houden voortdurend dingen voor elkaar geheim*, zei een stemmetje diep vanbinnen. *Een leugentje om bestwil kan geen kwaad. Niemand hoeft het ooit te weten.* Maar tegelijkertijd besefte ze dat er voorgoed een deur zou worden dichtgeslagen als ze nu geen open kaart speelde.

Ze keek hem aan. 'Mijn moeder heeft zelfmoord gepleegd.'

Mevrouw Waghorn had haar nog meer bijzonderheden verteld voordat ze afscheid hadden genomen, en het was een enorme troost om hem nu het hele verhaal te kunnen vertellen, zo eenvoudig en zo volledig mogelijk. 'Toen ik een jaar of negen, tien was kreeg ze malaria. Ze genas wel, maar blijkbaar had ze sindsdien last van heimwee en depressies. Terugdenkend besef ik pas goed wat een verschrikkelijke klap de dood van Josie voor haar moet zijn geweest, en toen verloor ze ook nog mijn vader. Zo had ik er nooit eerder over nagedacht.

Ze is te paard naar een hut in de bergen gereden, een halve mijl ten noorden van Wildflower Hall, een prachtige plek waar je de Himalaya kunt zien en ook de twee rivieren. Ze ging er vaak heen om te tekenen. Trouwens, ik ben er ook een paar keer met haar geweest. In de lente bloeien er de schitterendste bloemen: speenkruid en dotterbloemen, kleine dwergcyclamen, wilde aardbeien. Ze had een briefje neergelegd, waarin ze schreef hoeveel ze van ons allemaal had gehouden maar dat ze het leven niet langer aankon. "Ondraaglijk" was het woord dat ze gebruikte. Blijkbaar is ze daar gebleven tot ze is doodgevroren. Ze had een paar netten hooi meegenomen voor het paard, zodat het te eten zou hebben tot iemand haar vond.' Die iemand had net zo goed een tijger kunnen zijn of een aasgier, had Viva later bedacht. Ze waren tenslotte in India.

Hij sloeg zijn armen om haar heen en streek over haar haren.

'Ik heb het zelfs nooit vermoed.' Er lag een geschokte blik in haar ogen. 'Ik ben zo lang zo boos op haar geweest. Ik heb haar van alles de schuld gegeven, en bijna alles wat ik over haar heb gezegd, blijkt niet waar te zijn. Je had gelijk toen je zei dat ik erheen moest.'

'Denk je niet dat de meeste mensen verhalen over hun ouders verzinnen?' vroeg hij. 'Als kind ben je niet echt in ze geïnteresseerd. En later, áls je nog met ze praat, voer je de verkeerde gesprekken. Ach, liefste.'

Hij boog zich naar haar toe en veegde de tranen weg die weer over haar gezicht begonnen te stromen.

'Als het te veel pijn doet, hoef je het niet allemaal vanavond te vertellen. Laat het maar rustig komen, elke keer een beetje.'

Ze voelde dat ze rustig werd. Het was goed zo. Ze zouden alle tijd hebben om te praten, en ze kon hem eindelijk de waarheid vertellen. Toen ze later die avond op haar kamer nog lang wakker lag, keek ze vol verwondering terug op wat er die dag was gebeurd en ze besefte dat een mens, als hij geluk had – heel veel geluk – misschien een of twee anderen had aan wie hij de volledige, onopgesmukte waarheid kon vertellen. Mensen zoals Frank, en Rose en Tor. En dat deze mensen je kenden zoals je echt was en die essentie met zich meedroegen, zoals mevrouw Waghorn de essentie van haar moeder met zich meedroeg. Met alle anderen voerde je gesprekken die eindigden wanneer het avond werd, of wanneer het feestje voorbij was.

'Kom eens bij me,' zei hij toen haar verhaal uit was. Hij omhelsde haar en wiegde haar in zijn armen.

'Maar waar het om gaat is dat niemand ooit echt met zekerheid kan zeggen waarom ze het heeft gedaan!' zei ze hartstochtelijk. 'We willen een simpele verklaring, maar als die er nu niet is? Als we niet verder komen dan dat er nu eenmaal soms afschuwelijke dingen gebeuren met de liefste, de beste mensen? Volgens mij is het beter dat maar te accepteren dan te proberen voor alles een verklaring te vinden.'

'Wil je dat ik het aan Tor en Rose vertel?' vroeg hij. 'Ze waren zo bezorgd toen je in Simla zat. Want ze hadden al zo'n gevoel dat er zoiets zou gebeuren.'

'Hoe wisten ze dat?' Ze was oprecht verbaasd.

'Ik weet het niet. Vriendinnen zijn ook een mysterie.'

'Wacht nog maar even,' zei ze. Ze was licht in haar hoofd en uit haar evenwicht door alle emoties. 'Ik wil je eerst iets laten zien. Kijk.'

Ze legde het blauwe vrouwtje in de palm van zijn hand, tussen zijn duim en zijn levenslijn.

'Dat is nog iets wat ik niet wist. Mijn moeder was beeldhouwster. Dit is een van de dingen die ze heeft gemaakt.'

Later besefte ze dat dit opnieuw een keerpunt was geweest. Als hij het kleine figuurtje tussen zijn vingers had rondgedraaid en een beleefde, aardige opmerking had gemaakt, zou ze niet zo trots hebben kunnen zijn en niet het sterke gevoel hebben gehad dat ze met opgeheven hoofd verder kon.

Hij zei niets, maar boog zijn hoofd zodat zijn haren als het ware een scherm vormden tussen haar en het blauwe vrouwtje. Aan de manier waarop hij ernaar keek, zag ze dat hij het begreep, en voorzover een mens ooit ergens veilig was, wist ze dat ze dat bij hem zou zijn.

58

Terwijl ze samen terugliepen, bescheen het licht van zijn lamp de populieren, het tempeltje, het zilveren lint van de rivier. Hand in hand volgden ze het rode zandpad naar het huis. Bij de houten brug aangekomen bleef Frank staan en trok haar achter een jasmijnstruik voor een lange, heerlijke kus, waar ze, als ze er achteraf aan terugdacht, nog knikkende knieën van kreeg.

Ze wist dat ze de rest van haar leven bij de geur van jasmijn aan hem zou denken; aan zijn armen om haar heen, aan de geur van zijn haar, aan de manier waarop zijn aanvankelijk tedere kus uiteindelijk zo hartstochtelijk was geworden dat ze hadden moeten stoppen, ademloos, lachend, verbaasd.

Hij vertelde haar dat niets te vergelijken was met wat hij op dat moment voelde. Haar verging het net zo, zei ze, en ze merkte dat de tranen weer over haar gezicht stroomden.

Toen ze de bungalow naderden, brandde daar alle kerstverlichting. In combinatie met de flarden muziek die door de ramen naar buiten dreven, deed het huis tegen de achtergrond van het dichte, donkere bos denken aan een exotisch pleziervaartuig.

Ze dineerden in de kleine eetkamer, waar Tor en Rose de kaarsen hadden aangestoken en de tafel met bloemen hadden versierd. Beschenen door kaarslicht, omringd door haar vriendinnen, met in haar hand een glas champagne en met Frank naast haar was Viva zich bewust van het leven op een manier zoals ze nooit eerder had ervaren. Het werd haar bijna te machtig.

En het bijzondere was dat ze zelfs toen al wist dat de bijna elektrische lading van dat moment de rest van haar leven deel van haar zou blijven uitmaken. Dat die er voor haar zou zijn, natuurlijk niet altijd, maar als iets waarop ze kon terugkijken, iets waarin ze kon geloven. Iets wat haar duidelijk was geworden over zichzelf, namelijk dat ze de ontzagwekkende macht van de liefde had leren kennen.

Het diner – gebraden kip met rijst, overgoten met champagne, en citroenmousse voor toe – duurde uren. Ze hadden tenslotte zoveel te vieren, en na het eten draaiden ze aan de slinger van de grammofoon en dansten ze ragtime op blote voeten op de veranda, en ze zongen 'Goodbye England, Hello Bombay'. Tor maakte een fles crème de menthe open en probeerde Toby te leren de tango te dansen zoals Valentino het deed in 'The Four Horsemen of the Apocalypse'. Uiteindelijk werd Fred wakker van het lawaai en kwam de ayah met hem naar de eetkamer. Ze zetten een verbleekte kersthoed op zijn hoofdje, en zelfs half slapend wisten ze hem nog aan het lachen te krijgen, want dat kostte nooit veel moeite. Hij was een vrolijk ventje, en toen Viva naar Frank keek, wist ze zeker dat zij ook kinderen zouden krijgen.

Drie weken later trok ze bij hem in. Het kleine driekamerappartement in Colaba kostte honderd roepie – ongeveer tien pond – per maand aan huur. Het had een breed balkon, dat voor de helft bestond uit glas. Als je naar rechts over de reling boog, kon je de zee zien, met boten en heel ver weg de wazige contouren van Elephanta Island.

Dat was het eiland met grotten vol 'knotsen van beelden', zoals Tor het noemde – zesde-eeuwse standbeelden van de hindoegoden Shiva en Parvati. Kolossale, schitterende afbeeldingen van de goden terwijl ze de liefde bedreven, dobbelden, ruzieden en plezier maakten. Midden in een van de grotten staat een reusachtige, uitbundige stenen fallus die zonder een zweem van schaamte bevestigde dat dit het was: het leven en waar we vandaan komen. Gidsen met wat al te fijngevoelige Engelse dames in hun groep liepen er met een grote boog omheen.

De reis naar de grotten was verre van simpel: een oversteek per boot, vervolgens moest er een berg worden beklommen en eenmaal boven wachtte er nog een wandeling de bewuste grot in. Toch hadden ze de reis al twee keer gemaakt, voorzien van een picknick om op het eiland te lunchen. In het eerste vuur van de liefde vond ze het heerlijk om voor hem te koken en kuste ze verliefd de boorden wanneer ze zijn overhemden streek.

Wanneer ze op het heetst van de dag op haar veranda zat, in de schaduw van de bamboejaloezieën, keek ze uit over het flonkerende water, naar het eiland in de verte. Ze tikte wat op haar schrijfmachine en keek, tikte en keek, naar het eiland, de haven, de boten die af en aan voeren.

Het afmaken van haar boek was bijna een voorwaarde geweest voor haar huwelijk. Bij terugkeer uit Amritsar was ze ervan overtuigd geweest dat het merendeel van haar aantekeningen vernietigd was. Frank zei dat ze een nieuwe poging moest wagen.

Toen ze enkele dagen later weer aan het werk ging in het tehuis, vond ze een stapel gescheurde, verkreukelde vellen met aantekeningen in de la van haar wastafel, en het bleek dat Daisy ook nog een stapel van de gescheurde, bekladde vellen had bewaard, voor het geval dat Viva de confrontatie ooit weer aan zou kunnen.

Toen de kinderen hoorden dat hun verhalen nieuw leven werd ingeblazen, raakten ze helemaal opgewonden, en ze begonnen tekeningen en gedichten te maken voor het boek. Bovendien hielpen ze haar de aantekeningen samen te voegen en mogelijke hiaten op te vullen. En toen Viva eenmaal een begin had gemaakt, bleek het karwei geweldig mee te vallen.

Op twaalf april 1929 haalde ze voor het laatst de regelverzethaak over. Het boek was klaar: 'Verhalen uit de Tamarinde – Tien kinderen uit Bombay vertellen over hun leven'.

Frank, die weer ploegendiensten draaide in het Gokuldas Tejpal Hospital, in afwachting van zijn volgende onderzoekproject, lag nog in bed toen ze haar handen voor het laatst van de toetsen nam. Ze stond op om haar pijnlijke rug te strekken, pakte de stapel papier en drukte die even tegen zich aan. Toen liep ze de slaapkamer in, legde het boek op het nachtkastje en kroop naast hem.

'Het is klaar. Ik heb het af.'

'Dat is goed.' Hij nam haar in zijn armen en trok haar dicht tegen zich aan. 'Dat is goed,' zei hij nogmaals.

Ze hadden allebei tranen in hun ogen. Hij had van meet af aan geweten hoe belangrijk dit voor haar was.

Terwijl ze daar lag, in de buiging van zijn arm, besefte ze hoeveel lichter ze de laatste paar maanden was geworden. Het was bijna niet te geloven, maar ze had het gevoel alsof er een enorme last van haar schouders was gevallen. Er was zoveel veranderd.

Frank had de volgende morgen vroege dienst. Om halfzes stonden ze samen op en maakte Viva roerei met toast voor hem. Na het ontbijt gingen ze met hun koffie op het balkon zitten en keken ze naar de vissersboten die binnenliepen met de vangst van die nacht. Daarachter, net voor de horizon, zagen ze een schip van de P&O, op weg naar India. De schepen kwamen nog maar twee keer per maand. Terwijl ze zag hoe de lichtjes steeds duidelijker werden, herinnerde ze zich hoe ze met hun groepje aan dek hadden gestaan: Tor en Rose, Frank en Guy. De arme Nigel, de jonge ambtenaar die hun 'Ithaka' had voorgelezen, had zichzelf in de regentijd van het leven beroofd, precies zoals hij had voorspeld. 'Oh de painin' oh de pain' hadden ze destijds gezongen om hem te plagen.

Ze dacht aan de haperende stemmen waarmee ze psalmen hadden gezongen, aan het piepende harmonium, aan het kinderlijke, bleke gezichtje van Rose, aan die arme Guy – ze kon zich maar moeilijk voorstellen dat hij inmiddels ergens liep te exerceren.

'Ik heb nog wat stevig papier in mijn bureau,' zei Frank toen ze bespraken hoe ze het boek zo veilig mogelijk naar Londen konden sturen. 'Als je dat wilt help ik je met inpakken. Dan kunnen we het pakje later afgeven bij Thomas Cook.'

'Graag!' Ze voelde zich uitgelaten, bijna dronken van opluchting nu ze het boek af had. Hij had beter gezien dan zij wat ze nodig had. Wanneer je gewend bent om voor jezelf te zorgen, wil dat niet zeggen dat je altijd weet wat goed voor je is.

Drie weken daarna trouwden ze voor de burgerlijke stand in Bombay. De kerken waren dat weekend allemaal volgeboekt, maar daar hadden ze geen moeite mee want ze waren geen van beiden belijdend lid van een kerk. Ze hadden besloten de receptie in het kindertehuis aan Tamarind Street te houden, dat als door een wonder nog steeds open was, ook al dreigden de autoriteiten het uiterlijk in juni van dat jaar te sluiten.

Op de ochtend van het huwelijk was de oude, vertrouwde pijn er weer. Vandaag was haar trouwdag. Daar hadden Josie en haar ouders bij moeten zijn. Maar de pijn die haar vroeger had meegezogen in een donker gat, ebde nu geleidelijk aan weer weg. Wat ze was gaan begrijpen, wat India haar had helpen inzien, was dat het geen misdaad was om te rouwen. Dat het geen kwestie was van zwelgen in verdriet en zelfmedelijden, maar dat het rouwproces nodig was om verder te kunnen met je leven.

En ze wist dat er altijd momenten zouden zijn – zoals vandaag, of bij de geboorte van haar kinderen of bij welke triviale gebeurtenis ook die ze met Josie en haar ouders zou willen delen – waarop ze steeds opnieuw zou worden geconfronteerd met het pijnlijke gemis.

Bij de burgerlijke stand werden ze opgewacht door een driekoppig welkomstcomité: Daisy, met een nieuwe paarse hoed en degelijke schoenen, en Tor en Toby, die met de trein uit Amritsar waren gekomen. De oude Talbot had het eindelijk begeven en ze hadden geen geld voor een nieuwe auto. Tor was de eerste die Viva zag toen Frank en zij uit de tonga stapten. Ze stond te dansen van opwinding en toen ze Viva omhelsde, fluisterde ze haar in het oor dat Toby en zij in oktober een baby verwachtten.

Rose kon er niet bij zijn. In antwoord op de uitnodiging had ze Viva geschreven dat ze op de bewuste dag aan boord zou zijn van een schip op weg naar huis. Haar vader was even voor Kerstmis overleden. Haar lieve vader, al zes weken dood voordat het bericht haar had bereikt. Zes weken! Ze vond het verschrikkelijk dat haar moeder al die tijd alleen was geweest met haar verdriet.

'Ik blijf een paar maanden om haar te helpen het huis op te doeken,' schreef ze. 'En om haar alle tijd te geven Freddie te leren kennen.'

Jack zou in India blijven en proberen naar het huwelijk te komen, voegde ze eraan toe.

'Die komt niet,' had Viva tegen Frank gezegd. 'Bannu is zo ver weg, en bovendien, hij is altijd aan het werk.'

'Ach, je kunt nooit weten,' had Frank gezegd. 'Hij is ongetwijfeld eenzaam nu Rose er niet is.' Daar was Viva niet zo zeker van.

Maar toen Viva en Frank voor de receptie in Tamarind Street arriveerden, was Jack er wel degelijk. Hij was magerder geworden en zag er ouder uit dan Viva zich hem herinnerde, en hij hield zich enigszins afzijdig van de juichende kinderen die samen met Tor en Toby uitgelaten met confetti strooiden. Toen Viva naar hem wuifde, tikte hij aan de rand van zijn hoed en hief schuw zijn hand. Ze was blij hem te zien.

Tijd om te praten was er niet. Talika, Suday en een groep kwetterende, lachende kinderen trokken haar mee naar haar oude kamer met uitzicht op de tamarinde. Daar kleedden de meisjes haar in een lichtgroene sari, want als ze ging trouwen, was groen de kleur van voorspoed en geluk voor een meisje uit Maharashtra. Ze kreeg groene armbanden om haar polsen, haar westerse schoenen werden uitgetrokken, en de kinderen wasten haar voeten en deden een sierlijke, zilveren ring om haar grote teen. Terwijl ze haar haren borstelden en om haar heen sprongen en dansten, was Viva zich opnieuw bewust van dat gevoel van lichtheid. Het was alsof de kinderen en zij werden opgetild, tot hoog boven de boomtoppen; alsof ze vlogen, als vliegers of vogels, in een puur fysieke uiting van blijdschap.

Op de binnenplaats was het geroffel van de trommels weer begonnen, begeleid door een fluit. In een komfoor dat in het midden op de stenen was geplaatst, was een vuur aangestoken.

Talika rende naar het raam.

'Ze zijn er klaar voor. Je kunt naar beneden,' zei ze.

Viva keek haar aan en dacht aan het zielige hoopje mens dat ze op haar tweede dag in het tehuis in bad had gedaan. En ze herinnerde zich hoe het kind op die rampzalige dag had geworsteld met een bezem die twee keer zo lang was als zij, vastberaden om iets nuttigs te doen.

Talika's ogen straalden toen ze de punt van haar sari optilde. Op weg naar beneden moest ze heel snel praten om al haar nieuws te vertellen. Ze had de Shiva *puja* gedaan opdat Viva een goede man zou vinden; en ze had een tekening voor haar gemaakt, waarvan ze hoopte dat die in het boek zou komen. Terwijl ze in die gretige ogen keek besefte Viva in een flits hoeveel ze aan dit kind te danken had, hoeveel ze van het kleine meisje had geleerd.

Op de binnenplaats wachtte haar nog een verrassing: meneer Jamshed was er, dikker dan ooit, gehuld in een geborduurde tuniek. Hij had bloemen voor haar en een doos Turks fruit. Achter hem stonden mevrouw Jamshed, met een feestelijk ogende rijstschotel, en Dolly en Kaniz, die er met hun kortgeknipte haren, hun zijden jurken en hun modieuze knoopschoenen uitzagen alsof ze zo uit de *Vogue* waren gestapt. En allemaal straalden ze.

Om redenen die Viva waarschijnlijk nooit helemaal zou begrijpen hadden ze haar vergeven. Meer dan dat. Daisy vertelde dat mevrouw Jamshed al vroeg was opgestaan om toezicht te houden op de bereiding van een speciaal feestmaal: een viscurry geserveerd op glimmende bananenbladeren, diverse soorten *pakwan*, toetjes, *modak* en noedels met kokos, allemaal uitgestald op lange tafels op de binnenplaats.

Het feestmaal duurde twee uur, en daarna verscheen, na veel gegiechel en gerinkel achter een dun rotan gordijn, Talika die er schitterend uitzag in een feloranje sari.

Ze schraapte haar keel.

'Juffrouw Wiwa, dit is onze speciale dans voor u,' kondigde ze aan, en ze richtte een strenge blik op het groepje kleine meisjes dat vanachter het gordijn tevoorschijn was gekomen. Ze waren gekleed in rode, goudgele of oranje sari's. De tientallen belletjes om hun enkels maakten een opwindend, vibrerend geluid dat je voelde tot in je ruggengraat, terwijl ze rond de tamarinde liepen en de jongens het pad voor hen schoonveegden. Toen kwamen de muzikanten: de kleine, dikke Suday speelde tabla, en hij werd begeleid door een trompetter uit Byculla. Muziek en dans werden steeds uitbundiger, de meisjes draaiden in het rond en stampten met hun voeten, hun armen geheven, sierlijk als jonge loten wuivend op de wind. Toen de muziek zweeg, begon Talika te zingen, met een hoge, ijle stem die Viva diep ontroerde:

Aaja Sajan, Aaja
Aaja Sajan, Aaja
Come to me my lover, come to me
Come to me my lover, come to me.

Toen Frank zijn vingers strakker om de hare sloot, besefte Viva dat hij haar wilde kussen, maar ze deden het niet om de kinderen niet te choqueren. Op blote voeten liepen ze vier keer om het gewijde vuur, met een gebed voor een lang leven vol liefde, in vrede en harmonie.

Na de plechtigheid was Viva's eerste gang naar Jack, die zich nog altijd wat afzijdig hield en het hele gebeuren geamuseerd en aandachtig had gevolgd. Toen ze naast hem ging zitten, besefte ze dat wat ze had aangezien voor Engelse gereserveerdheid, in werkelijkheid een krampachtige poging was om zijn emoties in bedwang te houden. Hij slikte moeizaam, schraapte herhaalde malen zijn keel, wrong nerveus zijn grote handen en had donkere zweetkringen in de oksels van zijn kaki overhemd.

'Gefeliciteerd,' zei hij gesmoord. 'Dat was geweldig.'

'Ik wou dat Rose erbij had kunnen zijn,' zei ze. 'Zonder haar zou ik hier vandaag niet zijn geweest, denk ik.'

'Tja.' Hij wierp een snelle blik op haar. 'Heb je nog iets van haar gehoord?' Hij verkruimelde een chapati tussen zijn vingers.

'Niet veel. Een kort briefje, vorige week.' Vlekkerig en duidelijk in haast geschreven.

Lieve Viva, ik ben zo blij voor je. Ik mis jullie allemaal heel erg. Liefs, Rose.
Een verplichte brief, zonder nieuws, die haar het gevoel had gegeven dat Rose weer in haar schulp was gekropen.

'Er stond niet veel in.'

'Nee.' Jack leek zich te concentreren op een plek boven haar hoofd. 'Het zijn verraderlijke tijden. Ik denk dat haar moeder haar voorlopig hard nodig heeft, en we trekken met het regiment van hot naar her. Ik ben amper thuis. Dus...' Hij dwong zichzelf haar opnieuw aan te kijken.

'Wat zijn jullie plannen? Waar gaan jullie wonen?'

Viva vertelde dat ze teruggingen naar Lahore; dat Frank zijn onderzoek naar een middel tegen zwartwaterkoorts die zomer weer zou oppakken, zodra het geld rond was. Zelf was ze vastbesloten mee te gaan. Tenslotte kon ze bijna overal werken.

'Ja, je moet met hem meegaan,' zei hij verrassend heftig. 'Het werkt niet als je niet bij elkaar bent. Je moet kiezen, het een of het ander. Dat heb ik niet gedaan. Ik heb...' Hij zei iets wat ze niet verstond. Een oorverdovend geluid trok hun aandacht. Suday trommelde weer vol vuur op zijn tabla, een groepje kinderen blies op blokfluiten, anderen hadden kammen om op te blazen met vloeipapier eromheen. Frank kwam lachend naar haar toe. Hij sloeg zijn arm om haar heen, en weer voelde ze zich warm worden, vol leven.

Toen ging Daisy op een kist staan, omwikkeld met crèpepapier. Haar zonnebril weerkaatste de zon terwijl ze hen stralend aankeek en met een theelepel op een glas tikte. Tor, die naast haar stond, knipoogde naar Viva.

'Mensen, mensen! Mag ik even de aandacht?' Met haar hoofd schuin wachtte Daisy tot de gesprekken verstomden. 'Dit is een blijde dag,' begon ze ten slotte. 'Daktar Frank en juffrouw Viva zijn getrouwd, de zon schijnt, en we vieren het leven. Er zijn zware tijden in aantocht.' Ze sloot haar ogen en iedereen wist dat ze aan het tehuis dacht. 'Maar daar moeten we niet op vooruitlopen.'

'Bravo!' riep Toby vol vuur.

'We hebben zoveel aan elkaar te danken,' zei Daisy, en het was duidelijk dat het spreken haar moeite kostte. 'En we hebben zoveel aan jullie te danken,' zei ze tegen de kinderen.

Daarop klauterde Talika, na een duwtje in haar rug van mevrouw Bowman, op de kist waar Daisy haastig van af was gestapt.

'Een gedicht in het Sanskriet!' Het kleine meisje haalde diep adem.

'Bezie deze dag met welwillendheid,' las ze voor met haar hoge, heldere stem.

'Want deze dag is het leven.

In zijn kortstondigheid liggen alle waarheden van het bestaan opgesloten.

Want gisteren is nog slechts een herinnering, en de dag van morgen niet meer dan een visioen.'

Toen voerde een windvlaag het gedicht mee en bewoog de bladeren van de tamarinde. Buiten op straat begon een ezel vol overgave te balken, waarop de kinderen in lachen uitbarstten.

'Bezie deze dag met welwillendheid.' Talika deed een laatste poging om zich verstaanbaar te maken en het feest een plechtig cachet te geven.

Iedereen juichte. Talika sprong van de kist, stopte haar dunne armen onder haar sari en wiegde verlegen met haar hoofd.

Viva keek naar Tor, die glimlachte. Ze dacht aan water dat voorbijstroomde, aan het reusachtige hemelgewelf dat zich boven hen allen spande, aan hoe verloren ze zich ooit had gevoeld; zo verloren dat ze dacht dat niemand haar ooit nog zou vinden. Toen trok Talika aan haar hand. Het was tijd om weer te gaan dansen.

Een woord van dank

Om te beginnen dank aan Kate Smith Pearse, die me inspireerde tot het schrijven van dit boek.

Verder gaat mijn dank uit naar de vrienden in India die ik daardoor heb leren kennen: Vaibhavi Jaywant (Vicki) die me met zoveel zwier en charme door Bombay heeft rondgeleid; Sudhansu Mohanty, schrijver en vriend, die me onder zijn hoede nam in Poona en Shukla, en zijn vrouw, mijn vraagbaak als het ging om planten en vogels.

Heel veel dank aan luitenant-generaal Stanley Menezes, historicus en militair, voor de zorg en de deskundigheid waarmee hij het boek heeft gelezen, en voor zijn vele nuttige suggesties. Aan dr. Rosie Llewellyn Jones, docent Indiase geschiedenis en honorair secretaris van het Britse Genootschap voor Begraafplaatsen in Zuidelijk Azië.

Mijn dank gaat ook uit naar dr. Katherine Prior, historica, die in een reeks inspirerende e-mails haar ervaring met en enorme kennis van India met me deelde; naar Stephen Rabson, die de geschiedenis van de P&O op schrift heeft gesteld, en naar Iain Smith, wiens hulp bij het vinden van informatie over het Third Indian Cavalry Regiment van onschatbare waarde is geweest.

Heel veel mensen waren zo vriendelijk me deelgenoot te maken van hun eigen herinneringen of die van hun ouders: John Griffiths, Philip Moss, Alison Latter, Nick Rahder, Robin Haines, Toby en Imogen Eliott.

Ook Peter en Rosemary Waghorn ben ik dank verschuldigd, voor het feit dat ze me de bandopnamen van mevrouw Smith Pearse hebben geleend, en hetzelfde geldt voor Corinna King die me de bandopnamen van haar moeder, Maeve Scott, ter beschikking stelde. Violet Adams ben ik dankbaar voor haar dagboek en Betty, mijn schoonzuster, voor het deskundig bewerken daarvan.

Speciale dank aan Sue Porter Davison, die me telkens weer heeft aangemoedigd om door te gaan en die me heeft geholpen met het doen van research. En speciale dank aan Peter Somner, voor zijn boeken.

Kate Shaw, mijn agent, heeft met haar adviezen en haar steun een belangrijke rol gespeeld bij de totstandkoming van dit boek. Dank daarvoor!

Ook Clare Alexander ben ik erg dankbaar, voor haar deskundigheid en voor de manier waarop ze me heeft aangemoedigd. En dank aan iedereen bij Orion – Kate Mills, Susan Lamb – die mijn enthousiasme deelde en die ervoor heeft gezorgd dat dit boek er is gekomen.

Zoals altijd ben ik Richard, mijn echtgenoot, innig dankbaar. Hij kwam met het verhaal van de Vissersvloot en moedigde me aan dit boek te schrijven. Tenslotte wil ik Caroline en Delia bedanken, mijn dochter Poppy voor haar jeugdige enthousiasme en mijn hele familie met aanhang, even talrijk als dierbaar, voor het proeflezen en voor alle nuttige adviezen.